Een volmaakte dag

Melania Mazzucco

EEN VOLMAAKTE DAG

Vertaald door
Manon Smits

MOURIA

De vertaalster ontving voor deze vertaling een werkbeurs
van de Stichting Fonds voor de Letteren

Eerste druk augustus 2007
Tweede druk februari 2008

Oorspronkelijke titel: *Un giorno perfetto*
Omslagontwerp: Zeno
Omslagfotografie: Arnaud Frich

ISBN 978 90 458 0015 8
NUR 302

www.mouria.nl

Het gezin is de plek waar de hoop van ons land huist,
de plek die onze dromen vleugels geeft.

GEORGE W. BUSH,

The State of the Union, 2004

Oh it's such a perfect day
I'm glad I spent it with you

Oh such a perfect day
You just keep me hanging on
You just keep me hanging on

Just a perfect day
You made me forget myself

I thought I was
someone else
someone good

You're going to reap
just what you sow
You're going to reap
just what you sow
You're going to reap
just what you sow
You're going to reap
just what you sow

LOU REED

Rome valt langzaam in slaap, wegzakkend in de lome nacht. In de verte klinkt een sirene. De laatste bussen razen leeg en verlicht over het vochtige asfalt, en in de kiosk legt een man die diep is weggedoken in een overjas een stapel kranten neer. Voor het ministerie van Binnenlandse Zaken op de Viminale zijn enkele arbeiders van het gasbedrijf, oranje in hun lichtgevende jasjes, bezig een leiding te repareren. Ze hebben een lamp aangestoken die mysterieus en verblindend de nevel openscheurt. Af en toe sist de steekvlam, een regen van vonken producerend. De politiewagen rijdt met gillende sirene door de Via Cavour, langs de basiliek en de hoopjes die op de bankjes liggen te slapen, hij slaat rechts af de Via Carlo Alberto in.

Het zwaailicht werpt een blauw schijnsel op twee zwarte of Noord-Afrikaanse of Indiase types die hun pas versnellen en beschutting vinden achter een vrachtwagen. De weg is breed, de huisnummers zijn niet te lezen in het gele schemerlicht van de straatlantaarns. De agenten rijden langs dubbel geparkeerde auto's voor afvalcontainers en langs een keukenhulp die twee zwarte zakken met het afval van een restaurant de straat op sleept. Ze komen uit op de Piazza Vittorio zonder dat ze nummer 13 hebben gezien. Ze rijden een rondje langs de zuilengalerijen, vanuit het parkje klinken ruziënde stemmen en glasgerinkel. Ze rijden opnieuw de Via Carlo Alberto in, nu in tegengestelde richting. De gebouwen zijn hoog, dreigend, de straten abnormaal recht. Aan het eind van de weg lijkt de piramidevormige spits van de klokkentoren van de Santa Maria Maggiore een gast uit een ander tijdperk. Winkels met Chinese kleding en prullerige sieraden, een Nigeriaanse kapperszaak gespecialiseerd in afrokapsels, telefoonkantoren waarvandaan je goedkoop naar Pakistan en de Filippijnen kunt bellen, de ouderwetse zaak van een herenkapper die de veranderingen van de wijk heeft overleefd, twee- en driesterrenhotels voor toeristen die geen hoge eisen stellen. De agenten rijden een paar keer heen en weer langs dezelfde gebouwen, dezelfde winkels, dezelfde uithangborden, voor ze doorhebben dat het gebouw dat ze zoeken het gebouw is waarin ook hotel Jubileum gehuisvest is – het neonbord werpt een spookachtige lichtkring op het trottoir.

De gewoon agent wijst naar het huisnummer, nummer 13, apetrots dat hij uiteindelijk degene is die het heeft gevonden. Wie gaat er in 's hemelsnaam op nummer 13 wonen? Iemand die niet bang is voor het ongeluk. Een bofkont. Boven aan een steil trapje zit de glazen deur in het aluminium kozijn op slot. De hoofdagent gaat de trap weer af en de ander, die net in de hoofdstad is aangekomen vanuit een of ander gat in de provincie, volgt hem gehoorzaam, vast van plan om een goede beurt te maken. Ze hebben hem niet verteld wat er op nummer 13 is gebeurd, alleen dat een buurman geschreeuw heeft gemeld – een schermutseling, af en toe een verdachte dreun. En toen zijn ze meteen toegesneld.

In de hal van het hotel is niemand – achter de receptie alleen het sleutelbord, leeg: de gasten profiteren niet van de nachtelijke verlokkingen van Rome en hebben zich al in hun kamers teruggetrokken. Bij de bellen van het trappenhuis een paar buitenlandse namen, misschien Pools, en op het plaatje staat met stift een bijna onleesbare, verkleurde naam geschreven, die hem echter bekend voorkomt: BUONOCORE. De hoofdagent hoopt dat het niet díé Buonocore is. Dat is een goeie, een van onze mannen. Maar ach, het is een veelvoorkomende naam. Aangezien de glazen deur dichtzit, drukt hij een voor een alle bellen in. Hij hoort het schelle gerinkel in de stilte van de appartementen. Het gebouw wordt gerestaureerd, de onderkant van de gevel gaat schuil achter steigers die zijn bedekt met een doek waarop een beroemde voetballer een strafschop stopt door de bal richting de lat af te ketsen, terwijl hij met een volmaakte plastische pose door de lucht vliegt. Aangezien hij zelf voor AS Roma is, komt die volmaakte plastische pose op hem over als een bewuste schoffering, en hij is blij dat hij hier niet hoeft te wonen en er elke dag naar zou moeten kijken. De reusachtige keeper van stof verbergt de ramen, de luiken en het licht dat door de kieren naar buiten filtert. Maar misschien filtert er geen licht door omdat iedereen rustig ligt te slapen, die vent die belde lijdt natuurlijk aan slapeloosheid en daarom valt hij zijn buren en de politie maar lastig. Wat een gezeik, om middernacht nog zo'n telefoontje, net toen hij op het punt stond om naar huis te gaan. Niemand reageert. Hij belt nog een keer, langdurig. De nacht is leeg, nevelig, de werkelijkheid een onnatuurlijk dode straat met hier en daar een koud boompje, af en toe lopen er snelle, zwijgende spookfiguren doorheen, een stilte die door het duister onbegrensd lijkt. 'Wat doen we als hij niet opendoet?' vraagt de gewoon agent bezorgd. De hoofdagent geeft geen antwoord. 'Zijn jullie daar?' prevelt een slaperige stem eindelijk.

'Bent u degene die gebeld heeft? Doe open, politie.'

Ze zoeken de lift, maar die is er niet. De twee agenten beklimmen hijgend de steile trappen tussen witte muren versierd met vegen van schoenen. Ze vangen telkens een glimp op van sombere gangen die in het duister verdwijnen en waarop tientallen verschillende, haveloze, bekraste voordeuren uitkomen. De oproep voor de bewonersvergadering hangt op elke verdieping volkomen genegeerd te verkommeren. Op de agenda staat het lekkageprobleem van het gemeenschappelijke dakterras. Dit is het hoogste gebouw van de straat. Er komt geen einde aan. Op de zesde verdieping staat een deur op een kier, waar de snuit van een jankend mormel en het krijtwitte gezicht van de vent die 113 heeft gebeld doorheen gluren, een dwerg met een hemd en pantoffels aan, wiens grijns een gulzige honger naar bloed, bekendheid en interviews verraadt. De buren, die zich nooit met hun eigen zaken bemoeien maar die zelfs in het ergste geval toch van geen enkel nut zijn. 'Hier is het, op nummer 27,' mompelt de buurman, geïntimideerd door de uniformen en bang om af te gaan. 'Ik had het idee dat ik iemand om hulp hoorde roepen, maar nu hoor ik al een tijdje niets meer, het spijt me, ik zal me wel vergist hebben.' De gewoon agent staat hijgend uit te puffen. De ander veegt zijn schoenen op een deurmat in de vorm van een kat. Naast de deur staat een kentiapalm met stoffige bladeren. De aarde in de pot is kurkdroog, verbrokkeld tot kluiten zo hard als beton: de plant sterft van de dorst. De hoofdagent belt aan bij appartement nummer 27. Hij staart stompzinnig naar het koperen naamplaatje: de letters BUONOCORE zijn bijna niet meer leesbaar, zozeer zijn ze aangetast. 'Wat zullen we doen?

Hij doet niet open,' mompelt de gewoon agent.

Vanuit appartement nummer 27 klinken stemmen – als een vaag geroezemoes. Wie is daar binnen? Eerst woonden ze allemaal hier, zei de buurman – de kinderen maakten een hels kabaal, ze gingen met hun rolschaatsen op het balkon, het had geen zin om tegen Buonocore te protesteren, dat was een arrogante vent die dacht dat hij God was, maar toen had de moeder ze meegenomen en waren ze hier niet meer gezien. Maar dit zijn geen kindergeluiden. Een geneurie, heel monotoon – psalmodiërend. Een man, zeker weten. Misschien is Buonocore dronken of stoned en kan hij daarom niet de telefoon opnemen of die vervloekte deur opendoen. Misschien zat hij wat met zijn dienstpistool te spelen en heeft hij per ongeluk een schot gelost. Maar vijf? De buurman beweert dat hij er minstens vijf heeft gehoord.

'Weet u zeker dat het schoten waren?' 'Nou, ik durf er mijn hand niet voor in het vuur te steken,' krabbelt de buurman terug. 'Het klonk nogal gedempt, alsof er een kussen voor werd gehouden of zoiets.' Dan voegt hij er met plotselinge trots aan toe: 'Maar toch, ik jaag op houtsnippen, en ik weet hoe een schot klinkt. En zij gilde: "Help, help, help me." Dat heb ik echt niet gedroomd.' 'En is er daarna nog iemand naar buiten gekomen?' 'Nee, niemand. Dan had ik de deur zeker gehoord. Je hoort hier alles, de muren zijn van karton. Die twee hadden altijd ruzie, ze bekogelden elkaar met borden, flessen en asbakken, en één keer heb ik zelfs de carabinieri gebeld, maar de laatste tijd was alles rustig, zij was vertrokken.'

'Ga naar de auto en vraag om instructies,' beveelt de hoofdagent. Laat dat groentje die zes trappen nog maar een keer trotseren, en de aanblik van die vijandelijke keeper die door de lucht vliegt en de draak steekt met AS Roma. Hij gaat op het opstapje zitten en steekt een sigaret op. De as gloeit in het duister. Hij wacht. Hij weet niet wat er gebeurd is, achter die deur. Of zijn aanwezigheid nuttig is, noodzakelijk, of zelfs schadelijk. Hij kijkt voortdurend op zijn horloge. De minuten blijven steken op de wijzerplaat. De tijd is een geblokkeerd mechanisme. Er gebeurt niets. Geen voetstappen, geen stemmen – geen enkel geluid. In de stilte die zich verspreidt, hoort hij het doffe kloppen van zijn hart. En hij heeft de indruk dat hij, in dat huis, het stilgezette leven hoort, onverschillig, ongrijpbaar.

NACHT

De tijd zal voorbijgaan, de helende tijd
en de verhouding zal zich herstellen,
althans zodanig dat mijn leven er niet onder lijdt.
Zij moet wel ongelukkig zijn, maar ik draag geen schuld
en mag dan ook niet ongelukkig zijn.
LEV TOLSTOJ, *Anna Karenina*
Vertaling: Nina Targan Mouravi

eerste uur

De toren van gewapend beton verrees uit het duister, aftands en onheilspellend in het sputterende schijnsel van de straatlantaarn. Hij verhief zich als de laatste voorpost van de stad tussen een grasveld met hier en daar gammele bankjes en een braakliggend heideveld waarop overdag een nukkige kudde schapen graasde. Die stonden nu kennelijk ergens binnen, niet al te ver weg zo te ruiken, want de wind voerde een doordringende stank van schaap en mest naar de parkeerplaats. Bij het hek rond het heideveld hielden de straatlantaarns en de wegen op. Gebouwen die deden denken aan kazernes of extra beveiligde gevangenissen dobberden overal rondom in de nacht. De toren was een grijs blok van veertien verdiepingen, ontsierd door uitstulpingen van zonder vergunning gebouwde veranda's in afwachting van legalisatie, koekenpannen van schotels en wasgoed dat op de balkons te drogen hing. Antonio haalde zijn oog weg van de zoeker en stopte de camera weer in de beschermtas, want er was niks meer te zien; achter de neergelaten rolluiken lag iedereen inmiddels te slapen. Maar toch bleef hij met brandende ogen naar de ramen van het appartement op de eerste verdieping turen, die allang donker waren, in de hoop dat hij nog een glimp van haar zou opvangen – terwijl ze voor het slapengaan nog even een kusje ging geven aan Kevin of terwijl ze onrustig door het huis dwaalde, omdat ze de slaap niet kon vatten doordat ze voelde dat hij in de buurt was, beneden op straat, moederziel alleen op dit uur van de nacht.

Maar niks. De rolluiken meedogenloos neergelaten, en het donker achter de spleten. Drie rolluiken maar, want het was een klein huis. Het smalle rolluik van de badkamer, het vierkante van de slaapkamer, het rechthoekige van de eetkamer, waaraan een krap balkonnetje grensde; op het wasrek lag een vergeten hoopje wasgoed te beschimmelen. Waar zou zíj slapen? Hoe zouden ze het hebben ingedeeld? Antonio was al jaren niet meer in dat huis geweest. Hij mocht er niet meer komen van die ouwe Olimpia, die achterlijke, bemoeizieke feeks die haar hele leven niks anders had gedaan dan de ingang van een flatgebouw bewaken en die hem nu weghield bij zijn kinderen en bij haar.

Vermoeid en teleurgesteld probeerde Antonio het zich gemakkelijk te maken, hij strekte zich uit op zijn stoel, maar er was weinig ruimte en hij was lang, zijn knieën zaten klem tegen het stuur en zijn schoenen tussen de pedalen. Door zijn ongemakkelijke houding voelden zijn botten gebroken, alsof hij een pak slaag had gehad. Het was al na enen, niemand zou zich nog verroeren, vannacht zou hij haar vast niet meer zien. Hij kon nu nog naar huis gaan, op zijn bed neerploffen en acht uur aan één stuk slapen, want hij had pas om negen uur weer dienst – dat kon hij doen. Maar dat idee verwierp hij onmiddellijk. Hij kon onmogelijk naar huis gaan zonder dat hij haar stem hoorde fluisteren: 'Antonio, ben jij daar?' Hij kon onmogelijk de onmenselijke stilte in die kamers verdragen. Hij kon onmogelijk de aanblik van de lege bedden van de kinderen het hoofd bieden – en de wrede slagen van de kerkklok die weer een nieuwe dag zonder hen aankondigde.

Hij deed het dashboardkastje open, pakte het buisje en slikte een witte pil – maar zonder water kreeg hij hem niet weg en de pil loste op tot een klonterig, bitter poeder in zijn mond. Het moest afgelopen zijn met die pillen, hij had er al veel te veel van genomen, hij had zijn hartkloppingen niet meer onder controle. Tachycardie – een van de contra-indicaties die stonden vermeld in de dreigende bijsluiter, die in geval van overmatig gebruik waarschuwde voor afvlakking van emoties, vermindering van de waakzaamheid, hoofdpijn, duizeligheid, trillen, diarree en flauwtes. Mensen denken altijd dat je alleen pijn kunt hebben aan je botten, je spieren en je pezen. Maar hij had pijn aan zijn hart. Zonder pillen zou hij niet eens kunnen opstaan. En hij moest toch verder.

Hij viste het bandje van Celentano uit de troep op het dashboard, hij wilde luisteren naar 'Io non so parlar d'amore, l'emozione no ha voce' (Ik kan niet over liefde praten, emoties hebben geen stem), dat meesterwerk ontroerde hem altijd weer. Maar toen hij de stereo aanzette, begon een schorre vrouwenstem te zingen: 'Che strano uomo avevo io, con gli occhi dolci quanto basta, per farmi dire sempre, sono ancora tua' (Wat een rare man had ik, zijn ogen net lief genoeg, om me steeds te laten zeggen, ik ben nog steeds de jouwe). Het verkeerde bandje in het doosje. 'E mi mancava il terreno quando si addormentava sul mio seno (En ik had te weinig ruimte als hij op mijn borst in slaap viel)', zong de vrouw, op woedende toon, en het sneed hem dwars door de ziel. Dat lied deed Antonio wreed denken aan de reis naar Calabrië. Op een gegeven moment, terwijl hij achter het stuur zat op weg naar hun laatste vakantie, had Emma – sarrend – precies dat lied meegezongen, en ze vertelde de kinderen zingend dat 'ik hem opwarmde aan het menselijk vuur, van de jaloezie, en later in bed zei hij altijd tegen me, je bent geen knip voor de neus waard (lo scaldavo al fuoco umano, della gelosia, e poi a letto mi diceva sempre, non vali che un po' più di niente)'. Hij had hoofdpijn en hij was nerveus, hij wist niet meer waarom. Ik word er helemaal tureluurs van, had hij gezegd. 'E ripensavo ai primi tempi (En ik dacht terug aan de begintijd),' vervolgde Emma tartend, 'toen ik nog onschuldig was... en hem dwong om steeds tegen me te zeggen, je bent zo mooi, je bent zo mooi (quando ero innocente... e lo obbligavo a dirmi sempre, sei bellissima sei bellissima)'. Antonio had de stereo uitgezet, en om hem te straffen had Emma de hele reis geen woord meer gezegd. Hij voelde weer een destructieve impuls opkomen. Hij haalde het bandje eruit, stak zijn ringvinger onder de tape en trok. Hij trok de dunne bruine tape er helemaal uit. Hij zette zijn tanden erin en trok hem kapot. Hij versnipperde hun hele vakantie, hun verleden samen, en gooide het uit het raampje naar buiten. Die rare man zal niet meer tegen je zeggen 'je bent zo mooi, je bent zo mooi'. Je bent vervloekt. Ik vervloek je, leugenachtige hoer – en je zult voor altijd spijt hebben van wat je ons gezin hebt aangedaan, en de man die je had gezworen voor altijd lief te hebben, tot de dood ons scheidt.

Hij keek weer naar de ramen op de eerste verdieping. Een wit rolluik, afgebladderd – net als alles hier. Die haveloze toren, deze vormeloze buitenwijk, ver weg van alles, terwijl Emma in hun appartement had kunnen blijven met de open haard en de glazen loggia en het kamertje van Kevin met het behang dat net een tuin leek met al die vogeltjes en bloemen. Maar hier moesten de kinderen op de slaapbank in de eetkamer slapen en zij bij dat ouwe mens, dat vrekkige ouwe mens dat haar minachtte, dat hem minachtte, en van wie ze op haar twintigste was weggevlucht – in de hoop dat ze zich mét haar moeder van haar ellendige verleden had bevrijd. O, Lieve Heer, help me om het allemaal te vergeten, om haar te vergeten, en de kinderen, en het huis. Help me om morgen wakker te worden zonder dat heimwee, bedorven als een diepvriesproduct dat over de datum is – vrij. In wezen was het mogelijk, hij was pas tweeënveertig. Hij kon een andere vrouw tegenkomen. Hij kon verliefd worden, met haar trouwen, een nieuw gezin stichten. Terwijl hij zich koesterde in de gedachte dat hij zich had bevrijd van haar, van hen, van zichzelf, viel Antonio in slaap, en hij droomde vol verwarring dat hij weer twintig was, dat hij aan zee speelde met een geruite plastic bal op een strand vol mooie, onwetende meisjes, dat hij in het heldere water zwom, dat hij naar de bodem dook, waar hij echter meteen verstrengeld raakte in bruine algen, slijmerige, draderige tape die zo weerzinwekkend aanvoelde dat hij wakker schrok. In het onmiddellijke, onontkoombare besef dat hij dat verleden niet wilde herbeleven, noch in een willekeurige toekomst wilde vluchten. Dat hij geen nieuwe vrouw wilde, en geen nieuw leven. Ik wil daar zijn waar ik al geweest ben. Dat is het enige nieuwe wat ik zoek: weer samen zijn met jou.

Het luidruchtige geknetter van een uitlaat ging hem door merg en been: heel voorzichtig, om geen krassen op de lak te maken, laveerde een man zijn auto over de parkeerplaats voor het heideveld – tussen honderden andere auto's. De parkeerplaats lag precies onder de slaapkamer – het appartement met het treurigste uitzicht van de hele flat, het enige wat de huismeesteres van haar stinkende spaarcenten had kunnen kopen toen ze met pensioen was gegaan. Maar dat lawaai moest zij ook gehoord hebben. Hij leefde op bij de gedachte aan Emma die tussen de lakens ligt te woelen. Emma die wakker wordt in het tweepersoonsbed dat ze deelt met die afzichtelijke ouwe tang in plaats van met hem – naast wie ze twaalf jaar lang heeft gelegen, in innige omhelzing, twaalf lange jaren, die nu echter zo ver weg zijn dat ze onwerkelijk lijken, en ongrijpbaar, als een droom. O Emma, Emma, waarom? Hoe kon je bij me weggaan? Mijn liefste, mijn slaperige, ongekamde, vermoeide, beeldschone liefste, laat je zien. Kom naar het raam, kom naar beneden – ik ben hier, ik ben altijd hier, laten we praten, we moeten echt praten vannacht.

tweede uur

'Het is allemaal een kwestie van filosofie,' oordeelde de sproetige, rossige man die kaarsrecht stond in de schaduw voor het neergelaten rolluik van wat een sportschool zou kunnen zijn, of een magazijn. Een leeftijdloze man, met anonieme, oppervlakkige gelaatstrekken als die van een foetus, die Elio bekend voorkwam, al herinnerde hij zich niet waarvan. 'Je moet bereid zijn om alles te verliezen, alleen dan zie je hoe ver de liefde reikt die je hebt voor het Idee. Dat heb je toch zelf gezegd? Het Idee komt vóór alles.'

'Luister, ik wil het er een andere keer met u over hebben, ik moet nu gaan, mijn dochtertje wacht op me, ik heb haar beloofd om met haar te karaoken,' zei Elio ongemakkelijk, want hij had het gevoel dat hij niet op dit moment in deze straat had moeten zijn, in deze wijk, bij dat rolluik dat werd verlicht door het zwakke schijnsel van een straatlantaarn – waarop iemand met zwarte verf had gekalkt: ALS DAT WAT JE BEZIT JOU BEZIT, ALS JE ALLES HEBT VERLOREN EN TOT ALLES BEREID BENT, DAN BEN JE EEN BARBAAR.

'Ik heb ook op je gewacht,' antwoordde de onbekende bitter. 'Ik wacht al twintig jaar op je.' Behoedzaam probeerde Elio bij zijn hoofdbeveiliger te komen, die het portier van de geblindeerde auto voor hem openhield, maar de onbekende greep hem bij zijn arm en sleurde hem naar binnen. Elio had niet eens de tijd om zich te verbazen over het feit dat het rolluik nu ineens omhoog was. In de grote ruimte stonden een stuk of twintig stoelen opgestapeld, en er stond een televisie waarop een programma over de verkiezingen bezig was. 'Hoezo, kennen wij elkaar?' vroeg Elio verbluft. De foetus gaf geen antwoord. 'Voor mij is de partij alles. Ik heb er alles voor gegeven. Daarom kan ik jou niks vergeven. Ik zit je achter de vodden. Jij bent ontspoord, Elio Fioravanti. Zo werkt het. Wie fouten maakt, moet boeten. Ik heb geboet. Ik ben de bak in gegaan voor het Idee, ik heb drie jaar gekregen, plus het advies om de politiek vaarwel te zeggen. Ik ben als een hond in elkaar getrapt voor het Idee, terwijl ik posters aan het ophangen was. Dat accepteer ik. Snap je? IK HEB EEN DROOM.' 'Makker, ik weet niet waarover je het hebt...' stamelde Elio, terwijl hij tot zijn verbazing zijn secretaris opmerkte in die naargeestige kale ruimte. De onbekende greep hem bij zijn stropdas. En hoewel Elio zich probeerde te ontworstelen aan die ongebruikelijke wurgpoging, keek de ander hem recht in de ogen. Heel diep. Dwars door hem heen. Met een vurige blik, die de blik van een verliefde of van een rechter zou kunnen zijn. Elio kreeg het afschuwelijke gevoel dat die sproetige ploert met zijn rode haar en die waanzinnige ogen hem door en door kende, en álles van hem wist. Nog nooit had iemand zo naar Elio gekeken. 'Jij bent niet echt een van ons,' zei de onbekende. 'Ik zal je eens wat zeggen, Elio Fioravanti, en onthoud dit goed. "In Regina Coeli heb je een trapje, heel klein, wie daar nooit op is gegaan, is geen echte Romein."'

Elio stamelde verward dat hij niet alles wat hij had gedaan had gedaan omdat hij het wílde doen. Dat hij ineens in die situatie had gezeten, dat was alles. Het leven is een aaneenrijging van banale, toevallige gebeurtenissen, die zelfs geen enkele betekenis hebben, maar die af en toe wel heel onvoorziene en buitenproportionele gevolgen kunnen hebben. Op dat moment realiseerde hij zich dat er een kleurige afbeelding op het scherm schitterde, net een beetje uit focus: twee trillende gezichten gevangen in een lichtgevende omlijsting, als twee daders van een misdrijf of twee heiligen. Beide gezichten voorzien van een stereotiepe glimlach, met tanden als pianotoetsen. Onder de foto's – het waren inderdaad foto's – knipperden getallen, beide tweecijferig, die hij aanvankelijk moeilijk kon lezen. 'Regina Coeli? Is de gevangenis van Rome dan niet Rebibbia?' merkte Fabio Merlo op, zonder het respect dat hij normaal altijd betoonde. 'Wat wilt u daarmee insinueren?' siste Elio, geïrriteerd door de boosaardige vraag van zijn secretaris, en op dat moment bleven de getallen stilstaan: 50,4 procent en 46,7 procent. 50,4 procent onder het slonzige huisvrouwengezicht van Tecla Molinari, achtenveertig jaar geleden geboren in Colleferro, waar ze het boekhouddiploma haalde, voormalig gemeenteraadslid, hobby's: vrijwilligerswerk en koken, laatst gelezen boek *De strijders van het licht.* 46,7 procent voor advocaat Elio Fioravanti, parlementslid van de Italiaanse republiek sinds 1994, afgestudeerd in de rechten, topadvocaat in privaatrecht, eigenaar van een van de meest gerenommeerde advocatenkantoren van Rome, waar hij eenenvijftig jaar geleden werd geboren, die in de politiek is gegaan om de wetten van het land te hervormen, hobby's: snorkelen, rugby en filatelie (zo stond het in het jaarboek van het parlement, *La Navicella*), laatst gelezen boek: een biografie over Mussolini waarvan de auteur niet genoemd werd (eigenlijk had hij ook alleen maar het eerste hoofdstuk gelezen); in de huidige regering lid van de commissie Sociale Zaken, promotor van een parlementair initiatief voor de erkenning van de sociale functie van kerkelijke jeugdclubs, voor de strijd tegen gedwongen prostitutie en deze moderne vorm van slavernij, voor de bescherming van de rechten van het embryo en de juridische erkenning van de foetus.

Het getal 46,7 knipperde recht onder het gezicht van advocaat en parlementslid Fioravanti. Oftewel zíjn gezicht, ook al herkende hij zichzelf totaal niet in die glimlachende, optimistische man die er zeker tien jaar jonger uitzag – deels omdat die foto inderdaad tien jaar geleden was genomen, en deels omdat hij op de computer was geretoucheerd. 'Wat wil dat zeggen?' schreeuwde hij bijna tegen zijn secretaris, die nog steeds roerloos voor het televisiescherm stond. 'Het wil zeggen dat we het niet hebben gered, u bent niet herkozen, afgevaardigde.' En toen begon Fabio Merlo, de tot in de puntjes verzorgde secretaris met zijn gepolijste taalgebruik, hem te tutoyeren, iets wat hem nooit was toegestaan, en hij gebruikte een uitdrukking die hij nooit in zijn bijzijn zou hebben gebezigd, en die een boosaardig genoegen verraadde: 'Je bent genaaid.' Elio wankelde, hij herkende het kantoor van de partijafdeling, hij herkende het zwarte rolluik en zichzelf, hij hapte naar lucht, de klap kwam zo onverwacht dat hij bang was dat hij een hartverlamming zou krijgen, maar op hetzelfde moment begreep hij dat het alleen maar een droom was en werd hij wakker.

Hij was doornat van het zweet. Doorweekt was het hemd dat hij onder zijn pyjama droeg omdat hij sinds hij de droevige drempel van vijftig was gepasseerd snel last had van tocht, waardoor hij in maart nog met spit het bed had moeten houden. Doorweekt was zijn pyjama, doorweekt van het speeksel ook zijn kussen. Zijn hart roffelde onregelmatig, alsof het elk moment kon stoppen. Hij had de smaak van hartverlamming in zijn mond. Het tafereel was zo levensecht geweest dat het hem moeite kostte te beseffen dat het kantoor van de partijafdeling werkelijk gesloten was, dat op die locatie nu de ambassade van een oosters land was gevestigd en dat hij daar dus niet binnen kon zijn geweest vannacht. Dat die rossige foetus al bijna dertig jaar dood en begraven was en dat die hem dus niet met de gevangenis had kunnen dreigen, en bovenal dat de resultaten nog niet op tv konden zijn geweest omdat de verkiezingen nog niet hadden plaatsgevonden, en dat hij dat getal van 46,7 procent dus best kon spelen in de lotto, maar dat het verder helemaal niks te betekenen had. Hij was niet genaaid, want er was nog niet gestemd, het duurde nog negen dagen voor het 13 mei was, en Tecla Molinari kon nog onder een auto komen, ze kon de politieke steun verliezen, ze kon zich terugtrekken, ze kon in de steek worden gelaten door de buitenwijken, door de middenstanders die bang waren dat er een voetgangersgebied zou worden ingericht waardoor de zaken zouden kelderen, ze kon worden verraden door de kiezers – kortom, ze kan doodvallen, die communistische teef komt niet op mijn zetel te zitten in het Palazzo Montecitorio.

Elio draaide zich op zijn zij, maar hij kon de slaap niet meer vatten. Het zweet begon op te drogen in zijn hemd. De onheilspellende woorden van de kameraad die in een verre nacht dertig jaar geleden was gevallen op het veld van eer – *het Romeinse trapje, het Romeinse trapje* – omhulden zijn hoofd als vliegenpapier. Hij zag telkens maar zijn eigen gezicht voor zich op dat lichtgevende vierkantje van de tv, zijn goedmoedige, verjongde, op de computer geretoucheerde gezicht met daaronder in schril contrast de ijzingwekkende cijfers van de nederlaag. Hij had geen moment stilgestaan bij de mogelijkheid dat hij zijn zetel zou kunnen kwijtraken, met al dat geld dat hij erin had gestoken en de Amerikaanse strateeg die de succesvolle campagne voor de Republikeinen had geleid en zijn partijoverschrijdende, niet aan klassen gebonden populariteit in heel Rome en de steun van de Vaticaanse curie – en van de president. En nu dit. Misschien voorspelde zijn droom de waarheid? Was het een voorspellende droom? Hoe kon je het verschil bepalen tussen een nachtmerrie en een visioen?

Maja zou het zeker kunnen. Maja, cerebraal en mystiek als ze was, noteerde 's ochtends met bewonderenswaardige ijver haar nachtelijke dromen in een geheim schriftje dat ze in de la van haar ondergoed bewaarde; op de kaft stond DROMENBOEK geschreven. Hij had het een keer stiekem gelezen. De dromen van Maja – slechts zelden erotisch en hoe dan ook van een verbazingwekkende banaliteit – hadden hem verveeld. Maar Maja hield vol dat ze de gave had gekregen om dromen uit te leggen – als meisje, voordat ze hem had leren kennen – en Elio geloofde haar, waarom niet? Vrouwen stonden in contact met het hiernamaals, ze hadden iets te maken met de toekomst en de dood. Hij was doornat van het zweet, bang en ontdaan. Hij mocht de verkiezingen niet verliezen. Een afgrijselijk vooruitzicht. Dan zou ik de zondebok worden. Ze zouden me afmaken, ze zouden me helemaal kapotmaken. Rome kent geen genade voor verliezers. Ze bejubelen je, ze huldigen je, ze vereren je, ze kruipen aan je voeten – en na de val vergeten ze je, wissen ze je uit, wijzen ze je af. Je telefoon gaat niet meer over. Je naam wordt niet meer genoemd. Ze mijden je, als de pest. De eenzaamheid die Rome je schenkt nadat je hebt verloren is even grandioos als de macht waarmee het je razendsnel omkranst. En dan zijn er dus geen etentjes meer, en geen feestjes, geen kiezers, geen vrienden en misschien niet eens meer Maja. Dan ben je alleen. Hij wilde er niet eens aan denken.

Hij gooide de dekens van zich af en ging op het bed zitten. De meubels in zijn slaapkamer – van donker, bijna zwart notenhout – hadden iets dreigends. Het leek of de massieve kast elk moment boven op hem zou vallen en hem zou verpletteren. De groene brokaten gordijnen lieten geen straaltje licht door. Het display van de tv gaf aan dat het 2.07 uur was. Maja zou het hem nooit vergeven als hij haar op dit tijdstip wakker maakte. Maar hij kon echt niet meer gaan slapen, met het risico dat hij die smoel van Tecla Molinari weer voor zich zou zien, o nee, echt niet.

Blootsvoets liep hij op de tast naar de deur. In de slaapkamer van zijn dochter was het licht aan, want Camilla was bang voor het donker. Ineens was hij er zelf ook bang voor. In het donker wachtten hem de 13de mei, het spook uit het verleden, Tecla Molinari, een parlementszetel in het Palazzo Montecitorio of de nederlaag. En de nederlaag bracht ook de angstaanjagende onverschilligheid van de macht met zich mee, de schande, de eerloosheid, misschien zelfs het Romeinse trapje – de gevangenis. Ja, het kon wel zijn dat de dingen 's nachts erger lijken dan ze zijn, maar hij had het gevoel dat hij geen kant op kon, dat hij in de val zat, dat hij verloren was. Hij kon de verleiding niet weerstaan om even naar het gezicht van zijn kleine meisje te kijken. Hij klauterde over het poppenhuis, de poppenkast en het lichaam van de oppas. Ze sliep op haar rug, alsof ze in een sarcofaag lag, met een ontevreden uitdrukking op haar gezicht. Het was een lelijke vrouw, onherroepelijk lelijk, want Maja selecteerde het personeel op basis van hun fysieke aantrekkingskracht: een onbewuste angst voor concurrentie. Vrouwelijke listen, voorzorgsmaatregelen die even aandoenlijk waren als onnodig, want advocaat Fioravanti hield van zijn jonge echtgenote, die vroeger zo charmant was dat ze de reïncarnatie leek van de prinses uit *Roman Holiday*, en hij zou nooit aandacht hebben geschonken aan een oppas die enkel bestemd was en betaald werd om zich met zijn dochter bezig te houden.

Camilla sliep opgerold in foetushouding, met haar duim in de mond en een stoffen rat onder haar arm. Een rat, niet een poes, een hond of een beertje – een rat want, pappie, iedereen wil jonge poesjes en hondjes redden, maar wie zorgt er voor de ratten? Ratten hebben ook honger, en ze krijgen ook kleine ratjes, waarom is iedereen zo tegen ratten? Ratten zijn lelijk, liefje, en ze brengen ziektes over. Nou en? Lepralijders zijn ook lelijk en ze brengen ook ziektes over maar Moeder Teresa hield van ze. Hoe kom je toch aan al die onzin, Camilla? Het kwam vast door de nonnen, het was een vergissing geweest haar naar die school te sturen; de nonnen straffen de meisjes, ze leren hun zich de geneugten van het leven te ontzeggen in de hoop hen zover te krijgen dat ze dezelfde fout maken die ze zelf hebben gemaakt. Nee papa, het was mijn eigen idee. Wat een gevoelig meisje heb ik toch. Wat een engeltje. Toen hij haar zo zag liggen duimen, onbezorgd en vol mededogen met ongelukkige schepsels waaronder die arme lelijke, ongeliefde ratten, knapte Elio weer op. Ongelooflijk wat een kracht dat kleine, onschuldige wezentje hem kon geven. Het was vast een nachtmerrie geweest, een bedrieglijke droom. Hij boog zich over het bedje heen en tuitte zijn lippen om het haar van Camilla te kussen, ragfijn en van een prachtige kastanjebruine kleur – maar juffrouw Sidonie verrees als een spook vanonder de lakens.

'Maak haar niet wakker, advocaat, ze is net pas in slaap gevallen,' siste ze strijdlustig. 'Ze heeft ons de hele avond gek gemaakt, mij en ook mevrouw – maak haar in godsnaam niet wakker.' Elio vervloekte haar, want een man heeft het recht om zijn kleine meisje te kussen. Frigide, kinderloze vetzak, wat weet jij nou van vaderliefde? Maar voor Camilla had hij alles over, dus offerde Elio zich op en zag hij stoïcijns af van zijn kus. Nog steeds aangedaan en vertederd, met het ijskoude zweet in zijn pyjama, glipte hij Camilla's kamer uit en bleef een paar tellen op de gang staan aarzelen. Ver weg hoorde hij de slagen van de pendule in de woonkamer op de benedenverdieping en het kraken van het hout in de roerloze villa. Maja lag dus nog maar net te slapen. Maja woedend als ze nu wakker werd gemaakt. Maar hij wilde haar niet wakker maken.

Op zijn tenen liep hij haar kamer binnen. Hij rook een veelbelovende geur van hout, van slaap en vaginale afscheiding. De voormalige prinses uit *Roman Holiday* sliep met haar wang op het kussen, haar blote arm gestrekt op de deken. Sinds de geboorte van Camilla sliepen ze apart, omdat het geen zin had allebei wakker te worden als ze haar om de vier uur melk moest geven; bovendien, ook al betrof het kunstmatige melk die werd aangeboden via een kunststof tiet omdat de albasten moederborst door de stress was opgedroogd, voelde hij zich niet geschikt voor zo'n dierlijke taak en liet hij die liever aan haar over – waarbij hij zich ertoe beperkte zijn twee vrouwen van een afstandje gelukzalig en ontroerd te aanschouwen. En later, toen het gedoe met de melk voorbij was, was het gehuil begonnen, en de eindeloze verhaaltjes, de astma, de slaapliedjes en de verkoudheden, en hadden ze het wel praktisch gevonden om de aparte slaapkamers aan te houden – het huis was toch groot genoeg, er waren zelfs te veel kamers voor alleen hun drietjes. Elio ging op het bed zitten: Maja verroerde zich niet. Ze sliep altijd diep – ze sliep altijd zeven, acht, soms zelfs negen uur per nacht. Hij snapte niet hoe ze het voor elkaar kreeg. Hij had altijd genoeg gehad aan vier uur. Hij had het idee dat hij zijn tijd verdeed met slapen, dat hij dan iets verspeelde – een kans misschien. Het zweet dat inmiddels opgedroogd was op zijn rug, gaf hem een koud gevoel. Hij tilde de deken op en schoof voorzichtig in het bed.

De matras was hard – in plaats van een spiraal had Maja een plank gewild, hij had altijd het idee gehad dat ze zichzelf wilde straffen voor het welvarende leven dat haar ten deel was gevallen. Zo hard dat hij het idee had dat hij in een doodskist was gaan liggen. Het bed was ook koud. Hij schoof naar haar toe – haar lichaam straalde een onweerstaanbare warmte uit. Hij wilde hardop horen dat het maar een nachtmerrie was geweest, dat die huisvrouw van een Molinari geen enkele kans maakte om zijn leven te verwoesten, en de harde, onverschillige slaap van Maja was een klap in zijn gezicht, als de boodschap dat ze niet meer van hem hield. Ik heb een vreselijke nachtmerrie gehad en jij trekt je er niks van aan. Hij had willen zien hoe haar gezichtsuitdrukking was, misschien wel spottend, maar het was te donker in de kamer en hij kon maar nauwelijks de contouren van haar hals onderscheiden op het witte kussen. Haar ademhaling was traag en regelmatig. Hij drukte zich tegen haar lichaam aan. Hij streelde de bobbelige lijn van haar ruggengraat. De aanraking van haar billen prikkelde hem. Hij gleed met één vinger over haar nachthemd, ontdekte de spleet en volgde die – heel lichtjes. Maja werd niet wakker. Met zijn nagel pakte Elio de zoom van het nachthemd vast en trok het langzaam omhoog. Verbluft ontdekte hij dat zijn vrouw, zijn respectabele vrouw, zonder slipje sliep. Tjongejonge. Hij legde één vinger, toen twee, en toen zijn hele hand op de donzige rand van haar schaamhaar. Hij volgde de onberispelijke lijn en probeerde te raden in welke vorm het geschoren was – hij had het al maanden niet gezien, misschien had hij het nooit gezien, of hij had er niet op gelet. Het leek hem rechthoekig. Vast en zeker de verdienste van de nieuwste technische snufjes – een laserbehandeling waarmee de overtollige haarzakjes waren vernietigd, zodat de huid zacht als een babywangetje bleef. Geen spoor van de stoppels en stekeltjes die hem zo vaak hadden geprikt bij vrouwen die alleen beschikten over schaar of scheermes. Hij betastte haar venusheuvel meerdere malen – tot hij hard werd, maar zij werd niet wakker.

Haar diepe, gelukzalige slaap wond hem op, maar irriteerde hem ook. Hij vond het oneerlijk en wreed dat hij in zijn eentje wakker lag, terwijl Maja god weet waarvan droomde. Het was in elk geval niks seksueels, want ze was droog. Toen hij haar besteeg en bij haar binnendrong, nam hij zich voor langzaam te bewegen

– zodat ze de tijd kreeg bij hem te komen –, maar hoewel ze inmiddels wakker was, voegde ze zich niet naar hem en kromde ze niet haar rug om het hem gemakkelijker te maken, ze deed alleen maar haar ogen open en vroeg, verbaasd en zonder een zweem van wrevel: 'Maar Elio, wat bezielt je? Hoe laat is het?', en die slaperige, fatsoenlijke stem had een dodelijk effect op zijn goede voornemens; om nog iets van zijn inmiddels verdwenen verlangen terug te krijgen mompelde hij iets over dat hij ineens zin in haar had gekregen. Maar dat was niet waar, hij had misschien wel zin gehad maar die was nu alweer over, en om zichzelf een smadelijke aftocht te besparen ging hij nu maar door op de automatische piloot, in die hypnotiserend werktuiglijke beweging, terwijl hij zichzelf dwong zich af te sluiten van de situatie die hem bespottelijk en ontnuchterend voorkwam, en om niet te denken aan Tecla Molinari, maar liever aan het geschoren schaamhaar van Maja dat hij nooit had gezien of in elk geval nooit had opgemerkt, maar het gezicht van zijn rivale drong zich in het donker aan hem op en kwam in de plaats van dat van Maja, en ineens had hij het idee dat hij niet zijn jonge, geliefde vrouw besteeg maar die afzichtelijke communistische huisvrouw, en om zichzelf gerust te stellen tastte hij wanhopig naar de smalle heupen van Maja, alleen voelde hij niet haar smalle heupen maar twee dikke billen, en niet haar lichte borsten als die van een jonge meid – ze leek tenslotte nog steeds een jonge meid, tenger als ze was, met haar achtenveertig kilo –, maar twee gezwollen appels met spijkerharde tepels, en niet haar platte, wonderlijk holle buik, maar in plaats daarvan iets wat uitpuilde als een bolle beautycase. Hij herkende haar lichaam niet meer, hij lag te neuken met Tecla Molinari, of Maja was net als Tecla Molinari geworden, een huisvrouw met sinaasappelhuid, blubberig en poreus als een pudding. Ja, ze was beslist dikker geworden, met een harde, bolle, opgeblazen buik, en droog, bijna schurend, en het was afschuwelijk, hij ging alleen maar door uit de macht der gewoonte, omdat hij het niet wilde opgeven, dat was niet zijn stijl, maar er kwam geen eind aan. Om zijn erectie weer op te wekken kneep hij in zijn scrotum, hij betastte zijn ballen die slap en leeg op haar venusheuvel stuiterden, en eindelijk kwam hij klaar, grommend van opluchting, en hij rolde meteen van haar af – maar hun lichamen maakten een onaan genaam geluid toen ze zich van elkaar losmaakten, als een harde scheet.

Maja zei niets, haar ademhaling was nog even rustig als eerst, ze had niets gevoeld, dat was duidelijk, ze voelde al heel lang niets meer – het lijkt wel of er iets aan haar binnenste knaagt, in bed is ze verdrietig en als hij komt kijkt ze hem aan alsof ze hem haat, ze zal het wel moeilijk hebben omdat ze dertig is geworden, voor een vrouw is dat een hele overgang, voor mannen betekent het hooguit een herbepaling van je prestaties. Vroeger was het zo opwindend geweest met haar, de eerste keer was in zijn appartementje in de Via Cortina d'Ampezzo. Hij was nog getrouwd en Maja had alleen maar een paar gejaagde studentjes gehad. O Elio, zei ze, terwijl ze verwonderd en dankbaar over het bed van het appartement rolde, het was fantastisch, ik wist niet dat het zo kon zijn. Maja, vanbinnen glad en zacht als een zijden muiltje. En nu droog, bijna schurend. Elio ging zitten, zette zijn blote voeten op het tapijt, streek het plukje vochtig grijs haar dat als schuim op zijn borst prijkte glad, fatsoeneerde zijn kapsel en zocht wanhopig naar iets om te zeggen. En ook al leek het hem ongepast om haar te vertellen dat hij bij haar in bed was gekomen vanwege zijn nachtmerrie, uiteindelijk vertelde hij haar over de doodsvoorspelling en over de 46,7 procent die hem was toegekend na de telling van de stembiljetten, terwijl die communistische huisvrouw 50,4 procent had gekregen. En daarna vroeg hij haar of ze hem wilde uitleggen waarin een visioen verschilde van een bedrieglijke droom.

Maja zweeg langdurig, overvallen door een vlaag van misselijkheid die uiterst ongelegen kwam, en die ze vergeefs probeerde te onderdrukken. Daarna kreunde ze dat Camilla weer een astma-aanval had gehad, gisteravond, en dat ze deze keer echt bang was geweest, en waar zat hij intussen? Waar zat hij terwijl hun konijntje er zo ellendig aan toe was en bijna stikte? Hij was er nooit, die vervloekte politiek had zijn hele leven opgeslokt als een gezwel, en zich in al hun dagen genesteld als een uitzaaiing. De verkiezingen, de verkiezingen, ik was ertegen dat je je kandidaat stelde, de vorige keer ook al, het heeft ons leven verwoest, je had het niet moeten doen. Maar Elio dramde door, want hij had haar verwijten niet verdiend en hij had zo zijn redenen om zich kandidaat te stellen en die redenen waren namelijk Camilla's en Maja's toekomst – het was een kwestie van leven of dood, ook al wist zij dat niet en hoefde ze dat ook niet te weten. Daarop verzuchtte ze weemoedig dat ze de gave om dromen te interpreteren was kwijtgeraakt, net als haar andere spirituele eigenschappen, die sinds ze hem kende waren verschrompeld als een orgaan dat geen functie meer heeft. Maar hoe dan ook, een visioen verschilt op geen enkele manier van een droom, zodat alleen de dromer zelf kan weten of de droom hem is gezonden door God of de Heilige Geest of door ons onderbewuste dat ontdaan en van streek is. Dat hoefde ze hem trouwens allemaal niet te vertellen, want ook al ging hij om met al die slijmerige, linkse priesters, jezuïeten, bisschoppen en kardinalen van wie zij altijd de kriebels kreeg, in wezen geloofde hij niet in God want hij was een materialist en dat was een kant van hem waar ze altijd een hekel aan had gehad – en die je trouwens tot in de kleinste dingen terugzag. In al die jaren had hij na het vrijen nog nooit iets liefs tegen haar gezegd of haar gestreeld, hij rolde altijd meteen van haar af, alsof de aanraking van hun lichamen hem tegenstond na het gebruik, ook nu weer, nu hij zo bruut en werktuiglijk was geweest – en hij haar niet eens de tijd had gegund wakker te worden –, was zijn eerste zorg geweest om zijn geval vlug te gaan wassen en afspoelen en ontsmetten in de wasbak van haar badkamer.

'Nee, dat is niet waar, liefje,' protesteerde Elio, die echter wel degelijk naar de badkamer was gerend om zijn ding af te spoelen, omdat het brandde alsof hij hem in een bosje brandnetels had gestoken, en die nu schuldbewust zijn handen stond af te drogen aan haar handdoek. Hij hanteerde gegeneerd het gewraakte object dat ze in vroeger tijden toch zo gewaardeerd had, en hij stopte het weer in zijn pyjamabroek, nog vochtig en half stijf. Ook Maja stond op en zei dat ze zich niet goed voelde; ze dacht dat ze moest overgeven, en ze verzocht hem weg te gaan omdat ze zich schaamde om in zijn bijzijn te braken, ook al waren er geen geheimen tussen hen en waren ze al zo lang getrouwd. Ze slikte en rilde en vertrok haar mond zo overtuigend van walging dat Elio dacht dat ze niet loog. Maar toch verroerde hij zich niet, zelfs niet toen Maja bij de pot neerknielde en met beide handen de wc-bril vastklemde, omdat hij nog steeds wilde weten of hij een onheilspellend visioen had gehad of alleen maar een nachtmerrie, en wat hij van de toekomst moest verwachten, in hoeverre het een kwestie van leven was of van dood, ook al wist Maja het niet, en hoefde ze het ook niet te weten. Hij beperkte zich ertoe beleefd zijn blik af te wenden toen zij met een gedempte oprisping haar avondeten in de plee deponeerde, en vervolgens behulpzaam door te trekken. Maja veegde haar mond af aan de handdoek waarin hij net de rest van zijn zaad had achtergelaten, maar het leek hem beter om daar niets van te zeggen, en terwijl hij haar ondersteunde tot aan het bed fluisterde ze zachtjes dat, aangezien hij niet geloofde in de geest maar alleen in het vlees, die droom waarschijnlijk aan zijn eigen fantasie was ontsproten en helemaal niets te betekenen had.

derde uur

De vlam flakkerde in de geurige meinacht en tekende een zwakke streep licht. Toen de etalageruit met een klap brak, vloog er een wolk van glassplinters alle kanten op en regende op hem neer, ook al had hij van veraf gegooid en had hij het al op een lopen gezet. De primitieve handgranaat viel op de vloer, rolde onder de lege tafeltjes, stuitte tegen de afvalbak en knalde tegen de toonbank. Zero bleef pas hijgend staan toen hij dacht dat hij buiten het bereik van de explosie was. Tenminste, volgens zijn inschatting. Hij verstopte zich om de hoek, achter de beschutting van de muur van een gebouw. Hij telde tot twintig. Ontplof, smeekte hij. Ontplof!

Er gebeurde niets. Hij had gefaald. Een volslagen fiasco. Zijn hond likte vol vertrouwen aan zijn hand. De wijk sliep, de stilte was oorverdovender dan het kabaal van de explosie dat hij niet had gehoord. Helaas was hij niet de enige getuige van zijn mislukking. De anderen zaten op hem te wachten in het busje. Wit, gammel, met het loshangende spatbord dat over het asfalt schuurde, stond het aan de overkant van de weg – met draaiende motor, gedoofde koplampen en de achterste schuifdeur open. Zero had net een stap richting het busje gezet, terwijl hij de glassplinters die zijn sweater deden glinsteren van zich af schudde, toen een enorme dreun het asfalt onder zijn voeten deed trillen en het plein helder verlicht werd door een rode steekvlam.

Het uit de hengsels gerukte rolluik knalde op het trottoir, en door de lucht wervelden brokken kalksteen, kartonnen bekers, buigzame rietjes, plastic dienbladen, plastic brieven, plastic bakjes voor plastic voedsel – alles was van plastic daar binnen, zelfs het vlees, zelfs het appelgebak, zelfs de kipnuggets. Toen brak de brand uit. Zero rende buiten adem naar het busje, gevolgd door de uit-

gelaten blaffende hond. De inbraakalarmen gingen allemaal tegelijk af, even schel en luidruchtig als zinloos. Een hand hielp hem
om in het busje te klimmen en Zero hees zich op de treeplank terwijl Ago naar de eerste versnelling schakelde. Hij greep de schuifdeur om hem dicht te doen, maar dat lukte niet omdat zijn vriend
met piepende banden was opgetrokken. De hond likte aan zijn
hand, die naar kruit smaakte, en Meri greep Mabuse bij zijn nek-
vel en riep vol bewondering: 'Hé, hombre, het is je gelukt, hij is
echt ontploft!' Zero antwoordde cynisch, zonder zichzelf al te veel
op te hemelen, dat het een makkie was geweest, dat elke idioot
zoiets kon maken, je hoefde alleen maar te klikken en de instructies op te volgen. In werkelijkheid vond hij het een wonder, hij kon
het haast niet geloven – en hij had hem helemaal in zijn eentje gemaakt, in zijn eentje. Hij, die nog nooit een peertje had vervangen
en niet eens een knoop kon aannaaien.

Nog honderden meters bleef de schuifdeur openstaan, terwijl ze
op volle snelheid wegreden van Bravetta, maar Zero vond het niet
erg, want ook al zou iemand hen kunnen opmerken en het kente-
ken noteren of die jongen met het lange paarse haar die op de treeplank gehurkt zat identificeren, hij kon nu wel tot het einde toe genieten van het schouwspel van die verderfelijke McDonald's die in
vlammen opging. Tientallen van die fastfoodrestaurants hadden de
kop opgestoken in Rome. In het begin riepen ze nog verontwaardiging op, en wat protesten. Later alleen nog maar enthousiasme
en die zo typerende gelatenheid van gekoloniseerde landen. In elke wijk was er wel een geopend, en de mensen gingen ernaartoe en
waren zich nergens van bewust, ze hadden geen benul en geen mo-
raal. De wereld stikt van de mensen die nooit een gevaarlijkere ziekte hebben gehad dan de griep, of een groter idee dan het huis waarin ze zich opsluiten, en die verwrongen aan hun eigen tijd vastzitten
als het prijskaartje aan een kledingstuk. Nou, vanaf vannacht was
er eentje minder, en hij voelde zich levend. *Kill a multi*. Veel mensen schrijven het, en nog meer mensen beweren het, maar Zero
had het echt gedaan. Misschien was zijn leven al met al toch niet
zo nutteloos – toch niet zo'n verspilling. Het gele neonbord leek
aan te gaan toen de tent in de fik vloog, de M prijkte op een roos-
ter van vlammen, tot het plastic smolt en de M omboog, omboog
en ten slotte omlaag viel, waardoor er op de façade van het gebouw

een zwartgeblakerd gat achterbleef, als een krater. Pas toen greep Zero eindelijk de schuifdeur vast en deed hem dicht, en was het helemaal donker in het busje.

vierde uur

Door de glazen deur van de toren verscheen een vrouw gehuld in een regenjas. Aangezien Antonio precies voor de ingang stond geparkeerd, om de ramen van het appartement op de eerste verdieping in de gaten te kunnen houden, moest de vrouw zich door de nauwe ruimte tussen twee auto's heen persen, en schuifelend glipte ze voor hem langs. Toen ze hem in de auto zag zitten, gebroken en waakzaam op de bestuurdersplaats, kreeg ze zowat een hartverzakking. Antonio grijnsde, blij dat hij haar had laten schrikken. Oud mens – misschien een buurvrouw, misschien zelfs een vriendin van die verschrikkelijke Olimpia, zijn gezworen vijandin wier verdiende loon het zou zijn om levend te worden verbrand, gespietst, gevild en gegeseld, want als zij haar dochter niet had geholpen zou Emma nooit zijn weggegaan en zou dit allemaal niet gebeurd zijn. De vrouw met de regenjas haastte zich naar de bushalte, en even benijdde Antonio haar. Hij beet tot bloedens toe in zijn knokkels om zichzelf te beletten uit te stappen, achter haar aan te lopen, haar te vragen of ze haar gezien had, of ze haar gesproken had. Hij benijdde haar omdat zij haar vast en zeker gezien had, en haar vast en zeker gesproken had. Ze woonde hier nu al achthonderddrieënzestig dagen, Emma. Die onbeduidende vrouw – een schoonmaakster voor een of ander bedrijf dat de kantoren in het centrum onderhield – had het voorrecht haar tegen te komen, om op de overloop te blijven staan en een paar woorden met haar te wisselen. Zij hoorde haar stem door de muren, ze kon grapjes maken met de kinderen en ze een standje geven als ze een spelletje deden met de intercom – terwijl hij hier niet naar binnen mocht en op straat moest blijven als een zwerver, een schurftige hond.

Hij kon de impuls om uit de auto te stappen niet bedwingen. Het lawaai van het portier dat werd dichtgeslagen in de stilte van de nacht gaf hem een schok. Hij wilde haar niet wakker maken, Emma is zo moe. Ze slaapt weinig, ze werkt te hard, ze eet slecht, een snelle hap staand in een bar, ze put zichzelf uit terwijl ze de kont afveegt van kromgebogen, stinkende oude knarren, ze sloof zich af, onzin spuiend aan de telefoon, ze vergooit zich – terwijl ze weer terug naar bed zou kunnen gaan nadat ze het ontbijt heeft klaargemaakt voor ons, ze zou de hele dag thuis kunnen zitten, haar nagels lakken en tv kijken, ze zou nergens aan hoeven denken, want ik regel het allemaal wel. Ik zorg voor haar, en voor hen. Maar nee.

Van alles wat hij was kwijtgeraakt, miste hij Emma's stem het allermeest. Vol, warm, een beetje schor, tastbaarder dan haar lichaam. Sinds hij erachter was gekomen dat hij een kans van één op vijfhonderd had om haar stem te horen – het callcenter had namelijk vijfhonderd telefonisten – belde hij om de haverklap om een storing te melden, om bezwaar te maken of informatie in te winnen over de nieuwe promotieaanbiedingen van het telefoonbedrijf. En dan hing hij weer op, tot het lot hem gunstig gezind was en zij inderdaad degene was die opnam, met een zachte, verleidelijke stem die zijn hormonen op hol bracht en hem even gelukkig maakte. 'Hallo, met Emma, kan ik u van dienst zijn?' O God, dank U. Hij had zich wel honderd keer de voordelen van een abonnement op de supersnelle lijn laten uitleggen – maar zij deed of ze hem niet herkende, één keer maar had ze zich laten gaan en had ze met kille, scherpe stem gesist: ik ben aan het werk, verpest dit nu niet ook nog voor me, laat me met rust.

De vrouw met de regenjas leunde tegen de gele paal van de bushalte en wierp om de haverklap een angstige blik in zijn richting. Die gele paal was het enige wat kleur had in een mistige, grijze wereld van een deprimerende treurigheid en troosteloosheid. Antonio leunde tegen de motorkap van de Tipo en haalde een snoepje uit de wikkel. Hij wilde de indruk wekken dat hij op iemand of iets stond te wachten, maar in werkelijkheid wachtte hij nergens op. Het was allemaal voorbij. Instinctief voelde hij aan het pistool in de holster onder zijn oksel, en even flitste het brandende, onweerstaanbare verlangen door hem heen om het te ontgrendelen en zichzelf door de kop te schieten.

Maar hij moest in elk geval nog één keer met haar praten. Het kon nog allemaal goed komen, en doodgaan vlak voor de verzoening was net zo stom als doodgaan op de laatste dag van de oorlog. Dat overkomt sommige pechvogels, maar hem zou het niet gebeuren. Hij glimlachte, want God zou nooit toestaan dat het zo afliep. Emma komt bij me terug, er komt een eind aan deze ellendige eenzaamheid en ik zal haar wegslepen van dit alles, we gaan weer bij elkaar wonen, we zullen weer net zoveel van elkaar houden als vroeger – de toekomst wordt weer net zoals het verleden, alles komt weer in orde – we zullen onze kinderen opvoeden, we krijgen nog een baby, ik zal haar gelukkig maken, niemand zal ooit zoveel van haar houden als ik. Want ik ken haar, ik accepteer haar, ik begrijp haar en ik vergeef haar.

Om 4.40 uur flikkerde er een lichtje achter de lamellen van het smalle rolluik. Er was iemand in de badkamer. Zij? Emma onder de douche? Hij verlangde ernaar het douchegordijn te zijn, een sluier van vochtig plastic die aan haar huid plakte, die zich om haar benen wikkelde, die haar billen streelde – de zeep te zijn die tussen haar borsten door gleed, die in haar navel sijpelde, die tussen haar schaamlippen druppelde. De badjas te zijn, om haar te omhullen. Een nylonkous te zijn, een schoen, een katoenen slipje. De bus te zijn die je vervoert, de zon die je aanraakt, de matras waarop je slaapt. Hoe kun je elke dag leven zonder mij te missen? Ik ben het. Ik ben hier.

Degene die in de badkamer was, stond niet onder de douche. Iemand trok de wc door en de buizen slokten de boel boerend op. Misschien dat incontinente ouwe mens – dat vier keer per nacht moest pissen. Wees vervloekt, en vervloekt is ook de vrucht van je schoot. Hij verkneukelde zich over de boosaardige gedachte dat Emma – over twintig jaar, of minder zelfs – net zo zou zijn als haar moeder. Een zuur oud wijf, etterend van wrok als een wond vol pus, zo erg dat haar man liever onder de wielen van een bus crepeerde dan haar nog langer te verdragen. Weldra zou Emma net zo vormeloos en misvormd zijn als dat secreet van een Olimpia, met slappe, hangende tieten, een uitpuilende buik, dun haar, dikke groene aderen als wormen op haar benen, een zwakke blaas, wallen onder de ogen, de huid rimpelig als een oude appel. Maar al met al was het toch geen troostrijke gedachte, want tegen die tijd zou hijzelf ook een slap, verdord wrak zijn, en het was maar goed dat die tijd nog ver weg was en Emma nog altijd een lekker ding, gepolijst door de natuur en de liefde. Hij had haar een paar uur geleden nog gezien – op donderdag komt ze altijd laat thuis, die slet – toen ze bijna rennend de hal door liep (bang? maar voor wie dan?) en vervolgens even achter de balkondeur van de eetkamer verscheen, vermagerd, buiten adem, het haar haastig opgestoken met een plastic vlinder, niet bepaald elegant – maar toch nog altijd Emma. Het licht was aangegaan op de slaapkamer.

In al die jaren was Antonio er maar drie keer binnen geweest: een kippenhok volgepropt met meubels die even smakeloos waren als de eigenares. Een met flesjes ranzig parfum bezaaide toilettafel – derdehands gekocht op de zondagsmarkt van Porta Portese, want dat is echt iets voor deftige dames, Olimpia Tempesta wilde dolgraag deftig overkomen, omdat ze dat niet was. Proefflesjes ranzig parfum – Valentina gebruikte ze ook; de laatste keer rook zijn dochter naar oude vrouw, een kwalijke geur van viooltjes en muf gezichtspoeder. Waarom gebruik je die rotzooi van je oma, muisje? Papa koopt het beste parfum voor je dat er is. Hij had haar meegenomen naar het warenhuis Rinascente, hij had alle parfums met de klinkende namen van grote modeontwerpers op haar polsen gespoten. Uiteindelijk had Valentina gekozen voor Issimiake of hoe die Japanse ook mocht heten, het duurste parfum dat ze hadden. Valentina, nu nog te dun en te lang, maar ooit zou ze welgevormd en gracieus zijn als haar moeder. Valentina, mijn schat, die zo lekker ligt te slapen, geurend naar Japans parfum, maar verdrietig omdat je niet bij je papa bent die zoveel van je houdt.

Hij moest de uiterst kwellende gedachte aan Valentina meteen uit zijn hoofd bannen. Hij had haar al meer dan een jaar niet gezien – sinds het vooronderzoek eigenlijk – en dat was verkeerd geweest, maar door het verdriet was zijn verstand beneveld, hij wilde zijn kinderen elke dag zien, niet alleen op dagen die door zo'n kloterechter bepaald werden, en hij wilde zich niet neerleggen bij een figurantenrol alleen in de weekends. Hij had het recht om deel uit te maken van hun hele week, van hun leven – nee, hij moest er niet over nadenken. Die toilettafel. Gratis proefflesjes parfum en heiligenplaatjes van Padre Pio die tussen de spiegellijst zaten gestoken. En de foto van Tito Tempesta, gemeentelijk straatveger en verstokt communist – glimlachend, omdat hij eindelijk was overleden en bevrijd van zijn immer blaffende, immer driftige vrouw.

Dan het bed, van messing, met de Madonna en het kindeke Jezus in een roze wolkje boven de kussens. Emma slaapt sinds ze is vertrokken met haar moeder onder de bescherming van Maria en het kindeke Jezus. En een kast van multiplex, vol kleren die stinken naar ouderdom, en de kleren van Emma nog steeds in haar koffers omdat er in dat hol geen plaats is voor haar. Het licht was nog steeds aan achter de lamellen – een dun sprankje hoop. Laat je zien, kom naar het raam, mijn lief.

Af en toe verschenen er uitgebluste stakkers uit gangen waarin goedkope tl-lampen flikkerden, en sleepten ze zich naar de bushalte – waar nu, in het mistige duister van dit laatste restje nacht, een kleine meute op de bus stond te wachten. Anderen startten hun scooters, reden hun wrakken van de parkeerplaats af, reden weg in busjes, stationcars. Emma in bed, met haar streepjespyjama aan, naast haar moeder. Waar denkt ze aan? Denkt ze aan mij? Is ze wakker? Ze is opgestaan en nu kan ze niet meer slapen, ze voelt de leegte vanbinnen, ze wordt verteerd door schuldgevoel, en ze begrijpt dat ze helemaal verkeerd bezig is, dat ze ons gezin niet kapot mag maken – is er ooit iemand gelukkiger geweest dan wij? Het is nog niet te laat om alles terug te draaien, ze kan de trein nog stopzetten, geen scheiding aanvragen, zich redden, ons redden, mij redden. Ze moeten met elkaar praten, nu. Hij moet haar het laatste belangrijke nieuws vertellen. Vanaf nu wordt alles anders. Ik zweer het op het hoofd van Valentina, degene die ik het meest liefheb van de hele wereld. Van Valentina en Kevin, want een vader moet zichzelf dwingen om onpartijdig te zijn en geen voorkeur te hebben, ook al begrijpen hij en Valentina elkaar altijd zonder woorden, terwijl Kevin niet meer tegen hem praat en hij zich niet eens meer kan herinneren wanneer hij zijn stem voor het laatst gehoord heeft. Hij zal lief zijn voor Emma, hij zal al haar leugens slikken. En ook al lieg je tegen me, ik zal je geloven. Ik zal je vertrouwen, echt waar. Vanaf nu zal alles volmaakt zijn. Ik vraag alleen maar een laatste kans. Kom naar het raam, mijn lief.

En ze kwam naar het raam. De kamer achter haar was ineens weer in het donker gehuld, zodat Antonio alleen nog maar een witte schim zag – een bos licht haar en het brandende puntje van een sigaret dat een sliertje rook de nacht in stuurde. Emma droeg niet de brave streepjespyjama uit de tijd van hun huwelijk, maar een uitdagend stoeipakje van glanzende stof, misschien satijn. Ze bleef bij het raam staan, met haar ellebogen op de vensterbank. Ze blies de rook uit en tipte de as in het niets. Ze leunde met haar hoofd tegen het raamkozijn – en ze staarde naar het duister voor zich, zonder het te zien. Antonio's hart begon heftig te roffelen – hij bleef er bijna in. Loop naar haar toe. Zachtjes, zonder te schreeuwen. Denk eraan, *zij is bang voor jou.* Roep haar, vriendelijk, vraag haar om zich aan te kleden, naar beneden te komen, te praten. Op dit tijdstip? Waarom niet? Een man en een vrouw met kleine kinderen hebben alleen de nachtelijke uren voor zichzelf. De ogen van Emma dwaalden over de auto's, beneden op straat, ze scheerden langs de bomvolle afvalcontainers die al dagen op de vuilnisophalers wachtten. Toen bleven ze hangen bij de Tipo, die precies onder het raam geparkeerd stond. Die welbekende Tipo waar ze talloze keren in had gezeten, waarmee ze tegen een tram was gebotst op een regenachtige dag, waarmee ze Valentina jarenlang naar de sportschool had gebracht – waarin ze zelfs haar beste orgasmes had gehad wanneer zij en Antonio zich helemaal wilden laten gaan zonder stil te hoeven zijn voor de kinderen. Haar dromerige, afwezige uitdrukking verhardde. Ze gooide de sigaret naar beneden. En ook al rende Antonio haastig over de parkeerplaats naar het raam, hij was te laat om tegen haar te zeggen dat hij was gekomen om te praten, dat hij alleen maar uitleg wilde, want ze wilde niet met hem praten en ze gunde hem geen woord. Ze greep de riem vast en liet het rolluik met veel kabaal omlaag denderen.

vijfde uur

Emma glipte terug in bed. Ze trok aan de deken, die door het nachtelijke gedraai naar de kant van haar moeder was geschoven, en een paar tellen lang hoopte ze – starend naar de lichtgevende cijfers van de wekker – dat Olimpia haar zou vragen wat er aan de hand was. Ze moest het aan iemand kwijt. Ook al was Olimpia niet de meest aangewezen persoon. Die koos nooit partij voor haar. Hoe ongelooflijk het ook mocht lijken, ze had het altijd voor Antonio opgenomen. Ze verdedigde hem. Zij, haar dochter, kreeg alle schuld in de schoenen geschoven. En lange tijd had ze haar diep vanbinnen gelijk gegeven. Zij was de oorzaak van hun mislukte relatie, zij zat fout. Ze ging voorzichtig liggen, want haar moeder sliep lichter en slechter nu ze in de overgang was – waardoor ze ontzettend prikkelbaar was. Emma bleef roerloos liggen, met haar ogen dicht. Ze probeerde net zo te doen als Indiase asceten, boeddhistische priesters, aanhangers van een spirituele sekte, die in staat waren louter door de kracht van hun gedachten los te komen van hun eigen lichaam, van de belemmeringen van de fysieke, materiële wereld. Mediteren. Leviteren. Transcenderen. Niet meer denken aan Antonio, daar buiten, vannacht, net als gisternacht, en de nacht daarvoor. Aan het gebit van haar moeder in het glas op haar nachtkastje, aan de kinderen die in de eetkamer sliepen, aan dit huis dat stonk naar rook, warm eten en stof. Loskomen. Wegvliegen, voor een paar uur. Maar Emma was geen Indiase asceet, ze kon geen leegte in zichzelf maken, haar geest was een dolgedraaide centrifuge met in het midden de gedachte aan Antonio, die als een krankzinnige daar buiten op de loer lag. Hij was helemaal gek geworden door de uitspraak. Dit kon zo niet doorgaan. Ze moest ergens anders gaan wonen, maar waar dan? Ze verdiende niet genoeg om huur te kunnen betalen. Ze zat in de val in dit veel te krappe huis, in deze veel te krappe kamer. In een veel te krap leven. Er moest ergens een uitweg zijn. Alleen kon zij die maar niet vinden.

Olimpia snurkte en produceerde een complete symfonie van gerochel, gefluit, gesmak. Haar mond, waaruit heel wat tanden ontbraken, met het tandvlees dat zo rood was als de binnenkant van een maag, lag wijd open om de lucht te vangen waar ze kennelijk gebrek aan had. Ook de kinderen sliepen, op de slaapbank in de eetkamer. Maar zelfs als ze haar oren spitste, kon Emma hun ademhaling niet horen. Soms schrok ze 's nachts wakker en ging ze controleren of ze er wel echt waren. Verteerd door de angst dat Antonio god weet hoe naar binnen had weten te dringen en ze had meegenomen. Olimpia slaakte een verstikte snik, haar rechterbeen schokte – als het pootje van de pad die Valentina een paar dagen geleden had ontleed op het hakbord in de keuken, voor een huiveringwekkend onderzoek van de structuur van de hersenen. Een experiment dat zij haar echter niet had verboden. Een moeder moet haar dochter immers aanmoedigen, op z'n minst een klein beetje vertrouwen schenken. Olimpia daarentegen verweet haar altijd dat ze nergens goed voor was, dat ze nooit een echte baan zou vinden, met verzekeringen en pensioen en zo, ze zei altijd: jullie komen hier nooit meer weg. Ze had een pragmatische, rauwe kijk op de dingen, maar Emma kon niet accepteren dat ze gelijk had. Jawel, we komen hier wel weg, antwoordde ze dan. We krijgen een huis helemaal voor onszelf. Ik vind er een met uitzicht op zee en met een tuin. Ik koop een hond voor ze, en een computer, en een PlayStation en een scooter – alles wat ze maar willen. Maar Olimpia geloofde er niets van. Wie wil jou nou, op jouw leeftijd met twee kinderen? Je bent veertig. Iedereen van jouw leeftijd is allang getrouwd, die willen heus niet nog een steen om hun nek. Je vindt echt geen man meer met zo'n goed salaris als Antonio, met een advocaat die hem elk jaar een kerstpakket stuurt met panettone en panforte en sjampanje. Iemand die een beetje lol wil maken in bed zal je heus wel kenne krijgen, maar denk over een paar jaar aan wat ik je gezegd heb: je zal net zo eenzaam achterblijven as je moeder. Nou en? antwoordde Emma, geïrriteerd door haar moeders bekrompen, materialistische mentaliteit. Beter alleen dan in slecht gezelschap.

Toch had Olimpia nooit een hoge dunk van Antonio gehad. Toen

Emma hem aan haar ouders had voorgesteld, een halfjaar na hun eerste afspraakje, was het geen succes geweest. Haar vader had iets beters gehoopt voor haar. Een arts, een advocaat – maar vooral droomde hij van een hoogleraar. Op basis van zijn eigen ervaring ging hij ervan uit dat mannen die gestudeerd hadden hun vrouwen beter behandelden. Tito Tempesta was op zijn veertiende van school gegaan. Maar die Antonio, uit Zuid-Italië, de vijfde van zes kinderen, was een bekrompen kerel met alleen lts, die na zijn militaire dienst bij de politie was gegaan. Voor Emma was Antonio juist ronduit onweerstaanbaar in zijn blauwe uniform van gewoon agent. Olimpia moest ook niets van Antonio weten, maar om heel andere redenen dan haar man. Weet je hoe je vader op z'n twintigste was? had ze gezegd. Knap, opvliegend en een ruziezoeker. Precies jouw Antonio. Hoe je vader op z'n vijftigste is, dat weet je. Dus dan weet je wat je nou te doen staat. Emma had haar zin doorgedreven. En nu zei Olimpia dat ze die knappe Antonio nu eenmaal genomen had, en dat ze hem dus ook moest houden. Wat ben je d'r mee opgeschoten om hem te verlaten? We wonen hier met z'n alle op een kluitje, nog erger dan zigeuners. Emma rolde zich op tegen de muur, om niet tegen de broze botten van haar moeder te stoten. Olimpia wist verder nergens van, want voor sommige dingen schaamde ze zich zo dat ze ze niet wilde vertellen – ze schaamde zich voor Antonio en voor zichzelf. Zozeer dat ze die dingen jarenlang zelfs voor zichzelf ontkend had, en liever dacht dat ze ze gedroomd had, in een terugkerende nachtmerrie waaraan ze uiteindelijk was ontsnapt. De wekker gaf 5.09 uur aan. Nu had ze inmiddels geen slaap meer.

Ze pakte haar boek van het nachtkastje en liep op haar tenen de kamer door. Toen ze de deur van de badkamer opendeed, piepten de scharnieren. Ze keek door de lamellen van het rolluik. Beneden op de parkeerplaats, onder de sputterende straatlantaarn, zat Antonio in zijn Tipo. Hij zat op de plaats van de bestuurder, met zijn handen op het stuur en zijn blik starend in het niets. De advocate had haar te kennen gegeven dat je iemand niet kunt aangeven omdat hij op straat rondhangt, zolang hij geen misdrijf pleegt. Als hij huisvredebreuk pleegt kun je hem aangeven, maar de weg is openbaar terrein, het zou niet meevallen om te bewijzen dat hij je lastigvalt, je kunt beter geen aanklacht indienen. Zijn geschoren hoofd, zijn vierkante schouders, zijn autoritaire silhouet, zijn sterke handen. Antonio, die ze zo waanzinnig had liefgehad – ik zou alles voor je hebben gedaan, ik heb alles voor je gedaan. Even werd ze gekweld door de verleiding om naar beneden te gaan en met hem te praten. Hij beweerde tenslotte dat hij niets anders wilde. Maar nee, dat zou een vergissing zijn. Ze moest geen tekenen van verslapping tonen. Nou, als Antonio in zijn auto wil wonen, heeft hij pech gehad. Als hij wil spioneren, moet hij dat vooral doen, wat hij hier binnen denkt te kunnen ontdekken mag Joost weten.

Ze probeerde het rolluik verder te laten zakken, om elk kiertje te dichten, maar dat lukte niet. Ze werd nerveus van het idee dat Antonio dacht dat hij de macht had om haar uit haar slaap te houden. Maar zo was het natuurlijk wel. En of ze wilde of niet, ze kon er niets aan veranderen. Ze deed het tl-licht boven de spiegel aan. Ze legde haar kussen in de badkuip en ging erin liggen. Het porselein was ijskoud. Maar dat zitbad in dat krappe badkamertje was het enige hoekje in dit huis waar ze een paar uur rust kon hebben. Ze sloeg haar roman open, maar kennelijk had Kevin met haar boekenlegger zitten spelen, want ze had het idee dat ze die bladzijde al gelezen had. Ze probeerde de draad van het verhaal weer op te pakken, maar ze had geen idee meer wat er met Kitty nogwat was gebeurd, ze had nooit tijd om te lezen, de namen van de personages zeiden haar niets, hun wederwaardigheden waren haar een raadsel. Misschien kwam het door haar groeiende onbegrip voor de literatuur. Misschien kwam het alleen maar door haar vermoeidheid, of haar zorgen, of de gedachten aan de kinderen op de slaapbank in de eetkamer – of aan Antonio, beneden op straat. De woorden van Olimpia klonken nog na in haar hoofd. Bekrompenheid. En hypocrisie. Maar toch kon ze ze niet van zich afschudden. Een vader zonder z'n kinderen, z'n eigen vlees en bloed, da's echt vreselijk, laat staan een scheiding, dat kost alleen maar geld, hou d'r mee op, hij vergeeft jou, jij vergeeft hem ook, praat er niet meer over, neem hem terug want hij neem jou ook terug, da's je plicht als moeder, je gezin kom op de eerste plaats.

Ze was op 23 december van huis weggegaan, nadat Antonio naar zijn werk was vertrokken. Ze liep met hem naar de deur, zoals gewoonlijk, ze gaf hem een kus, ze ging op het balkon staan en wachtte tot hij aan het eind van de straat was verdwenen. De Panda van haar moeder stond achter de Piazza Vittorio geparkeerd. Olimpia was medeplichtig: ze had Antonio gevraagd of de kinderen die nacht bij haar mochten logeren, met de smoes dat ze de volgende dag naar Santa Caterina zouden vertrekken en zij die kleintjes eerst nog haar kerstcadeaus wilde geven. Antonio had geen zin om met Emma ruzie te krijgen over de kerstvakantie – zij klaagde vaak dat ze die altijd doorbrachten met zijn ouders en zijn tweehonderd broers en zussen en neven en nichten, nooit eens in Rome met de familie Tempesta – en hij had zijn toestemming gegeven. Emma trok de voordeur dicht zonder de sleutel om te draaien, alsof ze elk moment weer thuis kon komen. Ze laadde de koffers in de Panda, de schoolboeken van Kevin en Valentina, de platen, het speelgoed, de gitaar en de gewraakte pyjama.

Ze dacht er liever niet meer aan, maar de druppel die de emmer had doen overlopen was een pyjama geweest. Op 22 december zaten ze in de loggia te ontbijten, zoals alle ochtenden sinds ze het appartement in de Via Carlo Alberto hadden gekocht – met een dertig jaar lopende hypotheek, tot over hun nek in de schulden. Emma smeerde jam op de koekjes van Kevin, Valentina deed suiker in haar gerstekoffie. Die koffie smaakt naar rubber, zei Antonio ineens. Emma proefde het niet. Kevin knabbelde zijn koekje op, er viel een stukje met een geleiachtige klodder bosbessen vanaf, dat boven op het schoolschort van zijn particuliere kleuterschooltje viel. Kun je niet uitkijken? foeterde Emma, ik heb het net gewassen, je bent toch geen softenonkind? Wat is een softenonkind? vroeg Kevin. Het filter is kapot, zei Antonio, het koffieapparaatje is veel te oud, waarom heb je geen nieuw gekocht? Wat betekent softenon? vroeg Kevin. Ik heb het al tien keer tegen je gezegd, ging Antonio door, maar niks hoor, ik kan net zo goed tegen de muur praten. Je hebt het nog nooit tegen me gezegd, zei Emma. Jawel, hij heeft het wel tegen je gezegd, zei Valentina terwijl ze haar kopje leegdronk, ik was er zelf bij, ik heb het gehoord. Waarom heb je geen nieuw gekocht? vroeg Antonio. Ik ben het vergeten, oké? maakte ze zich ervanaf, terwijl ze probeerde de bosbessenvlek uit Kevins lichtgele schort te krijgen. Tevergeefs: precies ter hoogte van zijn lies zat een lelijke, paarsige vlek. Emma wilde niet dat de nonnen dachten dat de moeder van Kevin de persoonlijke hygiëne van haar zoontje verwaarloosde. Hé, ik praat tegen je, kijk me aan als ik tegen je praat, waar zit je met je gedachten? Opschieten, zei Emma, zonder op te kijken van het vieze schort, je komt nog te laat. Als oma Olimpia me weer een paar hondensloffen geeft, gooi ik ze echt uit het raam, hoor, zei Valentina. Luister, ik weet niet wat oma voor je gekocht heeft, maar je doet hoe dan ook alsof je het mooi vindt. Begrepen? beval Emma, dreigender dan ze had bedoeld. Valentina was pas elf. Mama, ik wil niet naar school, jammerde Kevin, zonder dat er iemand naar hem luisterde. Hoor eens, ik wil een telescoop, drong Valentina aan. Ik wil een telescoop als kerstcadeau. Niet over kerstcadeautjes praten waar Kevin bij is, gebood Emma haar. De kerstman bestaat niet, zei Valentina tegen haar broertje, die echter bezig was jam van het tafelkleed te likken en het nieuws niet opving. Je verwaarloost me, je verwaarloost ons allemaal, verweet Antonio haar. Ik ken je niet meer terug. Wat doe je de hele dag? Het huis is een puinhoop, een chaos, het is een ramp, kijk toch eens, zelfs de koekjes zitten onder het stof. Wat ik doe? ontplofte zij met een rood gezicht, durf je mij te vragen wat ik doe?

Antonio zei dat ze niet moest schreeuwen waar de kinderen bij waren. Emma schreeuwde dat ze niet schreeuwde. Wat een gezeik, zei Valentina, en ze ging haar rugzak pakken. Mama, ik wil niet naar school, jammerde Kevin. Wil je weten wat ik doe? krijste Emma nog steeds, terwijl ze het vieze schort van Kevin losmaakte en het Antonio in zijn gezicht smeet. Alles doe ik, alles! Wie maakt jouw eten klaar? Wie doet er boodschappen? Wie doet de afwas? Wie maakt jouw bed op? Wie brengt je dochter naar school? Wie helpt haar met haar huiswerk? Wie brengt haar naar de sportschool? Wie koopt er kerstcadeautjes voor ze? Dat is je werk, daar heb je zelf voor gekozen, moet ik je daar nog voor bedanken ook? zei Antonio kwaad. Je doet net of je mij een plezier doet. Jij wilde toch moederen? Nou, doe dat dan verdomme, zo moeilijk is dat niet.

Papa, probeerde Valentina nogmaals, terwijl ze weer in de loggia verscheen met haar jas dicht, haar muts op en haar handschoenen aan, als jullie al een microscoop voor me hebben gekocht is het ook goed. Dan kijk ik wel naar bacteriën in plaats van naar de sterren. Zeg maar eerlijk, zelfs dat kun je niet, zei Antonio zonder zich iets van zijn dochter aan te trekken. Zeg maar eerlijk dat je helemaal niks kunt. Papa, drong Valentina aan, terwijl ze aan zijn schouder schudde, zullen we nu gaan, dan ga ik tegelijk met jullie naar beneden. Ik werk dag en nacht, ik weet niet wat zaterdag en zondag is, ik riskeer elke seconde mijn leven, vervolgde Antonio zonder naar haar te luisteren, en voor wie denk je dat ik dat doe? Wie betaalt jouw vakanties, wie heeft de microscoop voor Vale gekocht, wie heeft de plastic Ferrari voor jouw zoon gekocht? En mag ik daar niks voor terug verwachten? Als ik thuiskom, lijkt het wel of ik in een ijskast ben beland. Je loopt altijd te mokken. Mijn werk is de hele dag zenuwslopend, is het dan zo moeilijk te begrijpen dat ik een beetje rust nodig heb? Valentina liet de voordeur luidruchtig dichtvallen. Emma bedacht dat een meisje van elf niet in haar eentje naar school zou moeten gaan in een wijk als deze.

Ik ben moe, Antonio, zei Emma. Nou, morgen vertrekken we al, zuchtte hij. Dan kun je je weer tien dagen lang laten bedienen door mijn moeder. Heeft zij dat gezegd? gilde Emma. Laat mijn moeder erbuiten, zei Antonio. Heeft zij dat gezegd? gilde Emma. Mama, ik wil niet naar school, jammerde Kevin. Mijn moeder is veel te trots om te klagen over haar schoondochter die geen vinger uitsteekt, die zich als een koningin in de woonkamer neervlijt en haar zwagers op audiëntie laat komen, terwijl alle andere vrouwen een handje helpen in de keuken, zei Antonio. Dus zo denk jij erover? zei Emma, plotseling doordrongen van een ijselijke kalmte. Zal ik je eens wat zeggen? Ga jij maar naar Santa Caterina, ik ga niet mee. O nee? schreeuwde Antonio. Wat haal jij je goddomme in je kop? Waar denk je dan dat je naartoe gaat?

Emma pakte het kopje van Antonio, dat nog helemaal vol koffie zat, en gooide het met koffieapparaat en al in de vuilnisbak. Antonio greep haar bij haar pyjamajasje, en aangezien zij zich niet omdraaide, scheurde de mouw eraf en stond hij ermee in zijn hand. Flikker op, ga weg, zei Emma. Die pyjama was toch een oud vod, die moest allang worden weggegooid, rechtvaardigde Antonio zich terwijl hij opstond. Hij pakte Kevin bij de hand, maar die verborg zijn gezicht tussen de benen van zijn moeder. Mama, ik wil niet naar school, jammerde hij. Hoe lang heb je die pyjama al? Ik zie hem elke dag, altijd diezelfde stomme kutpyjama. Waarom verzorg je jezelf niet? Heb je al eens in de spiegel gekeken? Je haar wordt grijs. Je wilt je niet eens meer mooi maken voor mij, en ik vínd je ook niet meer mooi. Dat wilde je toch? zei ze. Ben je nu niet tevreden? Mama, ik wil niet naar school, jammerde Kevin. Jij gaat wel naar school, zei ze getergd, en ze gaf hem een klap op zijn wang. Waag het niet ooit nog eens mijn zoon te slaan, siste Antonio terwijl hij Kevin in zijn armen nam, die wanhopig snikte. Dat doordringende geluid en het paars aangelopen, radeloze gezichtje van het kind vormden een ondraaglijk verwijt, een voorbeeld van hoe je niét met je kinderen moest omgaan. Emma sloeg haar armen om de hals van Antonio, die hen allebei stevig tegen zich aan drukte. Ik doe die pyjama niet meer aan, Antonio, zei ze.

Ik meende het allemaal niet zo, fluisterde Antonio, terwijl hij een uiterst erogeen plekje achter haar oorlel kuste, er is niks van waar, je bent nog steeds de mooiste, en ook al zou al je haar grijs worden, dan vind ik je nog steeds mooi. Sorry. Ze voelde de welbekende rilling over haar rug lopen, maar ze staarde naar de ontbijtkruimels op tafel. Je moet niet sorry tegen mij zeggen, maar tegen die vrouw met die pyjama. Kevin bleef maar snikken, en Antonio hoorde alleen het woord 'pyjama'. En terwijl ze met hem naar de voordeur liep, realiseerde Emma zich dat de maat vol was. En wat Antonio ook zou zeggen of doen, hij zou nooit meer vergiffenis kunnen krijgen van die vrouw – omdat die vrouw was gestorven in de loggia van de Via Carlo Alberto. En de vrouw die de kopjes afwaste in de gootsteen en die de kleverige voedselresten van de vloer van het inmiddels verlaten huis opveegde, was een ander, die noch het recht, noch het verlangen had om hem te vergeven.

Ze had nooit iemand om hulp gevraagd. Je moet je eigen boontjes doppen – dat was het dogma van Olimpia. Niet klagen, je moet leren je hoofd boven water te houden, want het leven is een beerput en als je jezelf niet helpt, doet niemand het. Mama? Ik kom een paar dagen bij jou logeren met de kinderen, zei ze aan de telefoon tegen haar, alsof het niks voorstelde. In feite vroeg ze ook niet om haar mening. Komen jullie met kerst bij mij? gilde Olimpia, blij dat ze de kleinkinderen kon ontfutselen aan de andere oma. Met kerst, en misschien daarna nog een paar dagen, zei Emma. De volgende ochtend had ze de Panda volgeladen en was ze naar het huis van Olimpia gereden. Dat was nu twee jaar en vier maanden geleden.

'Mama,' jammerde Kevin, 'het is m-m-misgegaan. Ik heb in mijn

b-b-bed geplast. Alles is n-n-nat.' Emma legde de roman weg, waarvan ze toch nog geen regel gelezen had, en keek naar haar zoon
die in de deuropening van de badkamer was verschenen. De pleister op zijn oog, zijn pyjamajasje opgerold tot boven zijn navel en
daaronder niets – bloot. Zijn piemeltje zat tegen zijn vochtige dij-
en aan geplakt. 'Ik heb het n-n-niet expres gedaan,' verdedigde hij
zich, terwijl hij zijn pyjamabroek naar haar uitstak. Hij deed zijn
best om zijn waardigheid te bewaren. Emma onderdrukte een opwelling van moedeloosheid en klom moeizaam uit het bad. 'Geeft
niet, het maakt niets uit,' zei ze. 'Waarom zit je in bad?' vroeg Kevin argwanend. 'B-b-ben je ziek? Ga je d-d-dood?' 'Hoe kom je
daar nou bij, gekkie!' lachte Emma niet-begrijpend. Ze propte de
natte broek in de uitpuilende wasmand. Morgen moest ze absoluut
de tijd vinden om de wasmachine aan te zetten. 'Z-z-zweer dat je
niet doodgaat,' hield Kevin vol. 'Ik ga niet dood,' zei ze vlug, om
ervanaf te zijn. Maar Kevin leek niet overtuigd. Hij keek haar on-
derzoekend aan, alsof hij aan haar huid kon aflezen of ze de waarheid sprak.

'Is hij daar?' mompelde hij. 'Wie?' riep ze, getroffen. Die kleine dacht er nog altijd aan. Hij zal er altijd aan blijven denken. En
ik kan hem meenemen naar een ander huis, naar een andere stad,
maar ik kan er nooit voor zorgen dat hij het vergeet. 'Welnee, poe-
pie,' glimlachte ze geruststellend, 'er is niemand.' Kevin greep haar
benen vast en veegde met zijn neus langs de zoom van haar stoeipakje. 'Ik zal je bed even verschonen,' veranderde ze van onderwerp. 'Kom maar mee.' Ze pakte zijn hand vast en trok hem mee
naar de eetkamer. Door de losse lamellen van het rolluik was de
blauwe weerschijn van de ochtend al te zien. Ze zou nooit schone
lakens kunnen vinden zonder Valentina wakker te maken. Geen
nood, dan moest Kevin maar zonder beddengoed slapen. Alsof dat
de eerste keer was. Het was een op de drie nachten raak. Ze gooide het doorweekte beddengoed in een prop op de grond en duwde het kind op de matras. Kevin liet zich alleen overhalen met de
afspraak dat zij naast hem zou komen liggen. Emma drukte haar
lippen tegen zijn haren. Kevin rook naar uitlaatgassen en koekjes.
'*Hakuna matata*, alé, je hebt 't of niet,' zong ze zachtjes in zijn oor,
'Hakuna matata, 't is maar hoe je 't ziet. Je hebt geen zorgen, zorg
maar dat je geniet. 't Is een theorie, filosofie...' De levensfilosofie

van de dieren in de savanne uit *De Leeuwenkoning*, Kevins favoriete tekenfilm, was haar nog nooit zo zinnig voorgekomen. Hakuna matata. Geen zorgen, Kevin.

'En blijf je de hele tijd bij mij?' onderbrak Kevin haar ineens. 'Ja, lieverd, ik blijf bij jou slapen.' Opgerold op het uitklapbed, heel dicht tegen elkaar aan om niet op de grond te vallen. Mijn handen om zijn rug, zijn vuisten tegen mijn ribben aan, zijn knieën tegen mijn maag, zijn gewicht onder mijn hart. Ik neem hem weer in me, waar hem niets kan gebeuren. 'Ik ben hier, alles is goed, hakuna matata – ga maar lekker slapen.' Ze kreeg de rillingen van de vochtige matras. Misschien moest ze dit serieuze probleem van bedplassen eens met een kinderarts bespreken, maar de enige die ze kende vroeg honderdduizend lire voor een consult van een kwartier, en dat had zij nu niet. 'En ga je niet w-w-weg als ik in slaap v-v-val?' stotterde Kevin. 'Nee, schat, ik ga niet weg.' 'Stil jullie, verdomme!' mopperde Valentina met nasale stem, alsof ze verkouden was of gehuild had, 'ik ben er ook nog, en ik wil slapen.'

'Z-z-zweer het,' drong Kevin aan. 'Ssst.' 'Z-z-zweer dat je niet doodgaat.' 'Als dat zou kunnen,' grapte Emma, 'maar dat is onmogelijk, we gaan allemaal dood, jammer genoeg, net als opa, net als oom Remo... maar ik zweer je dat ik niet doodga voordat jij groot bent, is dat ook goed?' Kevin gaf geen antwoord. Hij lag verbluft na te denken en streek met zijn vingers over haar gezicht – de omtrek van haar mond, haar neusgaten, haar oogleden, haar wenkbrauwen. Emma vroeg zich af over welk gezin Olimpia het had. Dit hier is mijn gezin nu, helemaal compleet.

zesde uur

Een dansende plastic zak, wit in het donker: Ago had er lol in om
gas te geven en eroverheen te rijden, hij achtervolgde hem, hij had
hem bijna te pakken, maar daar wordt hij weer opgetild door een
windvlaag en naar voren geduwd, en dan omhoog – waarna hij weer
slap wordt en op de grond zakt, en onder de wielen van het busje
verdwijnt, waarna hij ineens weer wordt teruggezogen door de wer-
velingen in de lucht en dwarrelend ter hoogte van de motorkap
verschijnt – een misvormde ballon in het spottende licht van de
koplampen. Een gebouwenblok kwam trillend op hem af, de grijze straatlantaarns sloegen halsoverkop op de vlucht, een rijtje pijnbomen helde plotseling over, zowat tegen de voorruit aan, waardoor hij ineens opschrok en knipperend zijn ogen opensperde.
'Waar zitten we?' vroeg Zero. 'Jij bent echt een rare, makker,' lachte Ago. 'Je blaast een multinational op en in plaats van dat de adre-
naline je uit de oren spuit, lig je te dutten als een engeltje!' Door
de stoffige ruiten van het busje herkende Zero de Lungotevere, de
weg die door heel Rome langs de oevers van de Tiber liep. Hij had
geen idee hoe ze daar waren gekomen en waar ze vandaan kwamen. Het leek net of hij de bom, de ontploffing en het vuur had
gedroomd. Maar de glinsterende splinters op zijn sweater waren
het bewijs dat het echt gebeurd was.

Hij draaide het raampje omlaag. Er drong een afschuwelijke
stank van afval naar binnen; een volkomen lege nachtbus – afgezien van de chauffeur en een donkere man die met zijn hoofd tegen het raampje lag te slapen – verscheen rechts van hem en een
uitgestorven straat dook weg met zijn geheimen, een kruis bleek
het uithangbord van een apotheek te zijn, en toen scheurde er een
opgevoerde brommer langs hem heen. Zero zag hem over de bobbelige wortels van de platanen hotsen, neerzakken in een putdek-

sel, weer bovenkomen, slippen, en toen verloor hij hem uit het oog. Er was niets meer te zien, enkel de rode puntjes van het klokje boven de achteruitkijkspiegel die 5.47 uur aangaven, en de straatlantaarns en de brede boulevard, glad als een biljartlaken, en een hypnotiserend geel licht dat op de motorkap weerspiegeld werd – een verkeerslicht dat heen en weer werd geslingerd door de wind, schommelend in de bewolkte hemel. Meri ontwaarde een wit-blauwe wagen van de gemeentepolitie, en Ago remde af. Even had Zero het idee dat de agent met het signaalbord zwaaide. Iemand had het nummerbord van het busje doorgegeven, alle politie-eenheden van Rome waren op zoek naar de brandstichters van Bravetta. Ze geboden hun uit te stappen, ze zetten hen met de benen uit elkaar en het gezicht naar de muur. Ze scholden hen uit, ze treiterden hen – misschien sloegen ze hen wel. En dan zetten ze hen vast. En morgen zou iedereen het weten van de bom, en van hem. Gek genoeg joeg die gedachte hem geen angst aan. Sterker nog: hij verlangde er bijna naar om te worden gepakt, gearresteerd, vervolgd. Om iets belangrijks te hebben gedaan. Om iemand te zijn – in die smerige ondoorzichtigheid van de wereld.

De politiewagen bleef echter achter hen, bezaaid met gele verkeerslichten – niks geen papieren controleren, niks geen ontdekking dat de jonge Zero uit een belangrijke familie kwam, niks geen telefoontje naar zijn ongelovige ouders – mijn zoon? Hoe is dat in godsnaam mogelijk? Er moet een vergissing in het spel zijn, hij is een heel normale jongen, hij doet geen vlieg kwaad –, niks geen rechtszaak, veroordeling, gevangenis, noch publieke erkenning, noch schandaal. Vannacht was zijn vuurdoop geweest, zijn proef, en hij had hem doorstaan. En nu drongen de eerste zonnestralen door de nevelige ochtendschemering, waardoor die oploste in het harde, strenge blauw van de lentehemel. Het was 5.51 uur. 'Laat me eruit,' zei hij plotseling.

Ago stopte voorbij de Engelse brug. Meri vroeg waarom hij niet mee ging slapen in de Battello Ubriaco, de muzikanten uit Berlijn waren er nog, vannacht waren er een hoop kameraden die logeerden in het gastenverblijf, dat wilde zeggen in die achterkamer waar eerst de drukkerij had gezeten, en waar daarvóór, toen de fabriek nog geopend was, de zeepmachines hadden gestaan. Maar Zero antwoordde dat hij geen zin had om te gaan slapen – hij had inspiratie gekregen. Zijn vrienden probeerden hem niet over te halen. Een bezielde kunstenaar moet je respecteren. Zero had er behoefte aan om deze nacht tot een onvergetelijke te maken. En zijn naam ergens op te spuiten. Dat had hij Haar nooit verteld. Dat was iets van hemzelf, zijn enige geheim, dat van geen enkele waarde was. Hij wilde trouwens ook niets bezitten wat van enige waarde was. Als hij het had gekund, had hij hetzelfde willen doen als Sint-Franciscus – de enige Italiaan die hij respecteerde: hij zou zich naakt uitkleden op een plein, hij zou zijn vader die handelaar was zijn rijkdommen in het gezicht smijten en hij zou zich terugtrekken in een grot om te leven van eikels en wortels en alleen nog te praten met bomen en honden. Arm zijn als de natuur, eenvoudig als de hemel, mijn vrijheid zo onbegrensd als die van een vogel, of een zwerfhond. Op zijn manier probeerde hij die armoede en die vrijheid te bereiken. Wanneer hij het idee had dat hij te langzaam op zijn doel af ging, herhaalde hij voor zichzelf: wacht maar, ik kom er wel. Hij miste de bomen en de vogels, maar honden, daar had hij er al vijf van verzameld. Hij pakte de verlamde hond vast, greep Shylock bij zijn halsband, gaf de luie Mabuse een duw en sprong uit het busje. Hij zwaaide en riep dat hij na de middag naar de Battello zou komen. 'Denk eraan dat je met die Arabier naar de werkplaats moet,' riep Meri terug, 'en verzin iets, probeer aan geld te komen, als we niet betalen worden we eruit gezet.'

De ochtendschemering zweefde tussen de platanen langs de Tiber, en Zero moest opschieten, want de nacht trok zich terug, zich verheffend als een vliegend tapijt. De nog vage bol van de zon kwam al op achter de synagoge en wierp zijn stralen over de donkergroene blaadjes, over de eeuwenoude knoesten op de stammen van de platanen, lichtschilfers zaaiend over het water van de Tiber. Op de kades tekenden zich de eerste schaduwen af. Zwermen zwaluwen wervelden laag over de daken van de gebouwen en de tv-antennes, die ze wellicht aanzagen voor bladloze bomen. Ze waren hysterisch, en waanzinnig uitgelaten vanwege het aanbreken van de dag. Zero stak de brug over en liep naar het Tibereiland. De door schijnwerpers verlichte kerk leek net een filmdecor. Op het kleine pleintje, onder de obelisk, bewaakte een politiebusje het Israëlische ziekenhuis. De agent achter het stuur bekeek hem argwanend. Zero beantwoordde zijn blik en liep uitdagend vlak voor hem langs. Hij wist dat de agent hem als een mogelijke vijand beschouwde – vanwege zijn lange, paars geverfde rastahaar, vanwege de zilveren ring die in zijn rechterneusgat schitterde, vanwege zijn verschoten sweater met de grote capuchon, vanwege zijn veel te wijde broek die zowat tot op zijn knieën hing en vanwege zijn honden zonder riem of muilkorf. Maar ook deze agent hield hem niet aan, hij was te slaperig om achter dat smerige zwerverstype met zijn honden vol teken aan te gaan.

Zero daalde snel het trapje af, en hij hoorde zijn voetstappen weerklinken in een onwerkelijke stilte. De Tiber had hoog gestaan, een massa donker water deinde nu nog tegen de kades. In de rivierarm rechts van het eiland stroomde het water snel en rimpelloos voorbij, tot het bij een verlaging kolkend en wervelend in een soort waterval stortte. Door het slib liep Zero tot het uiterste puntje van het eiland, waar hij bleef staan kijken naar het bruisende water onder de bogen van de Ponto Rotto. De hond die nog geen naam had omdat hij hem nog maar pas had opgepikt, week niet van zijn zijde, bang dat ook hij hem in de steek zou laten, en hij nestelde zich boven op zijn voeten. Hij was trouwens verlamd, hij had zich nooit ver weg kunnen slepen. Het was een gevlekte, langharige bastaard – een ongelukkige kruising tussen een newfoundlander en een chowchow. Toen hij haar verteld had dat hij weer een hond had opgepikt, had Zij zich zorgen gemaakt. Waar wil je die laten? had Zij hem gevraagd. Zij hield niet van honden. Zij hield niet van vieze, in de steek gelaten bastaarddingen. Zij hield van mooie dingen.

Om zes uur was er niemand op het Tibereiland. Van heel Rome, waar Zero vaak 's nachts doorheen zwierf, als het leeg en gastvrij was, in zijn eentje, enkel in het gezelschap van zijn honden, was het eiland zijn favoriete plek. De vorm deed hem denken aan een schip dat ooit midden in de Tiber de ankers had uitgeworpen. De voorsteven probeerde fier de stroming van de rivier te trotseren, en Zero had altijd het idee gehad dat het schip, net als hij, tegen de stroom in ging. Op zonnige dagen bracht hij urenlang gehurkt op de voorsteven van dat zogenaamde schip door, starend naar het water dat over de keien raasde en vervolgens doorstroomde in de richting van de riviermonding. Als hij zich ooit gewonnen zou moeten geven, zou hij zich graag in die stroomversnellingen laten vallen, precies op die plek, en dan zou zijn lichaam tussen de kademuren en de rietstengels heen gevoerd worden tot het in zee verdween.

Maar dat was een stomme gedachte, want hij wilde helemaal geen zelfmoord plegen. Op zijn achttiende had hij dat wel overwogen – omdat de wereld hem als een onbewoonbare plek toescheen, een gevangenis, een levenslange veroordeling zonder uitweg. Maar hij had het toch niet gedaan. Nu leek het hem een puberaal plan, onrealistisch en bespottelijk. Toch waren er sindsdien maar vijf lentes verstreken, en was hijzelf geen zier veranderd en de wereld evenmin – er was wel iets belangrijks gebeurd, de Berlijnse Muur was gevallen, evenals de Sovjet-Unie, maar het kwaad wierp zijn schaduw over alles, met een monsterlijke, onverbiddelijke doelmatigheid. De grote tegels op de bodem van het eiland waren volmaakt wit, als doeken die erop wachtten om gevuld te worden. Maar het was te licht, vanuit de huizen zouden ze hem kunnen zien. Slechts weinig mensen waren zo gelukkig om op het eiland te wonen, maar er waren er wel een paar.

Zero liep onder het ziekenhuis door en begaf zich naar de andere kant van het eiland, waar de punt versmalde – precies als de boeg van een schip. Onder de boog van de brug kampeerde iemand in een hut van dekens en karton. In het net gedoofde vuurtje smeulden nog wat kolen en de lucht rook naar as. Waarschijnlijk dakloze immigranten. Stuurloos, illegaal. Veel mensen waren bang voor ze, maar Zero had het nobele besluit genomen om die ontheemde, eenzame spoken als zijn broeders te beschouwen. Hij was een keer door een van hen beroofd, maar hij had geen aangifte gedaan; zo gemakkelijk liet hij zich zijn overtuigingen niet ontnemen. Over de Ponte Garibaldi, boven hem, reed een auto – de koplampen flitsten achter de reling langs. Op de linkeroever van de Tiber waren werkzaamheden aan de gang – misschien waren ze nu eindelijk begonnen met het uitbaggeren van die smalle rivierarm die al jaren dichtgeslibd zat. Langs de hele oever liep een afscheiding van platen. Het waren golfplaten, en de moeilijkheid van de onderneming wond hem op. Het stelt niks voor om je tag te zetten op een glad oppervlak, op muren of pijlers. Dat kan iedereen, zelfs een amateur. En dat had Zero al vaak zat gedaan. Zelfs op de muur van de villa. Een onzinnige stunt, en zinloos, want Zij wist niet dat hij hem gezet had.

Hij pakte zijn spuitbussen vanonder zijn sweater. Hij had vannacht maar drie kleuren bij zich. Geen nood, dan zou hij gewoon een wereld in zwart, rood en blauw scheppen. Hij spoot. Hij hoorde de honden blaffen, hij hoorde ze grommen – misschien hadden ze een rat getroffen, of misschien had de illegaal die in die tent sliep stenen naar ze gegooid. Hij benutte dat wat er nog restte van de ochtendschemering om de explosie af te beelden op de golfplaten van de bouwplaats. Hij begon met de bom, een kleine zelfgemaakte handgranaat die hij had samengesteld uit onschuldige onderdelen, volgens de instructies die hij van internet had gedownload. De bom was zwart. Het restaurant was rood – net zoals de vlammen, dreigende vuurtongen die het uithangbord verzwolgen. Ook de hond was rood, hij jankte naar een zwarte maan, met bungelende tong. Als laatste schilderde hij zichzelf. Een iele jongen, een en al haren, van achteren. Hij tekende zichzelf blauw. Daarna schreef hij zijn boodschap: TOTAL DEVASTATION. ONTPLOF!

Ten slotte zette hij zijn handtekening. Hij zette zijn vaste handtekening – dat ene teken dat hij had achtergelaten op metrowagons en huizen en deuren en rolluiken en treinen die nu op en neer door Italië dwaalden met zijn tekeningetjes op de zijkanten geplakt als aanplakbiljetten waarop echter niets werd aangeprezen en die niets anders te beduiden hadden dan dat wat ze leken. Dat ene teken dat hem samenvatte en hem verklaarde en hem uitwiste en echt hemzelf was: een niemand, een getal zonder waarde, een Zero, een nul. Die geschilderde naam schitterde nu in het heldere ochtendlicht. De eerste supersnelle tram – pastelgroen als in een kindertekening – raasde over de Ponte Garibaldi. Slaperige taxi's gleden aan de andere kant van de reling voorbij. De grote ramen van het Israëlische ziekenhuis weerkaatsten inmiddels de zon. Een slome maar onhoudbare bedrijvigheid glinsterde en klopte onder de overdrijvende wolken. Het grootse, het zo geliefde Rome ontwaakte in de naakte realiteit van de vroege morgen, en toonde zich een en al straten, pleinen en kerken aan de passagiers in de eerste ochtendbus, slaapdronken, en aan de nachtbrakers die dronken van de muziek uit de discotheken kwamen – de stad na de veldslag, die verrijst uit de vloedgolf van de nacht. De hemel was grijs, drukkend, bewolkt. De voorspellingen bleken uit te komen. Het zou geen mooie dag worden.

OCHTEND

zevende uur

'Beste luistervrienden van Radio Globo, het is halfacht. Waar zijn jullie nu, deugnieten? Liggen jullie nog in bed? Schaam je! Sta op, het is lente! De maximumtemperatuur voor vandaag is drieëntwintig graden, de minimumtemperatuur dertien graden. De hemel is bewolkt maar het regent niet, dus vooruit, ga ervoor, het leven is mooi. Let op. Het is tijd voor de nummers waarop het meest gestemd is door de luisteraars van Radio Globo. Radio Globo, your radio, wait for me, I'll be back.'

Sasha verstopte zijn gezicht onder het kussen en deed zijn ogen niet open. De stem van de deejay had hem wreed weggerukt uit een zoete droom, die hij zich helaas niet meer kon herinneren, en die hem alleen had achtergelaten met een gevoel van uitgeput genoegen en een steek van verdriet. Maar om wat? Of om wie? 'Parlami, come il vento fra gli alberi. Parlami, come il cielo con la sua terra (Praat tegen me, als de wind tussen de bomen. Praat tegen me, als de hemel met zijn aarde),' zong een vrouwenstem op de radio. Hij had het idee dat hij dit nummer al eerder gehoord had, misschien was het het winnende liedje van het Festival van San Remo. 'Dimmi se farai qualcosa, se mi stai sentendo, avrai cura di tutto quello che ti ho dato' (Zeg me of je iets gaat doen, of je naar me luistert, of je zorgt voor alles wat ik je heb gegeven). De droom kwam niet terug. Jammer, niks aan te doen, hij was nu echt wakker. Hij sloeg het laken opzij en ging overeind zitten. Hij schoot zijn vilten pantoffels aan. De aanblik van het bed stemde hem even verdrietig, omdat het een deugdzaam bed was, met keurig ingestopt beddengoed en opgeklopte kussens. Net of er niemand in geslapen had. Maar hij dwong zichzelf om positief te denken. Zijn pessimisme had een negatieve invloed op de gebeurtenissen in zijn leven. Ooit zal dit ons bed zijn. En dan zal het me niet meer zo leeg voorkomen. 'Siamo nella stessa lacrima, come un sole e una stella' (We zitten in dezelfde traan, als een zon en een ster).

Sasha zocht zijn huisgenoot, Godot, maar de humeurige kat had zich verstopt. Zijn mandje was koud. Hij deed melk in het bakje. Hij ging op zoek, mauwend en jammerend – onder de bank, tussen de keukenkastjes, in de klerenkast. Soms gedroeg zijn kat zich als een beledigde echtgenoot. En dat beviel hem maar niks. Samenwonen valt niet mee. Een ervaring die hij nooit had gedeeld met een ander mens. En niet uit vrije wil. 'Luce che cade dagli occhi... ascoltami ascoltami' (Licht dat uit de ogen valt... luister naar me, luister naar me).

Hij stapte in de douchecabine, hield zijn gezicht onder de straal. Hij zeepte zich in met badschuim, smeerde de versterkende lotion tegen haaruitval in zijn haarpunten en bij de wortels. Op de radio hoorde hij 'Hot Shot' van Shaggy langskomen, een reclame van een autodealer aan de Via Tuscolana waar iedereen morgen een proefrit kon komen maken in de nieuwe Honda Stream met zeven zitplaatsen, 'Why Does my Heart Feel so Bad' van Moby, een uitnodiging om naar de Eurospin-supermarkten te komen, 'Mad about You' van Hooverphonic. Hij kamde zich, voorzichtig om zijn haren niet te breken – de laatste tijd leken ze ontzettend kwetsbaar. Toen telde hij hoeveel er in de kam waren blijven zitten. Vierenvijftig! Nu al! De fysiologische grens voor normale hergroei is tachtig uitgevallen haren per dag. Daar kwam hij ruimschoots overheen. 's Ochtends werd hij er altijd wreed aan herinnerd dat hij geen twintig meer was. Hij knipte zijn neushaartjes bij. Hij luisterde naar de Lùnapop die zongen: 'Non posso più tornare indietro non conosco la via, non voglio più tornare indietro e stare senza di te' (Ik kan niet meer terug ik weet de weg niet, ik wil niet meer terug en zonder jou zijn), en naar het nieuws. De paus is in Griekenland voor een historisch bezoek. In Pavia is een man gearresteerd omdat hij zijn vrouw in de tuin van zijn huis had begraven: hij hield van haar, was zijn verweer, hij wilde niet van haar gescheiden worden. In de Verenigde Staten zijn in april 223.000 arbeidsplaatsen verdwenen, het werkloosheidspercentage is 4,5 procent, een dergelijk diepterecord is niet meer bereikt sinds 1991, de groei van de werkloosheid hangt samen met de economische vertraging aldaar. Rupert Murdoch is vandaag in Rome voor een ontmoeting met Silvio Berlusconi. Sasha haalde de dop van de bus scheerschuim. Hij glimlachte weemoedig naar de man die hem overstuur aanstaarde in de spiegel boven de wasbak. 'Kop op,' zei hij, 'vandaag hoef je maar drie uur en morgen is het zaterdag.' De deejay gaf antwoord. 'Radio Globo, your radio. Vrienden, het is vandaag 4 mei, vrijdag, de dag van Venus.' Hij zeepte zijn wangen in. Wat is Rupert Murdoch van plan?

De kat schoot tevoorschijn uit de trommel van de wasmachine – met de haren overeind en een dikke staart. Hij was geschrokken van de bel. Er werd aangebeld. Op dit tijdstip? Met de wangen wit van het schuim en het scheermes in de hand liep Sasha op zijn tenen naar de deur. Door het kijkgaatje zag hij een bijna bejaarde koerier staan, met een knalrood reflecterend jack en een donkere huid, misschien een Somaliër, in elk geval een Afrikaan. Ook al verwachtte hij helemaal geen pakketje, Sasha deed toch open, al was het alleen maar uit medelijden met die man die net zo oud was als zijn vader maar wel op een brommer moest rondscheuren als een tiener in zijn eerste baantje. 'Mevrouw Solari?' vroeg de buitenlander, terwijl hij hem argwanend aankeek. 'Misschien moet u mij hebben,' preciseerde Sasha. De gegeneerde blik van de ander herinnerde hem eraan dat hij in zijn blootje stond en helemaal ingezeept was. 'Ik moet dit bezorgen.' Een gigantische mand vol blauwe tulpen, zo groot dat hij niet eens door de deuropening paste.

Blauwe tulpen. Sasha ging aan de kant, en moeizaam sleepte de man – nadat hij aarzelend om zich heen had gekeken – de mand naar het midden van de kamer. Sasha zei dat hij hem maar naast de bank moest laten staan. In het besef dat hij zijn wezenloze blijdschap niet wist te verbergen. Geschokt door de schaamteloosheid van de inwoners van dit perverse land haastte de oude koerier zich weer naar de openstaande deur en maakte dat hij wegkwam. 'Blauwe tulpen,' kirde Sasha tegen de kat, 'wauw!' Hij was het schuim en zijn baard op slag vergeten en gooide verrukt het raam open, waarna hij de kat in zijn nek krabde, die begon te spinnen van genot. Het terrasje van zijn eenkamerappartement was een geurige pracht van bloeiende dahlia's en seringen. Binnen tierden de vrolijke orchideeën en rode gladiolen welig op de planken van zijn boekenkast – het was een en al groen en bloemen, net een tuinkas. En zijn geliefde was hun jubileum niet vergeten. Wie had dat gedacht? Het hevigste geluk lijkt altijd voorbestemd om van korte duur te zijn, maar nee.

Terwijl hij keer op keer het refrein van Lùnapop zong, dat in zijn hoofd was blijven hangen – 'Non voglio più tornare indietro e stare senza di te' (Ik wil niet meer terug en zonder jou zijn) – zat Sasha op zijn knieën op de parketvloer om in het cellofaan dat om de mand zat gewikkeld te zoeken naar het kaartje. Er moest immers een kaartje bij zitten. Ze schreven elkaar zoveel. Ze schreven elkaar de woorden die ze niet zouden durven uitspreken. Dat moet het geheim van de literatuur zijn. Er zat inderdaad een kaartje bij. Hij voelde een opwelling van dankbaarheid jegens zijn vader, die van zijn gouden handdruk geen zeilboot had gekocht, of tientallen cruisereisjes op huizenhoge, afgeladen schepen, maar hém veertig vierkante meter in de Borgo Pio cadeau had gedaan. Zelf had hij het nooit kunnen betalen. Hij verdiende 1.700.000 lire bruto per maand, en dat bedrag ging helemaal op. Er liepen oude houten balken over het cassetteplafond, waarop nog een spoor van de oude friezen zichtbaar was. De boekenkast – een patroon van vierkantjes beschermd door glimmende glazen deurtjes – was perfect geordend: alle boeken gerangschikt per reeks, de kleuren smaakvol op elkaar afgestemd. Op de planken langs de wanden stonden de cd's op alfabetische volgorde gesorteerd. Zo wist Sasha altijd waar hij Thelonius Monk en Miles Davis kon vinden, Dinah Washington, Bill Evans en Tuxedomoon. En ons liedje, 'Desire'. Op het zadel van de Indiase olifant dat als tafeltje fungeerde, lag een boek met een zwart omslag. In het midden lag een naakte vrouw soepel neergevlijd. De boekenlegger zat tussen de laatste bladzijden. *Follia*, de Italiaanse vertaling van een boek van Patrick McGrath. Hij had er goede recensies over gelezen, maar hij had het gekocht vanwege de mooie cover. Goede smaak was een obsessie voor hem. Niets aan zijn huis, of aan hem, mocht gewoon lijken, of alledaags. Door het open raam lachte hem een rijtje rode tegels toe en, van heel dichtbij, de fonkelende ui van de koepel van de Sint-Pieter. Wat een prachtig huis – mijn huis. Maar waarom is het niet óns huis? Geërgerd schoof hij die gedachte aan de kant. Wees tevreden met wat je hebt, vandaag is het feest. Hij maakte het kaartje open. Zijn geliefde had in zijn bekende, kleine, precieze handschrift geschreven: 'Duizend van deze dagen.'

De zin was van een bijna beledigende banaliteit. Sasha voelde per ongeluk aan zijn wang. Zijn vinger werd wit van het schuim. Hij kwam te laat op school. De tulpen wasemden een weerzinwekkende geur uit. Misschien waren ze niet vers. Zijn geliefde wurgt de bloemist als die hem halfdode bloemen in de maag heeft gesplitst. Deze tulpen hadden levend moeten aankomen op maandag. Want het kaartje – hoe algemeen en akelig onpersoonlijk het ook mocht zijn – bevatte wel een opwindende boodschap, die zijn bescheiden wensen vervulde. Een weekend samen – een belofte die al maanden geleden was gedaan, maar telkens was uitgesteld en vooruitgeschoven. Maar het leven is nu. 'Ik heb gereserveerd in de Colline di Maremma in Montemerano. En twee nachten in het Grand Hotel bij de Thermen van Saturnia. Op jouw naam, sorry. Alles betaald, alles geregeld. Ben gestrikt voor een interview in Sorano, leg ik nog wel uit. Maar dat duurt hooguit een uur. Bel me alleen als je niet kunt. Ik kom je thuis ophalen zodra ik klaar ben met de opnamen – om een uur of acht.'

Nog bijna twaalf uur. Sasha wilde dat het al avond was. Hij stond op. Hij was blij, maar tegelijkertijd bekroop hem een onaangename gedachte. Ook al had hij zelf tegen zijn geliefde gezegd dat hij graag eens naar de Colline di Maremma zou willen, het ideale restaurantje voor een romantisch diner. Een vriendin had hem erover verteld. De chef was net in de dertig en had nu al twee sterren in de bijbel van Michelin verdiend met zijn creatieve keuken met fusion-invloeden, waarin wel gebruik werd gemaakt van traditionele streekproducten – biologisch, uiteraard. Een oude molen die zeer smaakvol verbouwd was, mooie meubels, sobere kunst, antieke broodkisten, oude landbouwwerktuigen, kaarslicht, onberispelijke bediening, maar niets pretentieus – ze serveerden een antipasto van alle vleeswaren uit de omgeving, spek uit Colonnata, verse spullen die rechtstreeks van de producenten werden afgenomen. Die antipasto is een enorme schotel, daar heb je eigenlijk al genoeg aan, maar dan moet het beste nog komen, het voorgerecht, het hoofdgerecht, de bijgerechten, het nagerecht, en dat alles vergezeld van wijnen uit de beste kelders van de streek, op het eind krijg je de zelfgestookte grappa van het huis. Het was dus een intieme maar uitgelezen plek die discreet werd bezocht, Massimo D'Alema was er gesignaleerd, en Tony Blair met Cherie, en vorige week was Roberto Benigni er nog geweest. Sasha wilde er al maanden naartoe. Nu bedacht hij echter dat zijn geliefde in dat Toscaanse eethuis had gereserveerd om minstens honderd kilometer afstand te scheppen tussen zichzelf en de echtelijke woning. Niet één keer – nog nooit – waren ze in Rome uit eten geweest. Ze hadden alle omringende steden verkend – Zagarolo, Palestrina, Frascati, Tarquinia – alle restaurants die door de gidsen werden aanbevolen in de provincie, en zelfs nog verder weg. Ik ken iedereen, iedereen kent mij, in Rome, had zijn geliefde uitgelegd. Maar die maniakale voorzichtigheid kwam hem nu alleen maar laf voor.

Ze konden beter helemaal nergens heen gaan. Ze konden zich drie dagen lang in huis opsluiten. Ze hadden al weken niet meer gevreeën. Maar er was dat verdomde interview. Zijn geliefde vergat zichzelf nooit en gedroeg zich altijd alsof er televisiecamera's bij waren. Nou ja, op het briefje staat dat het hooguit een uur zal kosten. Ik ga wel wat rondlopen door de steegjes. Sorano is een romantisch plaatsje. De laatste keer dat we er waren was het totaal vervallen: een hele wijk was volkomen verlaten en verbrokkelde in het ravijn. Hij was echter bereid om alles in de steek te laten voor zijn geliefde. Zelfs zijn leerlingen. Hij wist nu al dat hij morgenmiddag niet met ze naar de Galerie voor Moderne Kunst zou gaan – zoals hij had beloofd – en ze niet zou laten kennismaken met Klimt, Morandi en Degas. Trouwens, voor schoolkinderen kan het een rampzalige gebeurtenis zijn om met een leraar naar het museum te gaan, het kan ze de lust benemen er ooit nog een voet binnen te zetten. Ook al wil de leraar helemaal niks uitleggen en ze al helemaal niet volstouwen met kennis, ook al wil hij ze alleen maar voor een kunstwerk zetten en hun verbazing, hun ergernis, hun nieuwsgierigheid opwekken. Hun spontane, instinctieve interesse in kunst of voor elke andere uitdrukkingsvorm van het menselijk intellect is allang uitgeroeid en gedoofd na acht jaar school, en de smeulende resten ervan zou hij morgen heus niet aanwakkeren. Sasha noemde die leerlingen van hem altijd zijn weesjes, want hoewel ze allemaal ten minste één ouder hadden, als het er geen drie of vier waren, al naar gelang hun gezinssamenstelling, was er niemand die zich echt om hen bekommerde, afgezien van de school, waar ze dagelijks werden gestald en definitief werden kapotgemaakt. Gisteren had hij tot zijn onbeschrijflijke verdriet ontdekt dat geen enkele leerling van 3b ooit één voet in een boekwinkel had gezet.

'Ik ga weg, poes,' zei Sasha terwijl hij zijn hand uitstak naar de kat. Godot, die al aanvoelde dat hij alleen zou worden gelaten, blies geïrriteerd naar zijn hand en sprong weg. Eigenwijs beest. Je moet geduld hebben met ons. We hebben maar zo weinig tijd om bij elkaar te zijn. Terwijl hij zich aankleedde, keek hij vol genegenheid naar de wand achter het bed. Tussen de poster van de Vermeertentoonstelling in Den Haag van 1996 en de reproductie van de discuswerper van Mapplethorpe hing een ingelijste foto. Genomen met de zelfontspanner, in een baai van het eiland Marettimo. Sasha en zijn geliefde, gebruind, neergestreken op de boeg van de sloep, bedwelmd door het zout en de zon. Lachend. *Non voglio più tornare indietro e stare senza di te (Ik wil niet meer terug en zonder jou zijn)*. Niks Galerie voor Moderne Kunst. Niks leerlingen. Laat hun ouders ze daar maar mee naartoe slepen, laat die ook maar eens enige verantwoordelijkheid nemen, niemand heeft ze verplicht om die kinderen op de wereld te zetten. Vanmiddag om één uur heb ik vakantie. Ik heb ook recht op een beetje geluk. Zo'n jubileum komt niet meer terug. Niets komt ooit nog terug. Die school met al zijn leerlingen kan de pot op.

achtste uur

In de bus stonden ze op elkaar geperst als haringen in een ton. Van zitten was geen enkele sprake. Valentina wrong zich tussen de stangen van de stempelautomaat, duwde haar rugzak tegen het raampje en zette haar walkman aan. Met een grafstem schreeuwde Brian Warner alias Marilyn Manson 'COUNT TO SIX AND DIE', hij overstemde de krachtige muur van geluid van de elektrische gitaar en het drumstel en bracht haar naar een andere plek. Naar een wereld van respectloosheid en vrijheid waarin geen voorsteden bestonden die troosteloos ver van het centrum lagen, noch overvolle bussen, noch nurkse ouwe mannen, noch onbenullige ouwe vrouwen in het bezit van lompe boodschappenkarretjes. Versleten lichamen die, evenals trouwens de al evenzeer versleten raampjes, stoelen en leuningen, een doordringende stank verspreidden, een verontrustende geur van dierlijke verrotting. En ook mama bestond daar niet, met haar uitgebleekte, warrige haar in een paardenstaart en een uitdagende krul die als een kers naast haar rode mond danst, en ook Kevin niet die vraagt: 'Mama, wat is een aarsklier?', de eerste van de vele vragen waarmee hij de godganse dag iedereen om hem heen zal bestoken. Een wereld waarin zelfs Rome niet bestond. COUNT TO SIX AND DIE.

Emma stond te worstelen tussen een groep brugklassers behept met een ontsierende vorm van acne, met haar ellebogen probeerde ze ruimte te scheppen voor Kevin, die ze aan de kraag van zijn windjack omhooghield omdat die kleine turf amper lucht kreeg tussen al die benen. 'Wat is een aarsklier? Wat zijn feromonen?' ging Kevin door, terwijl hij zijn neus in de lucht stak. 'Mama, heb je wel eens een stinkdier gezien?' De passagiers stonden tegen elkaar aan geplakt, hun lichamen botsten tegen elkaar en raakten vastgeklemd – billen en handen, ellebogen en haren, tepels en schouderbladen –

intieme aanrakingen, obscene uitwisselingen van lichaamssappen, geuren, ademhalingen. Valentina had een gruwelijke hekel aan bussen. Vroeger was het anders, toen ging ze te voet naar school. Onderweg kocht ze een stuk pizza bij de zaak aan de Via dell'Esquilino, en belde ze aan bij Sharon die naast haar zat in de klas, en dan liepen ze samen naar school. Nu werd ze elke ochtend verplicht tot deze rugbyscrum. De verantwoordelijke voor dit alles stond, onverschillig voor het geduw en gedrang, onverschillig voor de provocaties van Marilyn Manson, onophoudelijk met haar mond te bewegen – ze praatte tegen haar. Valentina kon haar niet horen, vanwege Marilyn Manson, maar ze wist toch wel wat ze haar vroeg: of ze goed had geleerd, ze had vandaag toch proefwerk natuurkunde? Mama dacht dat het haar iets kon schelen – dat ze blij was met haar belangstelling. Maar ze vroeg altijd dezelfde dingen, over school, de leraren, de overhoring, dingen die van geen enkel belang waren. Het ging goed op school, tenminste, tot een tijd geleden was alles goed gegaan op school, het was de rest die niet goed ging – maar daarover werd niet gesproken. 'Jaha,' antwoordde ze lusteloos, terwijl ze haar hoofd bewoog op het ritme van de muziek, 'wat een gezeik, laat me toch, ik heb geleerd, ik weet het wel.'

'Zet dat rotding uit!' gilde Emma, maar de deuren van de bus gingen open en bij de derde halte aan de Via Torrevecchia stapte een hele meute in, woedend omdat ze zo lang hadden staan wachten. 'We zijn de schande van Europa. Waar gaan al onze centen naartoe?' mopperde een dik wijf, wellicht een dienstmeid, nog voor de bus in beweging was gekomen. 'Italië is een ramp,' viel een invalide bejaarde haar kwaad bij. 'Diegene die heeft gezegd dat Italië een arm land is dat wordt bewoond door rijke mensen, heeft helemaal gelijk. De infrastructuur en de dienstverlening hier zijn van derdewereldniveau, maar we hebben meer banken, auto's en telefoons dan de Zweden.' Emma bedacht dat alleen bejaarden, buitenlanders en studenten gebruikmaakten van het openbaar vervoer in Rome – de armen dus – en dat ze zo snel mogelijk iets aan deze situatie moest veranderen. 'Gisterochtend moest ik de metro nemen op station Termini,' begon een andere passagier te mekkeren. 'We stonden als haringen in een ton op de perrons, het was gewoon eng, en dan stopt de metro en zit hij zo vol dat je er niet bij kunt, op een gegeven moment klinkt het door de luidspreker: "De dames en heren passagiers wordt verzocht gebruik te maken van de bovengrondse vervoermiddelen vanwege het drukke verkeer op lijn A", dat is toch niet te geloven, alsof de bussen daar boven leeg rondrijden, waar betalen we in godsnaam belasting voor?' 'Ik zou graag belasting willen betalen,' zei Emma met een milde glimlach tegen hem. 'Wie belasting betaalt, verdient tenminste geld.' 'Mooie dame,' knipoogde de passagier vertrouwelijk, 'wat bent u toch naïef, wie geld verdient betaalt geen belasting, dat is nou juist het probleem van Italië.' Emma bleef verstrooid naar hem glimlachen. Ze gaf zich over aan het opmerkelijk magische ritme van de bus en de bruisende wereldstad om haar heen, ondergedompeld in het weldadige oergevoel dat ze erbij hoorde, en werd overspoeld door een bijna mystieke sensatie van eenheid met de dingen van Rome, met de andere leden van het menselijk ras en haar stadgenoten.

Valentina vond het vreselijk als haar moeder met onbekenden begon te praten. De passagier probeerde om Kevin heen te lopen, waarbij hij hem op zijn tenen trapte, maar door een nieuwe toevoer van mensen werd hij losgerukt en gescheiden van mama. Mama zelf werd intussen in haar richting geduwd. Gehuld in een bontjasje dat volkomen misplaatst was in mei, en met een walgelijke lucht van wierook om zich heen. Ja, wierook – want tijdens het reinigingsritueel 's ochtends, dat ze overigens allemaal tegelijk uitvoerden omdat er bij oma thuis maar één badkamer was en zij drieën om dezelfde tijd weg moesten, stak mama altijd een wierookstokje aan. Om de serotonineproductie te stimuleren, zei ze. De molecuul die voor je geluksgevoel zorgt, of zoiets. 'Hoe laat is je wedstrijd?' brulde Emma om boven Brian Warner uit te komen, die trouwens over een krachtige, vaste stem beschikte, ondanks de onterechte kritiek van priesters en muziekrecensenten, die hem ervan beschuldigen dat hij een marionet van de grote platenmaatschappijen is. 'Om halfzes!' schreeuwde Valentina. Emma beet op haar lip en schudde haar hoofd. Ze liet het wierookstokje altijd branden op de rand van de wasbak, terwijl ze zich waste. Ze stak het aan om haar huid te ontdoen van de geur van oma – die niet lekker was –, maar mama had dat smoesje van die serotonine gewoon opgedist om de waarheid niet te hoeven zeggen. Ze was een schaamteloos liegbeest. Ineens was Marilyn Manson stil. Mama had de STOP-knop ingedrukt.

'Denk eraan dat je Kevin moet ophalen, hè?' Valentina negeerde haar en drukte weer op PLAY. 'Valentine's Day' begon. Haar favoriete nummer – misschien vanwege de naam, want zo heette zij ook. Ze begreep niet waar het over ging, al was haar Engels niet slecht; maar het ging in elk geval over een meisje. In het Palaghiaccio van Marino, tijdens het concert in februari, had Marilyn Manson het nummer verkleed als paus gezongen, achter een bidstoel die aan de zijkanten was versierd met twee afgehakte koppen. VALENTINE'S DAY. De dag van Valentina? Mijn dag. Waarom niet? Maar mama, die denkt altijd alleen maar aan Kevin. Dat die grote meid haar broertje na school moet ophalen en hem weer naar oma moet brengen. En dat die grote meid in drie uur tijd twee keer heel Rome door moet kan haar geen reet schelen. Als ze dat stinkdier maar gaat ophalen. 'Flies are waiting, in the shadow, of the valley of Death,' zong ze haar moeder instemmend in het gezicht. Ze had trouwens toch al een afspraak gemaakt met Kevin – die zij het stinkdier had gedoopt vanwege de vieze nachtelijke luchtjes die hij afscheidde, net als dat vleesetende zoogdiertje als het schrikt.

Een paar maanden geleden hadden ze een geheim contract afgesloten. Valentina gaf hem een paar duizend lire om videogames te spelen en Kevin vertelde niet aan mama dat Vale hem op sommige dagen alleen naar huis liet gaan. Vandaag was een van die dagen. Ze zou hem op station Flaminio op de metro zetten en Kevin zou bij de laatste halte uitstappen – Battistini, je moet de metro richting Battistini nemen, niet Anagnina, onthou je dat? – en dan zou hij bus 916 pakken, de halte was toch vlak bij de uitgang van de metro, hij zou uitstappen bij de toren – dat was toch nog geen honderd meter naar het huis van oma, en dan moest hij steeds rechtdoor lopen tot de weg ophield – hoe dan ook, hij ging alleen naar oma. Zo moeilijk is dat niet, een kind van zeven kan allang lezen. En trouwens, mama zegt altijd dat kinderen zonder vader veel sneller groot worden. Ook haar leraar zegt dat Valentina Buonocore zo volwassen is voor haar leeftijd. Soms voelt ze zich ook echt ouder dan mama. Doordat mama impulsief en onvoorzichtig is, is zij verstandig en behoedzaam geworden; zo openhartig als mama is, zo gesloten is zij; zo rusteloos en levendig als mama is, zo zwijgzaam, ernstig en nadenkend is zij. Soms heeft Valentina het idee dat ze de moeder van haar moeder is. Hoe dan ook, vandaag gaat Kevin alleen naar huis. Mama komt er toch niet achter, ze hebben het al vaker gedaan en Kevin heeft het geheim bewaard. Het stinkdier is grillig, maar wel trouw, en uiteindelijk is ze toch wel blij dat ze geen enig kind is gebleven. 'Flies are waiting, in the shadow, of the Valley of Death,' zong ze, te hard, want alle passagiers draaiden zich om. 'Some of us, are really born to die.'

Emma probeerde het raampje open te doen, maar het zat vast. Ze ving alleen een glimp op van een lange stoet auto's en busjes die als verlamd op de Via Boccea stonden. De bus kroop met ontmoedigende traagheid voort. In twintig minuten tijd waren ze maar net twee verkeerslichten opgeschoten. Al die verspilde tijd. Zo verglijdt het leven – een onsamenhangende reeks momenten die geen enkele betekenis hebben. Maar zodra ze genoeg geld had zou ze de motor laten repareren en dan was deze kwelling voorbij. Op de motor deed ze er maar een halfuur over om Kevin naar school te brengen. Die kleine zat graag op de motor. Hij klauterde op het zadel en klemde zich overdreven stevig tegen haar aan, alsof hij met haar wilde samensmelten, terwijl hij met zijn mond, neus en helm tegen haar rug aan wreef. 'Waarom moet je gaan werken?' begon hij. 'Waarom moet ik naar school? Waarom is het maar één keer per jaar Kerstmis?' 'Dus je komt niet naar de wedstrijd,' constateerde Valentina op verwijtende toon. 'Ik kan niet, Vale,' zuchtte Emma, 'ik moet vandaag naar de generaal. Het spijt me.' 'Ach,' zei Valentina schouderophalend, 'het maakt me niks uit, ik speel beter als je er niet bij bent.' Een wereld zonder bussen, zonder Rome, zonder mama – een wereld van muziek. SWEET DREAMS ARE MADE OF THIS.

Emma glimlachte in een poging niet te laten merken dat ze zich gekwetst voelde. Een paar jaar geleden zou Valentina nooit zoiets gezegd hebben. Een paar jaar geleden zou Valentina niet eens zonder haar naar de wedstrijd zijn gegaan. Maar ze was inmiddels veertien. Ze was bijna even groot als zij – en ze beschouwde zichzelf als volwassen. Inmiddels interpreteerde Valentina alles wat zij deed als een fout, een pesterij of nog erger. Ze maakten ruzie om de onbenulligste dingen. Valentina kon heel grof zijn. Emma was bang dat ze haar kwijt was, maar ze wist niet hoe ze haar moest terugkrijgen. Alle wegen die naar haar dochter leidden leken te zijn versperd. De herriemuziek die uit de oordopjes van haar walkman gutste hield haar op afstand.

De bus remde abrupt, en Emma viel tegen Valentina aan. Wierook. Hectoliters Roberto Cavalli. En de lippen beschilderd met kersrode lippenstift. En gelakte nagels – in paarsig roze, met doorzichtige spikkels erop. En een strakke rok en laarzen. Ze heeft zich mooi gemaakt. Volgens mij gaat ze helemaal niet naar de generaal vanmiddag. Ze heeft een afspraakje met haar geliefde. Wie is het deze keer? Papa had gelijk. En zij heeft ons weggehaald. De slet.

'Morgen neem ik jullie mee naar Castelfusano,' zei Emma terwijl ze haar oordopje verschoof. 'Er wordt slecht weer voorspeld, we kunnen niet zonnen of zwemmen, maar het gaat niet regenen, dus we gaan picknicken in de duinen en lekker over het strand rennen.' 'Ja, dahaag!' gilde Valentina, 'ik heb morgen met mijn team de wedstrijd van het Roma Volley-toernooi.' 'Ga toch met ons mee naar Ostia,' drong Emma aan. 'Ik beloof je dat we op tijd terug zijn.' 'Verdomme, dat moet je niet beloven!' ontplofte Valentina. 'Jij houdt je nooit aan je belofte.' De vorige keer dat ze naar haar moeder geluisterd had, had ze de wedstrijd gemist. Dat was op paaszaterdag. Haar leraar Italiaans had een facultatief cultureel uitstapje naar de opgravingen van Ostia Antica georganiseerd. Van 3b zouden ze met z'n vijven gaan – onder wie de Chinese meisjes en de Marokkaanse, die de leraar op alle mogelijke manieren probeerde te betrekken bij de schooluitstapjes, omdat hij erop gebrand was de buitenlandse leerlingen te helpen integreren, hoewel die helemaal niet van plan zijn om te integreren en nooit hun mond opendoen. Uiteindelijk was dan ook alleen Sharon komen opdagen, die naast haar zat in de klas – en toen had mama, die haar met het stinkdier aan haar kont geplakt naar de afspraak had gebracht, gezegd dat de leraar heel ontwikkeld was en alles over het oude Rome wist, en dat het voor haar goed was om iets nieuws te leren zodat haar intellectuele hersenkwab weer in beweging zou komen, want die was vastgeroest. Dus als de leraar er niets op tegen had, zou ze zich heel graag bij hen aansluiten.

De leraar – een keurige jongeman zonder baardhaar en met een rond brilletje, die eerder een overijverige student leek dan een leraar – had er niets op tegen, of anders zei hij het in elk geval niet. Hij reed in een Peugeot die rook naar pepermunt, heel langzaam, zonder ooit de snelheidslimiet te overtreden, en mama was zo blij, alsof ze op weg waren naar de maan in plaats van dat ze naar een hoop stenen gingen kijken; op een gegeven moment was ze zelfs begonnen te zingen. Als ze zong, toverde ze een heldere, verfijnde stem tevoorschijn die in de verste verte niet op haar gewone stem leek. Sinds een tijdje ging ze op donderdag zingen in de pianobar van een vriend van haar, achter de Piazza Navona. Gratis, bijna dan – maar mama beweerde dat ze niet meer wilde leven zonder muziek. Mama beweerde dat ze beroepszangeres was geweest, voordat zij geboren was, maar papa ontkende dat – als zij hem niet kon horen –, hij legde uit dat het enkel een fantasie van haar was, een wens die ze nooit had vervuld. Ze was gewoon een koorzangeresje geweest, zo'n griet die halfbloot op het podium met haar billen staat te zwaaien. Op de drie of vier platen die ze had opgenomen hoorde je haar stem alleen maar 'ah oh ah' zuchten. Meer stelde die glanzende carrière van haar niet voor. Je moeder zag er gewoon leuk uit, maar verder was ze niks bijzonders, concludeerde papa. Ze is niet opgehouden met zingen omdat jij werd geboren. Valentina zou het een zorg zijn of mama zangeres was geweest of niet. Het stond in elk geval vast dat mama dacht dat ze door haar schuld had moeten stoppen. De opofferingen die je je voor je kinderen getroost, dat soort flauwekul. Ze had ook nooit naar haar willen gaan luisteren in de pianobar, want ze wilde liever dat ze er helemaal niet heen ging en ook op donderdag thuisbleef bij hen.

Die zaterdag, tussen de ruïnes van Ostia Antica, had de leraar elke steen uitgelegd, en op een gegeven moment, nog niet eens halverwege de rondleiding, had mama gezegd: zullen we, nu we genoeg cultuur hebben opgesnoven, nog even een domme wandeling gaan maken in Castelfusano? Valentina had zich rot geschaamd. De leraar was zo verbluft geweest dat hij niet eens de tijd had gehad om een uitvlucht te verzinnen. Ze hadden de auto in de duinen geparkeerd en ze hadden een strandwandeling gemaakt – en de leraar had een vulkaan gebouwd voor Kevin, en vervolgens had hij een racebaan voor hem gemaakt waarop ze met de aardappelvormige, stekelige zeealgen konden racen, en hij had een wedstrijdje met hem gedaan en hij had hem laten winnen. Het trof haar dat haar leraar zo spontaan inging op de idiote bedenksels van haar broertje. Wat een lieve man was dat. Haar klasgenootjes waren allemaal verliefd op hem en hoopten dat hun vaste lerares niet terug zou komen na haar zwangerschapsverlof om haar plaats weer in te nemen. Maar zij deed in juni toch eindexamen, dus volgend jaar had ze hem sowieso niet meer. Jammer, want een leraar als hij zou ze nooit meer krijgen. Hij had trouwens al gezegd dat ze hem ook als ze van school af was nog mocht blijven schrijven en bellen. Maar de achteloosheid waarmee volwassenen hun leugens rondstrooien is werkelijk ongelooflijk.

Daarna hadden ze bij elkaar staan uitwaaien op het zand. Op een gegeven moment waren mama en de leraar begonnen te praten over tijdelijke contracten, en probeerden ze uit te diepen wat de positieve kanten ervan waren als je niet wist of je de volgende maand wel of geen werk zult hebben. Volgens mama was daar niets positiefs aan, maar volgens de leraar wel, hij beweerde dat het feit dat je je toekomst niet kent iets met vrijheid te maken heeft, en mama had opgemerkt dat hij dat alleen maar zei omdat hij jong was. De leraar moest blozen omdat hij inderdaad jong was, en toen wilde mama leuk doen en had ze hem verteld hoe tijdelijk de baantjes waren geweest die zij de afgelopen jaren had weten te versieren. Ze had in een bar gewerkt, maar toen had de eigenaar haar weggestuurd en een Roemeense aangenomen, die minder verdiende. Ze had als secretaresse van een tandarts gewerkt, maar dat had niet lang geduurd – laten we zeggen om fiscale redenen. Ze waakte 's nachts in het huis van een oude verlamde vrouw, maar die was later gestorven, wat ze al met al niet erg had gevonden omdat het een arrogant kutwijf was dat haar heel slecht behandelde en haar mijn dienstmeid noemde. Daarna had ze zwart schoongemaakt in een gebouw waar haar moeder dertig jaar lang hetzelfde werk had gedaan, maar de bewoners zeiden dat haar moeder wel van wanten wist, maar dat je aan haar kon merken dat het niet haar beroep was. En nu had ze een generaal van vierentachtig, die eveneens in slechte gezondheid verkeerde, helaas, zodat ze zich er nu al psychisch op voorbereid had om hem naar het kerkhof te brengen. Hoe dan ook, ze had geen enkele hoop meer dat ze nog een vaste baan aangeboden zou krijgen, en dat was het tegenovergestelde van vrijheid, het was een gevangenis. Valentina schaamde zich om haar klasgenootjes te vertellen dat haar moeder incontinente, kindse ouwe mensen voerde en schone luiers gaf, dat ze als poetsvrouw werkte en ook dat ze op donderdag in een pianobar zong, want het woord pianobar roept onmiddellijk associaties op met stripteasedanseressen, met vrouwen die het doen voor geld. Ze had het nooit aan iemand verteld, en nu flapte mama het er zomaar allemaal uit tegen haar leraar Italiaans, en ze had het liefst door de grond willen zakken.

Die zaterdag had mama beloofd dat ze om zeven uur 's avonds weer in Rome zouden zijn, maar om zeven uur 's avonds zaten ze nog steeds op het overdekte terras van een strandtent. Mama had te veel daiquiri gedronken en zat inmiddels over reïncarnatie te bazelen, en ze vroeg de leraar of hij geloofde in hypnotische regressie, want als het niet zo duur was geweest zou zij graag eens onder hypnose gaan om erachter te komen wat ze in haar vorige levens was geweest. Dat zou haar huidige karma wellicht kunnen verklaren, want dat leek een vergelding voor een fantastisch verleden dat zij zich echter helaas niet kon herinneren. De leraar glimlachte nogal cynisch en zei dat er volgens hem geen enkele filosofische noch wetenschappelijke basis voor hypnose was, en dat die methode dan ook vaak wordt uitgevoerd door charlatans die misbruik maken van de spirituele onrust van de mensen, en mama zei dat ze toch antwoorden wilde vinden op vragen naar de zin van het leven, en ze betreurde het dat ze nooit iemand was tegengekomen die het lef had die haar te geven. Ze waren heel laat teruggekeerd naar Rome, en Valentina had de wedstrijd gemist, en dat was de laatste keer geweest dat ze vertrouwen had gehad in haar moeder.

Rood verkeerslicht. Emma vastgeklemd tussen de stempelautomaat en haar benen. 'Als jij niet meegaat,' kwelde ze haar, 'gaan wij ook niet naar Castelfusano. Ik wil een poosje met z'n drietjes zijn, Valentina, snap je dat?' 'Wat een gezeik,' antwoordde zij koppig, 'morgen heb ik afgesproken met mijn team.' En om haar duidelijk te maken dat er geen discussie meer mogelijk was, pakte ze haar mobieltje en controleerde haar berichten – maar niemand had haar iets gestuurd. Dus stuurde ze een sms'je aan haar vriendin Miria. Terwijl ze het intoetste – FF LNCHEN STRKS? – voelde ze de verdrietige blik van mama in haar hals boren als een gifpijl. De deuren van de bus gingen open. Een vlakte van asfalt gehuld in de laatste ochtendnevel, huizen die trilden als luchtspiegelingen in de uitlaatgassen van de auto's. De gevels van de gebouwen bedekt met een uitslag van balkons en plantenbakken. De vuilniswagen bijt luidruchtig in groene containers, hij houdt ze even vast, als lekkere hapjes die boven zijn opengesperde muil worden gehouden – en dan slokt hij de inhoud ervan op en verteert die in zijn gulzige buik. Groene verkeerslichten en gele borden, manoeuvrerende bussen, stilstaande bussen tussen de abri's. Kaartjesautomaten die het nooit doen. CIRCONVALLAZIONE CORNELIA. Eindpunt.

Ze stapten uit. Een rivier van mensen stroomde samen op het trottoir en stortte zich in de tunnel van de metro. Ook zij lieten zich meevoeren. Als ze langs de manden kwamen waarin de gratis krant *Metro* werd aangeboden, grepen de passagiers een exemplaar. Emma pakte er geen. Mama las nooit kranten. Ze zei altijd: wat gebeurd is, is gebeurd, en wat niet gebeurd is, is niet gebeurd. En trouwens, het gaat toch altijd alleen maar over slecht nieuws en akelige moordpartijen. In de warme ondergrondse tunnels was het al zomer. Mama trok haar bontjasje uit en hing het over haar schouders. Ze had haar amarantkleurige truitje aan, met een schaamteloos decolleté. Mama werd bijna veertig, en Valentina vond dat dat haar ook wel aan te zien was – maar toen de leraar haar had ontmoet had hij gezegd dat ze net de oudere zus van Valentina leek. Idioot blij, maar toch wantrouwig van aard, had mama hem gevraagd of hij dat soms tegen alle vrouwen zei, gewoon om aardig te zijn. En de leraar had verbluft geantwoord dat dat inderdaad zo was. Mama zou in staat zijn om verliefd te worden op haar leraar. Valentina wilde niet zo worden, ze had ook helemaal nix met jngns. En daardoor hadden jngns ook helemaal nix met haar – of andersom; moeilijk te zeggen hoe die wederzijdse afkeer ontstaat en waarom. Feit was dat ze nooit een jongen had gezoend en daar ook nooit behoefte aan had gehad. Jngns zijn allemaal skkls. Zij gaf de voorkeur aan Brian Warner alias Marilyn Manson – van wie niemand zou kunnen zeggen of hij man, vrouw of duivel was.

Met een windstoot kwam de metro aanrijden. Op de zijkanten, en zelfs op de raampjes, had iemand met gekleurde verf een volk van grove, droevige, zwaarmoedige mannetjes gespoten. Op de deur van de laatste wagon stond een mannetje met een grote bos haar en een afstandsbediening in de hand, die klaarstond om op de enige knop te drukken. ONTPLOF! zei het mannetje tegen iedereen die naar hem keek. Ontplof! zei hij tegen Emma, Kevin en Valentina. Maar toen gingen de deuren open en verdween het mannetje. Ze glipten in de wagon – zich tussen de reizigers door wringend om de zitplaatsen achteraan te veroveren. Moeder en dochter gingen tegenover elkaar zitten. Emma pakte Kevin bij zich op schoot. Ze zette zijn bril recht, die van zijn neus gleed. Hij staarde haar verrukt aan, met zijn enige oog – het andere was bedekt met een opvallende pleister die ooit wit was geweest en nu een grauwe tint had aangenomen. Emma hield haar armen om zijn middel en knabbelde plagerig aan zijn oor. Kevin wrong zich lachend in allerlei bochten. Hij vond het heerlijk als ze hem kietelde.

'Hoeveel hou je vandaag van mij, van een tot tien?' fluisterde Emma terwijl ze in zijn hals blies. 'Als je s-s-schnitzel en frietjes voor me m-m-maakt een zeven,' antwoordde Kevin. 'En morgen?' 'Als je n-n-niet weggaat een negen min.' 'En overmorgen?' 'Als je Naikies voor me k-k-koopt een t-t-tien plus.' 'Je wordt een echte kapitalist, mannetje.' 'Wat is een kapitalist?' 'Iemand die ik niet leuk vind.' 'Mama, ik hoef g-g-geen frietjes.' 'Mooi, dan eet ik ze tenminste ook niet,' lachte Emma. 'Slik je die vermageringstabletten van tante Debora niet?' kwam Valentina tussenbeide. 'Volgens mij werken ze niet,' zei Emma. 'Natuurlijk wel,' zei Valentina. 'Misschien is je spijsvertering aan het veranderen. Op tv zeiden ze dat vrouwen als ze ouder worden meer vetten opnemen.' Emma had haar dochter erop willen wijzen dat het niet aardig en ook niet terecht is om tegen een vrouw van veertig te zeggen dat ze oud wordt, maar ze zei het niet, omdat Kevin haar aandacht weer opeiste door in haar oor te fluisteren dat hij vast en zeker van plan was niet meer te eten. Toen verklaarde hij zich nader: 'Als ik n-n-niet meer eet, word ik ook n-n-niet groot.' 'O, maak je geen illusies, je groeit misschien wat minder, maar je wordt evengoed groter,' hielp Emma hem peinzend uit de droom. 'En hoe k-k-kun je dan zorgen d-d-dat je niet groeit?' 'Dat kan niet. De natuur heeft haar wetten.' 'Ik wil n-n-nooit groot worden.' 'Waarom niet?' vroeg ze niet-begrijpend. Kevin dacht erover na en zei toen bezorgd: 'Omdat ik niet wil dat jij doodgaat.'

'Hoe bedoel je?' vroeg Emma, en toen vervloekte ze zichzelf vanwege die opmerking die ze eruit geflapt had, vannacht. 'Denk daar maar niet meer aan, liefje. Dat gebeurt niet. Ik word stokoud en dan draag jij me in je armen, zoals ik jou nu draag.' Nog niet helemaal overtuigd wikkelde Kevin zich in haar boa en begon met zijn vinger op het stoffige raam te tekenen, met een gelukzalige grijns om zijn mond. Valentina deed haar ogen dicht, want iets in de tedere intimiteit van mama en Kevin deed haar pijn. Ze liet haar hoofd bungelen – een korte glimlach. Emma voelde een stekende pijn. Haar dochter was aan het veranderen. Haar haarkleur veranderde, haar gezichtsuitdrukking, haar vormen. Misschien leek ze op haar. Misschien zou ze een beter mens worden dan zij. BALDO DEGLI UBALDI. VALLE AURELIA. Zo ging het elke dag weer sinds de motor als oud schroot bij de uitdeuker stond. De enige momenten waarop ze hen allebei bij zich had – dierbare momenten, maar onbruikbaar –, stomgeslagen door het kabaal van de metro, versuft door de ziekelijke warmte in de wagons, samengeperst tussen vreemde mensen, zonder met elkaar te kunnen praten, zonder naar elkaar te luisteren, dicht bij elkaar maar in werkelijkheid ver van elkaar verwijderd, afwezig. Elders. Ik mis hun mooiste ogenblikken. En die komen nooit meer terug. Valentina is groot geworden, en veranderd. Valentina is ernstig en wijs en vijandig – ineens leek ze haar bijna een volwassene, die luistert naar haar eigen muziek en die háár beoordeelt en veroordeelt. Terwijl ze helemaal niks van me weet.

'Ik heb hem gezien,' zei Valentina ineens. 'Wie?' vroeg Emma, terwijl ze zich over Kevin heen boog – wat schreef hij op het raampje? K, E, V, zijn naam. Waarom schrijven kinderen in het stof, in de sneeuw en in het zand? Voor wie? Valentina deed haar oordopjes uit en boog zich naar voren. 'Papa,' zei ze. 'Hij stond voor het huis. Wat hebben jullie tegen elkaar gezegd?' 'Niets,' antwoordde Emma. We hebben niets tegen elkaar gezegd. We hebben elkaar niets meer te zeggen.

Kevin had zijn naam op het raam af en leunde voldaan achterover in Emma's armen. O, die heerlijke ritjes met de bus en met de metro en dan weer met een andere bus – eindeloze verplaatsingen, eindeloos Rome, mooi en ver weg achter de raampjes of boven hun hoofd –, weggezakt tussen mama's benen, voortdurend tegen haar borst en tegen haar aan geklemd en geslingerd, steeds weer vastgegrepen en omhelsd en gered. O, was het maar de hele dag zo – lekker vervoerd worden, lekker vooruitgaan, beschermd

77

en veilig – tegen elkaar aan, heel dicht, wij tweeën. Een zigeuner begon zijn collecte door woest op de toetsen van zijn accordeon te beuken. Er klonk een schelle versie van 'La Cucaracha', die de passagiers wrevelig aanhoorden. 'Het is gewoon een invasie,' blafte de man die aan de horizontale stang hing, tussen de stoelen ingeklemd, en wiens knieën vervaarlijk langs Emma's hals gleden. 'Bedelaars, kreupelen, schooiers, Rome lijkt wel Calcutta, vroeger was het lang niet zo erg, ze zouden ze allemaal in zee moeten gooien en ze met kanonskogels moeten laten verzuipen.' 'Waarom ga je niet naar hem terug?' waagde Valentina, en even hoopte ze dat het allemaal nog goed kon komen. 'Waarom geef je hem niet nog een kans?' Emma herkende de woorden van Antonio en deed er verward het zwijgen toe.

CIPRO – MUSEI VATICANI. Ze had nog twee haltes om haar dochter uit te leggen waarom ze zich niet met Antonio kon verzoenen. Twee haltes – vijf minuten. Veel te kort. Morgen is het zaterdag. Dan heb ik de hele dag om met haar te praten. Ik doe het morgen. Ze bleef zwijgend zitten, haar handen op de magere knieën van haar dochter – starend naar de reclame van de Vrouwentelefoon die op een kaartje achter het hoofd van Valentina bungelde. DE DRAAD DIE VROUWEN VERENIGT TEGEN GEWELD, luidde de slogan. Op het kaartje was de hoorn van de roze telefoon opgetild. WE ZIJN ER OM NAAR JE TE LUISTEREN – KOM NAAR ONS TOE. Om naar je te luisteren! Nooit iemand ontmoet die wilde luisteren. Niemand trekt zich ergens wat van aan. Blablabla.

OTTAVIANO – SAN PIETRO. Er stapte een hele horde Japanse toeristen in. De wagon barstte uit zijn voegen. Toeristen zijn dodelijk. Ze zien de Romeinen niet die ze verdringen, tegen wie ze aan duwen en stoten, ze zien geen verband tussen hen en Rome, behalve dat ze in een willekeurige verkoopster het profiel van een madonna herkennen. Hun benen, fotocamera's, paraplu's en achterwerken verborgen Valentina's teleurstelling voor Emma. De zigeuner met de accordeon stak een kartonnen bekertje onder haar neus. Onderin glansden een paar muntjes. Ze zag hem niet eens en de zigeuner liep ontstemd verder. Het wordt tijd om haar alles te vertellen. Ze is groot genoeg nu. Misschien kan ze me vergeven. Misschien. O, was het maar vast morgen. LEPANTO.

Emma hielp Kevin van haar schoot af, stond op, pakte de rug-

zak van haar zoontje, bukte zich om Valentina een kus te geven –
maar die was op dat moment woedend op haar omdat ze nu de zekerheid had dat ze nooit meer terug zou keren naar de Via Carlo
Alberto en dat ze haar vader nooit meer zou zien; ze wendde met
een ruk haar hoofd af en Emma's lippen belandden op haar ruige
pony. Even aarzelde ze, heen en weer geslingerd door de schokken
van de metro die weer boven de grond kwam en tussen de vuile ramen van de Ponte Nenni de Tiber over raasde. Ze stond op het
punt om iets te zeggen, maar ze zei het niet en begon zich een weg
te banen naar de uitgang. Dit is niet het moment – ik wil het niet
op een gestolen moment, tussen allemaal vreemden, terwijl we
haast hebben. Morgen is het zaterdag. Ik ga niet met ze naar Ostia,
we gaan niet naar zee – we blijven gewoon thuis. Ik praat morgen
met haar. FLAMINIO.

Ze is uitgestapt. De deuren gingen weer dicht. Even zag Valentina Emma en Kevin hand in hand over het perron lopen, naar het
eind van de tunnel – zij lang en afwezig en in gedachten verzonken, hij klein en vol vertrouwen en halfblind. Zij liep achteloos aan
deze kant van de gele streep. Dat was gevaarlijk. Ze kon geraakt
worden door de metro als die weer wegreed. Soms had Valentina
het gevoel dat ze haar moeder moest beschermen. Dat Emma eigenlijk een groot gevaar liep, zonder het te weten. Op die momenten greep de angst dat haar iets vreselijks zou overkomen haar
bij de keel en wilde ze haar tegenhouden, zich aan haar vastklem-
men en haar nooit meer laten gaan. Ze bonsde op het raam – om
haar te gebaren dat ze voorzichtig moest zijn –, maar ze was al te
ver weg. Toen zette de metro zich in beweging en kwam meteen
op snelheid. De stroom passagiers in de richting van de roltrappen
slokte hen op en ze verloor haar uit het oog.

Maja liep met kleine stapjes om zich aan te passen aan Camilla,
haar hand om haar dunne pols geklemd, luisterend naar haar gekwetter over dingen waarvan ze het belang absoluut niet kon inzien. Niet op dit tijdstip, want om kwart over acht 's ochtends kon
ze vanwege haar lage bloeddruk amper helder denken. Elio wilde
liever dat ze deze taak aan de beveiligingsagenten overliet, omdat
hij geobsedeerd werd door de gedachte dat iemand hun kwaad wilde doen – hen wilde ontvoeren of vermoorden –, maar Maja kon

zich niet voorstellen dat Elio's vijanden op de hoogte waren van of geïnteresseerd waren in het bestaan van haar en Camilla. Ze hadden het op hem gemunt. De weinige keren dat ze kon, bracht ze haar dochtertje zelf naar school – ze vond het prettig om bij het hek van de basisschool te worden gezien, als een goede moeder. Het idee dat ze geen goede moeder was kwelde haar. Ze voelde zich altijd schuldig – als ze bij Camilla was omdat ze haar carrière verwaarloosde, als ze aan het werk was omdat ze Camilla verwaarloosde. De school lag op iets meer dan tien minuten van hun huis. Ze liepen door de stille straten van de wijk Parioli, die nog rustig waren voordat de kantoren opengingen en de ambassademedewerkers arriveerden. De Via Mangili was zo uitgestorven dat er vanonder een geparkeerde auto een rat tevoorschijn schoot – zo groot als een kat – die kalm op het trottoir klom en haar aanstaarde met zijn felle zwarte pupillen. Verontwaardigd door de brutaliteit van het knaagdier sleepte Maja Camilla met zich mee – die smerige rioolrat, hoe durfde hij hun wandeling te verpesten? Maar haar dochtertje kweelde vrolijk. Wat was ze toch dol op die arme lelijke ratten. Wat zou ze hem graag mee naar huis nemen en tam maken, als een hamster. 'Zullen we hem pakken, mama?' 'Nee, schat,' gilde Maja terwijl ze met haar hak op het trottoir stampte om het monster weg te jagen. 'Alles wat je wilt, maar ratten echt niet.' Verontwaardigd door de slordigheid van de Romeinse vuilnismannen. We moeten een protest indienen. Een rioolrat in de Via Mangili! De wijk is echt aan het verpauperen.

Ze liepen de Viale Vuozzi in. Er was weinig verkeer, Rome wordt laat wakker. Camilla die normaal altijd zo rustig is, loopt vandaag alleen maar te babbelen. De aanstekelijke vrolijkheid van haar dochtertje verdreef de misselijkmakende nasmaak van een bittere nacht en van haar kolkende, sombere gedachten. Ze liepen langs de krantenkiosk – in het hokje zat de verkoopster gretig het roddelblad *Chi* door te bladeren. Terwijl ze keurig stonden te wachten voor het zebrapad, zagen ze zichzelf weerspiegeld in de donkere raampjes van een voorbijrijdende auto: meisje met staartjes en blauwe jas, jongedame met grijze overjas en halsdoek van changeantzijde. Onberispelijk, ook vroeg in de ochtend. Ook na zo'n nacht. Vlak bij de kiosk lag een hele stapel bladen getiteld *Solocase* – het gratis blaadje met het huizenaanbod. Afwezig pakte Maja een exemplaar. Al wekenlang bladerde ze elke vrijdag dat blaadje door – ze hoefde geen huis te verkopen en ook niet te kopen, maar het idee alleen al dat er huizen bestonden die niet van haar waren maar dat wel zouden kunnen worden, schonk haar een aangenaam gevoel van vrijheid. 'Kaarsjes,' hoorde ze Camilla zeggen, 'mammie, weet je nog wel dat ik rode kaarsjes wil?' Maja vermeed het antwoord te geven. Niemand stopte voor het zebrapad, en ze was het wachten beu. Ze greep Camilla's pols vast en duwde haar naar voren, om zich weer in veiligheid te brengen op het trottoir aan de overkant. Twee supersonische scooters scheerden rakelings langs hen heen, hen ontwijkend als kegels. Camilla ademde de giftige uitlaatgassen in, ze hoestte, en Maja wenste die schoften toe dat ze zouden uitglijden over een olievlek en hun nek zouden breken. Er wordt geen rekening gehouden met kinderen in deze maatschappij van barbaren. Kinderen zijn enkel een last, een afwijking. Als ze de kans kregen, zouden ze er het liefst de jacht op openen en ze uitroeien als schadelijke insecten.

Het lichtblauwe schoolgebouw was al te zien, met een grote door bomen omzoomde speelplaats ervoor. Camilla ging sneller lopen – ze ging heel graag naar school – en Maja liep over van trots bij de prachtige aanblik van haar dochtertje – zo charmant in haar jasje van blauwe wol, zo verrukkelijk met haar kastanjebruine staartjes met een keurige scheiding die haar hoofd in twee volmaakt identieke maantjes verdeelde, een onschuldig, bevallig prinsesje dat onbekommerd tussen de hondenpoep en de arrogante brommerrijders door huppelde. Voor het hek stond al een groeiende groep ouders, leerlingen en slaperige dienstmeiden met een donkere huid, en Maja dacht er net op tijd aan de nietszeggende, mondaine glimlach op haar gezicht te toveren die onmisbaar was om zich tegen andermans opdringerigheid te beschermen en welwillend en gelukkig over te komen. Ze wist zich nog in het hoofd te prenten, als een litanie: ik bén gelukkig, ik bén gelukkig. Toen zag ze haar.

Ze was bezig nog geen twintig meter verderop de straat over te steken – niet over het zebrapad, een uiterst slecht voorbeeld voor haar zoontje. Als ze niet van richting veranderde, zouden ze zo recht tegenover elkaar staan. O nee, ze had echt geen zin om dat mens tegen te komen. Ze bleef abrupt staan. 'Heb je je koek meegenomen?' vroeg ze, gewoon om te kunnen veinzen dat ze iets zocht in de rugzak van haar dochter. Camilla bleef beleefd als altijd staan wachten. Dat kind was echt een engel, zo attent voor iedereen, maar vooral voor haar mama. Waar geluk, plotseling, te kort. Er klonk een bruut, langgerekt getoeter, en een scheldkanonnade van de bestuurder van een busje – 'Kijk uit je doppen, kutwijf!' De vrouw gunde de lomperik geen antwoord. Ze schreed voort, wankel op haar lange benen, haar haren warrig in de wind, haar oranje boa achter haar aan wapperend als een vlag. De bestuurder had spijt van zijn gefoeter en keek goedkeurend om – even kruiste Maja zijn geile blik die zich vastzoog aan de billen van de vrouw, omhuld door het strakke rokje dat onder haar bontjasje uit stak. En toen waren moeder en zoon al aan de overkant.

Het mollige jongetje, wiens enige oog liefdevol op zijn moeder gericht was, klauwde zich vast aan haar arm, alsof hij bang was om haar kwijt te raken. Gelukkig hadden ze hen niet gezien. 'Jij krijgt rode kaarsjes, Camilla,' haastte ze zich te beloven, hoewel ze al roze kaarsjes had besteld bij de catering en dit akkefietje de zoveelste tegenslag was sinds Navidad bij haar weg was gegaan om terug te keren naar Venezuela, en Sidonie Verrière halsstarrig elke taak weigerde die ze onwaardig achtte aan haar diploma als kinderverzorgster. Maja merkte misnoegd dat Camilla de kaarsjes al vergeten was: haar blik was gericht op het jongetje met de plastic bril en het rechteroog dichtgeplakt met een pleister, die steeds verscheen en verdween achter de raampjes van de geparkeerde auto's. Maja herkende haar opwinding – in haar trillende handje, in haar nauwelijks onderdrukte verlangen achter hem aan te rennen. Ze verroerde zich niet en maakte geen aanstalten met hen mee te lopen, maar Camilla's onrust deed haar wel pijn. Ach ja, niks aan te doen, ze ziet hem in de klas wel weer, ik wil gewoon niet geconfronteerd worden met die vrouw. Maar Camilla – ongelooflijk, dat was de eerste keer – gehoorzaamde haar niet. 'Kevin!' riep ze. 'Wacht op me, Kevin!'

Kevin draaide zich verrast om. Zijn oog ontwaarde Camilla en begon te stralen. O ja, het begon letterlijk te stralen. Kinderen zijn zo doorzichtig, ze kunnen niet doen alsof. Daardoor hebben ze veel te lijden. Het halfblinde joch met die ordinaire naam dat straalt omdat hij mijn Camilla tegenkomt. Hij was blijven staan om op haar te wachten, en naast hem stond ook zijn moeder stil. Ze moest haar nu wel begroeten, daar viel niet aan te ontkomen. De blondine met haar laarzen en haar hondenharen bontjasje stond op een paar passen van haar af. Hoewel ze was opgemaakt, met scharlakenrode lippenstift op haar mond en een streepje rouge op haar wangen, was ze bleek, ze zag eruit of ze vannacht geen oog had dichtgedaan. Haar vermoeidheid straalde iets erotisch uit, leek te refereren aan paringen en meervoudige orgasmen. Die vrouw stroomde zo over van iets ondefinieerbaars dat het zich onwillekeurig in alles uitte – in haar glimlach, in de glinstering van haar blik.

'Goedemorgen Camilla, goedemorgen mevrouw Fioravanti,' zei Emma. Maja beantwoordde haar groet met een beminnelijke, maar kille grijns. De nonnen haastten zich al naar binnen, en alle ouders stonden inmiddels op het speelplein opgesteld. Vreselijk om zich in het gezelschap van dat mens te moeten vertonen. Straks dachten ze nog dat ze met elkaar omgingen. Camilla rukte de eenoog geestdriftig los van zijn moeders arm. Ze hoorde de twee kinderen zachtjes smiespelen. De bleke blondine met haar laarzen en haar hondenharen bontjasje liep naast haar – en ze bleef maar vriendelijk glimlachen. Maja begreep dat ze zocht naar iets om te zeggen, en om een eventuele poging tot conversatie te ontmoedigen hield ze haar blik hardnekkig op de gegroefde onverschilligheid van het trottoir gericht.

Dat mens irriteerde haar. Ze was ordinair, ronduit ordinair. Met haar gelakte nagels. Met haar uitgelopen geblondeerde haar – de donkere uitgroei duidelijk zichtbaar bij de haarwortels. Met haar boa van struisvogelveren – die al decennialang uit de mode is. En dan ook nog oranje – het doet gewoon pijn aan je ogen. Met haar loshangende bontjasje en haar veel te strakke truitje – je ziet de naden van haar beha erdoorheen, én de rest – en zo kort dat haar navel eronderuit komt. Gelukkig kwamen ze elkaar niet zo heel vaak tegen. Wat zijn mannen toch raadselachtig. Niemand zou ooit hebben gedacht dat dit opzichtige viswijf de vrouw was van een serieuze politieagent als Antonio Buonocore. Maar Elio vond haar leuk. Een keer, toen hij had gehoord dat het de trouwdag was van het echtpaar Buonocore, had hij haar erop uitgestuurd om een paar oorbellen voor haar te kopen, met de smoes dat alleen vrouwen weten wat vrouwen mooi vinden. Hij vond haar leuk omdat Elio naar bed ging met ordinaire vrouwen – en dat wist Maja, ook al was dat niet de bedoeling. Waarschijnlijk was hij ook naar bed geweest met de vrouw van agent Buonocore.

'Je hebt niet gereageerd op de uitnodiging, kan hij niet komen?' vroeg Camilla aan de blondine. Emma sperde verbaasd haar ogen open. 'Waarnaartoe?' 'Naar het Palazzo Lancillotti, in de Via dei Coronari. Naar het feest.' 'Wat voor feest?' vroeg Emma. 'Mijn feest,' verklaarde Camilla met een hemelse glimlach, als een goede fee, 'ik heb de uitnodigingen twee weken geleden verstuurd, er stond rsvp op geschreven, dat betekent *répondez s'il vous plaît*, maar jij hebt niets laten horen, mevrouw.' 'Kevin heeft helemaal geen uitnodiging ontvangen,' antwoordde Emma. Ze zei het achteloos, want ze moest snel naar haar werk om niet te laat te komen net nu haar contract bijna verliep, maar eigenlijk was het een drama. Kevin had zijn digivice willen aanzetten en willen digivolven – om de attributen te bemachtigen, een kampioen te worden en een dodelijke aanval in te zetten. Maar hij was nog maar een digitaal monster in de beginnersfase, en dus was hij gedoemd te verliezen. Camilla Fioravanti, die in de klas nooit een woord tegen hem gezegd had, behalve om op hem te katten, zou hem nooit op haar feestje hebben uitgenodigd, en nu vond ze het leuk om hem en mama te vernederen in het bijzijn van mevrouw Fioravanti – onberispelijk zoals die vrouwen in soapseries, met haar onbeweeglijke haar en haar changeantzijden halsdoek, geparfumeerd en rijk en zo gerespecteerd dat de non die hun onderwijzeres was altijd tegen Camilla zei dat ze vooral de groeten moest doen aan haar moeder, terwijl ze nooit had gezegd dat hij aan de zijne de groeten moest doen. Hij mompelde de tune – 'Digimon, Digital monsters, Digimon are the champions'. Hij zou die kleine adder van Fioravanti het liefst een klap verkopen, maar hij werd alleen maar vuurrood. Zijn oog onder de pleister brandde. Zijn slechte, geopende oog zocht wanhopig naar Emma. Het was afschuwelijk om in haar bijzijn te worden vernederd. Voor mama wilde hij volmaakt zijn, de beste, of in elk geval zo overkomen. Zij mocht niets in de gaten krijgen.

'Maar ik heb je wel uitgenodigd, ik zweer het,' fluisterde Camilla, verward omdat de uitnodiging niet was aangekomen, Kevin Buonocore zou niet op haar feest komen, ze was bedrogen. Maar door wie? Wie kon dit op zijn geweten hebben? Gegeneerd aaide

Emma over Kevins haar, dat in stekeltjes recht op zijn hoofd stond dankzij een supersterke gel. Ze wierp een strenge blik op de elegante jonge dame die Kevin niet had uitgenodigd voor het verjaardagsfeest van haar dochter. Ze wilde Kevin niet vernederen, maar ze had ook geen zin om valse smoesjes aan te horen en te doen alsof ze geloofde dat het een kwestie van verkeerde bezorging was. Ze haatte die jonge dame met haar grijze overjas onder de bloeiende takken van de oleander. Een wrede Audrey Hepburn, die zich er niets van aantrekt dat ze de trots van Emma's zoontje krenkt en de schuchtere, onbenoemde gevoelens van haar eigen dochter de grond in trapt.

Maja ontweek de blik van Kevins moeder. Wat een vervelende situatie. Echt gênant. Natuurlijk had Camilla Kevin Buonocore voor haar feest uitgenodigd, ze was zo'n zachtaardig meisje. Ze huilde om de dood van de mieren die ze onbedoeld plattrapte onder het lopen, ze begroef de motjes die waren doorgebrand in de lampenkappen, ze bad voor de overleving van de zeehonden op de Noordpool, ze had medelijden met de slapende schoffies in de armen van valse vrouwen die op zondagochtend voor de kerk zaten te bedelen. Camilla had niemand buitengesloten. Haar lijst van genodigden omvatte eenenzestig kinderen – alle klasgenootjes plus de kinderen die bij haar op ritmische gymnastiek, paardrijden en schilderles zaten. Daarbij kwamen dan nog de kinderen van Elio's vrienden, de neefjes en nichtjes en nog wat kinderen die op verschillende manieren verwant waren. Dan kwam je op een totaal van honderddrieëntwintig kinderen. Hoewel de zalen van het Palazzo Lancillotti geschikt waren voor grote groepen – ook koning Juan Carlos en lady Diana hadden er feestgevierd – moest een dergelijke horde minderjarigen absoluut voorkomen worden. Uiteindelijk was het immers niet Camilla's feest – of tenminste, slechts gedeeltelijk, – maar dat van Elio. Camilla werd zeven jaar, maar zij werd volgend jaar ook weer jarig, terwijl Elio nu zijn kans moest benutten. Het feest kwam precies op het juiste moment om de stem van de kiezers te winnen, om nuttige contacten te leggen of aarzelende mensen over de streep te trekken – het ging dus niet zozeer om de kinderen als wel om hun ouders. Vandaar dat de kinderen met ouders zonder contacten waren geschrapt van Camilla's lijst. En de Buonocores – een agent en een huisvrouw, beiden van zeer bescheiden kómaf, eigenlijk gewoon twee arme sloebers –, wat voor contacten konden die in godsnaam hebben? Doorgestreept. Het was heel simpel. Maar nu Camilla haar trillend, totaal overstuur stond aan te staren, en ook Kevin haar aanstaarde met zijn ene oog, scheef en veel te groot achter het brillenglas, en ook die geverfde blondine Emma haar aanstaarde met haar fonkelende, zuiver zwarte ogen – kwam haar berekening, haar daad, zelfs alleen al het feit dat ze een dergelijk feest had gepland haar weerzinwekkend voor. Ze moest bijna kokhalzen.

De bel ging, maar terwijl hun vriendjes zich naar binnen haastten, bleven de beide kinderen zwijgend op de speelplaats staan – allebei vernederd en beledigd. Er kwamen andere moeders langs, en andere vaders. Ze begroetten Maja overdreven glimlachend, en Maja reageerde op iedereen met een uiterst beleefde, gekunstelde glimlach. Tegen iedereen zei ze: 'Hopelijk tot vanmiddag, ik verwacht jullie.' Ze speelde een rol. Emma wou dat ze net als zij was – op onverschilligheid reageren met onverschilligheid, en op minachting met achteloosheid –, maar dat kreeg zij niet voor elkaar. Alles kwetste haar. Elke toespeling op haar tekortschieten, en elke stilte. 'Natuurlijk verwacht ik ook Kevin,' zei Maja ten slotte welwillend, met een geijkte glimlach. Ze kon niet anders. Emma probeerde zich een houding te geven door haar haar te fatsoeneren – dat helemaal in de war zat door de tochtende metrotunnels en dringend aan een knipbeurt toe was; ze was al meer dan twee jaar niet bij de kapper geweest. Ze haastte zich om de aalmoesuitnodiging van de vrouw van het parlementslid af te wijzen. 'Bedankt, maar Kevin wordt om één uur door zijn zus van school gehaald, er is niemand die hem vanmiddag weer naar het centrum kan brengen. We wonen te ver weg.' 'Wonen jullie niet meer in de Via Carlo Alberto?' vroeg Maja nieuwsgierig. 'Nee, we zijn verhuisd naar een flat in Torrevecchia,' zei Emma kortaf. 'In de buurt van Primavalle,' voegde ze eraan toe, want mevrouw Fioravanti had vast nog nooit van die buurt gehoord.

'Ach, wat jammer,' verzuchtte Maja opgelucht. Ze was zo goed in veinzen dat haar teleurstelling heel geloofwaardig overkwam. Emma liet zich niet voor de gek houden. 'Het is beter zo. Ik wil liever niet dat Kevin zich aan zijn klasgenootjes hecht. Volgend jaar doe ik hem op een andere school, deze is te onhandig voor ons. En daarbij ben ik tegen privéscholen, dit was niet mijn idee, ik wilde hem niet naar deze school sturen, maar mijn man stond erop, en de uwe ook. Maar kinderen maken zo weer nieuwe vriendjes.' Met een pijnlijke steek voelde Maja hoe ontgoocheld Camilla was. Camilla was nog steeds een deel van haar – binnen in haar. In elke vezel, elke ader en elke spier. Vanaf de dag dat ze van haar bestaan op de hoogte was, leefden ze als één. Ze betreurde het dat ze de uitnodiging voor Kevin Buonocore in de prullenbak had gegooid. Ze betreurde het dat ze onbeleefd was geweest tegen zijn moeder – en waarom eigenlijk? Ze kon onmogelijk met Elio naar bed zijn geweest, ze had hem alleen op feestjes van de kleuterschool ontmoet en ze had hem nooit gesproken, ze werd altijd achtervolgd door dat eenogige ventje dat haar geen moment met rust liet. Vreselijk dat ze Camilla verdriet had gedaan, haar o zo fijnzinnige, o zo gevoelige Camilla. Als ze het had geweten, als ze het had geweten...

'Ik kom te laat, ik moet ervandoor,' zei Emma tegen Kevin, die haar onthutst aanstaarde vanwege het opzienbarende nieuws dat hij naar een andere school zou gaan – nieuws waar hij al maanden op wachtte als een bevrijding –, maar dat hem nu gek genoeg, doordat Camilla Fioravanti hem had uitgenodigd voor haar verjaardagsfeest, geen enkel plezier verschafte. Het deed juist pijn, als een stomp in zijn maag. 'We zien elkaar vanavond, lieverd. Als ik vanavond schnitzel en frietjes voor je maak, hoeveel dan van een tot tien...?' 'T-t-tien plus,' stotterde Kevin. Emma bukte zich om hem te omhelzen en kuste hem op zijn mond. Maja vond het een kus die wel heel lang duurde en beslist iets erotisch had. Maar de blondine was nog niet klaar, ze deed zijn bril omhoog en gaf hem ook nog een kus op zijn vieze pleister. Kevin klemde zich uit alle macht aan haar bontjasje vast. Hij wilde haar tegenhouden. Dat deed hij elke ochtend. Hij had een hekel aan school, omdat hij daardoor van haar gescheiden werd. Hij zag haar zo weinig, mama werkte op honderd verschillende plekken, en soms kwam ze pas thuis als die bemoeial van een oma Olimpia hem al naar bed had gestuurd – en dan merkte hij alleen maar heel vaag in zijn slaap dat mama bij hem in zijn ongemakkelijke uitklapbed was komen liggen en bij hem bleef, met haar lippen tegen zijn haar aan, zonder dat ze de slaap kon vatten omdat ze elk moment uit bed dreigde te vallen.

'Hakuna matata, Kevin. Ik moet nu weg,' herhaalde Emma terwijl ze zich getergd losmaakte uit de omhelzing. Camilla besefte dat de mooie moeder van Kevin weg zou gaan en dat Kevin Buonocore naar een andere school ging – beledigd, gekwetst en onwetend – en dat er geen tijd meer was en dat alles verloren was. Ze greep haar tasje. Een fluwelen tasje, een beetje versleten, in elk geval meer versleten dan de tasjes die mama aan de armen van het Groene Kruis weggaf – maar de moeder van Kevin was anders dan mama, het was een blonde mama beschilderd met paars, oranje en rood en geurend naar wierook als een madonnabeeld. 'Mevrouw,' zei ze hoopvol, terwijl ze aan haar tasje sjorde, 'Kevin kan vanmiddag bij ons eten en dan kan hij met mij mee naar het feest, en mijn vader komt ook, dus dan kan de beveiligingsagent hem naar huis brengen.' Ze praatte met zachte, maar vastberaden stem. Ongehoord vastberaden.

Kevin slaakte een verbaasde zucht. In al die jaren, sinds de kleuterschool, dat hij bij Camilla Fioravanti in de klas zat, had ze nog nooit iets tegen hem gezegd. Ze was juist zijn grootste pestkop. Misschien wilde ze hem daarom zo graag op haar feest hebben. Wat is een feest zonder een pispaaltje? Hoe moeten ze zich dan vermaken? Dus ze wilde alleen dat hij kwam om hem te kunnen pesten. Maar hij was het gewend om gepest te worden, en hij wilde graag naar het feest. Iedereen ging ernaartoe. 'Dat is aardig van je, meisje,' zei Emma, terwijl ze Camilla over haar wang streek. Wat een lief kind. Een wonder, gezien de neerbuigende, dominante arrogantie van haar moeder. 'Maar weet je, wij wonen niet meer bij de papa van Kevin, dus die kan hem niet naar huis brengen, dat is echt onmogelijk.'

Het is dus nee. Camilla met trillende lip, op het punt om in huilen uit te barsten – de blik gericht op de pleister die Kevins mollige gezicht ontsierde en hem verward en blind deed lijken. Ineens drong het tot Maja door dat juist die pleister de reden was voor de hartstochtelijke, heimelijke belangstelling die Camilla voor dat lompe, grove joch zonder enige sociale contacten koesterde. Camilla hevig bedroefd. Zo'n ontgoocheling, voor het eerst van haar leven, waarop ze helemaal niet voorbereid is, dat haar hele verjaardagsfeest erdoor verpest zal worden. Het is belangrijk dat het feest slaagt. Het is belangrijk dat het zoontje van Buonocore naar dat verdomde feest komt. 'Laat hem maar komen, maakt u zich

geen zorgen, onze oppas zal hem wel thuisbrengen,' zei Maja overdreven familiair tegen Emma. Terwijl ze haar eigenlijk juist op afstand wilde houden. Omdat ze geen sociale contacten had. Omdat
ze niet meer bij haar man woonde (waarom had Elio haar dat niet
verteld?), en daarmee aantoonde dat het altijd mogelijk is om een
eind te maken aan een huwelijk. Omdat ze op haar afgematte gezicht de tekenen van een liefdesnacht had gezien. Omdat ze een
zinnelijke, uitdagende vrouw was. Met die laarzen, met dat hondenharen bontjasje. Synthetisch, waarschijnlijk gekocht bij de Stan-
da of zo. Of nog erger: echt! En ook vanwege die uitpuilende tieten onder dat strakke truitje, jazeker. En haar stevige billen. En
haar zwarte, fonkelende ogen, en haar sensuele mond. Kortom, omdat alle mannen begerig en geil naar haar omkijken, en god weet
met hoeveel mannen ze al naar bed is geweest. En ik pas met vier,
en met de eerste drie was het zo rampzalig dat ze niet tellen, en
toen ik Elio tegenkwam dacht ik dat hij de man van mijn leven was
en toen kwam Camilla maar het verlangen is gedoofd we zijn net
vader en dochter ik heb alleen nog maar een representatieve functie voor de foto's het is allemaal gespeeld ik snap niet hoe het zo is
gekomen ik ben pas dertig alles is voorbij.
    'We willen jullie niet al te zeer tot last zijn,' zei Emma twijfelend,
want ze wilde Kevin niet een feest ontnemen waar hij zo graag naartoe wilde. Ze had hem al veel te veel ontnomen. 'Het is geen enkele moeite. Zie je, liefje, dat alles goed komt?' zei Maja liefdevol
tegen haar dochter. 'En nu moeten jullie snel gaan, want iedereen
zit al in de klas.' Ze gaf Camilla haar rugzak en duwde haar naar
de deur, waar de conciërge bezig was de voordeur te sluiten, en ze
staarde haar na tot haar blauwe jasje en haar kastanjebruine staartjes achter het glas waren verdwenen. De twee vrouwen bleven naast
elkaar staan, aarzelend op de inmiddels lege, stille speelplaats, en
ze keken elkaar aan en Maja wilde haar vragen hoe het zo gekomen was en wanneer ze bij Buonocore was weggegaan en hoe een
vrouw met kleine kinderen in haar eentje een nieuw leven kan beginnen. Maar doordat ze niet de moed vond om het te vragen, wikkelde Emma zich in haar boa van struisvogelveren, knoopte haar
bontjasje dicht, waarmee ze haar ronde vormen verborg, en schonk
die jonge elegante Audrey Hepburn uit de Parioli een glimlach zonder enige dankbaarheid. Toen liep ze heupwiegend weg, soepel op

haar lange benen, bleek en afgemat en begerenswaardig en ook
daadwerkelijk begeerd, want de wellustige blik van de conciërge
volgde haar terwijl ze een zweem van weeïg parfum en van onver-
vuld verlangen achterliet.

negende uur

Om halftien verscheen het gezicht van de agent punctueel op het schermpje van de beeldintercom – grijs als een ectoplasma vanwege de camera. Elio greep het koffertje met de toespraken die voor hem waren opgesteld door Paolo Calvo, voormalig mislukt schrijver van introspectieve romans die zich afspeelden in het milieu van de gegoede burgerij, die zich had omgeturnd tot betrouwbaar ghostwriter, en hij antwoordde: 'Ik kom naar beneden.' De automatische deuren van de kleine lift gingen ruisend dicht. Elio bekeek zichzelf in de spiegel. Een flinke dos grijzend haar, een zeer lange neus die onopvallend naar rechts boog door een vuistslag van lang geleden, felle ogen achter zijn brillenglazen. Hij droeg een linnen broek en een blauwe pullover, bij de halsopening was een klein stukje van zijn lichtblauwe overhemd te zien, niet dichtgeknoopt. Vandaag waagde hij zich helemaal tot de rand van het district, zijn tour voorzag in het vergaren van de stemmen in de voorsteden; tijdens de laatste vergadering met zijn strategen was besloten om zijn stropdas aan de wilgen te hangen, omdat die te formeel werd geacht. Het parlementslid moest de indruk wekken dat hij een van hen was: mensen die helemaal buiten de Raccordo Anulare wonen, de ringweg om Rome, stemmen niet graag op een advocaat uit de Parioli, een etalagepop met een pak dat drie keer hun maandloon kost. In gedachten herhaalde hij de speerpunten van zijn verkiezingscampagne: SOCIALE ONRUST – VEILIGHEID VOOR DE BURGERS – DROMEN. Eenvoudig taalgebruik. Korte zinnen. Houd het simpel. Glimlachen en beschermen. Geruststellen en overheersen. Hij vond dat hij er goed uitzag, ook al was hij toegetakeld als een volksmenner, of als een zeiler die op het punt stond uit te varen. Met die bos haar en die zeiltrui zag hij er beslist jeugdig uit. Hij controleerde zijn tanden, die wat gelig waren en helaas behoorlijk scheef stonden, om te zien of er misschien wat kruimels van het ontbijt in de spleetjes waren achtergebleven, en toen glimlachte hij zichzelf toe. Blijf altijd optimistisch. Onthoud: dromen zijn de enige handelswaar die nooit bederft.

De hoofdbeveiliger stond tegen de motorkap van de Lancia geleund – hij rookte, in gedachten verzonken. Toen zijn 'persoonlijkheid' echter opdook tussen de blauwe hortensia's die het hek van zijn villa omlijstten, maakte Antonio zich automatisch van de auto los en vergewiste zich ervan dat niemand een hinderlaag had gelegd tussen de palmbomen en de magnolia's van zijn tuin, waarna hij hem tegemoetkwam en vlak naast hem kwam lopen om hem naar de auto te begeleiden. 'Goedemorgen, Buonocore,' groette Elio hem hartelijk als altijd, terwijl de agent die chauffeerde het portier voor hem opendeed. 'Goedemorgen, parlementslid,' antwoordde Antonio. 'Alweer bewolkt vandaag, deze lente heeft het niet goed met ons voor, hè?' zei Elio, gewoon om het ijs te breken. Antonio Buonocore mompelde een opmerking over de lente – een jaargetijde dat hem op de zenuwen werkte. Maar hij had het geblindeerde portier al dichtgeslagen, en het ontging Elio wat hij precies bedoelde. Zijn hoofdbegeleider was een laconieke vent, en hoewel ze vele uren met elkaar doorbrachten, beperkten hun gesprekken zich meestal tot het voetbal of de beursstanden van Milaan en Wall Street (alleen al in de maand april is de winst van Nasdaq met 37 procent gestegen en zijn er uitzonderlijke bonussen uitgekeerd over de aandelen die ze allebei in hun portefeuille hebben, zij het in volstrekt onvergelijkbare mate). Maar ze praatten ook wel over de juiste interpretatie van de Bijbel, waarin Buonocore de antwoorden zocht op de vragen die hem kwelden, maar die hij zo lastig te lezen vond dat hij nooit verder was gekomen dan het deel dat Ezra heette. Het merendeel van de tijd luisterde hij echter alleen maar naar hem, want Elio was een ware spraakwaterval, de woorden stroomden uit zijn mond als het water uit de fonteintjes van Rome: continu, gratis, altijd. Hoewel de Bijbelse vragen van Buonocore hem soms in verlegenheid brachten – zo had hij hem bijvoorbeeld niet kunnen uitleggen waarom God Job zo zwaar op de proef wil stellen. Zijn aanwezigheid was voor Elio echter een bron van rust. In zijn bijzijn voelde hij zich buitengewoon veilig. Hij had het gevoel dat zolang hoofdagent Buonocore over hem waakte, hem niets zou kunnen overkomen. De agent had er geen idee van, maar hij was eigenlijk een soort talisman geworden.

Elio pakte het stapeltje kranten van de stoel. Buonocore zorgde er altijd voor dat hij die kocht voor hij hem kwam ophalen, zodat hij het laatste nieuws kon lezen terwijl de chauffeur door het verkeer manoeuvreerde. Elio had het nooit kunnen opbrengen om te zeggen dat dat niet nodig was omdat hij was geabonneerd op een speciale service: hij betaalde vijf miljoen lire per jaar opdat onbekende lezers de artikelen voor hem selecteerden, zodat hij, als hij op kantoor kwam, de faxen met de lezenswaardige berichten al op zijn bureau aantrof. Bovendien, hoewel het niet Antonio's taak was en sterker nog: het helemaal niet hoorde dat een hoofdagent van de politie hem bijna als een butler bediende, was het nooit in Elio opgekomen om de man ervoor te bedanken. Het leek hem een natuurlijk gevolg van hun respectievelijke rollen in de maatschappij. Overigens had Buonocore heel bereidwillig nog veel bescheidener taken geaccepteerd – zoals Maja naar haar therapeut brengen, en Camilla naar de manege aan de Via Flaminia, waar haar pony Xanadu gestald stond – zonder ooit te mopperen.

Elio haalde het nog maagdelijke exemplaar van de *Corriere della Sera* tevoorschijn en bladerde het door om te kijken of hij misschien genoemd werd in een of ander artikel. Maar hij kwam zijn naam niet tegen. Weifelend of hij zijn totale afwezigheid in de media moest beschouwen als een positief teken – de afgelopen maanden had hij alleen in de kranten gestaan in verband met de rechtszaak waarbij hij betrokken was geraakt – of als een blijk van zijn teloorgang, staarde hij naar de nek van zijn hoofdbeveiliger, die het zich gemakkelijk had gemaakt op de stoel naast de chauffeur. Er ging iets buitengewoon geruststellends uit van die stevige geüniformeerde rug en die stierennek. Die mannelijke fermheid, voortkomend uit de plicht om zijn taak uit te voeren, vervulde Elio van vreugde en erkentelijkheid, en had een aangenaam rustgevend effect. In het panorama van wegen dat zich ongrijpbaar en ordeloos achter de raampjes ontvouwde, in de onstuimige choreografie van het verkeer, fungeerde de brede rug van de agent als spil en als strategisch element van cohesie. Buonocores hoofd was bijna kaalgeschoren. Hij had brede schouders en stevige armen, met in de sportschool ontwikkelde bicepsen die de stof van zijn jasje niet kon verhullen. In zijn jonge jaren was hij judokampioen geweest voor de politieploeg – tenminste, dat hadden ze hem verteld toen Antonio aan hem was toegewezen nadat er, na herhaalde bedreigingen uit terroristische of misschien wel maffiose hoek, drie kogels waren aangetroffen in een aan hem geadresseerde envelop. De man die was uitgekozen door het lot – of eigenlijk door het ministerie van Binnenlandse Zaken – om over zijn leven te waken, en over dat van zijn dierbaren. Een beveiligingsagent – zo hadden ze hem gezegd – is geen levensverzekering, maar een afschrikmiddel, een soort veiligheidsslot; zelfs een gepantserde deur houdt dieven niet tegen, maar het helpt wel. Deze man zal nooit van je zijde wijken. Jij bent zijn missie. Deze man zal je overal volgen en hij zal geen rust hebben voor hij de deur van je huis achter je rug heeft dichtgedaan. Buonocore had goede referenties, hoewel niemand Elio had uitgelegd hoe het kon dat een politieman die was begenadigd met zo'n lichaam en zo'n werklust als veertigplusser nog steeds hoofdagent was. Hoe dan ook, hij had zijn volledige vertrouwen. Hij stortte zich met bijna religieuze overgave op zijn werk – en iemand wordt ook niet voor niets beveiligingsagent. Andere mensen beschermen is een roeping. Net zoals werken in de politiek. 'Afgevaardigde,' zei Buonocore, 'waar moeten we u naartoe brengen?'

Elio wist het niet meer. Hij keek in zijn agenda. Tot zijn verbijstering ontdekte hij dat de pagina van vandaag, vrijdag 4 mei, Sint-Cyriacus van Jeruzalem bisschop en martelaar, een-na-laatste vrijdag van de verkiezingscampagne, maar liefst twaalf afspraken bevatte. Twaalf! Een kranslegging op de plek waarop een rechter was vermoord door de Rode Brigades, een bezoek aan de Varesefabriek, het laatste industriële bolwerk in een voorstad waar de leegstaande fabrieken waren veranderd in favela's voor illegale immigranten, een welkomstwoord voor de bijeenkomst van jonge ondernemers verenigd in de Confcommercio, de uitreiking van de prijs 'Ramarro d'Oro' 2001. En verder huisvrouwen, ouders, ambachtslieden, taxichauffeurs, jagers, sporters, zelfs huismeesters. SOCIALE ONRUST – VEILIGHEID VOOR DE BURGERS – DROMEN. De eerste bijeenkomst was om halfelf op de buurtmarkt in Casilino. Parlementslid Fioravanti gaat zieltjes winnen op de markt, tussen de fruitkramen, waar je ze kunt wegen als aubergines, en aanraken. De gewone man is het zat om je in de spots te zien staan, op de buis; ze willen kijken of je echte handen, ogen, en oren hebt, ze willen met je praten over de dingen die hun aan het hart gaan: de prijzen, de inflatie, tasjesdieven, kapotte liften, het gebrek aan telefooncellen, transseksuelen waardoor de wijken verloederen, immigranten waardoor de huizen minder waard worden. Dat soort dingen. Maar hij heeft zijn buik vol van al die propaganda, van de sociale onrust, van de gewone man. Hij is trouwens toch te vroeg. De president. Hij moet met de president praten.

Op het geheime nummer ging de telefoon verschillende keren vergeefs over, tot de bekende stem van Elsa Benelli hem uiteindelijk vertelde dat de president niet in zijn kamer was – een ogenblikje alstublieft. Na een paar minuten was het echter opnieuw Benelli die hem meedeelde dat de president in vergadering zat, en of hij een bericht voor hem wilde achterlaten? 'Zeg hem dat ik hem dringend moet spreken,' zei Elio. 'Natuurlijk,' verzekerde Benelli hem, en meteen was het stil. De geschoren nek van Buonocore – die beste man, zo betrouwbaar als een rots. Elio bleef een paar tellen met zijn mobiel in de hand voor zich uit zitten staren. De toon van de secretaresse van de president beviel hem niks. Die woorden – met zo'n automatisme uitgesproken. Misschien had ze hem niet herkend? Hij kreeg het onaangename vermoeden dat hij was behandeld als de eerste de beste boerenpummel. Een lastpak waartegen je straffeloos kon zeggen: de baas is in vergadering. In vergadering! De president was nooit in vergadering om halftien 's ochtends, en sowieso nooit in zo'n geheime vergadering dat hij niet even een paar woorden kon wisselen met zijn vriend Elio. Vreemd gedrag. Vreemd, die stem van Benelli. Vreemde dag, en ook al slecht begonnen, met die onheilsdroom.

De president had hem niet willen spreken. Het had geen zin om dat voor zichzelf te ontkennen. Maar waarom? Was het feit dat hij plotseling niet thuis gaf misschien een waarschuwing? Het teken dat de liefde over was? Dat hij woedend was? Dat hij wraak wilde? Dat hij hem liet vallen? Elio was tientallen keren getuige geweest van dergelijke taferelen, hij had gezien hoe een ongelukkige ten prooi viel aan woede en wraak, en werd afgedankt omdat hij iets had gedaan wat de president kennelijk onvergeeflijk vond. De president was hartelijk, vriendschappelijk en welwillend tegenover zijn vrienden, maar meedogenloos en wreed jegens zijn vijanden en jegens degenen die hij zijn vriendschap niet langer waardig achtte. Soms vaardigde hij zijn vonnissen uit met de grillige onrechtvaardigheid van een kind, maar het feit dat de uitverkoren ongelukkigen zijn woede niet verdiend hadden veranderde hoegenaamd niets aan hun lot. Elio had nooit verwacht dat woede, wraak en afgedankt worden ook hem ten deel zouden kunnen vallen. Hij had nooit enige handeling verricht, nooit een woord geuit dat hem zou kunnen schaden of verkeerd geïnterpreteerd kon worden. Tijdens interviews woog hij de bijvoeglijke naamwoorden zorgvuldig af, hij had zich nooit in de val laten lokken door een sluwe journalist. Hij had nooit iets toegegeven, in de rechtbank noch elders. Hij had hem er altijd buiten gehouden – hem op alle mogelijke manieren beschermd en ingedekt. De president had laten zeggen dat hij er niet was.

'Waar moet ik u naartoe brengen, afgevaardigde?' vroeg Antonio opnieuw toen hij meende lang genoeg gewacht te hebben. Soms overviel hem de vernederende gedachte dat Fioravanti hem en de andere beveiligingsagenten als zijn ondergeschikten beschouwde. Toch hoopte hij nog steeds dat de afgevaardigde eens zou inzien wat het verschil is tussen een luizige, betaalde bodyguard en een herhaaldelijk onderscheiden hoofdagent van politie. De beste agent van Bureau Appio, geliefd in de hele wijk, voorbestemd tot een glanzende carrière bij de politie. Het kwam allemaal door die... die... die ontaarde teef – anders had hij hier nu niet gezeten om de hielen te likken van een afgevaardigde die in zijn broek schijt vanwege een pamfletje met een vijfpuntige ster en een paar kogels in een envelop. Hij draaide zich naar hem om – de kleine ogen van de afgevaardigde fonkelden achter zijn rechthoekige brillenglazen, zijn lange, spitse neus doorkliefde het halfduister in de auto.

'Ik heb behoefte aan koffie, Buonocore,' antwoordde Elio. Blijf altijd optimistisch. Het was vast toeval. Hij had vast echt een vergadering. Niet toegeven aan je onbehagen. Niet negen dagen voor de verkiezingen, niet als je moet volhouden. *Battaglioni del lavoro, battaglioni della fede, vince sempre chi più crede, chi più a lungo sa patir.* (Bataljons van de arbeid, bataljons van de overtuiging, altijd wint hij die het meest gelooft, die het langst kan volharden): dat was zijn lijfspreuk geweest op zijn twintigste, toen hij er maar op los bazelde op de stencils van zijn militantengroepje. Ach, dat jeugdig idealisme. Wie langdurig volhardt, raakt verzwakt. En sinds een paar maanden zat alles hem tegen. Terwijl Buonocore de onvoorziene wijziging van de route via de radiozender doorgaf aan de volgauto achter hen, en de chauffeur koers zette naar de Bar delle Muse – waar hij 's ochtends soms graag een tijdje met een cappuccino bleef treuzelen – bladerde Elio verder in de *Corriere della Sera*. Nauwlettender deze keer, hij las nu ook de korte berichtjes en de kleingedrukte bijschriften. Geen enkel spoor van hem. Hij scande de eerste pagina's van de *Repubblica* – bezorgd, want die krant liet al maanden geen spaan van hem heel, maar ook met genoegen, want je macht wordt afgemeten aan je vijanden, en het idee te worden gehaat door een opiniekrant van de leidende klasse van dit land schonk hem een zekere voldoening. Het betekent dat je belangrijk bent, dat je meetelt. Onverschilligheid veroordeelt. Middelmatigheid verwoest – en Elio meende dat hij alles behalve middelmatig was. Maar zelfs in de geduchte, venijnige artikelen van de *Repubblica* werd de naam Elio Fioravanti niet één keer genoemd.

In de Bar delle Muse ging hij Buonocore voor naar het tafeltje in de hoek, verwarmd door een zacht zonnestraaltje. Enorme meeuwen trokken krijsend over de bomen heen. Elio had een hekel aan de schorre roep van meeuwen – die klonk zo wanhopig, bijna menselijk. Hij had altijd het idee dat ze hem iets duidelijk wilden maken – en dat het niet complimenteus bedoeld was. Waarom er steeds meer meeuwen kwamen in een stad die niet aan zee lag leek hem een onverklaarbaar raadsel. Maar misschien was het een teken des tijds: meeuwen zijn parasieten, die leven van afval. Rome had ze ontvangen. Rome ontvangt iedereen. En de stad vergeeft niemand. Terwijl hij een slokje nam van zijn tweede kopje koffie zonder suiker van die dag, bladerde hij koortsachtig door de stapel kranten. *Il Sole 24 Ore. La Stampa, Il Messagero, Il Giornale, L'Unità* – en vervolgens ook *Il Giorno, La Nazione, L'Unione Sarda*. Het resultaat? Eén keer werd hij genoemd. Op de derde pagina van *Il Tempo* werden enkele uitgelekte nieuwtjes gebracht met betrekking tot zijn mogelijke kandidaatstelling voor het ministerie van Binnenlandse Zaken als de coalitie mocht winnen. Maar dat bericht had hij zelf gelekt naar een bevriende journalist en was nergens op gebaseerd, dus het schonk hem geen enkele voldoening. Hij voelde zich in de steek gelaten. Vervallen. Alleen.

Buonocore krabde afwezig in zijn kruis terwijl zijn ogen koortsachtig het plantsoen aftuurden, waar op dat tijdstip echter alleen een bejaarde in een rolstoel te zien was, voortgeduwd door een lusteloze Slavische verzorgster. Woekerende planten, brandnetels, injectiespuiten, vodden, roestige speeltoestellen – het verval was in alles zichtbaar. Elio realiseerde zich dat de agent zich vanmorgen niet geschoren had; zijn sikje werd omringd door stugge, donkere haargroei. Nu hij goed keek, zag hij er ondanks zijn dienstuniform ongewoon verwaarloosd uit. Wallen als een panda, en een ziekelijke kleur. Wat kon een eenvoudige agent nou voor problemen hebben? Omdat zijn eigen leven zo vreselijk ingewikkeld en stressvol was, was Elio jaloers op het simpele leventje van de lagere klassen. Hij was jaloers op het simpele leventje van zijn beschermengel – enkel thuis en werk, de meest overtuigende incarnatie van de drieeenheid God, Overheid en Gezin, en om die te vertegenwoordigen had hij zichzelf verkiesbaar gesteld voor het parlement. Een vaste betrekking, eerzaam werk ten dienste van de overheid, een mooie vrouw, twee kinderen: wat kon een mens nog meer willen?

Elio kende de jongste van Buonocore – hij was even oud als Camilla en was ingeschreven op dezelfde school, zodat de agent hem daarnaartoe kon brengen voordat hij Elio thuis kwam ophalen. Hijzelf had de kieskeurige nonnen van de school nog overgehaald om het zoontje van zijn hoofdbeveiliger toe te laten. Op het schoolfeest had hij ook zijn vrouw in het vizier gekregen – een soepele, welgevormde blondine, met zwarte ogen die schitterden als vulkanisch glas, en met een aanstekelijke glimlach. Ze leek wel wat op Lorena. Maar dan met meer levenservaring, intrigerender. Hij had maar één keer met haar gepraat, op het damestoilet – bijna stiekem, omdat hij zich ervan bewust was dat hij iets deed wat niet hoorde. Hij wist niet meer hoe hij het – na een bliksemsnel gesprekje – voor elkaar had gekregen om haar zijn visitekaartje te geven en er met potlood zijn mobiele privénummer bij te schrijven. Bel me, als u iets nodig mocht hebben, wat dan ook, had hij tegen haar gezegd. De blonde vrouw van Buonocore had hem een schalkse glimlach geschonken – en hij wist dat ze het had begrepen.

Nu hij naar zijn beschermengel keek, schaamde hij zich voor dat visitekaartje en zijn voorstel. Hij had respect voor hem. Hij was opgelucht bij de op zich teleurstellende gedachte dat de vrouw hem nog niet gebeld had. Buonocore schoof zijn oortje goed en trok met zijn tanden de velletjes van zijn nagelriemen terwijl hij met grimmige blik naar een mus staarde die op het tafeltje naast hen een kruimeltje oppikte. Een tijd geleden had hij hem laten weten dat hij problemen had met zijn vrouw. Maar destijds had Elio zelf te veel zorgen om in te gaan op die van zijn hoofdbegeleider. Bovendien was het geboden een gepaste afstand te bewaren. Nu zou hij echter graag willen vragen of die problemen inmiddels waren opgelost, of hij misschien iets voor hem kon doen – het was een goede man, ongetwijfeld de beste van de hele groep carrièremakers en rotzakken die hem omringde. 'Drink een kop koffie met me,' zei hij, wijzend op een stoel. Ineens had hij er dringend behoefte aan om niet te denken aan die ijzige stem van Elsa Benelli – de president is in vergadering –, aan het feit dat hij in geen enkele krant werd genoemd, aan die mysterieuze onverschilligheid die de naam van parlementslid Fioravanti als een spinnenweb omwikkelde. Niet denken dat de president hem wilde *laten vallen.*

Buonocore wisselde een vluggen blik met de drie agenten in de volgauto en ging tegenover hem zitten, zonder echter de argwanende, waakzame houding te laten varen waardoor hij hem zo dierbaar was. Elio zag deze agent al jarenlang om de dag. Buonocore was met hem mee geweest naar Brussel, naar Parijs, naar Ansedonia. Hij had hem vergezeld naar het parlement, naar de rechtszaal, naar het strand en zelfs naar de kliniek, waar de androloog een buisje in zijn penis stak om een urethraal uitstrijkje te maken. Welbeschouwd was hij degene die hem het best kende – die precies op de hoogte was van zijn handel en wandel, zijn afspraken, zijn verplichtingen, zijn geheimen, zijn leugens. En hij had er nooit misbruik van gemaakt. Altijd zwijgend, altijd correct, van een uitzonderlijke discretie. Een ware beschermengel. Andersom wist hij echter helemaal niets over Buonocore. Niets over zijn privéleven. Niets over zijn hartstochten – over zijn problemen. 'Wat ziet u eruit, vanochtend. Stevig doorgezakt vannacht?' vroeg hij hartelijk. Antonio antwoordde dat hij het altijd op zijn zenuwen kreeg als het vrijdag was. Want na de vrijdag kwam de zaterdag en het weekend was echt killing voor hem, omdat hij toch niks meer te doen had. De zondag was het ergst, net als Maria-Hemelvaart en Kerstmis. Godzijdank moest hij aanstaande zondag voor de afgevaardigde werken. Vervolgens slikte hij steels een pilletje en sloeg zijn koffie in één teug achterover. 'De zondag hoort een vader met zijn gezin door te brengen, het ministerie zou me voor die dienst beter een vrijgezelle jongen kunnen sturen,' merkte Elio op. 'Ik ben allang blij als ik op zon- en feestdagen moet werken, want ik heb mijn kinderen niet meer bij me. Ik verlang naar ze zoals je onder water naar lucht snakt. Ik voel me nutteloos – gebroken, zonder hen,' zei Buonocore somber. Maar zijn woorden ontgingen Elio, omdat hij net even werd afgeleid door een jonge vrouw, rozig als het vruchtvlees van een pruim, die op een zware metallic maxiscooter in de buurt van de bar een parkeerplekje zocht.

'Hoe gaat het met uw mooie vrouw?' vroeg hij daarna, om geen stilte te laten vallen. 'O, met haar gaat het goed,' antwoordde Antonio, veinzend dat het geen absurde vraag was na die heftige, pijnlijke ontboezeming van hem. 'En de kinderen? Kevin? Hoe is het met zijn oog? Heeft hij daar nog last van?' 'Ja, maar het gaat al beter.' Het afwezige gezicht van Antonio – donker, vanzelf gebruind door een geweldige crème – liet geen enkele emotie doorschemeren. Elio had nooit kunnen vermoeden dat zijn beschermengel al bijna twee jaar niet met zijn zoontje had gesproken en geen flauw idee had wat er met diens oog aan de hand was. Wat hem betrof had Kevin net zo goed blind geworden kunnen zijn.

De vriendschappelijke toon van de afgevaardigde had Antonio verrast. Al jaren volgde hij hem als een schaduw. Hij wás zijn schaduw. En nooit had Fioravanti laten merken dat hij hem dankbaar was voor zijn goede zorgen. Hij leek zich er niet eens van bewust te zijn dat als er op hem werd geschoten, Antonio degene zou zijn die de voor hem bestemde kogel zou opvangen, die zich boven op de bom zou werpen – die zou sterven voor hem. Hij had hem alleen maar overladen met cadeautjes – op de geijkte feestdagen. Cadeautjes voor Emma, voor de kinderen. Maar die anonieme cadeaus, vergezeld van een visitekaartje met een krabbel erop, zonder ook maar één persoonlijk woord, kon Antonio niet waarderen; hij vond altijd dat iemand die je een cadeau geeft je wil kopen, en zijn vriendschap moest elke dag weer gewonnen worden en kon nooit met geld worden gekocht. Aanvankelijk had hij zijn overplaatsing naar de beveiliging als een onverdiende vernedering beschouwd – hij was geboren voor het harde leven van de patrouille, de straat, en was nu plotseling verworden tot dienstknecht van een hoge pief, altijd op-en-top gekleed, met de hele dag dat rotding aan zijn oorschelp, en het kogelvrije vest waarin je 's zomers sterft van de hitte, als in een harnas. In het begin had hij een grote hekel aan de 'hooggeplaatste persoon' die hem was toegewezen, die frivole, mondaine advocaat die altijd moppen wilde vertellen, en 'Vincere vincere vincere' neuriede, en altijd goedgemutst was. Maar mettertijd was die slimme advocaat, die in talloze intriges was verwikkeld en werd omringd door vrouwen van twijfelachtige reputatie, louche figuren en zogenaamde financiers, mettertijd was die man die zo anders was dan hij, immoreel, leugenachtig, oppervlakkig, zo schaamteloos gelukkig, steeds sympathieker geworden in zijn ogen – en nu verlangde hij er zelfs naar om te zijn zoals hij. En hij zou willen dat Fioravanti hem echt aardig vond, dat hij hem niet slechts beschouwde als het lichaam dat zijn kogel zal opvangen, en de arm die het automatisch pistool hanteert dat hem zal redden. En aangezien iedereen respect heeft voor degene die hem negeert en minacht, hoopte Antonio zelfs wel eens op die bom en die aanslag, om met een heldendaad op het krijgsveld waardering en erkentelijkheid te verwerven – of in elk geval de erkenning van Fioravanti dat hij ook een mens was. Maar nu afgevaardigde Fioravanti zich vandaag, in de Bar delle Muse, eindelijk – zij het vaag – bewust was geworden van zijn werkelijke bestaan, schonk het hem geen enkele voldoening meer. Niets was meer belangrijk voor hem. De wereld ontging hem, ontglipte hem, verbrokkelde, en Antonio kon er niets tegen doen.

Ineens kreeg hij het hoopvolle idee dat de afgevaardigde met al zijn contacten en de corrupte of corrumpeerbare rechters met wie hij omging hem zou kunnen helpen, en hij begon de hele litanie over de kansen die een gescheiden vader vandaag de dag heeft om de voogdij over zijn kinderen te krijgen, want die zijn namelijk praktisch nul in dit conservatieve land dat zo op de moederfiguur is gefocust. Terwijl vrouwen tegenwoordig heel anders zijn dan vroeger. Die maatschappij van ons helpt zichzelf naar de knoppen, er is geen toekomst meer, omdat iedereen zijn eigen steriele korte-termijngeluk najaagt, en dat verval moet een halt toegeroepen worden, ook wettelijk. Maar de afgevaardigde was niet in staat om naar anderen te luisteren, want hij was alleen in zichzelf geïnteresseerd, hij keek zonder blikken of blozen op zijn horloge en toen was het alweer tijd om te gaan: voordat ze hun schoenen zouden bederven tussen de marktkramen – zo zei hij het – moest hij eerst nog iets anders doen.

Hij wilde worden afgezet voor de kerk van Sant'Agostino. Antonio moest bijna achter hem aan rennen terwijl hij met vlugge stappen de ruwe witte trap beklom. Dwars voor de ingang zat een vluchtelinge ineengedoken, die de weg blokkeerde met haar voeten en met het vuile bundeltje waarin een miezerig, vies baby'tje lag te dommelen – misschien haar kind, misschien ook niet. Een meisje met amandelvormige ogen, en lang zwart haar. IK BEN ARM UIT SARAJEVO IK HEP VIJF KINDEREN IK HEP GEEN WERK HELP ME. Elio legde een briefje van tienduizend lire op haar schoot, dat de vluchtelinge onder haar rokken liet verdwijnen terwijl ze hem toelachte. De eerste glimlach die de vijandige wereld de afgevaardigde vandaag vergund had. 'God zegene je,' zei hij tegen haar. En zegene ook mij. In het voorbijgaan zag hij dat de gevel van travertijn met zwarte verf was bespoten: IK HEB EEN DROOM. De dromer had zelfs ondertekend met: DE HORDE BARBAREN. Hij wilde dat hij de jeugd van tegenwoordig kon begrijpen. Ook hij had als jongere weinig respect gehad voor de symbolen van de macht, maar hij zou het nooit in zijn hoofd hebben gehaald om een kerk te schenden. Hij duwde de deur open. De Sant'Agostino was verlaten. Die monumentale kerken van Rome, immer leeg – behalve met bruiloften en begrafenissen –, deden hem denken aan Etruskische tombes en Griekse tempels, een schitterende, ontzielde getuigenis van lang verdwenen beschavingen. Dat verval, die liefdeloosheid, de eenzaamheid van de fresco's en de altaren, van de porfieren platen en de koren stemde hem bedroefd, maar hij wist niet wat hij eraan kon doen.

De afgevaardigde sloeg een kruisteken en knielde bewonderend neer voor het altaar – en de agenten, die achter hem aan waren gekomen, volgden zijn voorbeeld. Antonio was nooit eerder in de Sant'Agostino geweest. Hij vond de hoogte van het plafond ontzagwekkend, evenals de blauwe sterrenhemel die flonkerde in de rechterzijbeuk. Er stonden donkere doeken in de zijkapellen, en brede, donkere banken in het middenschip. Overal waren zuilen, kostbare marmersoorten en beelden. Ze intimideerden hem en herinnerden hem eraan dat hij niet meer terug was gegaan naar de pastoor van Valentina's communie, die hij toen die hele chaos begon vaak had opgezocht om over de zin van het leven te praten met iemand die in contact stond met God en hem hopelijk de geheime sleutel kon wijzen om alles weer goed te maken. Die kerk – de parochie van zijn schoonmoeder – zag er echter heel anders uit. In de jaren tachtig opgetrokken uit gewapend beton, zonder enige opsmuk: de rijen banken bestaande uit aan elkaar gekoppelde stoelen, weggehaald uit een bioscoop in een buitenwijk die al jaren dicht was. Er waren geen altaren, noch schilderijen: de wanden waren kaal. Alleen in de apsis was een fresco gemaakt door een onbekende moderne schilder: in de blauwe hemel hing een vrouw met een witte jurk, die leek te vliegen. Die kerk, waarvan hij niet eens meer wist hoe hij heette, vond Antonio mooi, hij was heel licht, terwijl de Sant'Agostino donker was, en een soort vrees opwekte. Agent Romeo controleerde de deur, en Antonio zag de afgevaardigde nergens meer. Als ze op straat waren geweest, zou het onvergeeflijk lichtzinnig zijn geweest. Hij ging naar hem op zoek en liep verder het middenschip in. Zijn lakschoenen kraakten op de marmeren vloer. Hij liep langs kardinalen, kruisbeelden en graftomben van adellijke families. Hij schonk geen aandacht aan heiligen en profeten, Jesaja en Sint-Wilhelmus, Sint-Catharina en Sint-Hieronymus, Sint-Stefanus en Sint-Thomas, Sint-Monica, de Madonna van de Rozen en zelfs de Eeuwige Vader. Hij liep om het barokke altaar heen. Geen spoor van de man die hij nooit uit het oog mocht verliezen. Op een smeedijzeren meubel brandden twee kaarsen. Toen ontwaarde hij hem, in het dichte halfduister. De afgevaardigde zat geknield op een ongerieflijk marmeren muurtje, voor de eerste kapel in de linkerzijbeuk. Hij staarde aandachtig naar een donker doek dat het hele altaar in beslag nam.

Antonio wendde zijn blik af. Het voelde ongemakkelijk om de intimiteit gade te slaan van die man die geen intimiteit had en niets voor hem verborgen kon houden. En er bestaat niets intiemers dan een gebed. Aangezien er niemand in de kerk was, en niemand een bedreiging vormde voor het leven van de advocaat, liep hij in de richting van de ansichtkaartenstandaard, verlicht door een schijnwerper. Hij liet de standaard ronddraaien, maar keek niet echt naar de afbeeldingen die te koop waren. Hij had niks met oude dingen.

Ze gaven hem een treurig gevoel. Fioravanti staarde naar iets wits, dat fel oplichtte in het duister. Toen stak hij een muntje in de gleuf van een kistje, en werd het schilderij ineens verlicht. Daarna begroef hij zijn gezicht in zijn handen en begon te fluisteren. Antonio vroeg zich af wat een man als afgevaardigde Fioravanti, die alles had in het leven, in vredesnaam aan God kon vragen. Geld, gezondheid, succes, twee echtgenotes, verscheidene minnaressen van wie de laatste zo goed bedeeld was dat een dode er nog een stijve van zou krijgen, twee kinderen, roem, macht, en ook nog een fantastisch huis – een hele Jugendstil-villa in de Via Mangili, drie verdiepingen midden in het groen, met een eigen tuin, sinaasappelbomen en magnolia's. Nee, dan Antonio, hij had wel wat te bidden. Hij had wel wat dingen te vragen. Maar God zou toch niet naar hem luisteren, want zijn hart was inmiddels vervuld van haat. Terwijl God liefde is, en vergiffenis.

Hij was benieuwd naar het schilderij waarvoor die zo mondaine afgevaardigde Fioravanti zat neergeknield, en hij liep wat dichterbij – zijn schoenzolen piepten klaaglijk. In het kale licht van het peertje verspreidde het grijzende krulhaar van de advocaat een zilverig licht, alsof het nat was geworden van de regen. In de linkerhoek van het doek stond een donkere vrouw met een jongetje op de arm, alsof ze net naar buiten kwam, levensgroot. Ze had blote voeten. Voor haar zat een man van middelbare leeftijd geknield – bijna in dezelfde houding als de afgevaardigde. Die vrouw was waarschijnlijk Maria, en dat blote jochie Jezus. Maar het schilderij had niets heiligs. Juist iets heel vertrouwds. Iets wat hij met een steek van heimwee herkende. Het was een vrouw, met een zoontje. De vrouw was donker, trots en eenvoudig, net als, als, als... Het zoontje was drie, misschien vier. Het zou Kevin kunnen zijn, of tenminste de Kevin die Antonio zich herinnerde, voordat zij hem bij hem had weggehaald. Voordat ze zijn leven had verwoest, de speciaal agent tot een knecht had gemaakt en zijn kinderen tot twee vreemden. Hij kreeg een waanzinnig verlangen om ze allebei weer te zien. Emma, en ook Kevin. Hoe was het toch mogelijk geweest dat hij ze was kwijtgeraakt? Als er nu nog een echte reden voor was geweest, dan had hij er misschien wel mee kunnen leven. Maar zo niet, zo werd de pijn elke dag weer ververst, en de tijd heelde zijn wonden niet, maar liet ze juist etteren.

De dag dat Kevin geboren was, dat had hij altijd gezegd en dat zei hij nog steeds, was de mooiste dag van mijn leven. Een jongetje van zes pond, vuurrood in Emma's armen. En zij had hem aan hem toevertrouwd, glimlachend, dankbaar. Hij had het wezentje in zijn armen genomen, dat zo nieuw was dat het nog niet eens een naam had, en dat sliep, en misschien wel droomde. Hij had zich vertederd afgevraagd waar een pasgeborene van droomt: misschien van het leven voor het leven, net zoals hijzelf droomde van het leven na de dood. Mijn zoon. Mijn zoon die Kevin zal heten en die later op mij zal lijken. En ik zal hem leren zwemmen, en voetballen, en eerlijk zijn en hoe hij zich moet verdedigen. Kevin wist het zelf niet, maar hij was gemaakt om hen te redden. Omdat hun huwelijk voorbij was, en ze hadden geprobeerd het nieuw leven in te blazen met hem en door hem. Maar zo was het niet gegaan. Kevin was iets anders geworden – met zijn eisen, zijn behoeften, hij was anders dan hij had gedroomd, hij was een vreemde, hij had Emma niet veranderd, hij had niet zijn kant gekozen tegen haar, hij was alleen maar nog een vijand erbij om tegen te vechten, hij had hem teleurgesteld – en ook die draad was verbroken. En nu wist hij niet hoe zijn gezicht eruitzag of hoe zijn stem klonk. Hij zou ze nooit terugkrijgen. Hij was ze kwijt. En hij kon niets doen om haar terug te laten keren. Het licht doofde, en de donkere vrouw met Kevin op de arm was weer in het duister gehuld. En nu was er alleen nog maar duisternis. En maar één ding te doen.

Het doek was zwart als een schoolbord, alleen de bleke huid van het kind en het vermoeide gelaat van zijn moeder staken nog af tegen het zwart. Elio keek op. Hij zag zijn hoofdbegeleider staan, ongepast dichtbij – stokstijf naast het muurtje. Hij stond haastig op en betreurde het dat hij zich op een moment van zwakte had laten betrappen. Hij klopte zijn broek af, veegde de schilfers roos van zijn trui, draaide zich om en liep naar de uitgang. 'Afgevaardigde,' riep Antonio terwijl hij voor hem ging staan. Zijn stem galmde in de etherische stilte van de kerk. 'Ik wil u om een gunst vragen. Ik moet mijn dienst om twee uur onderbreken.' Het was een volkomen ongehoord verzoek. 'Tja...' aarzelde Elio, terwijl hij zich afvroeg waar hij om twee uur in godsnaam zou zijn, 'daarvoor moet u mij niet om toestemming vragen, maar het ministerie – dan kunnen ze een vervanger sturen.' 'Dat weet ik,' drong Antonio aan, haastig omdat hij geen tijd had het uit te leggen, maar ineens was alles hem duidelijk geworden. 'Dat weet ik, maar ik vraag u om een persoonlijke gunst.'

Elio draaide zich nog één keer om naar de Madonna van de Pelgrims – de meest overtuigende Madonna die hij ooit had gezien in zijn hele carrière als zondaar, en de enige voor wie hij ontzag had. De zondaar Caravaggio had het klaargespeeld een eenvoudige Romeinse, een willekeurig model, eveneens een zondares, om te turnen tot de moeder van de Verlosser – en daarvoor is het volk hem altijd erkentelijk geweest, en ze hebben haar altijd vereerd. Want als die vrouw, van wie we zouden kunnen houden, en als dat kind, dat ons zoontje zou kunnen zijn, het instrument van Gods redding zijn, dan kunnen ook wij gered worden. Zwijgend bad hij nog een laatste keer tot haar om hem te beschermen, om hem de verkiezingen te laten winnen, om hem niet uit de gratie van de president te laten raken – niet omdat dat van enig belang was voor het verloop van de wereld, maar juist omdat het alleen van belang was voor Maja en voor Camilla, en omdat zijn vrouwen onschuldig waren aan het kwaad dat was berokkend, en het niet verdienden daar in zijn plaats voor te boeten.

'Het gaat om mijn gezin,' zei Antonio. 'Het is heel belangrijk.' Elio probeerde zich te herinneren wat hij moest doen die middag. Hij meende dat hij ten strijde moest trekken tegen de wijken van Casilina. Vijandig gebied. Grote kans op hinderlagen en protesten van groene en rode groeperingen. Nee, de agenten van de volgauto volstonden niet. Hij kon zijn beschermengel niet missen. 'Een andere keer, Buonocore, vandaag heb ik u echt nodig.' Antonio hoorde de weigering – duidelijk en beslist –, maar hij gaf zich nog niet gewonnen. 'Dit is de laatste keer dat ik u iets vraag.' 'De laatste keer!' lachte Elio, terwijl hij familiair een hand op zijn schouder legde. 'Het is de éérste keer, volgens mij.' Antonio duwde de deur open en terwijl hij werd overvallen door het felle daglicht herhaalde hij, ernstig, zonder hem aan te kijken, dat het echt de laatste keer was.

tiende uur

De bediende waarschuwde haar dat de mobiel in haar tas overging. Wilde mevrouw Fioravanti opnemen? Maja keek op, berustend in het feit dat ze zelfs niet met rust werd gelaten als ze bij de kapper zat, tijdens een van de prettigste momenten in het leven van een vrouw – terwijl de jonge harenwasser, vrouwelijk en gracieus als een balletdanser, haar slapen masseerde en haar natte haar kamde met zo'n toewijding dat ze een schandelijke en onmiskenbaar erotische siddering voelde door haar hele lichaam, dat al veel te lang niet meer zo aandachtig was behandeld. Maar op de dag van Camilla's feest moesten er nog honderden dingen geregeld worden. 'O ja, ik neem op,' zei ze. De jongen hield de telefoon voor haar natte oor – zodat zij zich niet eens hoefde te verroeren. Voor haar voeten ging de manicure, die haar hand op schoot had liggen, onverstoorbaar door met het lakken van haar nagels. Met de vaardigheid van een kunstenaar die bezig is een miniatuur te schilderen, penseelde ze de lak op haar ovale duimnagel – een vleugje parelmoer, heel chic, doorzichtig, bijna onzichtbaar. 'Met makelaar Gabetti,' sprak een onbekende stem. 'U hebt ons eerder gebeld vanwege het appartement op de Aventino. Zegt u het maar.'

Maja hief met een ruk haar hoofd op. De manicure viel van haar krukje en schilderde onbedoeld een streep nagellak op de rug van Maja's hand. Haar natte haren drupten op haar satijnen truitje. 'Het had geen haast,' fluisterde ze terwijl ze opstond, 'ik wilde alleen wat inlichtingen.' Haar ogen zochten een hoekje waarin ze zich kon terugtrekken, maar de salon zat bomvol. Onder haar vriendinnen – uiteraard was het inmiddels alom bekend – genoot de haarstylist Michele alias Michael een superieure reputatie: een duivelskunstenaar die zelfs het grootste gedrocht nog kon omtoveren tot een filmster. Er zaten vrouwen met nat haar in de fauteuils genesteld, anderen zaten parmantig onder de droogkap, weer anderen lagen nog lichtjes achterover in hun stoel, met plukjes haar ingesmeerd met kleurspoeling en verpakt in zilverfolie, waardoor ze op buitenaardse wezens leken. Wachtende vrouwen op de bankjes, vrouwen wier haar werd gewassen. Overal.

'Het gaat om een driekamerappartement van honderdtwintig vierkante meter, smaakvol verbouwd, uitkijkend op het groen – in de tuin staan veel hoogstammige planten, echt een droom,' dreunde de secretaresse van het makelaarskantoor op. 'Als u het wilt zien, kan ik u nog in de bezichtigingen van vandaag invoegen.' 'O, nee,' protesteerde Maja, heel zachtjes. 'Ik wilde alleen maar wat inlichtingen, een vriendin van me moet naar Rome verhuizen, ze heeft me gevraagd om haar te helpen iets te zoeken op de Aventino.' Ze liep zigzaggend naar de deur, met druipend haar, glipte langs de dames op de krukjes die in de modebladen *Amica* en *Glamour* of het woonblad *AD* zaten te bladeren, terwijl een assistent van Michael hun haren föhnde, steil maakte, gladmaakte of krulde, of de laagste pedicure hun teennagels vijlde. Ze duwde met haar rug de spiegeldeur open en vluchtte naar buiten. 'Luister, dat appartement is echt een droom, en over de prijs valt te onderhandelen.' 'Ik kan vandaag niet,' zei Maja, 'ik kan mijn vriendin niet meer op tijd waarschuwen, dat gaat echt niet lukken.'

'We hebben al twee cliënten die een bod willen uitbrengen,' vervolgde de onbekende vrouw zonder zich iets aan te trekken van haar schijnbare desinteresse. 'Op de Aventino staat niets te koop, als uw vriendin daar een huis zoekt, raad ik haar aan vandaag nog te gaan kijken.' Maja vroeg zich af welke geheimzinnige impuls haar ertoe had gedreven naar dat huis te informeren. Dat had ze nooit eerder gedaan. Normaal gesproken bladerde ze dat stomme huizenkrantje alleen maar door, gewoon voor de grap. Misschien kwam het doordat ze niks omhanden had gehad, om negen uur 's ochtends in dat lege huis – zij die normaal gesproken aan honderdduizend dingen tegelijk moest denken. Als ze naar haar werk was gegaan... als Navidad er was geweest had ze het niet eens in haar hoofd gehaald – dat meisje was zo katholiek, zo bedaard, zo ouderwets. Ze had zich gewoon plotseling ontzettend ontevreden gevoeld. Ze was helemaal in de war geweest door die ontmoeting met Emma Buonocore. De ontdekking dat een moeder zomaar ineens haar man laat zitten en er met de kinderen vandoor gaat. Het leek zo'n hecht stel. Zo'n mooi gezinnetje. En Elio en ik lijken ook zo'n hecht stel. Zo'n mooi gezinnetje. Nou, zo kon-ie wel weer. Maar het was geen fijne gedachte dat een makelaar wist dat Maja Fioravanti op zoek was naar een huis. 'Evengoed bedankt,' besloot ze, plotseling verslagen, helemaal krachteloos op het trottoir van de Via Mercalli – overmand door schuldgevoel. Achter de spiegeldeur was de salon van Michael volkomen onzichtbaar. De spiegel toonde alleen haarzelf. Maja wist echter dat de dames die zaten te wachten haar konden zien. 'Luister, we doen het zo,' hield de gewiekste secretaresse vol. 'Ik zet de naam van uw vriendin op de agenda voor vandaag. Om twee uur. Als ze niet komt, is het geen probleem. Onze makelaar is er toch.'

Om twee uur – Maja dacht erover na. Hoeveel tijd zou het haar kosten? Vanaf vier uur komen de kinderen naar het Palazzo Lancillotti, en dan moet ze daar zijn. Ach, waarom ook eigenlijk niet? Gewoon, een beetje afleiding. Anders blijft het maar malen in haar hoofd – en vandaag nemen haar gedachten een massieve vorm aan, ze voelen loodzwaar. 'Als mijn vriendin kan, komt ze om twee uur,' stemde ze toe. 'Welke naam kan ik noteren?' 'Riva,' zei Maja. Ze was meer dan een kwarteeuw mejuffrouw Riva geweest, voor ze mevrouw Fioravanti was geworden. Ze liep als een slaapwandelaar terug door de salon en ging weer op de stoel bij de wasbak zitten. Ze legde haar nek op de plastic bak. De manicure had zich niet verroerd. Ze sloot haar ogen en de jonge harenwasser hervatte de massage van haar slapen met zijn zachte handen. Ze kon er niet meer zo van genieten als anders. Haar vochtige truitje voelde koud aan. Zo hecht, zo hecht, ging het telkens maar door haar heen.

De engelachtige harenwasser leidde haar naar een hoge draaistoel. Michael de duivelskunstenaar deed haar tulband af. Haar donkere, ragfijne haar viel weer over haar oren. Maja keek vol verbazing en bezorgdheid naar haar beeltenis in de spiegel. Niemand zou kunnen denken dat die jonge, charmante dame, klein en breekbaar als een vogeltje, in werkelijkheid een gewetenloze, meesterlijke huichelaarster was. Maja staarde angstig naar de verzilverde schaar die in Michaels handen glinsterde. 'Dus geen highlights,' zei hij met zijn geaffecteerde stem, 'u bent echt conservatief, mevrouw Fioravanti, u bent bang voor nieuwe dingen. Een paar auberginekleurige lokken zouden u heel goed staan, uw gezicht zou ervan oplichten. Maar zoals u wilt. We behouden de natuurlijke kastanjekleur. Maar laat u me dan in elk geval een wat meer trendy kapsel uitproberen, met lokken van verschillende lengte, hebt u de laatste film met Juliette Binoche gezien? Als u wilt kan ik wel weer hetzelfde klassieke kapsel doen, maar dat is geen fashion en eerlijk gezegd maakt het u een stuk ouder.' 'Beslist u maar,' mompelde Maja. De duivelskunstenaar glimlachte, want eindelijk had hij de klant in zijn macht, en hij knipte met de schaar in de lucht. Maja voegde er met een dromerige glimlach aan toe: 'Michael, zorg dat ik er jonger uit kom te zien.'

Professor Ferrante begon om halfelf met de tentamens, een uur later dan gepland. De studenten die zich hadden ingeschreven – meer dan tweehonderd – hingen ordeloos op de banken in de gang. Sommigen rookten, anderen namen wanhopig de syllabi door, omdat een van de geëxamineerden toen hij naar buiten kwam had verzekerd dat de onderzoeker – al sinds mensenheugenis de loopjongen van de professor, allang grijs geworden tijdens het frustrerende wachten op een leerstoel – geen vragen stelde over de teksten, maar alleen over de syllabi van het seminar dat hijzelf gegeven had en waar niemand naartoe was geweest. Een meisje zat kauwgom kauwend naar de muisgrijze muur tegenover haar te staren, alsof ze daar de kennis vandaan wilde halen die ze niet meer op tijd in haar hoofd had kunnen stampen. Zero stond voor het raam en keek naar de geduchte Minerva met schild die in de vijver van de universiteit stond te niksen en zich spiegelde in een dun laagje brak water. Hij volgde het opgewonden komen-en-gaan van geslaagden en gezakten, relaxed alsof hij het tafereel gadesloeg vanaf de planeet Mars. Strafrecht was zijn tiende tentamen in drie jaar tijd; een acceptabel gemiddelde, al was het ook weer niet opzienbarend. Maar de fase van verplichtingen en wraak had hij inmiddels wel achter de rug – hij was nu aanbeland bij onverschilligheid. Die ochtend had hij de laatste grens overschreden en was hij zich begonnen af te vragen wat hij hier in godsnaam deed en of die verwilderde jongen die in de gang van de rechtenfaculteit rondhing niet toevallig zijn dubbelganger was. Hijzelf was achtergebleven op het zolderkamertje met uitzicht op de raadselachtige Gazometro, de gigantische metalen gashouder, waar hij bezig was stukken ijzer en springlading in elkaar te knutselen om de symbolen van de vijand tot ontploffing te brengen. Er kwam een meisje in tranen naar buiten – verward legde ze uit aan de studenten die haar meteen omringden dat de jonge assistent een schoft was, een kontlikker, een stuk stront.

De assistent in kwestie – een bebrilde dikzak wiens lijf triomfantelijk getuigde van de razendsnelle daling van zijn zelfrespect – verscheen in de deuropening van de zaal en riep de namen van de volgende studenten die aan de beurt waren. Een ervan was de zijne. Lusteloos maakte Zero zich van het raam los en bedacht dat hij nu snel weer naar buiten zou kunnen. Een kleine geheugenoefening en dan had hij een hele zomer volledige vrijheid verdiend. Hij was van plan om naar Barcelona te gaan en contact op te nemen met de anarchisten van de band Barricada. Dat waren echt zuivere, toffe broeders. Hun motto was: 'Ik wil een land waarin geen geld wordt uitgegeven – ik wil een smetteloos leven leiden'. Hij wilde graag naar Barcelona. Spanjes overgang van fascisme naar vrijheid was indrukwekkend natuurlijk verlopen. In Italië was het in zestig jaar nog niet gelukt. Daarginds was meer energie, vitaliteit, hoop – er waren veranderingen, er ontstonden ideeën, kunstenaars waren scheppend bezig. Rome was een vervallen, onbeweeglijke stad, een enorme warboel. Zijn verleden maakte het de stad onmogelijk om een toekomst te hebben. De inwoners liepen in kringetjes rond, als krankzinnigen. Niemand kon ontsnappen uit dat gekkenhuis waarin ze waren opgesloten. De assistent wierp een geringschattende blik op het groepje studenten waarvan hij tot een paar jaar geleden zelf ook deel had uitgemaakt, en zag een magere jongen met lange paarse haren in piekerige vlechtjes met tientallen tinkelende kraaltjes aan de uiteinden. Hij had een neusring en een zilveren balletje in zijn tong. Ondanks die primitieve symbolen klemde hij een professionele leren aktetas in zijn rechterhand. Hij ging aan de kant om hem naar binnen te laten. De jongen rook naar hond.

Zero nam plaats voor de lange, verhoogde lessenaar waarop de zeer invloedrijke professor Ferrante troonde, de zelfingenomen, vooraanstaande strafrechtspecialist, die bekendstond om zijn drukbezochte colleges en om zijn cryptische opmerkingen – zo onbegrijpelijk dat het wel Chinees leek. Ferrante zat met een andere docente te praten, en een paar minuten lang had hij niet eens in de gaten dat de tentamenkandidaat geduldig op zijn beurt zat te wachten, als verstijfd op zijn stoel, in een houding van onderdanige ijver. Toen de professor hem eindelijk opmerkte, schonk hij hem geen aandacht. Hij had wel wat beters te doen. Zero ving een paar flarden van het gesprek op. Het ging niet over strafrecht. Professor Ferrante en de vrouw lachten. Blijkbaar kenden ze elkaar goed.

Zero vroeg zich opnieuw af wat hij in deze zaal te zoeken had. Hij wilde helemaal geen rechter worden, en ook geen notaris. Zelfs geen advocaat, ook al waren er een hoop arme zielen te verdedigen en anarchisten te bevrijden uit de gevangenissen van hun bazen. Hij wilde helemaal niks worden. Hij wilde iets zíjn – enige betekenis geven aan zijn leven. Dat had het nu helemaal niet. Hij legde zijn tentamenpasje op de lessenaar. Ferrante schonk hem dezelfde geïrriteerde aandacht die hij aan een vlieg zou hebben geschonken. Er kwam nog een student binnen, over wie de schofterige assistent zich ontfermde, die zich koste wat kost nuttig wilde maken, zodat de professor hem na afloop van zijn doctoraat een studiebeurs zou toewijzen. De assistent was bang dat hij als overbodig zou worden beschouwd door de universiteit, en dat hij aan zijn lot zou worden overgelaten in de grote, wrede wereld. De student werd haastig ondervraagd en gaf haastig antwoord. De assistent luisterde niet naar zijn antwoorden, de student luisterde niet naar zichzelf. Hij praatte. Hij kotste slecht verteerde brokjes rechtsgeleerdheid uit. Binnenkort zou hij rechterlijk ambtenaar in opleiding worden, en later rechter. Allemaal vonden ze vroeg of laat hun plekje in de grote wereld, alleen Zero had op zijn drieëntwintigste nog steeds niks – in die wereld was geen plek voor hem.

'We beginnen,' zei professor Ferrante toen zijn collega eindelijk afscheid nam, en een spoor van patchoeli, kamperfoelie en tuberoos achter zich liet. 'We gaan het hebben over vermogensdelicten. Artikel 624.' 'Diefstal,' bevestigde Zero toonloos. De professor vroeg wat er verstaan werd onder toe-eigening. 'De verhouding tussen ontvreemding en toe-eigening blijkt problematisch,' antwoordde Zero werktuiglijk, zonder naar zichzelf te luisteren. 'Sommigen menen dat de twee momenten samenvallen, maar volgens anderen vertegenwoordigen ze twee concepten die strikt gescheiden moeten worden gehouden. Een typisch geval komt alleen voor als de dader de volledige autonome zeggenschap over het goed verkrijgt, zodat dit niet langer onder de directe invloed van de bestolene valt.' Hij kotste de begrippen uit die hij de afgelopen weken naar binnen had gewerkt. Een fabriek. Een lopende band. Vermalen, versnipperd, in die helse machine gestopt, verpakt en de wereld over gestuurd, zonder dat ze iets anders waren dan anonieme niemanden – nullen. Maar Zero slaagde erin die kwellende gedachten in een hoekje van zijn bewustzijn weg te stoppen, hij bleef geconcentreerd en onderwierp zich aan dat lege, onzinnige ritueel, een bloedeloos offer aan de goden waarin noch hij, noch de professor geloofde.

Opeens – terwijl hij werktuiglijk het verschil zat uit te leggen tussen het moment waarop iets nog een poging tot diefstal is en de werkelijke diefstal, bijvoorbeeld in het geval van diefstal uit een supermarkt – klonk er in de enorme zaal een zacht geluidje op, een indringend gekwetter, als muziek in de verte. Het kwam vanuit zijn aktetas. Hij was helaas vergeten zijn mobieltje uit te zetten. Even stokte hij, als verstijfd, en toen besloot hij het betreurenswaardige voorval te negeren, hij deed alsof het niet zijn telefoontje was en praatte verder over het verband tussen diefstal en onrechtmatige toe-eigening. Daar wist hij alles van. Diefstal was het eerste misdrijf dat hij had begaan, op zijn vijftiende. Hij had een antieke postzegel gestolen – een bijzonder zeldzaam exemplaar uit een koloniaal Afrikaans land – uit de verzameling van zijn vader. Hij wist niet dat hij zoveel geld waard was, daar was hij pas later achter gekomen – toen hij hem allang door de plee had gespoeld. Het ging alleen om de daad – de vordering en verwoesting van andermans goed. Maar de telefoon bleef maar overgaan. Vier keer, vijf, zes, tien keer. Degene die belde – ongetwijfeld Meri of Poldo of Ago, wanhopig door de crisis van de Battello Ubriaco die op het punt stond te worden ontruimd, tenzij er wonderen zouden gebeuren waarin niemand van hen geloofde – gaf het niet op. Achter de lessenaar zat de professor zich op te winden, hij was geschokt. De andere geëxamineerde zweeg. In de stilte klonk de verre, gedempte muziek helderder: de klanken vormden inmiddels heel herkenbaar de melodie van 'Bella Ciao'.

Nu zweeg ook Zero. De eerste regels luidden: *Stamattina mi sono alzato*, (vanmorgen ben ik opgestaan). *O bella ciao bella ciao bella ciao ciao ciao.* 'Waar denkt u dat u bent, in de bergen?' brieste de professor. *E ho trovato l'invasor* (en ik heb de bezetter gevonden). Zero gaf geen antwoord. Wat kon hij zeggen? Was het maar waar dat deze smerige, bouwvallige zaal, die nog nooit was gerestaureerd sinds hij door Marcello Piacentini was ontworpen, echt de berg van de verzetslieden was. Lieden die door mensen als de professor bandieten werden genoemd. *O partigiani portami via* (o partizaan, neem me mee). 'Dit is de grootste universiteit van Italië,' sprak professor Ferrante woedend. 'Weet u wie er les hebben gegeven aan de Sapienza? Ik betwijfel het, jullie jongelui zijn allemaal analfabeten. Het waren de beste staatsmannen van het land. Aldo Moro, Vittoria Bachelet. U moet zich schamen.'

Het lukte Zero niet om zich te schamen. Hij schaamde zich voor wat hij was, hij schaamde zich voor zijn vader, voor de wereld waarin ze hem had laten spartelen, voor zijn leven, zelfs voor de gevoelens die hij koesterde voor de verkeerde persoon – maar niet hiervoor. *Stamattina mi sono alzato e ho trovato l'invasor.* Hij rommelde in zijn koffertje en zette de telefoon uit. Hij staarde de professor met heldere, milde blik aan. 'Zal ik doorgaan?' vroeg hij beleefd. Per slot van rekening zat de professor toch niet naar hem te luisteren. Hij zat notities te maken op zijn palmtop, hij had wel wat beters te doen dan inschatten hoe goed een van zijn duizend studenten zich had voorbereid. Het was allemaal een farce, gewoon een schertsvertoning – maar het mobieltje had die ontmaskerd, had hen ontmaskerd, en dat kon hij niet toegeven. Hij moest hem straffen. Zero begreep dat hij hem zou laten zakken. Dat betreurde hij, want hij wilde liever naar Barcelona vertrekken met een voldaan gevoel over zichzelf, op z'n minst redelijk voldaan, of hij wilde in elk geval niet het gevoel hebben dat hij een heel semester verknald had, maar het was een oppervlakkig ongenoegen dat minder lang aanhield dan de rode blos op zijn wangen.

De professor staarde hem langdurig aan, met vertrokken mond, alsof hij een kakkerlak zag. 'Denkt u dat u zich in een rechtszaal van de Italiaanse republiek kunt vertonen met een ring in uw neus, als een inboorling?' vroeg hij. 'Waarom niet?' repliceerde Zero, in het besef dat hij dat tentamen toch al kon vergeten, 'tenslotte is een rechtszaal een jungle waarin het recht van de sterkste geldt.' 'Draagt u een pruik?' spotte Ferrante met een blik op zijn lange vlechten. Misschien wel vol afgunst: zelf was hij bijna kaal. Draderig nekhaar hing tegen de kraag van zijn jasje. Weinig haar, dun, zielig. 'Nee,' antwoordde Zero, 'het is mijn eigen haar.' Zijn haar: het enige wat hij van zijn vader had geërfd, het enige teken van hun bloedverwantschap. Krullend, kroezig, hard als ijzerdraad. Hij had het paars geverfd om er niet hetzelfde uit te zien als hij. 'Denkt u dat een wetsvertegenwoordiger met paars haar serieus wordt genomen door een rechter of een jury?' hield Ferrante aan, op het punt zijn geduld te verliezen. 'Is dat het respect dat u voor de wet hebt?'

'De wet, dat zijn wij,' antwoordde Zero mild. 'Alles verandert.' Hij bedacht dat zijn paarse haar misschien wel ooit een teken van achtenswaardigheid zou worden, net zoals een stropdas, een dikke pens of een Rolex. Als ze honderd jaar geleden tegen een hoogleraar strafrecht hadden gezegd dat hij studenten van het vrouwelijk geslacht zou moeten examineren, die zomaar de collegezaal binnen mochten zonder hoedje op, als vrouwen van de straat, had hij het niet geloofd. Ferrante greep het tentamenpasje, met de bedoeling om die betweterige rebel, smerig als een zwerver, zonder mededogen te laten zakken, toen hij zijn naam opmerkte. Best een veel voorkomende naam, overigens. Hij bekeek de uitgemergelde jongen die onder hem zat, berustend in zijn lot. Fijne gelaatstrekken. Lichtblauwe ogen, die in het grijze licht van de zaal de kleur van leisteen weerkaatsten. Haviksneus – nee, hij leek in niets op hem. Maar toch. De kans was zeer onwaarschijnlijk. Hoe dan ook onaangenaam. Beter eerst even checken. De woedende, verontwaardigde uitdrukking verdween van zijn gezicht, dat zachter werd. Hij vroeg: 'Bent u familie?'

Zero aarzelde. Hij werd rood. Hij balde zijn vuisten, krabde op zijn hoofd. Hij zag Sint-Franciscus voor zich, naakt op het kerkplein, die de vulgaire handelaar die hem op de wereld heeft gezet ontkent. Hij staarde naar het pasje – een miezerig, bespottelijk stukje plastic in de handen van de professor, dat opzichtig getuigde van zijn nietsheid. 'Ja,' antwoordde hij. 'Ik ben zijn zoon.'

Professor Ferrante trommelde met zijn vingers op de lessenaar. Dus die vandalistische partizaan was de zoon van Fioravanti. Waarschijnlijk hadden ze geen al te beste relatie, want Elio had nooit gerept over het bestaan van deze Aris, derdejaarsrechtsstudent aan dezelfde universiteit waar Elio zonder al te veel succes had rondgelummeld voor hij zich alleen nog maar had gewijd aan de adviezen en de lucratieve zaakjes van zijn advocatenkantoor. Maar het was wel zo dat Elio, al vanaf de tijd dat hij nog maar een oppervlakkig en briljant onderzoeker was, alleen maar namen noemde die hij nuttig achtte – hij stond bekend om zijn toespelingen op invloedrijke personen, achteloos rongestrooid tijdens de meest onbeduidende gesprekken, alsof hij het over zijn intiemste kennissen had. Hij was altijd berekenend geweest. Altijd haantje de voorste als er iets te halen viel. Hij blufte tegen mensen dat hij tenniste met iemand van de Raad van State, dat hij ging zeilen met die en die minister. En langzaam maar zeker was men hem gaan geloven. Nu was hij een instituut – hoewel niemand eigenlijk wist waarop zijn macht gebaseerd was. En met de president tenniste hij echt; er waren foto's van die twee gemaakt terwijl ze samen dubbelden, in witte korte broek en met slappe spieren, op de tennisbaan van de villa van de president op Capri, en die waren gepubliceerd in glossy maandbladen bedoeld voor mannen die hoopten succesvol te worden – net zoals die acteurs, industriëlen en politici die bijna onopgemerkt wisten door te dringen tot die pagina's doordrenkt met reclame voor aftershave, schoenen, auto's en horloges. Wat zou hem het meest doen stijgen in de achting van Fioravanti? Dat zijn voormalig collega Ferrante zijn zoon liet zakken, of hem liet slagen?

Een vader blijft toch een vader, Fioravanti zal liever een zoon hebben die is afgestudeerd dan een die zwerver is. Het taaie geweten van de professor zou er niet onder lijden. Iedereen zou er beter van worden. En wie weet, misschien zou Fioravanti hem ooit eens uit dankbaarheid uitnodigen op een van zijn recepties, waar heel Rome tussen probeerde te komen aangezien er over iemand die er niet wordt gesignaleerd wordt gekletst als over een outcast die niet meetelt. De student Aris Fioravanti leek trouwens best goed voorbereid. Hij had al negen tentamens afgelegd, met een redelijk hoog gemiddelde. Ja, hij moet hem laten slagen, en hem op het hart drukken dat hij zijn vader de groeten moet doen – zodat dat joch weet waarom hij hem niet ontstemd de deur heeft gewezen ondanks het schandalige feit dat hij zijn mobieltje aan had laten staan tijdens een examen. Wat een treurnis, die oud-communistische jongelui. Vastgeroest op achterhaalde symbolen. Op een wereld die allang is weggevaagd door de globalisering. Nog steeds met hun 'Bella Ciao'. Die brutale vlerken die menen dat ze partizanen zijn om de nazi's en de bezetter te kunnen bestrijden. Hij voelde een vlaag van leedvermaak bij het idee dat Elio Fioravanti – de Lift, zoals hij op de faculteit werd genoemd door afgunstige collega's – was behept met een zoon met paars haar en een neusring, die deel uitmaakte van een stam primitieve rebellen. De zoon van Ferrante zelf daarentegen werkte in Milaan, als marketingdirecteur van een multinational. De student Aris staarde zonder al te veel belangstelling naar zijn tentamenpasje. De professor stelde hem nog drie vragen – een beetje gemeen, omdat ze betrekking hadden op artikel 270 (subversieve groeperingen) en 272 (subversieve of antinationale propaganda en verheerlijking). Hij luisterde met welwillende ontvankelijkheid naar zijn antwoorden, verleende hem een eerlijke zesentwintig punten op een schaal van dertig en liet hem gaan. Toen hij hem op het hart drukte om zijn *vriend* Elio de groeten van hem te doen – waarbij hij het woord 'vriend' een vaaglijk maffiose klank meegaf –, knikte Zero treurig.

Hij verliet de zaal zonder zich om te draaien. Hij schaamde zich ervoor dat hij zich had vastgegrepen aan de naam van zijn vader. Die man was zijn ergste vijand. Hij had hem moeten ontkennen, dan had Ferrante hem laten zakken. Dan zou hij verslagen maar met opgeheven hoofd de zaal hebben verlaten. Dan had hij trots op zichzelf kunnen zijn. *Bella Ciao.* Maar je bent gewoon een lafaard. Je hele leven is één groot compromis. Niet stemmen, laffe stiltes. Maandelijkse toelagen en vluchtig verzet. Niks Total Devastation, niks Ontplof! Hij had het gevoel dat hij nog maar één kans had om het goed te maken: de bittere kelk tot op de bodem leegdrinken. Naar zijn vader gaan en hem het geld ontfutselen om de Battello Ubriaco te redden, de enige plek in Rome waar hij zich thuis voelde. Advocaat Fioravanti, tegenwoordig bevriend met priesters en gematigden, maar in zijn jonge jaren een fervent aanhanger van de fascisten, zal er nooit achter komen, maar juist hij zal degene zijn die een kraakpand zal behoeden voor ontruiming en voor de bulldozers van de slopers; een kraakpand waar anarchisten, alternatievelingen en lamzakken wonen die hij rechtstreeks naar de gevangenis zou sturen of zou uitleveren aan werkkampen

– 'mankracht die de landbouw is ontnomen' is een van zijn favoriete zinsneden als hij het over de alternatieve jeugd heeft. Je gaat nu meteen naar hem toe, nederig, verslagen, om het bezinksel van de vernedering helemaal op te drinken. Jij bent niet Zero. Jij bent Aris Fioravanti. *Ik ben zijn zoon, ja, ik ben zijn zoon, ik ben zijn zoon.* Hij gaf geen antwoord aan de studenten die zich om hem heen verdrongen en hem zenuwachtig vroegen welke vragen Ferrante hem gesteld had. Hij liep haastig weg, als van de plek van een misdrijf.

Hij haalde zijn mobiel uit zijn koffertje. Hij wilde Meri terugbellen en tegen haar zeggen dat hij dat laatste restje trots en waardigheid dat hij nog bezat zou opofferen en de Battello Ubriaco zou redden, toen hij merkte dat het niet de Spaanse was geweest die hem had gebeld terwijl hij zijn verachtelijke rol speelde in die farce. Het display vermeldde het nummer van Maja. Hij rende naar de vijver van Minerva en bleef pas staan toen hij meende ver genoeg verwijderd te zijn van de verderfelijke invloed van de rechtenfaculteit. 'Aris?' kweelde haar weemoedige, beleefde, volmaakte stem. Drink de kelk tot op de bodem leeg – ga op je knieën want ook Zij is van hem, maak een buiging omdat hij alles heeft en alles kan en jij niks. Hij heeft jou de kruimels van zijn geld gegeven, de restjes van zijn genetische erfgoed, de overblijfselen van de gevoelens die hij zijn vrouw heeft ontnomen. 'Hallo Maja,' zei hij. 'Had je me gebeld?'

'Waar ben je?' zuchtte Maja. Zero bemerkte een veelbelovende vrolijkheid in haar stem. 'Ik heb zesentwintig punten gehaald voor strafrecht,' zei hij – en hij walgde er meteen van dat hij erover opschepte. Maar hij wist dat Zij er blij om zou zijn. Sterker nog: soms had hij het idee dat hij alleen maar het ene na het andere tentamen aflegde om háár niet teleur te stellen – omdat Maja hem altijd voorhield dat hij niet de idealistische fout moest begaan om de universiteit de rug toe te keren uit haast om te leven en zich nuttig te maken in de wereld, hij moest aan zijn toekomst denken. Misschien wilde hij wel naar Afrika als ontwikkelingswerker, of verpleegkundige worden, of oorlogsfotograaf, of wat dan ook, maar een universitaire bul kon hem altijd van pas komen. Maja overlaadde hem echter niet met complimentjes, en uitte ook niet haar blijdschap omdat hij de lastige hindernis van het strafrecht had overwonnen. 'Zou je vandaag komen lunchen bij Camilla?' vroeg ze, onthutsend oppervlakkig. Hoe had hij dat kunnen vergeten? Ja, natuurlijk, dat was vandaag. Ook al wachtten zijn vrienden in de Battello Ubriaco op hem om de ontploffing te vieren – zijn grote toekomst als kleine chemicus, alchemist en ondercommandant. Maar vooral om te bespreken welke strategie ze zouden gebruiken om zich te verzetten tegen het ontruimingsbevel. Hij haastte zich bevestigend te antwoorden. Als Maja je voor de lunch oproept, ren je er als een hond naartoe. En je schaamt je er niet voor. Sterker nog: je zou haar hond wel willen zijn – zodat je haar elke dag kon volgen, elk uur, om naar haar te kijken terwijl Zij je negeert, om je te koesteren in haar schaduw. 'Er komt vanmiddag een vriendje bij Camilla lunchen en ik heb onverwacht oponthoud gehad,' zei Maja. 'We moeten de afspraak verzetten.'

'Verzetten?' echode Zero teleurgesteld. Hoeveel dagen had hij haar al niet meer gezien? Zeven? Negen? Elf. Elf dagen afzien. Trouwens, waarom zou Zij hém moeten zien? Maja had haar eigen leven. Een man, een dochter, haar baan, sociale contacten, pleziertjes, verplichtingen. Wat was hij in dat leven? Een bijkomstigheid. Eindeloze discussies over de economie, het sociaal onrecht, de invloed van massacommunicatie op de psyche van de westerse mens, de perverse, doelbewuste ombuiging van het libido van seksualiteit naar de aankoop van overbodige spullen. Eindeloze wandelingen – in het gemeentelijke rosarium, in Villa Borghese, over de verlaten oevers van de Tiber. Verder niets. En toch lagen in die wandelingen die op niets uitliepen de weinige uren besloten waarin hij het gevoel had dat hij echt geleefd had. 'Ik moet ergens naartoe,' zei Maja, zonder concreet te worden. Hij protesteerde: 'Kunnen we daar dan niet samen naartoe gaan?'

elfde uur

Hoi lief dagboek, sorry dat ik niet eerder heb kunnen schrijven.

Ik zou je willen zeggen dat er veel gebeurd is, maar mijn leven is leeg. Volleybal, school, volleybal. Elke zaterdag ga ik uit met Miria – maar dat zijn háár vrienden. Ik wil mijn eigen vrienden, maar lelijke mensen krijgen geen vrienden als ze bevriend zijn met mooie mensen. Daarom ben ik bij jou mezelf, ik vertel je alles, meer dan mijn vriend, meer dan mijn vriendin. Ik heb geen vrienden. Ik sta aan de kant.

Oma heeft mijn horoscoop getrokken. Daarin staat dat ik tot juli een negatieve periode heb, verveling en lusteloosheid, geen nieuwe ontwikkelingen in de liefde. Daarna passie en geluk. Ik hoop het maar. Als het me lukt om verliefd te worden, ook al is het pas in juli, ben ik waanzinnig blij. Ik wil normaal zijn.

Gisteren heb ik ruzie gehad met mama mdt ik met Miria op studiereis naar Brighton wil en zij vindt het niet goed mdt ik te jong ben. Waar het haar om gaat is dat ze geen geld wil vragen aan papa. Ik haat haar! Ik heb haar ook geslagen, en later had ik spijt maar dat heb ik niet gezegd.

Ik ben agressief. Ik moet veranderen.

Mijn leraar vond mijn studie goed. Zijn beoordeling was 'uitmuntend'. Hij las mijn zin over de doopvontschelp hardop voor: 'de grootste schelp ter wereld waarin een mens zich zou kunnen verstoppen – en sterven.' We maakten grapjes dat het leuk zou zijn om in een schelp te worden begraven in plaats van in een doodskist. Ik wees erop dat er nog maar weinig doopvontschelpen zijn mdt ze ten prooi vallen aan verzamelaars en dat het sws om hygiënische redenen en vanwege ruimtegebrek tegenwoordig beter is om je te laten cremeren. De leraar zei dat ik een beetje donker ben – ik weet niet wat hij daarmee bedoelde.

Ik heb gemerkt dat ik van hem hou. Hij is echt meer dan een leraar. Je raakt gehecht aan je klas, en hoe. Met mama kan ik niet zo praten als met de leraar. Als ik met hem praat snap ik heel veel dingen. Ik moet geen ideaalbeeld creëren, want dan zou ik misschien mijn hele leven w8en op iemand die niet bestaat. Je moet mensen accepteren zoals ze zijn. Maar ik ben egoïstisch en ik vind het moeilijk om de tekortkomingen van een ander lief te hebben.

Van8 is papa weer gekomen. Ik heb hem gezien, hij probeerde met haar te praten, en zij jaagde hem weg. Het is niet eerlijk, maar ik kon er nix aan doen.

Ik heb een liedje voor hem geschreven. Ik zou het hem graag geven!

'Lied van de masochist'

Zijn vrouw is weggegaan
en ze begrijpt hem niet meer
zijn vrouw is elders heen gegaan
op zoek naar een andere liefde.
Hij is alleen
altijd alleen.
En hij praat niet meer.
Hij heeft een gelofte aan zichzelf gedaan
en vrienden heeft hij niet meer.
Als hij uitgaat is hij alleen.
Maar ze weten niet waar hij heen gaat.
Dat zal hij niet zeggen.
En ze zullen hem slecht noemen
maar hij is alleen maar alleen
om dood te gaan, zo alleen

Wij Buonocores zijn net als getallen. 2 relatieve getallen worden gelijk-gericht genoemd als ze worden voorafgegaan door hetzelfde teken. Papa en ik zijn 2 gelijkgerichte relatieve getallen. 2 relatieve getallen worden tegengesteld genoemd als ze een ander teken hebben en dezelfde grootte. Papa en mama zijn 2 tegengestelde getallen.

Ik weet niet wat onze absolute waarde is.

Ik heb een besluit genomen. Als hij nog een keer komt, ga ik naar buiten, ook al wil zij niet met hem praten.

O papa, kom vanavond ook weer!

Ik voel me gelukkig vandaag, ook al is daar geen speciale reden voor. Het is juist een rotdag.

Ik voel gewoon dat hij weer komt.

Toen zij het rolluik voor zijn neus dichtdeed, begon hij in de auto te huilen. Ik wilde hem troosten. Ik moest ook huilen. Ik voel me net zo alı als hij. Mama zal dat nooit kunnen begrijpen.

Soms hoop ik dat ze doordraait en iets krijgt met iemand, maakt me niet uit wie, een of andere skkl, zodat ik weer terug kan gaan naar hem. Ik vind het niet fijn dat ik dat soort dingen denk. Ben ik donker? Ik ben gewoon zo.

Ik moet nu stoppen, de leraar heeft gemerkt dat ik met iets anders bezig ben. Mensen hebben het wel eens over de liefde die wij voor onze ouders voelen. Hou ik van ze? Ben ik bereid mezelf op te offeren voor ze? Ik denk het niet, en toch hou ik van ze. Het is vast iets veel ingewikkelders dan liefde.

4 mei

'Valentina, als je niet bezig bent de *Odyssee* te schrijven, denk ik dat je het maar beter weg kunt leggen en later verder kunt gaan,' riep Sasha, maar hij ging er niet op door omdat hij de andere zesentwintig leerlingen van 3b het hoofd moest bieden. De hel was losgebroken in de klas, want Mataloni leidde het minestronespel, hij riep de groenten, en dan stonden zijn klasgenoten om beurten op, en de leraar zat er verdwaasd naar te kijken en wist niet wat hij ermee aan moest. Hij zat daar maar achter zijn lessenaar, in elkaar gedoken, met verbaasde ogen achter zijn ronde brillenglazen, een moedeloze grijns en verschillende sokken omdat hij ontzettend verstrooid was en vanmorgen een zwarte en een donkergroene had aangetrokken – wat vanaf het moment dat hij de klas was binnengekomen tot grote hilariteit had geleid, die nog steeds niet was uitgedoofd. 'Pompoen,' riep Mataloni, en Rossi stond lachend op. De leraar leek volkomen beduusd. Het minestronespel – dat stiekem begon, met lange tussenpozen tussen de ene groente en de andere, en eindigde met 'Allemaal in de pan!' waarop de hele klas tegelijkertijd ging staan – was het wreedste van alle geintjes die tijdens de les werden uitgehaald, omdat het zo'n provocatie, zo'n minachting van de leraar inhield, dat eenieder die zich achter de lessenaar bevond zich machteloos voelde, vernederd en zich bewust van zijn nietigheid. De wiskundeleraar had er een zenuwinzinking van gekregen. Valentina vond het vervelend als de klas zich tegen de leraar Italiaans keerde – die altijd zo zijn best deed om hen te boeien en uit de bloemlezing altijd díe gedichten koos die tot een constructieve discussie konden leiden, tenminste, volgens hem. Maar dit gedicht van Camillo Sbarbaro over zijn vader vond niemand mooi, en je moet toch iets doen om de tijd te doden.

Sasha schraapte zijn keel, die dichtzat van vermoeidheid, en probeerde de klas tot de orde te roepen, zonder enig succes. Alsof hij zou kunnen vluchten en de klas uit zou kunnen zweven, de school uit, naar de koepel van de Santa Maria Maggiore of de hemel, wendde hij zich naar het raam. Het zonlicht deed pijn aan zijn ogen en verhitte de zware lucht. Er liepen een hoop mensen daar buiten, over de straten van de Esquilino. Maar hij zat onverdiend opgesloten in de gevangenis. De ochtend stagneerde in een brij van woorden, regels, overhoringen, oproepen tot stilte. De sirocco blies stuifmeel, bloemblaadjes en stof in het lokaal. Door de openstaande ramen drong het rumoer van het verkeer binnen en de geur van warm asfalt, *pizza al pomodoro* en uitlaatgassen – de geur van Rome. Vanaf het schoolplein klonk het gestuiter van een bal, de eerste klassen hadden gymnastiek. Hij zocht troost bij de gedachte aan de blauwe tulpen. Maar Dario was nog ver weg, in zijn andere leven. En nu was er deze brutale klas, zevenentwintig verhitte veertienjarigen zonder enige belangstelling voor grammatica, voor de geschiedenis van de mensheid, voor de Italiaanse poëzie; verzen die hun niets zeiden, het waren alleen maar nog meer geluiden in de helse kakofonie van de wereld. Ze hadden geen enkele belangstelling voor dingen die hun niet aangingen, en niets scheen hun aan te gaan. Misschien was hij op zijn veertiende ook zo geweest, maar hij kon het zich niet herinneren, hij dacht nooit met weemoed aan het verleden, de kindertijd is een hel, en hij was eraan ontkomen. Dat was misschien het enige waardoor hij zich superieur kon voelen. Maar het kabaal in de klas bereikte de alarmfase. Als de rectrix op haar kantoor was, zou ze het horen. Sasha stond niet op goede voet met die heks.

'Jongens,' protesteerde hij, het hele gedoe spuugzat, 'ik snap dat het niet makkelijk is om vijf uur op een stoel te moeten zitten, maar ik verzeker jullie dat het voor mij ook niet makkelijk is.' 'Maar u krijgt ervoor betaald!' gilde Zuccari vanaf de achterste rij. 'En wie betaalt ons?' 'Zo interessant zijn jullie niet. Denken jullie echt dat iemand jullie zou betalen om in jullie gezelschap te mogen verkeren?' grapte Sasha onnadenkend. Daarop riep Mataloni luid: 'Poot... aardappel!' en Abbate stond op en iedereen lachte.

Even stond de leraar als verstijfd achter zijn lessenaar, toen zei hij stom genoeg: 'Pak je bloemlezing.' Maar die hadden ze al gepakt, ze waren immers Camillo Sbarbaro aan het lezen toen het minestronespel was begonnen. Valentina zag dat hij probeerde te doen alsof hij het niet gehoord had, maar het zweet parelde op zijn voorhoofd. De druppels werden dikker op zijn slapen en droogden op in zijn nekhaar. Langzaam liep er een straaltje over zijn wang, tot het in de halsopening van zijn overhemd gleed. In januari hadden de ouders van Mataloni een soort opstand geleid tegen de vervanger voor Italiaans. Ze hadden de rectrix een brief geschreven en handtekeningen verzameld en ze hadden een verzoek gedaan aan het ministerie van Onderwijs, omdat de leraar volgens hen niet geschikt was om les te geven op een openbare school, hij gaf het verkeerde voorbeeld en door hem zouden de jongeren verdorven raken en een ondeugd overnemen die diende te worden behandeld als een ziekte. De opstandige ouders hadden een vergadering bijeengeroepen, en mama was er ook naartoe gegaan. Zij had de club die vóór de leraar was aangevoerd. Volgens haar was het allemaal geklets en geroddel. Wie had dat gerucht verspreid? Had meneer Solari soms iemand lastiggevallen? Hoe konden ze een leraar aan het kruis nagelen vanwege zijn vermeende seksuele voorkeur? Solari was gewoon een uitstekende leraar, en mama beschouwde het juist als een voorrecht dat de leerlingen les kregen van een man. Zo konden ze zich tenminste spiegelen aan een mannelijk rolmodel dat niet hun vader was. En ook omdat hij niet alleen dat kloteprogramma afwerkte, maar daarnaast op eigen kosten en uit puur altruïsme een heleboel buitenschoolse activiteiten organiseerde, waardoor die kleine hersentjes van die jongelui, gevuld met onzin, eindelijk eens werden geopend. De ouders van Mataloni antwoordden dat de leraar heus geen heilige cultuurmissionaris was, integendeel, hij nam de leerlingen alleen maar mee naar musea, naar het theater en naar hem thuis om klassieke muziek te beluisteren omdat hij snode plannen had – kortom, ze hadden grote ruzie gekregen. Mama was helemaal overstuur thuisgekomen en had gezegd dat de wreedheid van mensen alleen wordt geëvenaard door hun walgelijke domheid. Hoe dan ook, de ouders van de jongens hadden hun zoons niet meer laten meegaan op buitenschoolse activiteiten. De leraar had er nooit iets van te horen gekregen. Hij dacht dat het niet op zijn voorhoofd geschreven stond. Maar zij wist het, en sindsdien vond ze het elke keer heel gênant voor hem als hij voorstelde hen mee te nemen naar het theater om *Hamlet* te zien, of hen uitnodigde bij hem thuis op de video de films van het neorealisme te komen kijken.

'Laten we Saba lezen,' zei Sasha, terwijl hij verwoed door de bloemlezing bladerde. 'Meneer, wie is die Saba? Geen enkele derde klas komt zover, waarom lezen wij hem dan?' protesteerde Festa. 'Wie wil er voorlezen?' negeerde Sasha hem, en aangezien niemand hem te hulp kwam zei hij: 'Kom jij, Valentina?' Het meisje van Buonocore was zijn favoriete leerling van die vreselijke klas 3b. Een intelligent meisje dat goed kon leren, en ze had nog diepgang ook. Soms had Sasha het idee dat hij alleen voor haar lesgaf. Als Valentina er niet was geweest, had hij net zo goed het klassenboek kunnen sluiten en ervandoor kunnen gaan. Het was een wrede gedachte dat dit nu zijn leven was: uren, dagen, maanden, jaren verdoen met verhalen en feiten vertellen waar niemand iets van wilde weten. De wetenschap dat hij zijn leven verdeed met zaaien in de wind, zonder ook maar iets op te bouwen – zomaar.

'Wat moet ik lezen, meneer?' vroeg Valentina terwijl ze haar dagboek in haar kastje liet verdwijnen. Ze liep langzaam, lusteloos, naar de lessenaar, zonder hem aan te kijken. 'Lees het derde sonnet van de "Autobiografie" maar. Bladzijde 400.' Ook Valentina stelde hem de laatste tijd teleur. Ze was vaak verstrooid, afwezig. Ze had altijd heel hoge cijfers gehaald – bijna allemaal uitmuntend. Nu haalde ze in veel vakken amper een voldoende. Bij de eindcijfers van het trimester hadden de andere leraressen het wat aangedikt – om haar te stimuleren. Ze zeiden dat het door de sport kwam, het meisje had zichzelf wijsgemaakt dat ze een volleybalkampioene was en nu studeerde ze niet meer. Hem had ze echter tijdens hun uitstapje naar Assisi verteld over de scheiding van haar ouders. Ze zei dat ze niet meer kon slapen omdat ze het gevoel had dat ze moest wachten tot haar vader van zijn werk terugkwam, en dus lag ze de hele tijd te luisteren naar alle geluiden in het gebouw, en telkens als de lift zich in beweging zette klopte haar hart in haar keel, ook al wist ze rationeel gezien dat hij het niet kon zijn. Als klein meisje was ze altijd bang geweest dat hij niet meer thuis zou komen. Hij was politieagent, en zij was bang dat hij op een dag midden op straat zou worden neergeschoten door een bankovervaller. Hij was echter door niemand neergeschoten, maar nu kwam haar vader evengoed niet meer thuis. Sasha dacht niet dat hij erin geslaagd was haar te troosten. Hij had tegen haar gezegd dat als ze haar vader zo miste, ze hem dat moest laten weten en contact met hem moest opnemen – hem opbellen dus. Hij wist zeker dat haar vader haar ook miste. Het meisje had geantwoord dat haar vader haar en haar broertje was vergeten – ook al konden zij er niets aan doen.

Dat gesprek kwam hem nu voor als een overblijfsel uit een lang vervlogen tijd. Maandenlang had hij met zijn leerlingen door een labyrint gedwaald, zonder ook maar één stap dichter bij het midden te komen en zonder de uitgang te kunnen vinden. Aanvankelijk had hij hen als een geweldige kans beschouwd. Die jongelui, druk maar initiatiefloos, onwetend maar overal voor in, waren het interessantste menselijke materiaal dat hij ooit had getroffen, en dat hij waarschijnlijk in de komende jaren nog zou treffen. Hij had ze graag willen doorgronden als een onbekend volkje – ontdekken volgens welke criteria ze hun informatie verwerkten, de mysterieuze manier waarop hun geweten werd gevormd. En zo mogelijk hen bereiken waar ze zich hadden verstopt – het licht in hen niet doven. SYLLOGISME. *Leraren verpesten hun leerlingen. Kinderen staan open voor elke ervaring* – had hij na zijn eerste schooldag geschreven.

Als je leerlingen gesloten blijven voor de kunst, de poëzie en de intelligentie, onthoud dan dat jij daarvan de oorzaak bent en dat jij degene bent die gefaald heeft. DECALOOG. *Met nederigheid, geduld, toewijding, gevoeligheid en vrolijkheid neem ik me voor om de muur van non-communicatie die hen van mij scheidt neer te halen, om binnen te dringen in de existentiële dimensie van een intelligentie die niet tot uiting komt – en deze te bevrijden en weer in deze wereld te brengen.* Hij wilde een verhaal schrijven over deze ervaring, dat hij zou publiceren in het literaire tijdschrift waaraan hij al geruime tijd meewerkte met reportages over sociale thema's en novellen die waren geïnspireerd op het Amerikaans nieuw realisme. En vervolgens zou hij dat verhaal uitbreiden en bewerken tot een roman. Hij was niet geïnteresseerd in de school, maar in de jeugd – die lichte, vrije, en tegelijkertijd zo vreselijke jaren, op de drempel van de eigen identiteit en het leven.

Hij had het gevoel dat hij in staat was om over Valentina Buonocore te schrijven – en over ieder ander. Hij had het gevoel dat hij over de vereiste eigenschappen beschikte: de scherpe blik, een levensvisie, mededogen, een stijl, de gave om afgezonderd van anderen te leven en toch in elk van hen. Daarom had hij de bemoeizucht van de rectrix getolereerd, en de twijfels van de ouders en de insinuaties omtrent zijn bekwaamheid. Hij had scepsis en ironie over zich heen laten komen, want hij had een doel – hij die er vroeger nooit een had kunnen vinden. Vandaar dat hij op zijn drieëndertigste, terwijl zijn collega's aanstellingen aan de universiteit verwierven en leesrapporten en recensies uitplozen, was blijven stilstaan. Menselijk materiaal – het onderwerp van zijn boek en zijn verhaal: dat was het enige wat Valentina en haar klasgenoten voor hem waren geweest. Sasha schreef hun gesprekken op, een gebabbel dat nergens over ging, waarin, als een verwrongen echo, denkbeelden opdoken die Sasha zelf had uiteengezet, die de jongelui van tv hadden opgepikt, van de radio, of thuis, en die ze herhaalden zonder dat ze er ook maar iets van begrepen. Hij bewaarde de e-mails die ze hem schreven, hij noteerde hun gebaren, hun taaltje, hun grappen.

Afgelopen kerst had hij zelfs doorgebracht met het ontcijferen van de cryptografie van een donkere, treurige brief van Valentina Buonocore – terwijl alle families een feest vierden waarbij hij nooit betrokken was geweest, en zijn geliefde de paling aansneed bij zijn schoonouders thuis, gevangen in een ritueel waaraan hij zich niet kon onttrekken. Hij bestudeerde het taalgebruik van Valentina, hij catalogiseerde de metaforen, hij noteerde die rammelende woordenreeksen met een precisie – en een overgave – die hij nooit eerder had ervaren. Hij had al tweehonderd pagina's geschreven, en toen was het gestokt. Hij had de jongeren en hun ouders beschreven. Maar hij miste nog steeds het verhaal dat alles bij elkaar kon houden. Bovendien had hij naarmate de maanden verstreken niet meer kunnen negeren wat een agressie, laagheid en machtsmisbruik er eigenlijk schuilde in de daad op zich om in naam van de literatuur een menselijk wezen, van alles ontdaan en weerloos, breekbaar en volkomen machteloos, te bestuderen en te beschrijven. Vandaar dat hij het boek uiteindelijk had gelaten voor wat het was. Hij leefde enkel nog naast zijn menselijke materiaal – waarbij hij zich een spion, een valsspeler en een verrader voelde, maar tegelijkertijd ook de beschermer, de vader en de broer van die jongelui.

Nu was de roman die hem tot een schrijver had moeten maken in een schoenendoos beland, samen met een hoop overblijfselen: krantenartikelen over de afasie van adolescenten, liefdesbriefjes die de meisjes uit de klas hem stiekem schreven en in zijn postvakje stopten, armbandjes van touw die ze hem gaven als ze van vakantie terugkwamen, een gekopieerd sociologie-essay over de crisis van het gezin, een lelijke streepjesdas die hij volgens Valentina juist wel mooi zou vinden aangezien de leraar de enige man was die ze kende die een stropdas kon dragen zonder dat hij oud of out leek. En een leren boekenlegger – zodat u, meneer, elke keer als u een boek leest zult denken aan Valentina Buonocore uit 3b. Hij had het idee dat die verzameling, die weliswaar vormeloos was maar niet betekenisloos of zonder geschiedenis, een veel beter beeld schiep van Valentina en haar klasgenoten dan zijn woorden.

'Begin maar te lezen, alsjeblieft,' verzocht hij haar – of misschien smeekte hij haar. Saba, wat had hij zich jarenlang beziggehouden met zijn gedichten, wat had hij een sympathie gekoesterd voor zijn warme leven, voor zijn serene wanhoop, voor zijn lichtheid, zijn vlammende apologen, zijn geheimen. Hij was de enige Italiaanse schrijver die Sasha met plezier introduceerde bij zijn leerlingen. Valentina stond voor de lessenaar, met de bloemlezing in haar handen. Een meisje als duizenden andere, met een paardenstaart, een topje met gekleurde streepjes dat haar sleutelbeenderen en haar te magere armen bloot liet, en een spijkerbroek met zo'n lage taille dat het elastiek van haar slipje erboven uitstak. Een verward, onzeker meisje – een weeskind.

'"Mijn vader was voor mij de moordenaar,"' begon Valentina. De klas lachte.

Na twee uur lang door de koptelefoon te hebben geluisterd naar de klaagzang van de cliënten, gonsde haar hoofd als een zwerm horzels. Haar ogen brandden: op het computerscherm knipperden alleen maar groene cijfers. Ze zocht naar afleiding – maar de muren boden geen soelaas, en tegenover haar plek toonde het zaalscherm alleen nog maar meer getallen, die nog onrustbarender waren: de algemene statistische gegevens over de voornaamste metingen van het telefoonverkeer en de performance, evenals het verkeersniveau per operator group en de gemiddelde wachttijd voor de cliënten. 2 minuten. *15 oproepen in de wachtrij voor 16 zaaltelefonisten.* 'Hallo, met Emma,' zei ze haastig, zoals ze haar tijdens de opleiding hadden geleerd, 'wat kan ik voor u doen?' Ze luisterde naar het probleem van de abonnee. Ze probeerde het raadsel dat schuilging achter de ongrijpbare getalletjes op het scherm te doorgronden. Ze probeerde overtuigend te klinken. De abonnee begon te schreeuwen. Ze legde hem uit dat het geen zin had om zijn frustratie de slecht functionerende dienst op haar af te reageren, zij kon geen bezwaar aantekenen, ze had geen formulieren, ze kon alleen de gegevens verifiëren. Ze kreeg de indruk dat de abonnee niet besefte dat zij daar zat, levend, echt, maar dat hij haar beschouwde als een uitvloeisel van de computer – een immateriële, anorganische entiteit. En in zekere zin was ze dat ook. 'Het informatiesysteem is gebouwd op softwareplatforms die me tot in detail voorschrijven en opdragen wat ik moet doen,' legde ze vriendelijk uit. 'Een telefoniste kan de processen niet zelfstandig wijzigen. Het spijt me.' De assistente dook op vanachter de verplaatsbare wand. Ze controleerde haar. Ze controleerde iedereen. Haar rendement werd voortdurend in de gaten gehouden. 'Vier minuten, nummer 7,' gebaarde ze met haar vingers, 'niet gaan zitten kletsen, je hebt maximaal vier minuten om je met een cliënt bezig te houden, *one-call solution*, denk eraan.' Flikker op, dacht Emma. De cliënt bezighouden, wat voor uitdrukkingen verzinnen die hoge pieten van het bedrijf in godsnaam. Ik ben geen hoer.

Door de MDF-scheidswanden die haar plek afscheidden van de andere telefonistes die aan hetzelfde eiland zaten, klonken zo nu en dan opgewonden stemmen en gelach door. Er heerst een vrolijke stemming vandaag. Ze zou wel willen weten waarom, en delen in de pret. Maar Emma had nauwelijks contact met haar collega's, die veel jonger waren dan zij, en voor het merendeel studentes die de baan bij het callcenter hadden genomen om hun collegegeld te kunnen betalen, ervan uitgaand dat de inzet die voor het telefoonwerk nodig was niet ten koste van hun studie zou gaan. En hoewel er inderdaad weinig inzet nodig was, intellectueel gesproken, was het wel slopend – en voor zover zij wist was nog geen van hen afgestudeerd. Toen de klok elf uur aangaf, had ze zo'n hoofdpijn dat ze de vrijheid nam om de telefoon uit te zetten en naar de koffieautomaat te lopen. De bedrijfsdoelen schreeuwden haar van boven aan de muren verwijtend toe: 1. TOEGANG VERSCHAFFEN TOT EEN BETROUWBARE DIENSTVERLENING VAN HOGE KWALITEIT. 2. HET TEVREDENHEIDSNIVEAU VAN DE CLIËNTEN BEPALEN. 3. GEGEVENS VERSCHAFFEN MET BETREKKING TOT DE PRODUCTEN EN DE VERLEENDE SERVICE. 4. INDICATIES VERSCHAFFEN VOOR AANPASSING VAN HET BEDRIJF AAN DE MARKT. 5. MARKETINGSTRATEGIE VAN HET BEDRIJF STUREN. In een koffiepauze was niet voorzien.

De telefoniste van plek 9 – een brunette met wie ze wel eens had zitten gissen naar de burgerlijke staat van de jonge afdelingschef, die een gezicht had als uit een reclamespotje en daarom begeerd werd door het merendeel van de telefonistes, die nog ongetrouwd waren en geen idee hadden van de nadelen van het huwelijk – sloeg met een van afschuw vertrokken gezicht de inhoud van een plastic bekertje achterover en vroeg haar opgewekt of ze het bericht had ontvangen. 'Welk bericht?' riep Emma uit. 'O, eh, dat weet ik niet,' haastte de ander zich te zeggen, zich direct bewust van haar vergissing. Ze gooide het plastic bekertje in de prullenbak en glipte naar haar plek, voordat Emma nog meer vragen kon stellen. De een zijn brood is de ander zijn dood – zo werkte het hier. Verbluft stopte Emma het muntje in het apparaat, en toen er niets gebeurde gaf ze een schop tegen de machine. Het bekertje begon vol te lopen. Een paar zwarte druppels, die er giftig uitzagen, liepen uit het pijpje. Toen de telefoniste van plek 13 langs haar heen liep – in een wolk van nicotine vanwege de sigaret die ze net stiekem op de wc had staan paffen – hield Emma haar aan en vroeg haar, ook al had ze duidelijk het gevoel dat de ander haar had willen ontlopen, of ze het bericht al had ontvangen. 'Ja, gelukkig wel,' antwoordde het meisje, 'anders had ik me geen raad geweten. Ik heb het restaurant al gereserveerd voor het feest. Over een maand ga ik trouwen.' Emma voelde een steek tussen haar ribben – als een voorgevoel. Ze waren niet goed aan elkaar gegroeid, na de breuk, en nu werkten ze als een barometer – ze gaven het aan als er regen op komst was, of ellende. Ze sloeg haar koffie haastig achterover. 'Wat stond er precies in?' vroeg ze zo achteloos mogelijk. 'Heb jij het dan niet gehad?' vroeg nummer 13 argwanend. Emma schudde haar hoofd. 'Je zult zien dat jij het vandaag krijgt. Met jouw stem ben je de enige hier binnen die de klanten tevredenstelt,' verzekerde ze haar. Maar ze keek haar niet aan. Ze staarde door het raam naar de hoogspanningskabels die als een spinnenweb waren opgehangen. 'Alsjeblieft, vertel wat erin stond,' drong Emma aan. En nummer 13 bezweek: 'Het bedrijf heeft het genoegen me mede te delen dat mijn contract voor zes maanden verlengd is.'

Emma liep naar de zaalassistente, ten prooi aan akelige voorgevoelens. Ze vroeg toestemming om haar mailbox te controleren. 'Er is geen bericht voor jou van het bedrijf,' antwoordde de assistente. 'Ga terug naar je plek. De wachttijd mag niet meer dan twee minuten bedragen.' Ze zette haar koptelefoon weer op. Wat betekende dit allemaal? Dat haar contract niet verlengd werd? Het verliep op 14 mei. Nog maar tien dagen. Ze werkte al een halfjaar bij het bedrijf. Afgelopen december had ze zich zelfs vrijwillig aangemeld om op 25 december te werken. Ze had een trieste, ongelukkige kerst doorgebracht met de koptelefoon op, terwijl de kinderen hun cadeautjes uitpakten in de villa van haar broer in Ladispoli – en ze hadden het haar nog kwalijk genomen ook. Kevin had twee dagen niets tegen haar gezegd, zo beledigd was hij. Ze had zich nooit een dag ziek gemeld. Zelfs niet om met Kevin naar de oogarts te gaan. Ze was nooit tot de orde geroepen. Nooit lastig geweest. Nooit gestaakt. Nooit petities ondertekend tegen de nieuwe callscripts. Nooit lid geworden van de vakbond. Zorgvuldig haar meningen weggestopt – trouwens, als ze die al gehad had, was dat allang verleden tijd. Ze had afgezien van alles wat ze zich niet kon veroorloven, en haar meningen had ze geschrapt, net als vakanties, de kapper, een auto, nieuwe schoenen, nieuwe kleren, de bioscoop.

Voor zover zij wist ging het goed met het bedrijf. Tenminste, dat zeiden ze op het journaal. De telefoonmaatschappijen van de halve wereld hadden torenhoge winsten behaald de laatste jaren. Natuurlijk waren er wel stemmen die spraken over onvermijdelijke inkrimping en die voorspelden dat de ontwikkelingen de komende jaren tot stilstand zouden komen. De nieuwe economie riskeerde zich op te blazen als de oude economie niet aantrok, en de aandelen zakten in. Maar van dat soort dingen had zij geen verstand, en daar stond zij toch ook buiten? Nummer 13 had het zelf ook gezegd: zij was de enige die goed werk verrichtte hier binnen. En het regende echt geen complimentjes onder de collega's. Er was concurrentie – al was het maar om een inkomende oproep te bemachtigen. Maar de anderen hadden het bericht van verlenging gehad, en zij niet. Haar contract moest absoluut verlengd worden. Het waren de enige inkomsten waarop ze kon rekenen. Haar andere baantjes waren veel te onzeker – ze kon er amper de schoolboeken voor Valentina van betalen. De telefoon ging. Ze zegende dat schelle, luidruchtige geluid – dat haar echter wel in staat stelde om haar rendement te vergroten. 'Hallo, met Emma,' kweelde ze, bijna vrolijk, 'wat kan ik voor u doen?'

'Heel veel,' zei de man. Hoewel de stem ver weg klonk, verstoord, en overstemd door verkeerslawaai, herkende ze hem meteen. 'O, alsjeblieft, Antonio,' fluisterde ze, 'je moet me hier niet bellen.' 'Dat is niet aardig van je, ik bewijs je een dienst. Ik zorg dat je geld verdient.' 'Ik heb je diensten niet nodig,' fluisterde ze, in de hoop dat de zaalassistente niet naar haar stond te kijken. 'Maar werkt het dan niet zo dat hoe langer je een klant aan de lijn houdt, hoe meer ze jullie betalen, net als een hoer?' lachte Antonio spottend. 'Je hebt vier minuten,' riep Emma. 'Wat wil je?' 'Vier minuten?' lachte Antonio. 'Ik vind je ook weer niet zo leuk dat je me in vier minuten kunt bevredigen.' Toen kwam er, waar hij zich ook mocht bevinden, een brandweerwagen of een betonmolen langsdenderen, en even was ze hem kwijt. Emma beet op haar lip. Ze had geen zin om grapjes met hem te maken. 'Als je nog een keer bij het huis van mijn moeder komt, doe ik aangifte,' liet ze hem weten. Het belangrijkste doel van het bedrijf – punt 6: IMPRODUCTIEVE TIJD TOT NUL REDUCEREN – waarschuwde haar boven aan de muur. 'Je gaat te ver,' zei Antonio. 'Vandaag verandert alles. Ik moet met je praten.'

'Ik heb al nee gezegd,' onderbrak Emma hem geërgerd. 'Hoe laat ben je klaar?' vroeg Antonio, geïrriteerd omdat hij van voor af aan wilde beginnen, hij had niets gezegd van wat hij had willen zeggen, of niet op de manier waarop, en even overwoog hij de verbinding te verbreken. Het kwam allemaal door haar stem. Daardoor raakte hij in de war. Zijn bloed begon ervan te kolken. Hij wilde tegen haar zeggen: ik mis je, het huis is een puinhoop zonder jou, ik ben een puinhoop, help me, Emma, maar in plaats daarvan zei hij: 'Heb je het zo druk met je pleziertjes dat je niet eens een uurtje tijd hebt voor je man?' 'God, begin nou niet weer,' zuchtte Emma. Even ving ze de nieuwsgierige blik van haar buurvrouw op, die achter de dunne scheidingswand langs keek. De telefoons zwegen. In de zaal van het callcenter heerste een stilte als in een aquarium.

'Wat zegt je psycholoog?' fluisterde ze voorzichtig. 'Hij was degene die me heeft aangeraden om het contact te herstellen,' loog Antonio, die niet één keer naar de psycholoog toe was gegaan en niet eens wist hoe hij eruitzag. Tegen de eisen van Emma en haar feministische advocate in, die hem wilde dwingen de kinderen te ontmoeten onder toezicht van een maatschappelijk werker of het hem anders wilde verbieden, had de rechter op het moment dat de scheiding werd uitgesproken bepaald dat hij de kinderen om het weekend mocht zien, zonder beperkingen – mits hij in therapie ging. Maar Antonio was nooit van plan geweest zijn hele hebben en houden te vertellen aan iemand die ervoor werd ingehuurd. 'De psycholoog,' loog hij, 'zegt dat het goed is voor mijn evenwicht om weer een normale verstandhouding met je te hebben.' 'Gaat het beter met je? Kun je slapen? Zorg je goed voor jezelf?' vroeg Emma, met een bezorgdheid waarvan ze meteen spijt had. 'Kan het jou wat schelen?' beet Antonio haar toe. Als ze bij hem was geweest had hij haar gewurgd – maar gelukkig zat hij een paar kilometer verder, op de motorkap van de blauwe auto in de garage van een gebouw, terwijl afgevaardigde Fioravanti in de zetel van de nationale vakbond aan de Via Nomentana wanhopig probeerde een veertigtal slonzige linkse huisvrouwen, die hun stem al aan de concurrentie hadden verkocht, te overtuigen van de ruimhartigheid van zijn verkiezingsprogramma. 'Waar ben je bang voor, liefje?' vroeg hij. 'Ik wil je alleen maar zien.'

Zo, hij had het gezegd. Emma was verrast en deed of ze het niet begreep, ze protesteerde met enige warmte in haar stem dat ze het wel degelijk belangrijk vond dat het beter met hem ging. 'Ik ben blij dat je weer beschaafd met me wilt omgaan, maar je moet me de tijd gunnen om aan het idee te wennen.' Hun onderlinge contact had al tijden niets beschaafds meer gehad. *Nog 1 minuut voor de cliënt*. Anders zou ze de norm van vijftien telefoontjes per uur niet kunnen halen. 'Kom vanavond naar huis,' drong Antonio aan – plotseling liefdevol, overredend. Een Antonio die allang dood en begraven was. 'Dan maken we lekker eten, wij tweetjes, weet je nog? Alleen, net als toen we nog geen kinderen hadden, je zult zien dat alles voorbij is, ik voel me heel goed nu.' En terwijl Emma aarzelde, met de koptelefoon op haar oren gedrukt, en zich afvroeg of ze hem moest geloven of hem voor de zoveelste keer moest wantrouwen omdat hij haar voor de zoveelste keer probeerde over te halen – tikte de zaalassistente haar op de schouder. 'Dit is het spitsuur,' zei ze vermanend, 'je hebt twee oproepen in de wacht staan, los het probleem van die cliënt op en sluit het af.' Emma knikte. Geen berichten. Geen contractverlenging. Geen verhelderende gesprekken met Valentina. Antonio brengt de nacht gewapend voor het huis door en nu wil hij zich weer in haar leven opdringen alsof er niets gebeurd is, en zij kan hem niet tegenhouden. 'Ik moet ophangen, Antonio,' fluisterde ze. 'Ik bel je straks wel.' 'Nee, je kunt me straks niet bellen, de afgevaardigde is bijna klaar,' protesteerde Antonio.

Maar Emma hing op, en een lang ogenblik bleef ze roerloos zitten, met de koptelefoon op haar oren – luisterend naar de hartverscheurende toon van de onbezette lijn. Ik heb nooit tijd voor de belangrijke dingen. Wat is dat voor leven? Hoe ben ik er zo in verstrikt geraakt? Misschien zouden al die dingen anders kunnen zijn als ik maar anders gehandeld had. Maar wat heb ik dan verkeerd gedaan, en wanneer, en waar? Op welk moment is de hoop van de betere jaren verloren gegaan, toen er nog nieuwe kleren waren, een nieuwe auto en geld op de bank – en liefde? Ik wist zeker dat het zou standhouden. Hoe heeft het zo kunnen wegglippen, langs het verlangen, langs alle spijt – hoe heeft dat allemaal kunnen verdwijnen? Hoe gaan die dingen in godsnaam?

De klok boven de balie van de telefonistes gaf 11.17 uur aan. Ze had nog meer dan drie uur afzien voor de boeg. En ze kon niet meer wachten. Ze moest het weten. Ze vroeg haar buurvrouw of zij haar telefoontjes wilde aannemen, en het meisje reageerde verbaasd, want aangezien de telefonistes noodgedwongen om elke beller moesten concurreren, waren ze niet gewend elkaar een dienst te bewijzen. Daarom waren er daar binnen geen vriendschappen ontstaan. Ieder voor zich, en God was niet doorgekomen. Emma liep de zaal door. Met de koptelefoons op de oren zaten de meisjes te wiebelen op hun stoelen, vastgenageld op hun plek, overgoten door het kille licht van de tl-lampen – eindeloze glazen buizen die op twee meter hoogte boven hun werktafels hingen. De telefoons gingen over. De stemmen raakten vervlochten. Zes maanden had ze hier binnen doorgebracht. Zes maanden had ze naar andere mensen zitten luisteren. Zonder dat ook maar één van hen ooit naar haar luisterde. Ze liep naar de kamer van de afdelingschef, en hoewel ze geen recht op pauze had en ook geen afspraak, negeerde ze de secretaresse, die met de fax stond te rommelen, en klopte vastberaden op de deur. Ze wachtte niet tot haar werd gevraagd binnen te komen.

De chef, die met zijn verloofde zat te bellen, doorboorde haar met een stomverbaasde blik. 'Wat wilt u?' wees hij haar bruut terecht. Hij wist niet meer hoe telefoniste nummer 7 heette. Misschien had hij het nooit geweten. 'Ik moet met u praten,' zei Emma. In het zonovergoten kantoor van de chef spreidde een flinke ficus zijn chlorofylgroene bladeren uit in de richting van de Via Tiburtina. De illustratie van de maand mei op de kalender was een barokke kathedraal, misschien in Spanje. De chef gebaarde haar niet plaats te nemen, maar Emma ging evengoed zitten, want het is onacceptabel om staand met een chef te moeten praten. Zittende mannen zijn altijd in het voordeel. Aangeklaagden, leerlingen en soldaten moeten altijd staan. De professoren, de rechters en de generaals zitten. De chef was jong. Nog geen dertig. Fletse, waterkleurige ogen, blauw pak, zijden stropdas en lichtblauw overhemd van Fellini. Verder geen enkel blijk van hersenactiviteit. 'Wat kan ik voor u doen?' vroeg hij, precies zoals haar geleerd was het aan de cliënten te vragen. 'Het gaat over mijn contract,' zei Emma gedecideerd. Ze had zich altijd weten te redden. Talloze keren had ze dit soort zoutzakken het hoofd geboden, en zelfs nog wel meer geduchte. Ze mocht zich niet laten intimideren door die snotneus. 'Ik heb gehoord dat de bevestigingsbrieven al verstuurd zijn.'

De chef tikte met zijn balpen op het glazen bureaublad. Hij keek haar aandachtig aan, geïrriteerd door zoveel voortvarendheid van een eenvoudige ondergeschikte. Hij was verbaasd om te constateren dat het een knappe blondine was. Een beetje verlopen misschien, maar toch zeker te mooi voor een baantje als telefoniste, waarvan de abonnees hooguit het timbre van haar stem waardeerden. Hij knikte bevestigend. 'Het bedrijf heeft besloten een modernere en efficiëntere communicatiestrategie te hanteren. Vanaf dit voorjaar krijgen werknemers van wie het contract verlengd is dat rechtstreeks via de computer te horen.' 'En de anderen?' vroeg Emma, ijskoud. De chef bestudeerde met zijn fletse ogen de lichaamsbouw van de werkneemster. Volle kersrode lippen, een weelderige boezem. Jammer dat hij haar niet eerder had opgemerkt. Of misschien maar goed ook: privérelaties zijn strikt verboden in het bedrijfsreglement. Je zou je baan kunnen riskeren voor zo'n korte wip. 'De anderen ontvangen geen bericht.'

'Wilt u me nu vertellen dat ik mijn baan kwijt ben?' vroeg Emma. Ze had het met een zachte, bescheiden, nederige stem willen zeggen, maar het kwam er op agressieve toon uit, alsof ze die onbeschofte zoutzak van nog geen dertig die een moeder op straat zette rauw lustte. Een rijkeluiszoontje dat was afgestudeerd in economie en handel, dat god weet waar zijn mastersopleiding had gevolgd, zonder enig idee wat het betekent om in je eentje twee kinderen op te voeden en een baan te zoeken als je tegen de veertig loopt – terwijl de eerste vraag die ze je tijdens een sollicitatiegesprek stellen is: 'Bent u getrouwd? Hebt u kinderen?' Alsof het feit dat je kinderen hebt wil zeggen dat je gehandicapt en arbeidsongeschikt bent. Wat in zekere zin ook zo is, want geen enkele baan, zelfs niet een waar je je hele leven van gedroomd hebt, kan wedijveren met Kevin en Valentina. Toen een oude vriend haar had voorgesteld om op tournee te gaan met een redelijk succesvolle smooth-jazzband, had ze geweigerd, omdat ze dan te ver weg zou moeten. Ze had een baan voor overdag gezocht, en parttime. Ze had een deprimerende hoeveelheid afwijzingen vergaard, tot ze tijdens het sollicitatiegesprek met de zoutzakkendirecteur van deze jongere kloon had bezworen dat ze niet zwanger was en dat ze geen kinderen had. Ze had Kevin en Valentina moeten verloochenen, terwijl ze het enige baken waren dat haar chaotische leven nog een beetje richting gaf, en haar enige lichtpuntje.

'Nee,' antwoordde de zoutzak vaag. 'Alleen dat de anderen het bericht niet ontvangen.' 'Zijn de bevestigingsberichten al allemaal verzonden?' vroeg Emma. Haar stem kraste als een nagel over een schoolbord. De jonge chef voelde zich ongemakkelijk door de schaamteloze eerlijkheid van de telefoniste en stond op om haar duidelijk te maken dat ze weg moest gaan voordat dit gesprek een onaangename wending zou nemen. 'Waarschijnlijk wel, maar daar ga ik niet over,' zei hij afwerend, en hij dwong zichzelf te blijven glimlachen. Hij kon niet zeggen waarom, maar hij was bang dat die trotse, agressieve vrouw de briefopener in zijn borst zou steken. 'Alstublieft,' fluisterde ze daarentegen, met een gebroken stem die hij nooit had verwacht, 'ik kan het me niet veroorloven om deze baan kwijt te raken. Doe me dit niet aan, ik heb altijd goed mijn werk gedaan, jullie hebben me zelfs voorgesteld voor overplaatsing van de frontoffice naar de backoffice, niemand heeft over me geklaagd... Ik ben niet alleen, ik heb, ik kan niet, u vindt zevenhonderdduizend lire per maand misschien niet veel, maar...'

'Ik ben niet degene die beslist welke telefonisten een verlenging krijgen en welke niet,' zei de chef eufemistisch, verschanst achter zijn bureau, terwijl zijn gelegenheidsglimlach wegstierf. De vrouw verroerde zich niet. Ze staarde hem met zo'n gênante en wanhopige doordringendheid aan dat hij ervan moest blozen. Ook omdat haar geval hem nu ineens duidelijk was. Hij herinnerde het zich heel goed: het was nog geen vijf dagen geleden besproken tijdens de personeelsbesprekingen. Deze Miss Achterbuurt, telefoniste nummer 7, heette Emma Tempesta, geboren te Rome in 1961, ze had een pabodiploma, met middelmatige cijfers en een lachwekkend cv waarin vrijwel geen werkervaring was opgenomen. Gewoonlijk contracteerde het bedrijf liever wat jongere vrouwen, die waren afgestudeerd of op het punt stonden om af te studeren, die vervolgens trouwen of een betere baan zoeken – en die dit dus alleen maar als een tijdelijk baantje zien en niet verwachten dat ze uiteindelijk een vaste baan krijgen. Deze vrouw had echter een ideale stem, en bij de geschiktheidstest was gebleken dat ze over de meest gevraagde kwaliteit beschikte: het vermogen om te luisteren. Haar rendement was best hoog, maar toch was Emma Tempesta opgeofferd. Puur een kwestie van leeftijd. Het bedrijf gaf de voorkeur aan jonger, flexibeler personeel, dat ze een trainingscontract konden aanbieden. Daar konden nog minder rechten aan ontleend worden dan aan het contract waarmee deze vrouw was aangenomen. Het was jammer voor haar, maar wat konden zij eraan doen? Zo zat de arbeidsmarkt nou eenmaal in elkaar.

Hij liep om de telefoniste heen – die als versteend op de stoel voor de gasten zat, met rechte rug, de benen over elkaar geslagen, de ogen strak op hem gericht, alsof ze wachtte op een gunst van hem – en begaf zich naar de deur. Hij deed hem open, want die vrouw moest nu echt vertrekken – sterker nog: hij had haar niet eens binnen moeten laten. Regel 5 van het managershandboek gebiedt dat je geen ondergeschikte op je kantoor mag ontvangen zonder getuigen erbij, om een eventuele aanklacht wegens seksueel misbruik te voorkomen. Maar Emma verroerde zich niet. Ze leek stukje bij beetje in elkaar te zakken op de stoel. Haar trotse waardigheid begaf het. De chef bleef een paar tellen naast de deur staan – en deed hem toen zachtjes weer dicht. Emma zat te huilen. Ze schokte stilletjes en veegde steels haar wangen af met haar vingers. Af en toe haalde ze haar neus op, zo zacht mogelijk. De schokken volgden elkaar steeds sneller op en haar ademhaling haperde. Dikke tranen drupten op haar kousen – even glinsterden ze op het nylon, en doofden daarna uit.

De chef was getraind om het personeel te begeleiden, hij had nuttige woorden en gedragingen geleerd, verschillende kritieke voorbeelden geoefend, maar met een dergelijk geval was hij nooit geconfronteerd en hij herinnerde zich niet wat hij moest doen. Emma Tempesta trok zich trouwens ook niets van hem aan nu. Ze huilde stilletjes, alsof hij er niet was. Ja, natuurlijk moest ze doen alsof hij er niet was, want ze had zichzelf voor geen goud in zijn bijzijn willen vernederen. Ze had willen kruipen, ze had willen smeken, ze had hem willen pijpen als hij het gevraagd had – maar nooit ofte nimmer had ze op hem willen overkomen als een kwetsbare vrouw, een slachtoffer dat irritatie opwekt, en op z'n hoogst medelijden. 'Mevrouw Tempesta, ik weet zeker dat u met uw opleiding een meer gekwalificeerde en beter betaalde baan kunt vinden aan een privéschool,' sprak de jongeman haar vriendelijk bemoedigend toe. 'U zult zien: wat nu een ramp lijkt, zal juist een belangrijke stap voorwaarts blijken te zijn in uw leven.' Emma droogde haar ogen met de rug van haar hand. Ze had dringend behoefte aan een zakdoek. 'Soms,' vervolgde de jongeman met hernieuwde moed, nu hem een uitspraak uit het handboek te binnen schoot, 'blijkt een nederlaag uiteindelijk ons grootste succes te zijn.'

Emma pakte de tissue aan die de chef haar aanreikte, en ze snoot luidruchtig haar neus. En stukje bij beetje hervond ze haar waardigheid. Ze vermande zich. Ze rechtte haar rug weer, ze droogde haar ogen, ze fatsoeneerde haar haar en deed het met een sensuele knoop in een paardenstaart. Ze stond op en merkte toen pas dat ze langer was dan die sukkel, een onbeduidende dwerg van een meter zestig. Ze legde de doorweekte tissue op het bureau, stapte langs hem heen, hem negerend alsof hij een meubelstuk was, heupwiegend op haar laarzen met de luchtige, achteloze tred die mannen zo opwond. Ze deed de deur open en nam niet de moeite om hem achter zich dicht te doen. Ze liep door de zaal, ging op haar plek zitten, deed de koptelefoon op, en aangezien het display drie wachtende bellers aangaf, nam ze op.

II A. *Beschrijving: mijn papa*

Mijn papa is atfokaat en hij is er nooit omdat hij te druk beezig is met een komisie in het parlement waar ze de wette maake.

Het is een belagnrijke baan maar ik vint de zoomer leuker als we naar de villa in Ansedoonia gaan en van sochtes tot saaves bij elkaar zijn. Hij komt me nooit van sgool haale.

Misgien offert hij zich op voor ons, maar we hebbe alles wat noodig is.

Mijn vaader is niet zo groot. Hij heeft een paar grijze haare en voor de rest donkere. Hij lijkt op een zwaartfis want hij heeft een heele lange neus.

Mijn vader is aardig en vroolik en hij maakt ons altijt aan het lachen en hij heeft geen slegte kante maar wel eentje.

Hij is out en soms als we op het strant speele denke de mensen dat hij mijn oopa is. Ik hep tegen hem gezegt dat hij out is. Mijn vaader zegt dat dat een ziekte is die je niet kan geneeze.

Mama zegt dat het niet waar is omdat hij pas een en fijftig is net als Ritsjert Gier en die is niet out. Maar de vaader van Veronica is acht en dertig en de vader van Kevin twee en feertig dus allemaal jonger dan de mijne. Maar tog heb ik het liefst mijn vaader.

Camilla Fioravanti

(Goed zo. Let op je spelling!
Camilla Fioravanti heeft een zeer scherpe opmerkingsgave. Vorm
voldoende, inhoud goed.)

Mijn vader is doodgegaan toen ik vier jaar was. Hij is neergeschoten toen
hij met een afgevaardigde meeging.
Mijn vader was namelijk beveiligingsagent. Mijn vader is een held en
er werd over hem gepraat op het journaal. Ik weet niet meer of ik het
erg vond dat hij doodging, want ik was nog klein.
Hij was een meter vijfentachtig lang, hij had schoenmaat 46. Zijn
hoofd was altijd kaalgeschoren zodat hij niet zweette in de sportschool, en
hij had lange bakkebaarden net als Paolo Di Canio.
Als ik later groot ben wil ik geen politieagent worden, maar afge-
vaardigde, dan gaat er op een dag iemand in mijn plaats dood en dan
blijf ik altijd leven.
Kevin Buonocore

(Redelijk. Je kunt beter!
Kevin Buonocore drukt zich met verbazingwekkend gemak uit, gezien het feit dat hij zich niet erg inzet. Vorm meer dan goed, inhoud acceptabel.)

'Kevin?' riep de zuster. Hij was net bezig een snotje aan de onderkant van zijn bankje te plakken en schrok op. Hij wreef met zijn
vinger over de opgedroogde laag snot, die verbrokkelde als ge-
brande suiker. De bel voor de pauze ging, en de hele klas sprong
overeind om naar het schoolplein te rennen, maar zuster Angelica
verroerde zich niet. Wat wilde die zoutzak? Ze was oerlelijk en ze
stonk naar geit. Hij was een beetje bang voor haar, want op haar
wang had ze een moedervlek met een witte haar erin, en ondanks
het feit dat ze een vrouw was, was ze niet getrouwd. Mama zegt
dat nonnen maagd zijn, dat wil zeggen dat ze met God trouwen,
alleen heeft die geen lichaam en kan Hij niet vrijen, en daarom krijgen nonnen geen kinderen. Maar ze bemoeien zich wel graag met
andermans kinderen.
    'Kevin, ik heb je een slecht cijfer moeten geven voor je be-
schrijving,' zei de zuster vriendelijk. 'Er zaten geen fouten in,' protesteerde Kevin. Maar het had geen zin. Die zoutzak had het op

hem gemunt en ze gaf hem altijd een laag cijfer. Huiswerk maken had geen enkele zin, waarom moest hij in godsnaam zijn tijd verdoen op school? Hij stond op; hij wilde niet laten merken aan Camilla Fioravanti, die bij de deur op hem stond te wachten, Joost mocht weten waarom, dat hij met de zuster over zijn tekst praatte. Als de zuster iemand apart nam om over zijn of haar tekst te praten, betekende dat dat hij zulke grote flaters had begaan dat ze het niet voor de hele klas wilde zeggen omdat hij dan voor gek zou staan. 'Kevin, het gaat niet alleen om spelfouten,' wees zuster Angelica hem streng terecht. 'Denkfouten zijn nog veel erger. Je mag niet liegen. Als je liegt, ga je naar de hel.' 'Ik l-l-lieg niet,' protesteerde Kevin, terwijl hij zijn stapel kaartjes uit zijn etui haalde. Hij had Anzalone, de bullebak uit 5c, beloofd om in de pauze met hem te gaan ruilen.

Camilla Fioravanti was het wachten beu en liep weg. De klas was leeg. Kevins schele oog scheerde over de jacks die aan de kapstok hingen. Als die geit hem nou met rust liet, kon hij in de zakken voelen of er een paar dubbeltjes in zaten waarmee hij videogames zou kunnen spelen voor hij naar huis ging. Toen dacht hij weer aan het feest, en liet hij het erbij zitten. De zuster pakte zijn agenda en schreef een opmerking op de pagina van 4 mei: *Beste mevrouw Buonocore, ik wil u graag verzoeken zo snel mogelijk naar school te komen. Ik moet u dringend spreken. Met vriendelijke groet, zuster Angelica.*

'Mijn moeder praat niet met de zusters want ze wilde mij helemaal niet hierheen sturen, het was niet haar idee, ze is tegen privéscholen,' zei Kevin schouderophalend. 'Kevin, waarom gedraag je je zo? Het is heel erg wat je hebt geschreven,' zei de non verwijtend, en ze probeerde hem bij de mouw te grijpen; hij had namelijk van haar preek geprofiteerd door onder het bankje door te glippen en nu rende hij naar de deur. 'Snap je dat dan niet?' riep ze geschokt. 'Je vader is niet dood!'

'Jammer voor hem, hij had beter wel d-d-dood kunnen zijn!' riep Kevin, en hij holde de trap af. Op het schoolplein zaten de nonnen op de rand van de goudvissenvijver met de meisjes te praten. Camilla Fioravanti droeg een vreemd gedicht voor over vissen die verstopt in de diepte van de zee leven:

'De vis heeft een lekkere smaak / de vis is vrij in de zee./ De vis houdt zich stil / niemand weet dat hij bestaat / tot hij als hij doodgaat / boven komt drijven. / De anarchist is een vis. / Hij beweegt zich vrij aan de onderkant van de maatschappij / hij ontglipt aan het net en houdt zich stil / als hij komt bovendrijven / is de anarchist dood.'

De andere meisjes, haar bedienden en slavinnen, knikten, ook al begrepen ze er niets van, want Camilla vertelde altijd rare verhalen. Toen Kevin langs haar heen liep, hield ze op slag haar mond en werd vuurrood. Ze hoopte dat Kevin naast haar kwam zitten, dan kon ze hem het gedicht van de vissen uitleggen dat ze van haar broer Aris geleerd had – ze vond het prachtig, want ook zij hield zich altijd stil. Maar Kevin deed of hij haar niet zag. Hij liep naar de jongens, die op een kluitje bij de wc-deuren stonden. 'Heb je Totti?' blafte Anzalone hem toe. Hij droeg een bril met spiegelglazen, alsof hij op de skipiste stond, om iedereen te laten weten dat hij net was wezen skiën in Zwitserland, ook al was het al mei. Zijn vader vloog hem met zijn helikopter naar de gletsjers. *Cool man*, een vader met een helikopter. Kevin wapperde met het plaatje van de blonde aanvoerder. Het was heel zeldzaam. In alle zakjes vond je zowat altijd weer diezelfde harige, onfortuinlijke middenvelders met hun lelijke vrouwen, bijna nooit de echte kampioenen. 'Hoeveel plaatjes krijg ik ervoor terug?' vroeg hij. Anzalone wierp een blik van verstandhouding naar zijn schildknaap, die als een Ninja Turtle met zijn hele bovenlichaam in het gips zat omdat hij een auto-ongeluk had gehad. De Bettini-tweelingbroers, die altijd alles nadeden wat Anzalone deed, lachten. 'Kom, we gaan binnen ruilen, anders pakken de nonnen ze af,' zei Anzalone.

Kindertoiletten hebben geen deuren. Vijf kleine wc'tjes stonden naast elkaar op een rijtje, enkel afgescheiden door gekleurde schermen. Onbegrijpelijk, want nergens anders staan wc-potten zo naakt bij elkaar – niet in huizen, niet bij tankstations, niet in bioscopen. Kevin plaste nooit op school, want hij schaamde zich als iemand hem in zijn blote billen zag. De conciërge Guglielmo, die was veroordeeld tot het controleren van de wc's, was even weggelopen om in alle rust een sigaretje te roken. 'Kom op met die Totti,' beval Anzalone. 'Laat me eerst z-z-zien hoeveel ik ervoor t-t-terugkrijg,' antwoordde Kevin hakkelend. Het plaatje van de blonde aanvoerder was echt heel zeldzaam. En híj had het. 'Wat ben je toch een sukkel!' lachte Anzalone. 'Jij moet gewoon doen wat ik zeg, want je bent een heloot.'

Kevin had geen idee wat een heloot was, want dat had hij nog niet geleerd. Maar het klonk niet goed, net als malloot. 'Niet waar!' gilde hij, en hij draaide zich om en wilde wegrennen, omdat hij doorhad dat Anzalone hem wilde oplichten. De Bettini-tweelingbroers deden de deur dicht en duwden hem tegen de wasbakken. Anzalone rukte het plaatje uit zijn hand. Overrompeld stortte Kevin zich naar voren om het terug te pakken, maar hij werd getackeld en verloor zijn evenwicht. Hij viel op zijn knieën – zijn bril gleed van zijn neus en stuiterde op de vloer. De Ninja-schildknaap van Anzalone schopte ertegenaan, zodat hij onder de wc terechtkwam. Kevin steunde met zijn handen op de grond en probeerde op de tast zijn bril te vinden. Hij leek ontzettend ver weg. De vloer was vochtig, want het was altijd moeilijk om precies in het gat te plassen. Anzalone zwaaide met een rood buisje heen en weer voor zijn neus, maar zonder bril en met zijn goede oog dichtgeplakt zag Kevin niets, en hij had geen idee wat het was. De tweelingsbroers hadden zijn voeten vastgegrepen en trokken zijn broek omlaag. Kevin brulde, maar de schildknaap van Anzalone greep zijn hoofd vast en duwde het in de pot. Hij trok door. Dat had hij in een film gezien. Een stortvloed van water stroomde over Kevins hoofd.

Kevin hoestte, hij stikte bijna, en hij kreeg een slok binnen die naar poep smaakte. Hij had zelfs water in zijn geopende oog gekregen. Hij zag helemaal niets meer, en hij kon geen kant op. Hij voelde kou aan zijn billen. Ze hadden zijn broek omlaaggetrokken en nu sjorden ze aan zijn onderbroek. Hij probeerde zich los te worstelen, maar de schildknaap trok opnieuw door. Minder water deze keer – de stortbak was nog niet volgelopen –, maar evengoed nog een hele golf in zijn mond en zijn neus. Daar ging zijn onderbroek. Nu sloeg Anzalone hem op zijn gênant blote billen en hield er een brandende aansteker bij. Kevin kronkelde heen en weer, maar de schildknaap hield zijn hoofd in de pot. Hij stikte bijna. Hij kreeg haast geen lucht meer. Hij deed zijn mond open, ademde water in, hoestte, spuwde, deed zijn hoofd even omhoog, en werd meteen weer naar het water geduwd – zijn neus wreef over het bruingevlekte porselein, iemand had ernaast gepoept. Het water droop uit zijn neus, uit zijn oren, uit zijn geopende oog en zelfs uit zijn pleister. 'Hé, ik stop een rotje in de kont van die heloot en dan moet hij een scheet laten,' zei Anzalone. De anderen stonden opgewonden te krijsen als eksters.

Camilla zag ervan af om haar vriendinnetjes uit te leggen wat de voordelen waren van een bestaan als vis – ze waren veel te dom voor dat soort grotemensenverhaaltjes – en ze liet hen zitten. Kevin Buonocore was met de jongens van 5c verdwenen en hij had haar geen blik waardig gekeurd. Wat was de liefde toch ellendig. Camilla keek juist de hele tijd naar hem. En elke keer voelde ze dat haar handen koud werden, dat haar hart in haar keel klopte en haar hoofd draaierig werd. Toen ze een uitstapje naar het Vaticaan hadden gemaakt om de paus te ontmoeten, had de zuster tegen Kevin gezegd dat hij naast Camilla moest gaan zitten – niet omdat ze dacht dat ze haar daarmee een plezier deed, juist niet, niemand wilde naast Buonocore zitten, maar omdat zij zo'n lief, rustig meisje was. Dat zei iedereen. Kevin was op de stoel naast de hare neergeploft, zo dichtbij dat hun dijen elkaar raakten. Camilla was zo opgewonden dat ze zowat een astma-aanval kreeg en ze haar hele spuitbusje in haar keel moest spuiten. Tijdens de reis naar de Sint-Pieter had ze niet één keer naar hem gekeken – om haar geheimpje niet te verraden.

In de basiliek hadden de nonnen hen in een lange rij naar de plekken geleid die voor hun school waren gereserveerd, en opnieuw was Kevin naast haar komen zitten. Hij zat geen moment stil. Hij lachte en zei vieze rijmpjes op. Terwijl de bisschop achter het altaar stond te praten en de kinderen van alle katholieke scholen van Rome begroette, zong hij zachtjes: 'Keizer Frederik Barbarossa, moest eens schijten in de bossen. En omdat hij geen papier bij zich had, veegde hij met zijn duim over zijn gat'; hij at snoepjes, hij spuwde ze in de lucht en ving ze dan weer op met zijn tong, en hij moest lachen toen hij zag dat zij ineenkromp door zoveel onbeschoftheid. Op een gegeven moment had hij tegen haar gezegd: wedden dat ik op het beeld van Petrus durf te klimmen? Je kunt er niet op klimmen, want nu komt de heilige vader. Ik klim er evengoed op, had Kevin geantwoord. Hij had het in zijn hoofd gehaald om Camilla te laten zien wat hij durfde. Dan zou ze misschien niet meer op hem neerkijken en hem als een armoedzaaier beschouwen omdat hij in een armoedige wijk woonde – en ook nog een lelijke armoedzaaier vanwege die pleister op zijn oog. Dus terwijl paus Johannes-Paulus II bleek en trillend en ver weg onder het grote altaar verscheen, tussen de als kaarsen gedraaide pilaren, was Kevin echt op de schedel van Petrus geklommen en krabde hij hem op zijn kruin, alsof het beeld last had van luizen. De zuster was woedend geworden, en een Zwitserse gardist in een carnavalspak had hem eraf gehaald. Kevin had een draai om zijn oren gekregen.

Waarom deed je dat nou? had Camilla hem gevraagd, starend naar de rode afdruk van de vijf vingers die op zijn wang brandde. Suffie, ik heb het voor jou gedaan, had hij verontwaardigd geantwoord. En Camilla was zo onmetelijk gelukkig geweest toen hij dat zei dat ze er draaierig van werd; er begonnen allemaal sterretjes te glinsteren, als een aureool rondom haar, en ze was op de grond gevallen – helemaal weg. De zusters hadden haar naar buiten gedragen, en zij, die het zo belangrijk vond, had niet de handen van de heilige vader kunnen kussen. Maar toen ze was bijgekomen, op het Sint-Pietersplein, dook Kevins gezicht op tussen de nonnengewaden, en hij staarde haar aan als een dode die weer tot leven was gekomen, met groot respect. Camilla had tegen niemand gezegd dat ze was flauwgevallen uit ontroering: Kevin Buonocore was voor háár op het hoofd van het Petrusbeeld geklommen. Dat was een geheimpje. Maar nu waren er vele maanden verstreken en was er nog helemaal geen schot in hun vriendschap gekomen, integendeel. En wat heb je aan geheimen als niemand erachter komt?

Camilla glipte stilletjes door de gang. Misschien was Kevin tijdens de pauze in de klas gebleven. Dat deed hij vaak. Hij zei dat hij vast vooruitwerkte aan zijn huiswerk, maar zij wist dat het was om zijn klasgenootjes te mijden, die hem vaak plaagden en gemene grappen met hem uithaalden – één keer hadden ze zijn onderbroek aan het schoolbord gehangen – en hem voor de gek hielden omdat hij schele ogen had en erbij liep als een schooier. Maar aangezien ook Aris erbij liep als een schooier, had Camilla juist iets met schooiers – die zielige mensen op wie iedereen neerkeek. Ze had ook iets met armoedzaaiers, dat waren tenslotte arme mensen die er niets aan konden doen dat ze zo waren, want Aris zegt dat het toeval bepaalt of je wordt geboren als kind van een parlementslid of van een werkloze, en bovendien kan alles op een dag veranderen en dan worden de armen rijk en andersom. Door de groene deur van de jongens-wc's klonk gebonk, onderdrukt gekreun en gelach. Ineens klonk er een knal – een soort luidruchtige wind – en kwamen de Bettini-tweelingbroers joelend naar buiten rennen. Anzalone rende haar bijna omver en zijn schildknaap, die tegen haar aan botste, duwde haar tegen de muur. De groene deur was open blijven staan, en daar achteraan, bij de pot tussen de groene schermen, prijkte een kleine witte bips.

Camilla deinsde achteruit. Ze had nog nooit de kleine witte bips van een jongen gezien. Niet eens die van haarzelf, eerlijk gezegd. De kleine bips verdween in een blauwe onderbroek met dolfijntjes die boven het water van de zee uit sprongen. Het gehurkte jongetje trok zijn broek omhoog en kroop als een hond over de vloer – hij stak zijn hand uit en tastte rond naar zijn bril. Het was Kevin Buonocore. Camilla deed de deur dicht uit angst dat hij haar zou zien. Kevin zou het haar nooit hebben vergeven als ze hem op zo'n moment had betrapt – vernederingen kun je niet delen. De bel ging al, en Camilla haastte zich naar de klas.

'Elke menselijke samenleving functioneert als een lichaam. Laten we nu eens onderzoeken wat het lichaam en het gezin gemeen hebben. Weet een van jullie misschien een voorbeeld?' vroeg zuster Angelica om de les op gang te krijgen. Het schoolbord was in twee helften gedeeld. Aan de linkerkant stond geschreven: HET LICHAAM. Aan de rechterkant: HET GEZIN. 'Het lichaam bestaat uit ledematen met verschillende functies, en ook het gezin bestaat uit leden die verschillen van karakter, taak, geslacht en eigenschappen!' gilde Cristian, de beste van de klas, die altijd praatte als een schoolboek omdat hij zijn constitutionalistische vader nabauwde. 'Alle delen van het lichaam zijn nodig, maar het hart is belangrijker dan een voet,' onderbrak Andrea hem. 'En ook in het gezin is iedereen nodig omdat hij het gezin verrijkt,' zei zuster Angelica goedkeurend, terwijl ze de twee overeenkomsten op de respectievelijke helften van het bord schreef. De overeenkomst tussen lichaam en gezin kon Camilla niet boeien – ook al praatte papa elke keer als hij op tv kwam juist over het gezin. Hij werd uitgenodigd in programma's waar hij op een bankje ging zitten, omringd door zwaar opgemaakte vrouwen – van wie mama altijd chagrijnig zei dat ze de minnares van een of andere functionaris waren – en elke keer als hij in beeld kwam raakte ze ontroerd. Papa leverde commentaar op dingen die waren gebeurd, vaak heel vreselijke dingen, bijvoorbeeld iemand die iemand anders had vermoord, of hij protesteerde tegen de wetsvoorstellen die een ander parlementslid – van de andere partij, legde mama uit – wilde laten goedkeuren. Papa maakte onderscheid tussen het natuurlijke gezin en alle andere gezinnen. Het natuurlijke gezin is gebaseerd op het huwelijk, en moet worden gesteund door de staat en de samenleving. De andere gezinnen – dat wil zeggen die welke niet natuurlijk zijn – ontwrichten de samenleving en daarom moet de samenleving die niet goedkeuren en ook niet helpen. Op dat punt werd het een moeilijk verhaal, en Camilla snapte niet wat het verschil was tussen het eerste gezin en de andere. Ze keek om naar het bankje van Kevin, het achterste in de rij helemaal rechts, het bankje voor de ezels die nooit opletten. Het was leeg gebleven.

Carlotta had haar vinger opgestoken. Ze zei tegen de zuster dat de delen van het lichaam alleen nuttig zijn wanneer ze op hun plek blijven. Als je een been breekt, kun je niet meer lopen. 'Goed zo,' zei zuster Angelica, terwijl ze op de rechterhelft van het bord schreef: HET GEZIN punt 3: iedereen levert zijn bijdrage. Iedereen moet op zijn plek blijven. Camilla kon het gezin nu helemaal niets meer schelen. Vissen mogen dan niets kunnen zeggen, maar zij heeft wel een tong. Wat heb je aan een geheim als zelfs de persoon die het betreft het niet met je deelt? Zij was voor eeuwig zijn bruid en Kevin wist het niet. Wat had dat voor zin? Hij werd al vanaf de kleuterschool gepest door de grote jongens, en Camilla had hem nooit verdedigd, uit angst dat ze haar dan ook te grazen zouden nemen. Ze keek toe. Vanbinnen was ze bij hem en leed ze met hem mee, maar dat wist Kevin niet. Het was ellendig.

Punt 4. LICHAAM:	Punt 4. GEZIN:
functioneert alleen als er	als er geen medewerking
totale medewerking is.	is, is er geen gezin.

Zuster Angelica oordeelde: 'Goed zo kinderen, jullie hebben laten zien dat elke menselijke samenleving functioneert als een lichaam. Ook de Kerk is een lichaam. Het lichaam van Jezus Christus.' 'Zuster,' fluisterde Camilla terwijl ze haar vinger opstak, 'ik moet naar de wc.' 'Waarom ben je in de pauze niet gegaan?' stoof de lerares op. Toen kalmeerde ze, omdat die kleine, zachtaardige Fioravanti bijna in snikken uitbarstte, en liet haar gaan.

Camilla liep de gang door – met haar hand tegen de muur omdat ze bang was dat hij op haar neer zou storten. Kleine glinsterende stofjes dansten in de zonnestralen. Het was doodstil. Door de gesloten deuren van de klaslokalen drongen de gedempte stemmen door van leerlingen die de tafels opdreunden. De conciërge Guglielmo, die zich kapot verveelde, pijnigde zijn hersenen met Zweedse kruiswoordraadsels. Camilla duwde de groene deur van de jongens-wc open. Het stonk er naar oudejaarsavond. Zwavel en kruit. Kevin Buonocore zat helemaal aangekleed, met zijn bril op zijn neus, op de wc. Hij had zijn oog dicht en zijn handen zaten gekruist tussen zijn benen. Hij leek wel dood. Eén gruwelijk ogenblik lang dacht Camilla dat ze hem doodgemarteld hadden. Als hij doodgaat, wat moet ik dan doen? Er is nog nooit een weduwe van zeven jaar geweest, o, niet doodgaan, Kevin, de volgende keer help ik je, ik zeg het tegen mijn papa, er zal je niks meer overkomen, alsjeblieft, niet doodgaan.

Op haar tenen liep ze naar hem toe – Kevins gezicht zat vol krassen en zijn haar was kletsnat. Ook al droeg hij een grote, lelijke plastic bril en had hij een pleister op zijn oog, ook al was hij dik en at hij te veel, zij had Kevin altijd heel mooi gevonden. Ook als dode was hij heel mooi. Maar het was te erg. Kevin slaakte een diepe zucht. Toen besefte Camilla dat hij nog leefde.

Overmand door gêne vluchtte ze naar de wc naast hem – zich verschuilend achter het groene scherm. 'Kevin?' riep ze zachtjes, alsof hij ziek was. Kevin deed zijn oog open. Hij maakte zijn brillenglas schoon: er vielen steeds druppels op zijn bril, alsof het regende. Hij verroerde zich niet. Hij zou nooit meer uit de wc komen. Niet voordat de bel ging. Niet voordat de school leeg was. Het zou zo vernederend zijn om ze terug te zien dat hij het niet zou overleven. Mama had toch gezegd dat hij in september naar een andere school ging? Hij zou haar vragen of hij daar morgen al heen mocht. Mama begreep alles – waarom moest hij in godsnaam de hele dag gescheiden zijn van de enige die hem begreep en die hem altijd beschermde? Wat is alles toch oneerlijk en gemeen. Maar op deze school kom ik nooit meer terug. 'Kevin? Kevin, heb je pijn? Kevin?' Hij herkende het zachte stemmetje van Camilla Fioravanti. Wat moest die hier? Wilde ze er nog eens een schepje bovenop komen doen? Als ze het woord bips zegt wurg ik haar, echt, ik wurg haar. Maar nee, dat vreemde, verlegen meisje zei iets vreemds, zo vreemd en onverwacht dat hij niet wist wat hij terug moest zeggen.

twaalfde uur

Op de parkeerplaats van de danstent stonden een bus met zestig zitplaatsen, het verroeste karkas van een brommer en de auto's van de beveiliging. De carrosserieën brandden onder het bleke, boosaardige oog van de zon. Op de treeplank gezeten kauwde de chauffeur op een ciabatta met salami. Geen enkele poster, geen enkel spandoek gaf aan dat het hier om de bus van de aanhangers van Elio Fioravanti ging: een rumoerig groepje werklozen dat de advocaat vanaf het moment dat hij zich in de zware fase van de verkiezingstournee had gestort overal vergezelde. Hun aanwezigheid garandeerde een geruststellende dosis applaus en bezette stoelen: er was niks zo treurig, mochten er toevallig tv-opnamen worden gemaakt, als het beeld van een klein zaaltje met hele lege rijen. Zero vond de vondst van zijn vader pathetisch, zielig en immoreel. Hoewel de werklozen gedurende die dertig dagen wel geld verdienden, zo had hij beweerd. Hij liep om de Lancia heen; de chauffeur-agent van de beveiliging hing over het stuur te dommelen. De danszaal – een blok van grijs gewapend beton, kaal en simpel als een baksteen – deed hem denken aan een industriële loods, en waarschijnlijk was hij dat tot voor kort ook geweest. Zero tilde het gordijn op dat de danszaal scheidde van het hokje van de kaartverkoop, en zijn ogen werden bestookt door het licht dat werd verspreid door een glitterbol aan het plafond, die met hypnotiserende traagheid ronddraaide. Even werd hij verblind door de weerspiegeling, toen dook het gezicht van zijn vader op uit een woud van beuken, verguld door de zon. Het was geen droom: een projector die ergens verstopt stond toverde panorama's in Technicolor op de achterwand van de danszaal. Het woud veranderde in een oceaan, de golven rezen en daalden, geplooid door een hevige wind.

'Alleen wanneer er harmonie heerst in de kleine eenheid, herkent de grotere gemeenschap zich in het idee van de natie. Het gezin is de basiseenheid van de natie, en om ervoor te zorgen dat de natie functioneert als een gezond organisme, moet de kleinere eenheid in overeenstemming zijn met de grotere. We mogen de steunpilaar van het gezin als opvoedende eenheid niet vernietigen, want de eerste echte vorming van een mens krijgt zijn betekenis naar dat voorbeeld...' zei Elio, kromgebogen over een stapeltje blaadjes die hij in het onbenullige licht van die draaibol amper kon lezen, waardoor hij ze voortdurend vlak voor zijn bril moest houden om ze te kunnen ontcijferen. 'Artikel 29 van de Grondwet van de Italiaanse republiek luidt: De Italiaanse republiek erkent de rechten van het gezin als een natuurlijke samenleving gebaseerd op het huwelijk. Gezin als natuurlijke samenleving. Onthoud die woorden, die zijn geschreven door de vaders van ons vaderland. Als links de overhand zou krijgen, zouden onze burgemeesters straks mensen van hetzelfde geslacht in de echt moeten verbinden, en weeskinderen die snakken naar de warmte van een echt gezin zouden als pleegkind of adoptiekind eindigen dankzij mensen die hebben gekozen voor de beleving van een egoïstische seksualiteit die tegen de voortplanting is. Kinderen zijn het slachtoffer van die mensheid, van een achteloze, ordeloze samenleving waarin mededogen, barmhartigheid, solidariteit en het ware familiegevoel steeds verder aan de horizon verdwijnen.'

Zero liep in de richting van het podium. Hij passeerde vele rijen stoelen. Afgezien van aanhangers die tegen betaling waren ingehuurd, zaten er amper meer dan twintig personen in de zaal. Allemaal bejaarden met grijs haar die het nooit in hun hoofd zouden hebben gehaald om met iemand van hetzelfde geslacht samen te leven, en die er vast niet van op de hoogte waren dat hun kinderen of kleinkinderen zoiets deden. Zero kruiste de uitgeputte blik van de secretaris van zijn vader. Hij vroeg wat hij toch stond te bazelen. Fabio Merlo haalde zijn schouders op. 'Gelukkig is de verkiezingscampagne over een week afgelopen,' merkte hij op. 'De advocaat is oververmoeid. Ik vrees dat hij zich vergist heeft, en dat hij de toespraak voorleest die bedoeld is voor de ontmoeting van twee uur in het Centrum voor Ouders en Gezinnen in de Pigneto. Die gezinnen klagen dat het zo moeilijk is om hun kinderen op te voeden zonder enige steun van de overheid. Ze vragen om kinderbijslag, gezinstoeslagen om het krijgen van kinderen te stimuleren en abortus te bestrijden, omdat dat steeds meer iets voor de minder welgestelde klassen is, dat soort dingen.' Zero kon een glimlach niet onderdrukken. 'Het is heel vermoeiend voor uw vader,' verdedigde Merlo hem. 'De problemen van al die mensen op zich nemen, proberen geconcentreerd te blijven. Uw vader is gemaakt voor de rechtbank, dat weet u. Hier voelt hij zich een beetje als een vis op het droge.' 'Maar dit zijn de kiezers,' zei Zero meedogenloos.

Toen Elio zijn lezing moeizaam beëindigde, klonk er een definitieve stilte, die brandde alsof hij werd uitgejouwd. De aanhangers in de zaal begonnen aarzelend te klappen. Elio's gezicht – lijkbleek – viel nu nauwelijks meer op tegen de achtergrond van besneeuwde bergen. Een van de aanwezigen zei op strijdlustige toon dat men hier in de wijk behoefte had aan apotheken, kinderopvang, wegen, openbaar vervoer, straatlantaarns, antennes – je kunt hier niet eens Rai 3 ontvangen, en dat is vast niet toevallig – en dan komt de afgevaardigde hier een praatje houden over de natuurlijke samenleving en de rechten van het embryo. Het embryo mag dan het recht hebben om geboren te worden, maar iemand die al geboren is heeft toch zeker ook het recht om een beetje waardig te kunnen leven, of niet soms? Elio legde de blaadjes op de lessenaar en wilde ze in zijn aktetas doen toen zijn blik viel op de toespraak voor de commissieleden van de wijk Torre Gaia. 1: VOLKSGEZONDHEID. Illustratie wetsontwerp over de uitbreiding van de categorieën gratis medicijnen. Afschaffing eigen bijdrage gezondheidszorg. 2. KINDEROPVANG. Illustratie project x oprichten van kinderdagverblijven in bedrijven en fabrieken. Tot zijn ontzetting realiseerde hij zich dat hij die niet had voorgelezen. Gezin! Hij had gesproken over de rechten van het gezin! Hij werd overvallen door dat gênante gevoel van naaktheid dat een enorme flater je bezorgt.

Hij ordende de blaadjes, nam zijn bril af, deed alsof hij hem schoonmaakte, zette hem weer op zijn neus en deed er een paar tellen het zwijgen toe. Hij moest absoluut improviseren, doorgaan en zijn gezicht redden. De ervaring die hij had opgedaan tijdens zijn jaren als parlementslid had hem het waardevolle vermogen opgeleverd om zelfs het meest schandalige gebrek aan ideeën te maskeren met een geestig, kunstig bedacht verhaal. Hij keek om zich heen, zoekend naar inspiratie – een idee, hij zou goudgeld geven voor ook maar het geringste idee waarmee hij een link kon leggen tussen zijn gebazel over de crisis van het gezin en de bittere realiteit van zijn invalide, gepensioneerde toehoorders. Zijn blik dwaalde over het beledigde, vijandige publiek heen. De roze wanden van de danszaal, de puzzels van idyllische landschappen die op de wanden uiteenvielen en de spiegelbol deden hem denken aan de discotheken uit de jaren zeventig. OPTIMISME. DROMEN. Zijn pupillen begonnen te glanzen achter zijn brillenglazen – een sprankje hoop. Hij haalde diep adem en brandde los.

'Jullie hebben hier geen discotheek meer. Jullie hebben geen bioscoop, geen theater, geen muziekzaal, jullie hebben niets. De uitgaansgelegenheden zijn het voorrecht van de binnenstad, en de buitenwijken zijn enkel non-plekken waar mensen alleen naartoe gaan om te slapen. Wanneer de coalitie waar ik tot mijn trots deel van uitmaak weer in de regering komt, kunnen we eindelijk grote openbare werken in gang zetten en de financiering loskrijgen voor sanering van de stedelijke buitenwijken. Een van de initiatieven van ons programma is dan ook een belastingverlaging voor kapitaalinvesteringen in amusement. Mensen kunnen niet van brood alleen leven. Om de economie te steunen moet er geld uitgegeven worden, moet er geconsumeerd worden,' verklaarde hij, 'anders stopt de productie en worden we nog armer. En het aanbod moet de cliënt tegemoetkomen, niet andersom. Hoe dan ook, ik zal het niet te ingewikkeld maken, maar wij zijn vóór het slopen van huurkazernes en torenflats, het erfgoed van de stalinistische volkswoningbouw dat door links in de jaren zeventig is bedacht. In plaats daarvan bouwen we kleine modelsteden, omzoomd door plantsoenen en waterpartijen, grote amusementsparken en winkelcentra met koffiehuizen, cafés, restaurants en vooral megabioscopen met zalen die van alle gemakken zijn voorzien. Want films geven ons het goede voorbeeld, vrienden. Ja, zo is het maar net. Weet u, toen ik klein was ging ik elke middag naar de film. Ik ging erheen om te dromen. Mijn vader werkte bij de spoorwegen.' Berekenende stilte. Ogen vastgeklonken aan de toeschouwers. 'Dacht u soms dat hij, ik noem maar wat, arts was, of advocaat? Welnee, hij was gewoon spoorwegbeambte. We waren straatarm.'

Zero stond versteld van de overtuigingskracht van zijn vader, van de hartstochtelijke oprechtheid in zijn stem. Als hij niet had geweten dat opa Fioravanti – die overigens nog behoorlijk vief was – een zeer gewaardeerd econoom was, had ook hij geloofd dat hij een nederige spoorwegbeambte was. 'Nou, ik wilde ons lot ombuigen,' vervolgde hij, aangemoedigd door de respectvolle stilte die over de zaal was neergedaald. 'Ik wilde gewoon niet zo arm zijn als hij. Maar het waren louter dromen – ik had nooit gedacht dat het me zou lukken als ik niet heel veel films had gezien. De Amerikaanse film heeft mijn leven veranderd. En ook uw leven kan erdoor veranderen, en dat van uw kleinkinderen. Uw leven kan een happy end krijgen, op z'n Amerikaans. Durf te dromen.'

Hij herkauwde de parabel van Ronald Reagan: het ging min of meer over een jongetje dat, als het een hoop stront op zijn kamer aantreft, terwijl de anderen 'Getverderrie!' gillen, opgetogen uitroept: 'Hé, er is een pony in de buurt!', en dat wil zeggen dat je altijd optimistisch moet blijven in het leven. En aangezien hij twijfelde of hij die oude artritislijders – die door hun lachwekkende pensioentjes genoodzaakt waren hun uitgaven te beperken tot de eerste levensbehoeften – had overtuigd om geld uit te geven in een winkelcentrum of in een megabioscoop, of om te geloven in de belofte van een vage betere toekomst, nam hij vervolgens zijn toevlucht tot de verhaaltjes uit zijn repertoire die reeds ruim beproefd waren en een beroep deden op de oerangsten en de zwaktes van de mens. Hij vertelde over de koe die kwaad was op de horzel, een grove metafoor voor de burger die wordt lastiggevallen door de belastingdienst, en over de Russische dronkenlap die er op een ochtend, als hij zijn roes heeft uitgeslapen, van overtuigd is dat hij heeft gedroomd van zeventig jaar communisme. Na een poosje lachten zelfs de enkelingen die zich slechts naar de danszaal hadden begeven en zijn toespraak over zich heen hadden laten komen om met eindeloos geduld te wachten op het moment waarop ze aan tafel zouden gaan voor de brunch (wat dat ook mocht betekenen) die vriendelijk werd aangeboden door de kandidaat. Wanneer hij een schorre stem kreeg zo erg dat hij alleen nog maar kon fluisteren, wanneer hij een droge keel kreeg, wanneer een hoestbui het effect van zijn laatste zin bedierf, sloeg Elio een glas water achterover en ging verder. Hij zweette, hij gesticuleerde, hij mompelde, hij raakte het spoor bijster, schudde zijn warrige haardos, lachte. Zero schaamde zich voor de gênante vertoning van zijn vader. Hij begreep dat hij tot alles bereid was om de slechte indruk die hij door zijn blunder met de verkeerde toespraak had gemaakt uit te wissen en twintig stemmen te winnen. Of misschien niet eens. Waarschijnlijk wist hij niet eens meer waarom hij hier was. Hij was er nu eenmaal, en hij wilde alleen maar bekoren, geliefd zijn. Om maar in de smaak te vallen bij die mensen die hij nooit meer zou zien zou hij desnoods een liedje zingen, een dansje doen, een potje koken – wat dan ook.

Ja, dacht hij, ik zal niet alleen een ander leven leiden dan jij, maar zelfs een totaal tegenovergesteld leven. Ik word jouw tegendeel, jouw negatief. Jij kunt niet leven zonder andermans instemming, en ik wil anderen juist tarten en een klap in het gezicht geven. Jij houdt van de openbaarheid, en ik zal die juist ontvluchten. Jij wilde voor mij een publieke rol, ik zal enkel een tegenstander zijn. Jij gelooft in succes, in een carrière – ik weet niet eens wat dat is. Jij wilt bekendheid, ik heb liever dat niemand weet hoe ik heet. Jij krijgt een staatsbegrafenis, en ik zal anoniem sterven in een afgelegen straatje van Rome waar jij nog nooit van gehoord hebt, of in een willekeurige buitenwijk van een willekeurige stad. Jij laat je salaris door de staat betalen, ik erken die hele staat niet, ik minacht het salaris van de staat en wijs het af. Jij deelt aalmoezen uit, ik zal ze aannemen, want ook al zou je alles afgeven wat je hebt, dan nog zou je de mensen nooit kunnen teruggeven wat je ze hebt afgenomen. Jij hebt geleefd van gunsten, de gunsten die je hebt verleend en die aan jou zijn verleend, ik heb geen schulden en geen rekeningen te vereffenen. Jij houdt van de rechtsgeleerdheid, ik heb er een bloedhekel aan en vandaag heb ik mijn laatste tentamen gedaan. Jij houdt alleen van de zee omdat je er met je motorboot overheen kunt scheuren en hem leeg kunt vissen met je onderwatergeweer, ik heb nog nooit een geweer in mijn hand gehad en ik zal ook nooit een vis doorboren – sterker nog, ik beschouw mezelf als een vis: stil, onzichtbaar, vrij en verborgen. Jij houdt van kleren van bekende ontwerpers, omdat alleen een duur merk je het gevoel geeft dat je modieus bent, ik loop in vodden. Jij hebt nog nooit een boek gelezen dat niet nuttig voor je was, ik lees alleen boeken die me niets willen leren. Jij denkt dat studeren betekent dat je je bul haalt, ik probeer mezelf te begrijpen en de wereld waarop je me hebt neergezet. Jij gelooft in God, ik geloof niet en zal ook nooit geloven. Nu predik je het gezinsgeluk dat je zelf niet hebt weten te vinden, jij die de kans twee keer hebt laten schieten, en ik zal me inzetten voor de nieuwe gezinnen, die jij ontkent, waarin kinderen niet één vader en één moeder en een paar broertjes of zusjes hebben, maar vaders en moeders en broers en zussen vinden in hen die van hen houden.

Toen Elio eindelijk ophield – uitgeput, volkomen hees – drongen de bejaarden om hem heen en bestookten hem met hun onbenullige probleempjes, en hij zwoer op zijn dochtertje dat hij die ter harte zou nemen en zijn vriend die burgemeesterskandidaat was, ervan in kennis zou stellen. 'Ik heb me met volharding ingezet voor de sociale thema's, en als jullie me de kans geven terug te keren in het parlement,' beloofde hij, 'zal ik eraan meewerken om de grote achterstanden in de gezinswetgeving en de sociale wetgeving weg te werken.' Het wiel was weer in beweging gezet – en daar stond hij alweer gevatte opmerkingen, flauwe grappen en beloften uit te delen. Daar stond hij weer zweterige handen te schudden, daar stond hij weer volop te glimlachen, de aanwezigen in te schrijven, de afwezigen te noteren, namen te onthouden en andere uit het riool van zijn herinnering op te graven. Tegen een oude man die hem vertelde dat hij de voorzitter van het voetbalteam van de wijk was, klaagde hij dat hij geen tijd meer had om naar het stadion te gaan; sinds hij in het parlement zat had hij zich al zijn persoonlijke pleziertjes moeten ontzeggen. Nou ja, bijna allemaal. Hij speelde rugby, schepte hij op, rugby is een educatieve sport, een geweldige levensles. Hij legde uit dat hij als jongeman dol was op het fysieke treffen, hard maar fair, met de tegenstander. Nu had die liefde voor dat harde maar faire treffen met de tegenstander hem de politiek in gevoerd. Hij was een vechter. Hij kon iemand pijn doen, maar wel binnen de regels van het spel. Zero had hem die woorden al tientallen keren horen zeggen – tijdens interviews, op tv, onder het eten. Een uitstekend geïnformeerde spaarder vroeg hem hoe de afgevaardigde de toekomst van de economie zag, gisteren was het op de Beurs weer een zware donderdag, MIB30 heeft twee punt vijfenveertig verloren, de ENI meer dan vier, en Alleanza maar liefst zestien, het is hier een ramp, zou dat nou echt komen door de subversieve aanvallen van de *Economist*? 'De buitenlandse defaitisten kunnen zeggen wat ze willen,' reageerde Elio automatisch, als de hond van Pavlov, 'Italië is een gezond land, de economie trekt wel weer aan.' Zero glipte tussen de bejaarden door en trok hem aan zijn mouw. 'Wat doe jij hier?' viel Elio uit, niet in het minst blij om hem te zien. Een verrassend begenadigde pianist zette een nummer van Fred Bongusto in en de organisator zei tegen de aanwezigen dat ze zich naar het buffet konden begeven, omdat er nu echt gegeten kon worden.

'Ik heb een idee,' zei Zero. 'Niet nu,' antwoordde Elio terwijl hij zich het zweet van zijn voorhoofd wiste. Hij was helemaal leeg. Hij had alles gegeven. Even rust – een paar tellen was al genoeg om zich weer op te laden. Hij verdween achter een gordijn. Zero wilde hem achternalopen, maar een gespierde kerel met een sikje en een kaalgeschoren hoofd, die in het halfduister stond geposteerd, hield hem tegen en greep zijn arm vast. Elio merkte het, maar hij nam niet de moeite om Buonocore te vertellen dat die folkloristisch uitziende jongen zijn zoon was. Hij moest met de president praten. Alleen diens stem kon hem de kracht geven om die lui hier nog langer te verdragen. Nu hij ze had veroverd, interesseerden ze hem niet meer.

'Zeg, wat ben jij van plan?' riep Antonio. Hij was blij dat die vandaal hem de kans gaf de opgebouwde spanning in zijn lijf te ontladen. Het was al over twaalven en de afgevaardigde had nog steeds niet gezegd of hij hem toestemming gaf om weg te gaan. Het is tegen de regels, Buonocore – stamelde hij – en ik ben een man van de wet. Alsof hij die niet makkelijk naast zich neerlegde als het hemzelf goed uitkwam! Dat verlof was van levensbelang, verdomme. En als die ijdele, langharige, egoïstische modepop het hem niet wilde geven, zou hij het evengoed nemen. Want hij zou de rest van de dag hoe dan ook niet met de afgevaardigde doorbrengen. Met haar. Met Emma, of niets. Hij greep die smerige vandaal vast – en aangezien die verbluft probeerde zich los te worstelen en vloekend verder wilde lopen naar Fioravanti – hield hij hem tegen door zijn neusring vast te pakken en hem naar de brandwerende deur te slepen. 'Wat wil je? Ben je gek?' jammerde Zero, verblind van pijn, bang dat de ring zijn neusgat zou openscheuren. Hij viel op de grond. De agent duwde hem naar buiten. Zero rolde over het grind, en toen hij probeerde overeind te krabbelen, nog altijd ongelovig, gaf de agent hem een schop in zijn rug, met een acrobatische beweging, als een vechtsporter, waardoor hij ademloos plat ging. 'Waag het niet om de afgevaardigde ooit nog eens aan te raken, smerig stuk vreten. Als je dat doet, maak ik je af,' dreigde hij. Hij klonk behoorlijk overtuigend.

Zero probeerde weg te kruipen onder de bus. De agent greep zijn voet vast. Hij bleef met de gymschoen in zijn hand staan. De andere agent – jong, met een gezicht als een misdienaar – rende op hem af en greep zijn elleboog vast. 'Laat hem met rust, Antonio, hou op. Beheers je, verdomme, je bent buiten zinnen!' Antonio probeerde zijn collega van zich af te schudden, hij duwde hem weg en schopte nog een keer tegen het lichaam dat ineengekrompen onder de bus lag, hij zag niets meer: alleen maar een massa hulpeloos vlees – weerloos. Op dat moment zag hij de parkeerplaats van de discotheek voor zich, en Emma op haar knieën in een plas water, achter de motor, met haar handen beschermend voor haar gezicht – en hij proefde de smaak van bloed in zijn mond.

Ineengerold op het zand wierp Zero een verbitterde blik op de hardhandige bewaker van zijn vader. Een donkere beer van een vent – helemaal kaalgeschoren, met een dik, driehoekig sikje, een aanzienlijke neus en uitzinnige ogen. Ondanks de pijn die zijn rug verlamde, kon hij geen hekel aan hem hebben. Een arme dienaar – trouw aan zijn baas, en niet eens uit dankbaarheid, of liefde, maar alleen uit plichtsbesef. Voor een salaris en een uniform. Hoe oud was hij? Hij droeg een trouwring. Hij was getrouwd, en hij had vast en zeker kinderen. Deze arbeider, familieman, zou zonder aarzelen de kogel opvangen die voor zijn vader bestemd was, hij zou zich boven op de bom werpen. Deze man kende geen twijfels – alleen gehoorzaamheid. Hij zou sterven, voor zijn vader. En hij was het niet waard. Zijn vader was een sympathieke onbenul. Hij had met de agent te doen.

Elio's secretaris kwam aanrennen. Geschokt, ongelovig. Hij stak zijn hand uit om hem overeind te helpen; Zero had het gevoel dat hij een nat doekje vastpakte. De agent stond als verdoofd met de gymschoen te zwaaien, alsof het een oneigenlijk wapen was, met een van walging vertrokken gezicht – al kon Zero niet zeggen of hij van hém walgde of van zichzelf. 'Buonocore, hebt u hem niet herkend?' vroeg Merlo, doodsbang dat hij de schuld zou krijgen van het incident. 'Hij is de zoon, als de afgevaardigde dit te horen krijgt hebt u een probleem... U moet onmiddellijk uw excuses aanbieden.' Maar Antonio bood nooit zijn excuses aan – hij had trouwens toch geen last meer van wraak of angst. Als Fioravanti een klacht tegen hem wilde indienen bij het ministerie, moest hij dat maar lekker doen, het kon hem allemaal geen zak meer schelen. Hij slingerde de stinkende schoen op het gras, stak hooghartig een sigaret op en zonder zich iets aan te trekken van de opvallende bordjes VERBODEN TE ROKEN op de wanden van de danszaal liep hij naar binnen en posteerde zich weer achter zijn hooggeplaatste persoon.

Platgedrukt tegen een veranderende puzzel die nu eens de Caraïbische eilanden uitbeeldde, dan weer de prairies en dan weer de diepten van de oceaan, met een koraalrif vol opzichtig uitgedoste vissen, bleef Elio almaar glimlachend met de voorzitster van de commissie staan praten over de opening van de wijkapotheek, om de gunstige indruk die zijn verhaaltjes hadden gewekt niet onderuit te halen door haastig naar zijn volgende afspraak te vertrekken – en hij probeerde te vergeten dat de onpersoonlijke stem van Elsa Benelli hem al voor de derde keer sinds vanmorgen had meegedeeld dat het haar erg speet, maar dat de president in vergadering zat. Hij lachte, maar hij stond duizend angsten uit. Hier stond hij, in de roze buik van een ordinaire danszaal, bezig zijn stembanden te verwoesten voor een handvol stemmen, huzarensalade en lasagne te verorberen om te laten zien hoe heerlijk de brunch was die hij zijn kiezers aanbood, en tussen nu en drie uur zou hij op nog vier plekken lunchen, waarbij hij elke keer zou doen alsof het de enige keer was. Hij zou zich volproppen als een gans, hij zou zijn lever verpesten, hij zou handenvol Alka Seltzer moeten slikken, een vinger in zijn keel moeten steken en overgeven in de plee van een vakbond, en het was allemaal zinloos: de president had hem laten vallen. Hij had hem opgeofferd.

Nu zag hij alles met gruwelijke helderheid. Maja had geprobeerd hem te waarschuwen, maar hij had niet naar haar geluisterd. Daarom hadden ze hem niet laten terugkeren naar het eersterangs district waar hij tijdens de verkiezingen van 1994 had getriomfeerd – met een bescheiden veertigduizend voorkeursstemmen en 47 procent van de stemmen. Mijn eigen district godverd... waar ik gebakken zat en verzekerd zou zijn van mijn terugkeer naar het Palazzo Montecitorio. Die mensen kenden me, ik ben geboren in Tomba di Nerone – ik ken elke steen van de Cassia, verdomme. Ze hebben me naar dit vervloekte district gestuurd – zesderangs, het was hier gewoon oorlog – met de smoes dat ik de persoonlijke kwaliteiten had, en de populariteit, dat die boerse huisvrouw niet eens in Rome is geboren. Lulkoek. Niemand is ooit door de Casilino heen gekomen, het is rood gebied – allemaal bolsjewieken. Die lui hier zouden ons aan een straatlantaarn ophangen als ze de kans kregen. En ik, sukkel die ik ben, geloofde ze. Maar ze hebben me in de val laten lopen. Ze hebben me genaaid. Hij hief zijn glas. Hij proostte met de weinige maar fortuinlijke aanwezigen, die hij bezwoer dat hij ze niet zou vergeten. Hij werkte heldhaftig nog een hap naar binnen. Pure mayonaise. Moorddadig cholesterol. Opgeofferd. Afgedankt als een oude pantoffel. Maar ik gun hem niet de lol dat ik knock-out ga, ik maak me nog liever van kant. Ik beklim de toren en gooi me naar beneden. Ik zal het toneel verlaten op een grandioze manier, de roemruchte vaderen van het oude Rome waardig, mensen die in staat waren hun aderen door te snijden en de dood af te wachten terwijl ze babbelden over de onsterfelijkheid van de ziel, die in staat waren zich een dolk in het hart te steken, zich in de vlammen te werpen. Cato van Utica. Cicero. Seneca. Ik zal het Romeinse trapje niet beklimmen. Nooit. Een groots gebaar is er nodig. Ik zal het plebs dat me vermoordt laten zien dat ook ik een oude Romein ben.

'Papa,' zei Zero zachtjes, terwijl hij naast hem kwam zitten. 'Wat moet je?' gromde hij hem toe. Beproefde preventietechniek. Als Aris hem papa noemde, betekende het dat hij om geld kwam bedelen. Hij gunde hem niet het genoegen zich een smeekbede te besparen. Het was de enige die hij kon verwachten in deze danszaal. Voor een politicus is er niets treurigers dan een verkiezingsbijeenkomst. Als je die eenmaal hebt overleefd, ben je voortaan tot elke laagheid in staat. 'Waaraan heb ik de oneer van je aanwezigheid te danken?' Zero voelde voorzichtig aan zijn neus – zijn neusgat gloeide alsof er een brandende peuk in was gestoken. Hij aarzelde, zich bewust van het feit dat hij al sinds de kerstvakantie niet bij zijn vader was geweest, en dat dat al meer dan vier maanden geleden was. Bovendien had hij zich niet zo netjes gedragen, op het oudejaarsfeest dat door Maja zo strak georganiseerd was als een top van de VN. Hij had te veel gedronken, hij had ruziegemaakt met de irritante fascistische weduwe van een minister, hij had vals gespeeld met het traditionele kaartspel, alleen omdat hij het leuk vond om het spel te bederven, hij had Maja in de keuken in haar hals gekust, voor de ogen van de vrome Navidad, en hij was er vóór twaalf uur vandoor gegaan, onder algehele afkeuring. Hij staarde een paar tellen naar het sombere gezicht van zijn vader – glimmend van het zweet, vuurrood. Als gehypnotiseerd zag hij de ene na de andere hap vette huzarensalade in zijn mond verdwijnen. Hij vond zijn inspanning om het eten eer aan te doen werkelijk bewonderenswaardig. Maar toen hij zag dat het al tien over halféén was, en wetend hoe ongeduldig en prikkelbaar Maja was, besloot hij ermee voor de draad te komen. Zonder omhaal. Hij boog zich naar hem toe en zei: 'Ik heb geld nodig.'

'Heb je je toelage niet ontvangen?' vroeg Elio, op bureaucratischer toon dan een bankbediende zou aanslaan. Op basis van de afspraken die hij met Ornella had gemaakt toen ze op goede voet waren gescheiden, maakte hij elke maand op tijd twee miljoen lire over aan zijn zoon. Een behoorlijk bedrag voor een student voor wie toch al alles betaald werd. 'Jawel, maar het is niet voor mij,' zei Aris. 'Het is voor vrienden.' 'Ken ik die vrienden?' vroeg Elio droevig. Zero schudde zijn hoofd. Elio slikte en staarde mistroostig naar de ring die in de neus van zijn zoon glom. Wat moet ik toch met die jongen aanvangen? Wat? Dat angstaanjagende wezen – die strijder van een stam die me de oorlog heeft verklaard.

Aris had hem echt de oorlog verklaard. Hij had voor de rechtbank moeten verschijnen op de dag dat ze hadden achterhaald dat de vandaal Zero, op heterdaad betrapt terwijl hij de rolluiken van het fastfoodrestaurant Planet Hollywood op de Piazza Barberini bekladde met beledigende teksten en jubelkreten over de wereldrevolutie, volgens zijn paspoort luisterde naar de naam Aris Fioravanti. Vertrouwelijke informatie, uiteraard – want afgevaardigde Fioravanti is altijd ontvankelijk geweest voor de eisen van de politie. De beschadiging is een ernstig delict, dat kan worden bestraft met maximaal een jaar opsluiting. Artikel 635 van het wetboek van strafrecht. Maar voor deze keer zou de jongen nog wegkomen met een berisping en zou hij niet worden aangeklaagd. Ze voelden zich echter verplicht hem te waarschuwen: Aris liep het risico zwaar in de problemen te komen. Kijkt u eens wat voor teksten hij door de hele stad rondstrooit:

NEE TEGEN DE MCWERELD. JE KOOPT DINGEN DIE JE NIET NODIG HEBT. JE BENT GEHOORZAAM. JE BENT EEN CONSUMENT. JE KOOPT ROTZOOI DIE NERGENS TOE DIENT. JE KOOPT EEN PAAR SCHOENEN VAN TWEEHONDERDDUIZEND LIRE ALLEEN OMDAT RONALDO ZE OOK DRAAGT. WEES ONGEHOORZAAM! WERP DE MCWERELD OMVER. ZEG NEE TEGEN DE UNIVERSELE CONSUMPTIEMAATSCHAPPIJ.

De jongen verkeerde in slecht gezelschap, hij ging om met een anarchistisch-communistische groepering, en terwijl hij zich verschuilde achter de bijnaam Zero verspreidde hij op internet materiaal dat op het randje van revolutionair en verdediging van de misdaad was. Elio had de agenten bedankt voor hun kiesheid – waarna hij, in de beslotenheid van zijn werkkamer, de teksten van die raaskallende Zero van begin tot eind had gelezen. Die verschrikkelijke woorden kende hij nog steeds vanbuiten.

Ik heb ervoor gekozen om eigenaar van niets en dienaar van niemand te zijn. Ik geloof dat een andere wereld mogelijk is, al zal het niet een wereld zijn waarin de staat goed en sterk is, maar een waarin er geen staten meer zijn, en het zal niet een wereld zijn waarin er betere leiders zijn, niet een waarin de onderdrukten het beter hebben, maar een waarin er geen onderdrukten en geen onderdrukkers meer zijn. Wat ik kan doen om die wereld te scheppen is strijden tegen de verkiezingspolitiek, het partijensysteem, de vertegenwoordigingsdemocratie – want als je het woord democratie gebruikt als een propagandistische formule maak je je meester van de macht en trek je die uit handen van het volk – en de reformistische alternatieven – omdat ze erop gericht zijn slechts oppervlakkige veranderingen door te voeren om het systeem te houden zoals het is. Ik zal medestrijders en bondgenoten zoeken, en als ik die niet vind ageer ik in mijn eentje. En als mijn acties tot niets zouden leiden, zal ik me enkel verbinden met de chaos. Met dat doel zal ik me wijden aan de klassenstrijd, de sabotage en beschadiging van de eigendom en aan de burgerlijke ongehoorzaamheid, en ik zal de verzetscultuur verspreiden, zo-

dat de staat en zijn vertegenwoordigers weten dat ze op geen enkel mo-
ment en op geen enkele plek veilig zijn.

Nu zat dat agressieve, onverzettelijke wezen naast hem, onder het
dolgedraaide licht van die glazen bol, hij voelde aan zijn rode, pijnlijke neus en eiste ook nog dat hij hem het geld gaf om hem en zijn
vriendjes te helpen – die hem op een dag misschien wel zouden
neerschieten. Aris met zijn paarse haar, met zijn piekerige vlechten als de prediker van een onbekende godsdienst. Aris doorboord
met vishaken, ringen en ijzeren kettingen, onherkenbaar en in feite ook onbekend – vastberaden en teruggetrokken en woest en geurend naar wiet en hond, naar grond en naar een hardnekkige zui-
verheid. Maar dat vreemde wezen is nog altijd mijn jongen, mijn
enige jongen.

'Is het voor je honden?' vroeg hij, alsof hij niet wist dat het om
de Battello Ubriaco ging – dat smerige hol, dat nest van niksnut-
ten, leeglopers en vandalen die andermans eigendommen kapot-
maakten. 'Ik moet voor ze zorgen, papa, ze worden vaak ziek, bij
Mabuse moet ik de kiezen laten trekken, hij heeft een abces gekregen. Wist je dat honden ook gebitsproblemen kunnen krijgen?'
Elio schudde zijn hoofd, dat wist hij niet. 'Ik zit eraan te denken
om op het platteland te gaan wonen, waar ik ze allemaal kwijt kan,
want ze passen niet meer in mijn huis. Zaterdag heb ik er weer een
gevonden, ze hadden hem in de Tiber gegooid in een zak vol stenen, zodat hij meteen zou zinken.' 'Hoe heb je hem dan gered?'
vroeg Elio, alsof hij zich interesseerde voor het lot van het zoveelste zwerfbeest dat zijn zoon had opgepikt. Het zoveelste zwerfbeest
dat Camilla's medelijden en liefde zou opwekken – die er zelf zo
graag eentje zou hebben – terwijl hij altijd een bloedhekel had gehad aan honden, die stomme viervoeters, even kwetsbaar en on-
derdanig als mensen, soms lijken ze zelfs meer op mensen dan dat
mensen op zichzelf lijken. 'Ik heb hem opgevist met een ijzeren
staaf,' legde Aris uit, verrast door zijn belangstelling. 'Hij was vast
komen te zitten tegen de boog van de Ponte Sublicio. Ik heb hem
naar de oever getrokken. Hij is ziek, weet je, ze hebben hem afgedankt omdat hij oud en verlamd is. Ik heb een karretje voor hem
gemaakt, een plankje op wielen, zodat hij zich kan verplaatsen. Hij
is heel dik en heel vrolijk. Ik noem hem Falstaff.' Elio deed zijn bril

af en wreef hem schoon met zijn servet. 'Mooi werk, wat je met die honden doet,' zei hij terwijl hij Aris een bijziende, weerloze blik toewierp. Hij wilde zijn erkentelijkheid niet verwerven. Hij wilde niets meer van die zoon van hem. Alleen maar dat hij niet crepeerde in het struikgewas langs de Tiber, met een naald in zijn arm. Dat hij niet in de bak belandde. Dat hij genoeg at, en een leuk meisje tegenkwam, dat hij gelukkig werd. Een beetje tenminste. 'Hoeveel heb je nodig?' vroeg hij, terwijl hij zijn chequeboekje tevoorschijn haalde uit de zak van zijn linnen broek.

Zero aarzelde. De bril had twee diepe rode moeten gevormd aan weerszijden van zijn vaders neus. Zonder brillenglazen ervoor leken zijn kleine pupillen ongewoon mat – bijna uitgedoofd. Toen waagde hij: 'Twintig', en hij werd rood. Het leek hem een gigantisch bedrag. Hij had nog nooit twintig miljoen lire bij elkaar gezien. Elio tekende met een krul, zonder er een woord aan vuil te maken. Zero beet op zijn lip, want dit ging wel heel makkelijk – hij had net zo goed dertig kunnen vragen, misschien zelfs vijftig, dan had zijn vader ook getekend. De cijfers, in donkere inkt, staken af op het felblauwe blaadje van de bank Credito Italiano. Lire: 20.000.000. Getekend: Elio Fioravanti. Zero hield zichzelf al geruime tijd voor dat je je ouders niet voor het uitkiezen hebt. Je wordt bij ze afgeleverd, als een cadeau of een kat in de zak. Je kunt hooguit vermijden dat je op ze gaat lijken, je kunt ze vermijden. En zelfs dat had hij niet gedaan. Hij zwoer dat hij zijn vader vandaag voor het laatst had ontmoet. Hij wilde niets meer met hem te maken hebben. Nooit meer die lange pinocchioneus van hem zien, nooit meer zijn verhaaltjes hoeven aanhoren, zijn beloften, zijn leugens.

Maar hij kon zijn blik niet afhouden van dat bedrag – het had een bijna magnetische aantrekkingskracht op hem. Hij vroeg zich af wat een andere drieëntwintigjarige student in zijn plaats zou hebben gedaan. Hij zou een auto kopen. Een crossmotor. Poldo zou een wereldreis gaan maken. Als hij in een slaapzak sliep en meeliftte met vrachtwagenchauffeurs kon hij wegblijven tot hij grijs was geworden. Een ander zou een gitaar kopen, een vleugel, een videocamera en een digitaal fototoestel, een dure pc om zijn eigen muziek op te nemen. Pas op dat moment begreep hij dat het meest walgelijke van dat blauwe papiertje niet de handtekening van de rekeninghouder was. Het was de naam van de begunstigde: Aris Fioravanti. Tot vandaag was hij ook Aris Fioravanti geweest. Hij had zich niet van hem kunnen ontdoen. Hij zat in hem verankerd, en ook die ander was zijn vijand. Maar ik ben die ander niet. Ik ben ik. Dat geld is niet van mij. Het is nooit van mij geweest. Ik spuug op jullie geld. Op dat moment was hij bang dat Elio van gedachten zou veranderen, of zou beseffen wat hij had gedaan.

'Wil je mij het plezier doen om samen met me te lunchen in deze gezellige danszaal?' vroeg Elio terwijl hij zijn bril weer opzette. 'Nee, papa,' antwoordde Zero, en hij stond op, 'ik heb een afspraak.' 'Ik snap het al,' zei Elio bitter. 'Iedereen is belangrijker dan je vader.' Zero knikte, hij greep de cheque en stopte hem weg in zijn sweater.

dertiende uur

'Nee, nee, nee, ik wil niks!' protesteerde Kevin terwijl hij wanhopig naar de deur van het Paradiso dei Bambini keek – waar de verkoopster zich geposteerd had, alsof ze elke uitweg voor hem wilde
afsnijden. Waarom hadden ze hem nu weer opgesloten? Wat had
hij misdaan? Maja wierp de eigenares een verstrooide glimlach toe,
die gedienstig achter de toonbank stond waarop ze het beste van
de nieuwste collectie van Pitti Bimbo had uitgestald: katoenen ma-
trozentruitjes met horizontale streepjes, linnen broeken en pand-
jesjassen. Toen zag ze een feestelijke smoking – die ze, in haar sas
met haar goede smaak, combineerde met een geborduurd wit over-
hemdje. Ze kon Kevin Buonocore immers niet in het Palazzo Lancillotti laten verschijnen in een trainingspak – weliswaar van een
merk, misschien nep, maar misschien ook echt, want onbemiddel-
de mensen liggen krom voor hun kinderen en kopen alles voor ze
wat ze vragen, waarschijnlijk om hun schuldgevoel te sussen omdat ze ze niet het leven kunnen bieden dat ze zouden willen. Het
was hoe dan ook een verschoten trainingspak en nog behoorlijk
smerig ook. Je kunt wel zien dat er niemand naar dat ventje om-
kijkt. Dat krijg je als allebei de ouders werken. Maar Camilla overkomt dat niet. Er is altijd iemand die voor haar zorgt. Trouwens,
het gaat om de kwaliteit van de tijd die ik met haar doorbreng. Als
ze later groot is, zal ze dat begrijpen. Ze zou niet weten wat ze
moest beginnen met een gefrustreerde, ongelukkige moeder. Toen
ze me op tv naast Hillary Clinton zag was ze zo trots op me. Als
Kevin Buonocore dan per se moest komen, zou hij er in elk geval
toonbaar uitzien. Dat wil zeggen, net zoals de rest. Hij zag er zo
gek uit, met die pleister op zijn oog, arm kind, hij zal zich wel heel
ongelukkig voelen. Hij lijkt helemaal niet op zijn gemak. 'Pas deze eens, Kevin, en zeg maar of het de goede maat is.' Ze twijfelde

over de maat. Buonocore junior zag er een beetje pafferig uit. Te veel friet. Te veel middagen in zijn eentje voor de tv. 'Nee,' zei Kevin bezorgd, en toen trok hij haar aan haar elleboog en dwong haar zich naar hem toe te buigen. Hij bracht zijn mond naar haar oor en wilde fluisteren: ik heb geen geld. Maar toen zijn lippen de ijskoude parel van mevrouw Fioravanti beroerden, durfde hij niet meer.

Hij staarde naar de zwarte broek van de smoking en het prachtige jasje en het witte overhemd met de reliëfborduursels en de glanzende schoentjes die de eigenares van de winkel uit de doos had gehaald – en hij wilde ze dolgraag hebben. Camilla glimlachte. Sinds ze haar geheim had durven onthullen, was die wijsneuzige, triomfantelijke grijns niet meer van haar gezicht verdwenen. Zij was triomfantelijker dan hij, eerlijk gezegd. Kevin had het idee dat hij een beetje in de val zat. Eigenlijk wist hij niet wat het nieuwtje precies inhield. Maar hij had niet om uitleg gevraagd, anders zou ze weten dat dit de eerste keer was dat het hem overkwam. Hij had besloten dat hij alles zou doen wat zij besloot, dan wist hij zeker dat hij geen fout zou maken. Mevrouw Fioravanti leunde vermoeid op de toonbank. Misschien voelde ze zich niet goed. Ze was lijkbleek. De eigenares van het Paradiso dei Bambini keek nadrukkelijk op haar horloge. Vooruit, het was één uur, ze moest sluiten, sterker nog: ze zou allang hebben gesloten als zij niet binnen waren gekomen – vreselijk, die besluiteloze moeders, wat een gezeur, wat een verschrikking, wilde ze die stomme smoking nou kopen, ja of nee?

Maja pakte de tegenstribbelende Kevin bij zijn hand en leidde hem naar het pashokje. Ze bekeek zichzelf in de spiegel. Van opzij leek het of je het al kon zien. Ach nee, onmogelijk, het was nog zo klein als een pink. 'Wat is er, vind je hem niet mooi?' 'O, jawel, mevrouw Fioravanti,' verzekerde het jongetje haar zachtjes. 'Pas hem dan aan, waar wacht je op?' 'Maar ik kan niet,' mompelde Kevin bedroefd, 'we hebben geen geld, p-p-papa betaalt geen alimentatie.' Camilla vroeg zich af wat alimentatie was. Vandaag met Kevin had ze een heleboel nieuwe woorden geleerd: condoom, aarsklier, baret en alimentatie. Van haar andere vriendjes leerde ze niets. Ze was ontzettend nieuwsgierig wat al die woorden betekenden. Vooral condoom klonk heel opwindend. Con-doom, condoom. Waar is het voor? Kevin zegt dat zijn moeder condooms in haar tas heeft.

'Maar schatje,' lachte Maja vertederd, 'hoe kom je erbij! Jij hoeft die smoking niet te kopen, dat is een cadeau van Camilla.' Ze duwde hem het pashokje in, en aangezien Kevin bleef treuzelen, begon ze zijn jack open te ritsen. Dus die geweldige Antonio Buonocore – altijd nauwgezet, altijd stipt – betaalde geen alimentatie voor zijn kinderen. Wie had dat gedacht? Wat een rotstreek om je op je kinderen af te reageren. Maar misschien was het gewoon een smoesje van hun moeder, om ze tegen hem op te zetten. Kinderen moeten buiten de oorlogen tussen ouders worden gehouden, maar ze worden er juist door gegijzeld. 'Wie heeft je dat van die alimentatie verteld, je moeder?' vroeg ze verontwaardigd. Kevin liet zich zijn jack uittrekken. Hij wist niet wat hem overkwam. Misschien kreeg hij nieuwe kleren omdat hij de bruidegom van de jarige was? Maar hij moest wel voorkomen dat mevrouw Fioravanti hem uitkleedde. Het elastiek van zijn onderbroek lubberde. En misschien was de brandplek van het rotje nog te zien op zijn billen.

'Nee, ik h-h-heb gehoord dat oma dat z-z-zei tegen oom Fausto,' fluisterde hij, terwijl hij de aanval van mevrouw Fioravanti probeerde af te weren. 'Oma is b-b-boos op mama omdat p-p-papa geen cent dokt het kan hem niks schelen en kinderen zijn duur en oma moet haar hele pensioen opmaken. Oma h-h-haalt haar pensioen op bij het postkantoor en ze wil nooit zeggen op welke dag omdat ze b-b-bang is dat mama om een l-l-lening vraagt.' 'Heeft je moeder dan geen werk?' vroeg Maja, geïrriteerd door het idee dat Camilla door dit soort praatjes zou gaan denken dat vrouwen economisch afhankelijk zijn van mannen en zich niet alleen kunnen redden. Zij zou zich best kunnen redden zonder Elio. Met haar professionaliteit, met haar perfecte beheersing van de Europese talen, zou ze zich kunnen laten overplaatsen naar het Europees Parlement in Straatsburg, naar de Verenigde Naties. Ze had ervan afgezien omdat ze haar gezin bijeen wilde houden, en al jaren werkte ze alleen als de ministers van de VN of de vrouwen van presidenten Rome aandeden. Maar Camilla was inmiddels groot genoeg om af en toe zonder haar te kunnen. Ze moest het er eens met Elio over hebben.

'Ja, ze heeft wel werk,' haastte Kevin zich uit te leggen, 'm-mmaar oma zegt dat het minder betaalt dan schoonmaken het is zonde van al het g-g-geld dat ze heeft uitgegeven om haar te l-l-laten studeren, oma schaamt zich omdat de bank mama opbelt om te waarschuwen dat ze rood staat. Maar d-d-daar kan mama n-n-niks aan doen,' voegde hij er opgewonden aan toe, bang dat hij een slechte indruk van haar had gegeven. 'Ze wil wel werken, maar als de m-m-mensen niet b-b-bellen verdient ze niks.' 'Wat voor telefoontjes zijn dat?' vroeg Maja, die de vrouw van Buonocore meteen voor zich zag terwijl ze schunnige taal de hoorn in slingerde om een seksmaniak op te winden. Dat was nou echt een geschikt baantje voor een vrouw als zij. Gedurende één grillig, onbehoorlijk moment was ze jaloers op haar. De officiële toespraken die zij moest tolken waren zó saai. Ze vond ze zo nietszeggend en droog en nutteloos dat ze er mistroostig van werd, en soms was ze bang dat ze erdoor was besmet en dat ze niet meer normaal kon praten, niks meer kon zeggen wat betekenis had. 'Ik w-w-weet niet,' antwoordde Kevin. 'Mama praat n-n-nooit over haar w-w-werk. Oma zegt dat sommige b-b-banen in haar t-t-tijd nog niet bestonden, en zij v-v-vindt aan de telefoon praten nog steeds net zo eng als praten t-t-tegen de doden in het hiernamaals.' Maja hing het trainingsjack aan het haakje en wilde zijn broek omlaagtrekken. Wat zijn jongetjes toch houterig en fragiel. De gynaecologe zegt dat dit er ook een is. O god, ik wil er vandaag niet aan denken.

Ze trok zich plotseling terug. 'Kleed je zelf maar verder uit, pas alles aan en laat dan zien hoe je eruitziet,' zei ze haastig tegen het jochie, dat als verlamd was van schaamte omdat hij die elegante mevrouw Fioravanti had verteld over het pensioen, over oma Olimpia en over mama die de telefoon opneemt. Misschien had hij beter kunnen zeggen dat mama op sommige middagen bejaarden gezelschap hield. Ze las hun boeken voor en vroeg of ze over vroeger wilden vertellen. De bejaarden van mama waren heel voornaam. Eentje was een priester, en de laatste was een generaal, maar dan wel gepensioneerd, met blauw bloed, want zijn voorvaderen brachten de paus zijn pantoffels. Dat andere baantje was beter geweest, maar nu was het al te laat.

Maja trok het gordijn van het pashokje dicht. Ze deed of ze belangstelling had voor de andere kledingstukken die op de planken lagen en pakte een jurkje van gebloemde tule op. Toen legde ze het weer terug, maar ze draaide zich niet om, om de blik van de eigenares van de boetiek te mijden, wie geen woord was ontgaan en die razend nieuwsgierig was over wie ze het hadden. Iemand die zij kende? Met een dubbelleven? Wat spannend. Ineens walgde Maja van het hele verhaal van de alimentatie, de telefoontjes en de financiële problemen van de vrouw van Buonocore. Camilla moest niet met Kevin omgaan. Camilla moest dit soort dingen niet te weten komen, en ze wist ze ook niet – haar serene, beminde, gelukkige meisje. Wie weet hoeveel akelige dingen dat jochie haar nog meer verteld heeft. Camilla zal zich rotgeschrokken zijn. Straks denkt ze dat het gezin een leugenachtige hel is en het leven een en al ordinaire chantagepraktijken. Maja staarde weemoedig door de winkelruit naar het uitnodigende trottoir. Ze wilde het liefst meteen naar huis rennen. Wat deed ze hier, in een pretentieuze kindermodezaak, bezig haar tijd te verdoen met het schele zoontje van Antonio Buonocore? Dat joch stond al minstens vijf minuten in dat hokje. 'Waar blijf je nou?' schreeuwde ze bijna. 'Schiet toch eens op!' En toen, wat vriendelijker, want je moet vol begrip zijn voor arme lelijke kinderen die door hun vader in de steek zijn gelaten: 'Ben je klaar, Kevin?'

'De schoenen n-n-niet,' zei Kevin. Hij was halsstarrig. Met geen mogelijkheid kon hij worden overgehaald om ze te passen. Hij zei alleen dat hij maat 33 had en dat ze zeker zouden passen. Maja stond erop dat je geen schoenen koopt zonder ze te passen, maar niks ervan, en uiteindelijk zei ze maar tegen de eigenares dat ze alles nam: de kleine smoking, het vlinderdasje, het geborduurde witte overhemd en ook de schoenen. 'Houdt hij alles aan?' vroeg de eigenares, terwijl ze verbluft naar de kaartjes keek die aan Kevins nieuwe pak bungelden. 'Ja,' antwoordde Maja, met haar blik op de groene cijfers die op de kassa knipperden. Het leek haar een schrikbarend bedrag. Deze winkel was echt schandalig duur. Hoe kun je nou zoveel uitgeven aan kleren die een kind hooguit drie keer zal dragen? Ik kom hier nooit meer, bij die dievegge die profiteert van het moederinstinct. Wat is het voor dag? Hoeveel heeft ze nog op haar creditcard staan? Gisteren had ze negenhonderdduizend lire betaald bij Prada voor haar jurk – ze kon toch zeker geen feest geven en dan in een jurk verschijnen die men al eerder had gezien? Haar geld is opgegaan aan de – torenhoge – huur van het Palazzo

Lancillotti, de clown, de catering en het animatieteam. En de banketbakker. Wat een ellende om op 4 mei al de limiet van American Express overschreden te hebben, met de hele maand nog voor de boeg. Elio zou woest zijn. Ach nee, Elio kon het niets schelen. Elio dacht de laatste tijd maar aan één ding. Ze begreep niet waarom hij ineens niet meer genoeg had aan zijn kantoor, noch aan zijn rechtenstudie of zijn cliënten. Voorlopig moest ze hem even met rust laten. Maar op 14 mei zou ze er met hem over praten. Na Elio's herverkiezing moest ze beslist haar eigen leven ter hand nemen. Dertig jaar: ze was nog niet eens op de helft, als de statistische levensverwachting van een Italiaanse geboren in de jaren zeventig tenminste werd gerespecteerd. De volgende dertig zouden de beste worden. Ze zou niet meer dezelfde fouten maken, en evenmin dezelfde compromissen accepteren. De volgende dertig jaar zou ze van elk moment genieten. Ze zou proberen alles te realiseren wat ze altijd had uitgesteld. Het is tijd. Het is tijd.

Ze zei tegen de eigenares dat ze alles maar op haar rekening moest zetten, omdat ze haar creditcard was vergeten en morgen terug zou komen. De eigenares slikte – lijkbleek, maar ze durfde niet te protesteren. Mevrouw Fioravanti had voor zevenhonderdduizend lire gekocht en ze zou hoe dan ook wel een keer betalen. Wat een smerige spelletjes speelden die miljonairs toch altijd. Wat een tijd. Kevin paradeerde trots voor de spiegel heen en weer. Zo te zien vroeg hij zich af of hij echt die zwarte pinguïn was. 'Je lijkt de Kleine Prins wel,' zei Maja, aangenaam verrast door zijn metamorfose. 'O ja,' riep Camilla instemmend. Kevin glimlachte. Hij wou dat mama kon zien hoe hij was veranderd van een kikker in de Kleine Prins, maar mama was er niet. En ze zou niet op het feest komen. Ineens leek zijn charmante verschijning volkomen zinloos. Maja nam de kinderen bij de hand. Kevin zwaaide met de tas van het Paradiso dei Bambini waarin hij zijn windjack en zijn oude trainingspak had gepropt, en ook zijn onderbroek, want die lelijke onderbroek mocht zijn nieuwe pak niet besmetten.

Ze liepen richting huis, haastig omdat mevrouw Fioravanti wel achtervolgd leek te worden. Camilla oefende het vreemde woord zachtjes voor zich uit – condoom, condoom – en bezweek uiteindelijk voor de verleiding om de betekenis ervan te achterhalen, waarbij ze als enige reactie een geschokte blik van mama kreeg en een bozige sneer: 'Dat is niks voor jou.' Kevin was opgelucht omdat hij had gewonnen: hij had zijn schoenen niet uitgetrokken. Hij had de verwaande prinsessen Fioravanti niet laten zien dat er een gat ter grootte van zijn grote teen in zijn sok zat, dat mama niet had gestopt omdat ze dat soort dingen altijd vergat. Toen bedacht hij dat hij de smoking vanavond na het feest zou moeten teruggeven en dat mama hem niet zo te zien zou krijgen, zo mooi als de Kleine Prins, en ineens werd hij verdrietig en voelde hij een brok in zijn keel.

Ze sloegen een verlaten straat in, waarvan het leek of er niemand woonde. Op het witte marmer van het bord dat op de paal gespietst was, stond: VIA MANGILI. Er heerste een doodse stilte, en alleen de brutale kraaien riepen naar elkaar van de ene tak naar de andere. De pollen dwarrelden in wattige wolkjes door de lucht, als plukjes suikerspin. Het was net of ze niet meer in Rome waren. Langs beide kanten van de weg, achter gesloten hekken en hooghartige ceders, verrezen oude villa's, van twee of drie verdiepingen, met geurige tuinen eromheen. De villa's waren niet grijs en afgebladderd zoals alle andere huizen van Rome. Ze waren bruin, hemelsblauw, of geel. Mevrouw Fioravanti bleef staan voor de meest indrukwekkende villa, die lichtroze gestuukt was. Het moest geweldig zijn om hier te wonen. Toen het automatische hek openging, zag Kevin twee blote vrouwen van steen die zich knipogend vooroverbogen en kennelijk zonder inspanning een balkonnetje ondersteunden. Mevrouw Fioravanti rommelde in haar tas naar haar sleutels. Ze haalde een dikke bos tevoorschijn die vast minstens een kilo woog en zocht even naar de juiste sleutel, die ze vervolgens in het slot van de geblindeerde deur stak, waarbij ze vergat het alarm af te zetten, dat met veel kabaal afging. In de hal stond een hutkoffer van bewerkt hout en een wit-met-blauwe Chinese vaas en een leren tas vol golfsticks. De hal was groter dan het appartement van oma Olimpia. In de kleine lift bekleed met spiegels miste Kevin mama ineens heel hevig, en hij moest zichzelf in de arm knijpen om niet in huilen uit te barsten.

'H-h-hoe laat?' mompelde hij tegen mevrouw Fioravanti die een vluchtige blik in de spiegel wierp, langs haar lippen likte en haar pony recht streek. 'Wat?' antwoordde Maja afwezig, terwijl ze zich bezorgd afvroeg of de nieuwe, gewaagde coupe van Michael haar echt jonger maakte. Een dreigend uitziende, stinkende jongen met paars haar en een ring door zijn neus kwam op hen af stormen toen de liftdeur openging, en in plaats van dat mevrouw Fioravanti geschrokken begon te gillen door die angstaanjagende verschijning, wierp ze zich in zijn armen. En daar bleef ze liggen, half in katzwijm – en ze gaf geen antwoord toen Kevin haar gekweld vroeg: 'Hoe laat moet ik de smoking terugbrengen?'

Ter attentie van afgev. adv. Elio Fioravanti

4 mei
Geachte advocaat,
excuses voor mijn handschrift maar ik schrijf op mijn schoot. Wees niet verbaasd dat ik u schrijf, ik maak niet makkelijk vrienden. Ik vertrouw dan ook op u en ik weet dat u mijn wil zult respecteren.
Na de dood van mij en mijn vrouw vraag ik u om de voogdij te nemen over onze kinderen Valentina en Kevin, totdat Valentina meerderjarig is. U bent een belangrijk persoon en u hebt veel contacten, zodat ze een makkelijker leven zullen krijgen. U moet absoluut voorkomen dat ze worden toevertrouwd aan de moeder van mijn vrouw, want dat is een zeer ordinaire, bemoeizieke en domme vrouw.
Ik verzoek u erop toe te zien dat mijn kinderen mijn pensioen als hoofdagent ontvangen (ik heb eenentwintig jaar bij de politie gewerkt en ik heb een eervolle vermelding gekregen, doet u een goed woordje voor me, ook al kom ik een paar jaar tekort voor een volledig pensioen, u hebt er verstand van en ik kan niet meer wachten).
Mijn bezittingen zijn:
– appartement op de Via Carlo Alberto 13, mijn eigendom, ook al heb ik de hypotheek nog niet helemaal afbetaald (ik moet nog ongeveer honderd miljoen lire, strijk met uw hand over uw hart, voor u is dat peanuts)
– Fiat Tipo uit 1992 (ca. 150.000 kilometer op de teller, er zit een deukje in het voorportier, maar de motor is goed)
– 5 pistolen van Italiaanse en buitenlandse makelij (1 Springfield Armory 1911-A1 mod. Mil Spec kaliber 45 Acp; 1 Taurus mod. PT 92 kaliber 9x21; 1 Bernardelli mod. Po10 met noten kolf; 1 Sig Sauer halfautomatisch P230 Inox Sl kaliber 9 kort; 1 Mauser Luger met zware loop kaliber 22 lr); 1 revolver Smith & Wesson Mod. 19 kaliber 357

magnum met 4-inch loop en gebruineerde afwerking uit 1956
– 3 geweren, waaronder 1 Izhmash halfautomatisch mod. Tigr kaliber
7.62 x 54 R met afneembaar vizier op verstelbare richel; 1 Remington
11-87 mod. 1100 kaliber 12/89 halfautomatisch met gladde loop; 1 AK
47 Kalasjnikov met inklapbare kolf – maar die bezit ik illegaal

Ik heb de wapens altijd zorgvuldig behandeld en ze zijn in uitstekende staat,
dat kan elke wapendeskundige bevestigen. Verkoop ze om de aanschaf van
mijn graf te bekostigen, want ik wil begraven worden op het kerkhof van
Santa Caterina, en zorg dat mijn vrouw Emma naast me komt te liggen.
Ik wil deze tekst op de grafsteen:

ALS MET EEN PLOEG DE ZEE DOORKLIEVEND
ZULLEN WE OOK IN DE IJSELIJKE STROOM DER LETHE
NIET VERGETEN
DAT DE AARDE ONS TIEN HEMELEN HEEFT GEKOST.

Het zijn regels van een Russische dichter, ik weet niet meer welke.

Ik laat de Tipo na aan mijn ouders, ik heb altijd van ze gehouden en ik
bedank ze voor alles en ik hoop dat ze me vergeven. Ik wil ze verzoeken
om tien jaar lang telkens op 4 mei een mis aan me te laten opdragen.
Ik wil nadrukkelijk verklaren dat ik gezond van geest ben en dat ik ver-
licht ben toen ik vanmorgen met u naar die kerk ging. Ik voel de rust
van de gerechtigen in mij.
Ik wilde twee dingen doen in het leven: anderen beschermen en de orde
handhaven.
Ik heb mijn plicht goed gedaan. Ik heb met veel passie de staat gediend
maar de staat heeft mij niet gediend.
Ik wil geen scheiding. Maar daar trekt niemand zich iets van aan. Dus
moet ik zelf de wet maar maken. Ik kan het niet accepteren, want het
gezin is het hoogste doel in het leven van een man aangezien hij anders
een last als een steen is voor de aarde, zonder vruchten of afstammelin-
gen na te laten, en u bent degene die dat een keer gezegd heeft toen we
het erover hadden, misschien weet u dat nog.
We hebben gefaald, dus is het mijn plicht om elk spoor van mij en mijn
vrouw van deze aardbol uit te wissen omdat we een grote vergissing zijn
en we er allebei schuld aan hebben. Maar vooral zij, ze is een egoïstische

en ondankbare vrouw en ik heb twaalf jaar met haar geleefd plus de ja-
ren dat we verloofd waren, dus ik kan het weten. Maar ik vergeef haar
alles, en ik vertrouw haar toe aan de liefde van God.
Geloof niets van wat ze over me zullen zeggen, want ik heb het altijd ge-
daan voor haar bestwil en voor dat van onze kinderen. Geloof ook niets
van wat ze over Emma zullen zeggen, en denk aan ons zoals we vóór
vandaag waren, toen we nog gelukkig waren.

Ik dank u voor de moeite die u namens mij zult doen, maar dat heb ik
ook wel verdiend na al die jaren waarin ik u altijd overal heb gevolgd,
en het was hoe dan ook een goede baan voor me om u te beschermen ook
al is er volgens mij niemand die u echt wil vermoorden, want als iemand
echt een moord wil plegen doet hij het ook, en dan is er niets of niemand
die hem kan tegenhouden.
Ik wens u heel veel succes met de verkiezingen, ik hoop dat u terugkeert
in het parlement en dat u de wetsvoorstellen over de beperking van het
vuurwapenbezit zult laten intrekken want daarmee lopen we ontzettend
achter in Italië.

Van harte de uwe,
Buonocore Antonio
hoofdagent

Antonio schreef de brief zittend in de blauwe auto, terwijl advocaat en afgevaardigde Fioravanti probeerde de winkeliers van Casilino voor zich te winnen, in het verenigingsgebouw. Hij kocht een
postzegel (snelpost, 1200 lire) en een envelop (150 lire) bij de ta-
bakszaak in de Borgata Finocchio, terwijl Elio naar de president
belde en de secretaresse bezwoer dat hij zeer ernstige en dringende redenen had om hem meteen te moeten spreken. Tegen Romeo,
die vroeg wat hij in vredesnaam allemaal zat te schrijven – hij had
hem nog nooit met een pen in de hand gezien –, verklaarde hij dat
het om een eigendomskwestie ging. Als er iemand doodgaat krijg
je altijd een hoop ellende als de dingen niet duidelijk zijn, en uiteindelijk schieten de eerlijke mensen erbij in, en de kinderen. De
ander vroeg hem verstrooid wie er dood was. 'Twee mensen die ik
goed heb gekend,' antwoordde Antonio achteloos, waarna Romeo
verder ging met kruisjes zetten op het formulier van de Superane-

lotto en vroeg of hij het lot met hem wilde delen. Antonio zei ja.

Vervolgens las hij de brief nog eens over en corrigeerde hem terwijl hij op de afgevaardigde wachtte voor het Centrum voor Ouders en Gezinnen in de Pigneto. Eigenlijk had Fioravanti al tegen hem gezegd dat hij wel weg mocht, maar Antonio wilde zijn plicht tot het laatst volbrengen en zeker weten dat hij hem in goede handen achterliet. Bovendien wilde hij een goede indruk achterlaten, anders zou hij de voogdij over zijn kinderen misschien niet accepteren, en hij wilde zijn kinderen ook in goede handen achterlaten. Alles moest in orde zijn – ook als hij er zelf niet meer zou zijn om daarvoor te zorgen.

Toen hij de brief voor de tweede keer overlas, had hij het idee dat de grammatica niet helemaal klopte en dat sommige dingen onduidelijk waren, hij vond dat hij de motieven voor zijn daad niet goed had uitgelegd, maar hij bedacht dat niemand het toch echt zou kunnen begrijpen en dat hij het sowieso niet beter zou kunnen doen, want hij was nooit goed geweest in schrijven, in tegenstelling tot Emma, die hem bedolf onder de liefdesbrieven en verzen van Russische, Franse en Duitse dichters die ze voor hem citeerde in de tijd toen ze van elkaar hielden zoals niemand ooit van een ander gehouden heeft, terwijl hij geen woorden kon vinden om haar te zeggen hoe belangrijk ze voor hem was, maar hij liet het merken met zijn daden. En nu nog steeds. Dus stak hij het blaadje in de envelop en plakte die dicht met wat spuug.

Op de brievenbus van Torre Gaia was een wit-met-blauwe sticker geplakt. Er stond op dat de post wordt gelicht om 11.00 uur en om 17.00 uur. Snelpost wordt binnen vierentwintig uur bezorgd. Advocaat Fioravanti zou de brief morgenmiddag ontvangen, of op z'n laatst maandagochtend. Antonio had vertrouwen in de Italiaanse posterijen en in de afgevaardigde. Alles zou gaan zoals hij het had gepland. Fioravanti zou de voogdij over Valentina en Kevin accepteren. En hij zou voor eeuwig naast Emma slapen. En als er iets is, aan gene zijde, als er een nieuw leven is, dan zou hij dat niet verspillen.

Maar terwijl hij de brief in de gleuf duwde, zag hij als in een visioen het beeld van Emma voor zich. De herinnering aan alles. En het allerlaatste sprankje hoop. Vanmorgen aan de telefoon had hij Emma's stem horen trillen. Stel dat ze hem nog steeds wilde, zonder dat ze het zelf besefte? Stel dat ze door een wonder, door spijt, wie zal het weten – dat alles haar ineens duidelijk werd, dat ze weer bij elkaar kwamen, wat moest hij dan tegen afgevaardigde Fioravanti zeggen? Hij kon in elk geval nog wel wachten tot de lichting van 17.00 uur. Dus in plaats van in de brievenbus van Torre Gaia stopte hij de brief in zijn zak. Het was 13.40 uur.

MIDDAG

veertiende uur

Om twee uur verstopte het verkeer de aderen van Rome als trombose. De wegen waren net rivieren waarin alles was vastgelopen. In de auto's, heen en weer geslingerd door plotselinge schokken, waren duizenden mensen in beweging zonder dat ze ergens heen gingen. En Aris en Maja – verzegeld in haar Smart, een blauw-met-zilveren blikje vol Arbre Magique-vanillegeur – waren een rood bloedlichaampje tussen miljoenen andere in deze verstopte bloedbaan, optrekkend en stoppend tussen een verkeerslicht en een kruispunt, van de Viale Tiziano tot de Lungotevere, van de ene tot de andere oever van de rivier. 'Waarom gaan we naar dat huis op de Aventino kijken?' vroeg Aris. 'Voor een vriendin,' antwoordde Maja, en om van onderwerp te veranderen informeerde ze welke activiteiten een kraakpand zoal organiseerde. Aris had haar er nooit over verteld.

'We hebben bijvoorbeeld een polikliniek geopend voor buitenlanders die geen toegang hebben tot de openbare gezondheidszorg.' 'Wat goed,' reageerde Maja. 'We geven ook avondcursussen Italiaans voor immigranten.' 'Ook prachtig. Maar naar mijn bescheiden mening zouden jullie wel onderscheid moeten maken tussen de legale immigranten en de illegalen.' 'We zijn allemaal illegalen,' zei Aris. Maja schudde haar hoofd. Ze waarschuwde hem voor die typisch jeugdige illusie. Een soort sociaal geëngageerd en politiek-correct populisme waarmee Aris beslist was besmet. De verschoppelingen, de simpele zielen, de zogenaamde onderdrukten zijn niks beter dan de zogenaamde rijken. Het idee dat de onderdrukten goed zijn en de anderen slecht is vreselijk hypocriet – een leugen. Zij wist één ding zeker: mensen zijn in hun complexiteit allemaal even weerzinwekkend, opportunistisch en potentieel crimineel. Het menselijk ras is verdoemd, alleen het individu kan zich redden. Aris had helemaal geen zin in een steriele sociale discussie met haar, en hij praatte er gauw overheen. Toen hij plotseling moest remmen, schoten ze naar voren, en stootte Aris tegen een witte envelop die in het portier tussen het stratenboek en de parkeerschijf zat gestoken.

'We doen ook leukere dingen. Zoals concerten, feesten.' 'En dansavonden? O god, ik ben al zo lang niet meer wezen dansen... Je zult het niet geloven, maar ik ben gék op dansen.' Ze beklemtoonde het woord 'gek' met een nadruk die Aris nogal overdreven voorkwam. Maja moest ineens denken aan Camden Palace – een superalternatieve discotheek die was gevestigd in een bouwvallig theater in een arbeiderswijk van Londen, waar ze regelmatig was geweest. 'Welke muziek is tegenwoordig in?' 'Hiphop. Techno. Ragga. House,' zei Aris. Zij was blijven steken bij dark wave. Aan het eind van de jaren tachtig droeg iedereen kanten kleding en had iedereen zware zilveren kruisen om de hals en een kapsel als dat van Brian Ferry. Zij had driehonderd kilometer met de bus gereisd om naar een concert van Dead Can Dance te gaan. Ze speelden lugubere nummers, vreselijk romantisch. Wie weet wat er van hen geworden was. 'We draaien ook films,' zei Aris, bezorgd omdat Maja er dromerig het zwijgen toe deed. 'We hebben een festival over vampiers georganiseerd. Morgen draait *Bram Stoker's Dracula*, van Coppola dus.' 'Vampiers? Hebben jullie je op de commerciële film gestort?' vroeg Maja verbaasd. Aris had een boycot ingesteld van Amerikaanse films. Volgens hem waren audiovisuele middelen de tweede industrie van de Verenigde Staten, na de wapenindustrie, en aangezien de economie de enige indicator van waarheid is in de hedendaagse maatschappij, wil dat zeggen dat ook audiovisuele middelen een zeer krachtig wapen zijn – net als de atoombom. Amusementsfilms zijn namelijk een vorm van hersenspoeling voor de volkeren van de westerse wereld. De Verenigde Staten dumpen hun films hier in groten getale en daardoor maken ze het andere filmindustrieën onmogelijk om zich te ontwikkelen en alternatieve manieren van leven te verspreiden. Dat is toch logisch? Hij nam haar altijd mee naar Uzbeekse, Palestijnse en Mexicaanse films – die ze eerlijk gezegd somber vond, elliptisch en onbegrijpelijk. 'Je moet eens een boek van me lenen van Caleb Cohen. Hij doceert massapsychologie aan Berkeley. Hij heeft een artikel geschreven over wat wij verontrustend vinden. In wezen beweert hij dat vampiers gemarkeerd zijn door hun anders-zijn – slachtoffers van vooroordelen en gehaat omdat ze gevreesd zijn, gedwongen om zich te begeven onder mensen die ze niet als hun eigen soort herkennen, zonder hoop op geluk. Hun kracht schuilt in het feit dat de mensen niet geloven in hun bestaan. Dat maakt hen tot potentiële revolutionairen. De belangrijkste scenarioschrijver van vampierfilms in de jaren dertig was communist.'

Maja had nooit over vampiers nagedacht in dat politieke licht. 'Ik heb de *Dracula* van Coppola nooit gezien,' zei ze achteloos. 'Die kwam uit in het jaar dat ik Camilla verwachtte. Ik heb zes maanden op bed gelegen om een miskraam te voorkomen, maar dat kun jij niet weten, want toen kende je me nog niet.' Aris kon zich niet voorstellen dat er ooit een tijd was geweest dat de naam Maja niet correspondeerde met haar gezicht, haar donkere ogen, haar pony, haar glimlach. 'Het is het mooiste liefdesverhaal van alle films van de afgelopen tien jaar,' zei hij, 'dat wil zeggen, dat van de verstoten graaf en de lieve, geraffineerde Mina.' 'Nou, dan moet ik hem zien. Maar nee, morgen heb ik geen tijd. Ach, eigenlijk is het geen kwestie van tijd. Wat zouden je vrienden wel denken? Dat je omgaat met een burgerlijk, kapitalistisch mens, en nog oud ook.'

'Burgerlijk en kapitalistisch oké, maar oud...' riep Aris uit, terwijl hij haar een liefdevolle, ondoordachte blik toewierp. 'Je bent toch pas dertig?' Hij zei het alsof ze op het moment dat ze eenendertig werd – wat helaas niet al te ver weg meer was – afgeschreven zou zijn. Er viel een stilte. Op de Lungotevere dook de file in de tunnel onder de gebouwen die zwart zagen van de smog. Aris vroeg zich af waar al die mensen toch heen gingen. Ze werken, eten en slapen, en pas als het te laat is beseffen ze dat ze niet geleefd hebben. Dichte raampjes en ondoordringbare gezichten achter het stuur. Ze zijn allemaal dood, maar ze weten het nog niet. Hij hield zijn mond, bezorgd om de onaangename okselgeur die van zijn kleren opsteeg en zich verspreidde in de afgesloten atmosfeer van de auto. Hij zou het liefst even aan zichzelf ruiken – maar hij durfde zich niet te bewegen, en daarmee de stank verder te verspreiden. Hij vervloekte zichzelf omdat hij zich vanmorgen niet had gewassen. Maar hij was laat wakker geworden, en hij wilde wel op tijd zijn voor het tentamen. Wat een burgerlijke zorgen.

Hij deed het raampje open. Door de tralievensters van Regina Coeli kwam een vluchtige geur van bouillon en tomatensaus. De gevangenen hadden de ramen opengezet om het aroma van de lente op te snuiven. Hij kruiste Maja's blik. Misschien dacht ze toch niet slecht over hem. Haar ogen waren vloeibaar, vol zinspelingen en vragen.

Pijnlijk duidelijk zag Aris haar weer voor zich op de dag van haar bruiloft. De koraalrode bruid op de Piazza di Campidoglio. En hij zag zijn vader weer voor zich – in een grijs pak, stralend, met Camilla opgedoft als bruidsmeisje die op zijn jasje kwijlde en met haar tong zijn bril schoonmaakte. Elio deelde kussen uit aan zijn vrienden, zijn vennoten, aan de cliënten van zijn kantoor en ook aan Ornella, die al eerder mevrouw Fioravanti was geweest – en die hij, ook al vond iedereen het nogal tactloos, als getuige had willen hebben bij zijn tweede huwelijk. En hij zag zichzelf weer voor zich: een broodmagere zeventienjarige in spijkerbroek en zwarte trui met een groen hennepblad erop, met zijn haar al tot op de schouders, die zich afzijdig hield en tegen het voetstuk van het standbeeld van Marcus Aurelius leunde, met in zijn vuist geklemd het handje rijst dat hij niet over het bruidspaar had geworpen. En toen Maja hem had geroepen, was hij naar haar toe gelopen en had hij de rijst strijdlustig tussen de revers van haar jasje laten vallen, en had hij de korrels in de spleet tussen haar borsten zien verdwijnen. En Elio had hem een vernietigende blik toegeworpen en met zijn linkerarm om de ene en zijn rechterarm om de andere had hij geposeerd met de twee mevrouwen Fioravanti. De eerste, Aris' moeder, zesenveertig jaar, camelblond geverfd haar en wilskrachtige kaaklijn – zijn studiegenote, eveneens advocate, zijn vennoot, als zijn zus inmiddels. De tweede klein en tenger als Audrey Hepburn, kortgeknipt kastanjebruin haar, een pony en grote vragende ogen – zo jong als Elio het liefst weer had willen zijn. Aris – de mislukte zoon van wie zijn vader de geboorte, de opvoeding, de voorkeuren, eigenlijk alles betreurde – had bijna twee jaar lang geweigerd kennis met haar te maken. Nadat Elio van de ene op de andere dag, zonder enige waarschuwing waardoor ze de ramp hadden kunnen zien aankomen, zijn koffer had gepakt en naar een luxe flatgebouw in de wijk rondom Corso Trieste was verhuisd. In tamelijk beknopte termen had hij Ornella en hem te kennen gegeven dat hij een vriendin had. Er was hem nog nooit zoiets overkomen, en hij had ook nooit verwacht dat zoiets hem ooit zou overkomen. Maar het was gebeurd, en het betrof beslist geen ondoordacht slippertje, maar een kans om zijn leven een nieuwe draai te geven. Hij wilde scheiden, om met haar te kunnen trouwen.

Aris had die geheimzinnige vriendin van zijn vader pas een jaar later ontmoet, in de kliniek. Hij had een halfuur als gehypnotiseerd door het glas van de babykamer staan staren naar bundeltjes met hoofdjes als sinaasappels die op een rij in supermarktmandjes lagen. Ze leken hem allemaal identiek, maar toch was een van die bundeltjes – met een bloederige, vreemd langgerekte schedel – een pasgeborene, en hoe onwerkelijk het ook mocht lijken, die pasgeborene was zijn zusje. Elio was ongekamd, opgewonden en gelukkig. Maar toch huilde hij hartverscheurend. 'Is ze niet prachtig?' zei hij keer op keer. 'Is ze niet prachtig?' Hij wilde hem er per se op wijzen dat het geen kwestie was van een gescheurd condoom, noch dat hij erin geluisd was door zijn jonge vriendin. De baby was niet de oorzaak van zijn scheiding van Ornella. Hij en Maja waren al lang bij elkaar, ze hadden die kleine echt gewild. En mij? had Aris willen schreeuwen. Wilde je mij ook echt? Zijn vader had haar in zijn armen gedrukt. Camilla rook naar talkpoeder en melk. Hij had nog nooit zo'n fragiel, weerloos wezentje gezien. En terwijl hij haar onhandig vasthield, doodsbang dat hij haar zou laten vallen, was hij uiteindelijk de kamer binnengelopen van 'dat mens' – zo noemde hij Maja destijds.

Overal stonden bossen rozen, lelietjes-van-dalen en orchideeën, op het tafeltje en tegen de muren. Het rook naar bloemen en medicijnen. Haar moeder was er, een dame in een mantelpakje met een neus die was gemangeld door de plastisch chirurg en een huid die onnatuurlijk strak stond over de jukbeenderen. Met schelle stem herhaalde ze tegen iedereen die binnenkwam dat ze nooit zou toestaan dat die kleine meid haar oma noemde, aangezien het nogal een schok was geweest om op haar vijfenveertigste al oma te worden (ze was al bijna zestig). De vader was er ook, een lange lat wiens haar verdacht zwart was, gehuld in een extreem duur ivoorkleurig pak: een onthutsend onbenullige consul die op verlof was vanuit Maleisië. Er was een opgewonden clubje vriendinnen, jonge, knappe, goed geklede vrouwen die druk zaten te kwebbelen en de kraamvrouw probeerden gerust te stellen door haar erop te wijzen dat ze over drie maanden weer net zo slank zou zijn als voorheen. En toen had hij haar gezien – op het bed, tegen de kussens geleund. Het vermoeide gezicht onder haar donkere pony, een infuus in haar arm. Keizersnede – zonder het minste gevoel voor discretie verkondigde de dame luidkeels dat haar dochter moedig een zware zwangerschap had getrotseerd, uitweidend over akelige details zoals vleesbomen en voortijdige weeën. Ze was nog versuft door de narcose. Kom maar binnen, Aris, had ze tegen hem gezegd, met een glimlach. En ook al had hij haar nooit eerder gezien, toch had hij het idee gehad dat Maja op hem had gewacht.

'Weet je,' zei ze dromerig, 'ik was zo oud als jij nu toen ik Elio tegenkwam. En over heel veel dingen dacht ik hetzelfde als jij. Jij kunt je geen voorstelling maken van hoe ik toen was, maar ik was net terug uit Cambridge. Afgestudeerd in filosofie – vrouwelijk mysticisme, Hildegard von Bingen, kun je nagaan. Ik was alleen geïnteresseerd in de mysteries van de geest, dromen en de dood. Ik was gothic. Ik droeg altijd zwarte kleren. Net als Morticia. Ik had zelfs mijn nagels zwart gelakt. Stel je voor, we hebben elkaar ontmoet tijdens de presentatie van een gids over begraafplaatsen. Elio was bevriend met de uitgever. Op een gegeven moment, ik weet niet meer hoe het ging, knoopte hij een gesprek aan. Ik dacht: wat moet die gladjanus van mij? Hij maakte een paar grapjes. Ik vond ze niet grappig. Hij wedde dat ik niet zo'n somber meisje was als ik leek, en dat hij me aan het lachen kon maken. Ik zei dat ik de weddenschap aanvaardde. Ik geloofde niet dat het hem ooit zou lukken. Hij vroeg me mee uit eten. Ik zag dat hij een trouwring droeg en zei dat hij maar met zijn vrouw uit eten moest gaan. Hij zei dat hij dat al gedaan had. Ik weet niet waarom ik meeging. Hij was lelijk. Maar die bos haar van hem gaf hem iets artistiekerigs. Ik hoopte dat hij dirigent was. Hij nam me mee naar Il Fungo dell'Eur – dat panoramisch restaurant op de bovenste verdieping van dat wolkenkrabbergeval. Uiteindelijk nog steeds de enige van heel Rome. Het restaurant was sinds kort geopend. Je kon van daaruit heel Rome zien – driehonderdzestig graden in de rondte. De straten, de huizen, de monumenten, de kerken. Overal was Rome. En het was eindeloos. Ik was sprakeloos, het was net of wij tweeën de stad aan onze voeten hadden liggen. Mijn ouders hadden er hun zilveren bruiloft gevierd. Ik had een doel: anders zijn dan zij. Ik ging niet naar dat soort gelegenheden. En de mensen die er wel naartoe gingen vond ik vreselijk.'

'Waarom vertel je me al die dingen?' vroeg Aris haar ontdaan. Hij staarde naar het rode stoplicht – de paarsige schaduw van de wolken die de ruïnes van de keizerlijke paleizen op de Palatino streelden. Wie weet, misschien omdat ze hoopte dat hij in haar het meisje zou zien dat ze geweest was, en dat misschien nog steeds bestond, ergens. Als hij haar op dat moment had gekust, zou ze hem niet hebben tegengehouden. Soms, als hij bij haar was, ging die volslagen verkeerde gedachte door haar heen – ze kon de scène zelfs voor zich zien en de aanraking voelen van het metalen balletje dat Aris op zijn tong had. Daarna vervaagde die fantasie snel weer, als iets waarvoor ze zich moest schamen. Deze keer bleef hij langer hangen en kreeg ze er een brandend gevoel van aan haar lippen. Maar ook deze keer had Aris het niet door. Hij staarde nog steeds naar de schaduw van de wolken en lette niet op haar. En toen waren ze blijven zwijgen, alsof ze niet meer wisten wat ze tegen elkaar moesten zeggen. En nu waren ze aangekomen, en dit was echt de Aventino.

'Wil je dat ik mee naar binnen ga of zal ik in de auto op je wachten?' vroeg Aris terwijl hij de motor afzette. 'Kom maar mee,' zei Maja. Het gebouw, uit de jaren veertig, was een grijze kubus omringd door een tuin met blauweregen en mandarijnbomen – de ramen schitterden telkens als de zon tussen de wolken doorbrak. Op de neergelaten rolluiken van het appartement op de begane grond hing een groen bord met het opschrift TE KOOP. Een paar meter verderop, aan de overkant van de straat, was de immer gesloten poort van de mysterieuze Villa del Priorato di Malta. Als je je oog voor het kleine sleutelgat boven het slot hield, zag je de koepel van de Sint-Pieter. Ze wist niet meer waarom, maar die plek werd de navel van Rome genoemd. Terwijl hij het kettingslot om het stuur hing, stootte Aris opnieuw tegen de witte envelop. Maja was al uitgestapt. Ze liep naar een man in jasje met stropdas, met een gestroomlijnde buik en een hoofd dat toe was aan een haartransplantatie, die op het trottoir op haar stond te wachten met een aktetas in de hand. Aris kon zich niet bedwingen en keek wat er op de envelop stond. AFDELING GYNAECOLOGIE. 'Mevrouw Riva?' vroeg de makelaar, terwijl hij de naam van de lijst oplas.

GYNAECOLOGIE. Aris slikte. Ontoegankelijke anatomie. Bestudeerd in de encyclopedie. Begluurd in de afschrikwekkende plaatjes die de arts van het gezondheidsbureau had getekend op het bord van de aula van het Tasso-lyceum tijdens de studentenbezetting, voor de cursus seksuele voorlichting die de leerlingen hadden bedacht aangezien de geografie van het menselijk lichaam heel wat nuttiger was dan die van de aarde, of dan lessen natuurkunde of Grieks. Zijn geografische vaardigheid was niet erg toegenomen sinds die lessen, want die was enkel gebaseerd op wat geflikflooi en een paar kortstondige relaties waarbij zijn emotionele betrokkenheid vrijwel nihil was. Een Zwitserse trotskiste die hij tijdens de demonstraties tegen de WTO in Seattle had leren kennen had hem proberen aan te tonen dat de penetratie een bevrijdende gebeurtenis was en de geslachtsdaad het laatste bolwerk van individuele vrijheid in een gemassificeerde wereld. Maar problemen op het gebied van vochtigheid, erectie, orgasme, gelijktijdigheid, gênant geborrel, dierlijke geuren, gejank hadden hem er niet van kunnen overtuigen dat het te prefereren was boven masturbatie. GYNAECOLOGIE. Er flitste een angstaanjagende gedachte door hem heen. Misschien heeft Maja een ziekte, en is ze zo sterk geweest het niet tegen papa te zeggen om hem niet ongerust te maken tijdens zijn verkiezingscampagne. GYNAECOLOGIE. Een geslachtsziekte? Cysten? Een tumor? Aids? Villa Stuart. Aris begon zich zorgen te maken. Villa Stuart was immers de vaste kliniek van de familie Fioravanti. Waar opa aan zijn prostaat was geopereerd en waar papa die biopsie had laten doen toen hij bang was dat hij een maagtumor had. Hij wilde haar het liefst om uitleg vragen – maar Maja liep al achter de makelaar aan de hal binnen. Trouwens, dan zou ze het door hebben gehad. En Aris wilde absoluut niets doen of zeggen wat verwees naar gevoelens of bedoelingen die Maja zou moeten afwijzen, en die onvermijdelijk tot gevolg zouden hebben dat ze elkaar niet meer konden zien. Ook al zou dat misschien wel beter zijn, het was belachelijk om zo door te gaan.

'Hoort die jongen bij u?' vroeg de makelaar verbluft toen Aris in de hal verscheen. Wat een onwaarschijnlijk koppel. Zij net opgeknapt door de duivelskunstenaar Michael, met het Prada-jurkje aan dat ze voor het feest van Camilla in het Palazzo Lancillotti had gekocht omdat ze straks geen tijd meer had om zich thuis te gaan omkleden – hij met de sweater aan die hij al bijna een maand droeg, een broek vol verfspetters en een ring door zijn neus. 'Ja,' antwoordde Maja, met een brutale glimlach. 'Zijn mening is doorslaggevend voor me.' Ze zag er niet ziek uit. Stralend juist, minder wazig, lijfelijker, met een nieuw kapsel en een ongewone, bijna kinderlijke uitdrukking op haar gezicht. 'Het valt niet mee om op de Aventino iets te kopen,' zei de gladde makelaar. 'Wie hier een huis heeft houdt het vast. Kent u de wijk?' 'Ik ben hier geboren,' antwoordde Maja met een zweem van hoogmoed. De navel van Rome. Daarna ben ik naar Engeland gegaan, en toen kwam Elio, en wat ik ook zocht, ik heb het niet gevonden. Sindsdien ben ik niet meer terug geweest op de Aventino. Het meisje dat hier is opgegroeid bestaat niet meer.

Aris staarde ernstig naar Maja's profiel. O nee, het mag geen ernstige ziekte zijn. Ze mag geen pijn lijden, dat zou hij niet kunnen verdragen. Ik mag wel ziek worden. Wat heb ik nou voor nut? De wereld zou mijn afwezigheid niet eens opmerken. Ik zou worden betreurd – o ja, wat een drama om op je drieëntwintigste dood te gaan. Iedereen zou denken aan alles wat ik nog had kunnen doen. Mama en papa zouden voor altijd treuren om de rechter die ik niet zal worden, Meri en Poldo om de aanvoerder die ik niet ben. Maja om de advocaat voor de armen die ik niet zal worden. En zo zouden ze er nooit achter komen dat ik niets van dat alles zal worden, en zouden ze niet teleurgesteld raken. Maar wie zou Maja kunnen vervangen? Andere vrouwen zijn diepzinniger, intelligenter, noodzakelijker – maar die bestaan niet voor mij. Maja volgde de makelaar het schemerige appartement in. De leegte deed hun voetstappen weerkaatsen. Misschien moet ik het van tevoren tegen haar zeggen – als ze ernstig ziek is, zou ze naderhand denken dat ik medelijden met haar heb. Ik heb geen medelijden met haar, ik hou van haar. Ook al is ze met mijn vader getrouwd – ik hou van haar zoals ze is. Omdat ze dertig is, en de tijd heeft gehad te begrijpen wat niet belangrijk is. Om hoe ze loopt: nerveus, haastig, alsof ze bang is een trein te missen. Om de zorgvuldigheid waarmee ze dingen vastpakt, omdat ze weet dat ze kapot kunnen gaan. Omdat ze aanwezig is, ook als ze je negeert, om de ondeugendheid die in haar donkere pupillen glinstert, om haar gebrek aan enthousiasme en haar strengheid, en om alles wat ik niet van haar weet. Omdat ik drieëntwintig ben en haar liever vandaag vind dan dat ik de man word op wie ze morgen verliefd zou kunnen worden. De makelaar had de rolluiken opgetrokken. Een grote, volkomen lege woonkamer vulde zich met licht.

Wie het ook mocht zijn die hier gewoond had, hij was niet lang gebleven. De gestuukte muren waren pasgeleden nog geschilderd, het parket van whitewash essen glansde alsof er nog niemand over gelopen had. Pas vernieuwde kozijnen, met klinken van gesatineerd rvs waarvan het leek of ze nog nooit waren aangeraakt. Maja deed de openslaande deuren naar de tuin open. Een hoge rozenheg verborg het uitzicht op de weg. Achter de muur waren echter de toppen van de cipressen van de Villa te zien, die wuifden in de wind. De mandarijnboom – vol verrimpelde vruchten die deden denken aan kerstballen – schuurde met zijn takken tegen het raam. De navel van Rome. Het middelpunt van mijn leven. 'Zoals u ziet,' maakte de makelaar van de gelegenheid gebruik, 'is het een schitterende woning. De eigenaars hadden hem net gerestaureerd, ze moeten vanwege hun werk verhuizen. Ze hebben haast met de verkoop, vandaar dat er over de prijs valt te onderhandelen.' Maja vroeg zich verontrust af wat ze hier deed. 'De bedrading is prima in orde,' vervolgde de makelaar, terwijl hij de rolluiken in de grote slaapkamer, vervolgens in de badkamer en bij alle andere ramen van het huis omhoogtrok. 'Er is een inbraakalarm, airconditioning, een eigen verwarmingsketel, de keuken is van Arc Linea, met elektrische oven en een kookeiland – nog nooit gebruikt.'

'Die envelop,' zei Aris, terwijl hij haar bij haar arm vastgreep. 'Welke envelop?' vroeg ze afwezig, want ze stond het roestvrijstalen aanrechtblad van de keuken te bewonderen. Glimmend, nog geen krasje. Net een spiegel. 'Die envelop van de kliniek, in de auto.' Maja bloosde. Die had ze eergisteren opgehaald. Ze wilde hem niet mee naar binnen nemen voor ze er met Elio over gepraat had. En ze wilde er nog niet met hem over praten. Ze had hem in de Smart weggestopt en was hem helemaal vergeten. Ze had hem moeten verstoppen. 'Kom maar eens in de badkamer kijken,' kwam de makelaar tussenbeide. 'Er is zelfs een hydromassagebad.' 'Niks, een onderzoek,' zei Maja ontwijkend, terwijl ze hem de rug toekeerde. De kleur van de pleisterlaag op de badkamermuren deed denken aan het vruchtvlees van een bloedsinaasappel uit Sicilië. 'Wat voor onderzoek? Is er iets mis met je?' 'Wat vind jij ervan?' grapte Maja om tijd te rekken. Ze draaide de chromen kraan van de wasbak open. Er was geen water in het appartement. 'Waarom laat je dan een onderzoek doen?' drong Aris aan. De gedachte dat hij haar zou kunnen kwijtraken deed zijn adem stokken. De makelaar wierp een vlugge blik op zijn horloge. Hij vroeg zich niet af wat voor relatie ze hadden. Hij had in zijn carrière huizen verkocht aan allerhande stellen. Hij verbaasde zich nergens meer over. Geen van beiden leek hem echter in staat om zo'n huis aan te schaffen. Ze verdeden zijn tijd. 'Ik ben in verwachting,' zei Maja abrupt. Ze gaf hem niet meer de kans om nog iets te zeggen en liep naar de makelaar, die ongeduldig op de drempel van de slaapkamer stond te wachten.

Aris zette een stap opzij, alsof ze hem een klap tegen zijn hoofd had gegeven. O nee, dat niet. In 1998 was hij lid geworden van de Beweging ter Vrijwillig Uitsterven van de Mensheid. Op een middag, toen ze iets te dicht naast elkaar lagen te luieren op de banken vol haren op zolder, terwijl ze werden gelikt en lastiggevallen door de ruwe tong van Mabuse, had Maja na een serieuze discussie over wereldsystemen (de teloorgang van het westerse denken, het drama van de globalisering) de moed gevonden om hem te vertellen dat er soms een bres werd geslagen in haar leven, een barst, en dan had ze het gevoel dat ze een onsamenhangend wezen was, van gelei, vormeloos – als een kwal, meegevoerd door de stroom. En in plaats van dat Aris het jammer vond om die overpeinzingen te horen van de vrouw die voor hem het toonbeeld van samenhangendheid en stabiliteit was, had hij zich vereerd gevoeld dat ze hem zo in vertrouwen nam. Hij had haar vertrouwen beantwoord door haar de stelling uit de doeken te doen van de oprichter van de Beweging ter Vrijwillig Uitsterven van de Mensheid, een Amerikaan die zich Les U. Knight liet noemen en die beweerde dat het menselijk ras verderfelijk was en zichzelf moest uitroeien om de planeet Aarde voor zichzelf te behoeden. Als alle mensen stoppen met zich voort te planten, zal de planeet in de loop van twee generaties – laten we zeggen in 2090 – weer vrij zijn zoals in het begin der tijden. Iedereen die in de Sahara is geweest en de naakte, pure, transcendente schoonheid ervan heeft aanschouwd, begrijpt hoe de aarde weer zal worden als de mens haar verlaten zal hebben – hét toonbeeld van de onsterfelijkheid van de materie. De beweging predikte zelfmoord noch massavernietiging – alleen bespiegelingen en zelfkennis. Inschrijving was gratis. Aris had lidmaatschapsnummer 26.950. Maja had de redenering van de Amerikaanse pionier nog niet zo gek gevonden. Aris was er blij om geweest. Ze begrepen elkaar, zij tweeën. Ze waren hetzelfde. Het probleem was dat ze elkaar te laat waren tegengekomen, of te vroeg. Net zoals de aarde en de mens.

Waarom heb ik het hem verteld? Waarom? Maja wreef met haar vingertoppen over het ruwe oppervlak van de kleerkast – een staaltje hoge timmerkunst in Afrikaans notenhout. Ze had het niet verteld aan haar moeder, noch aan haar vader, noch aan haar beste vriendinnen. Niet eens aan Elio. Ze wilde het hem vertellen, ze was blij geweest toen ze het ontdekte – ze probeerden het immers al jaren, ze verlangden allebei naar een groot gezin en ze waren bang dat dat er niet meer van zou komen. Maar gek genoeg had ze de gelegenheid telkens als die zich voordeed weer laten schieten – omdat het voelde alsof ze hem door het te vertellen niet alleen die baby toevertrouwde, maar vooral haar toekomst, en zichzelf. Ze had de dingen altijd geaccepteerd zoals ze kwamen, zich mee laten voeren door de stroom, maar nu vond ze het ineens verkeerd om je mee te laten slepen door de gebeurtenissen; de dingen die niet zijn gebeurd toen we ze wilden, moeten niet meer gebeuren. Per slot van rekening was ze al dertig, en ze had maar één leven, en dat was van haar. In al die overwegingen speelde Elio nauwelijks een rol. Maar nu ze het had gezegd, lag het feit vóór haar – in zijn definitieve reusachtigheid, en het leek alsof ze zich er nu pas voor het eerst bewust van werd.

'Wilt u de logeerkamer zien – of de kinderkamer?' vroeg de makelaar. Aris staarde haar met smartelijke ontzetting aan, alsof ze hem net gecastreerd had. 'Zeker,' stemde Maja in. De makelaar wierp de jongen een verontruste blik toe. Hij wilde de bezichtiging zo snel mogelijk afronden, om kwart over twee had hij weer een afspraak. Aris was geschokt. Maja die hem zulk belangrijk nieuws vertelde, met zo'n onverantwoordelijkheid en een totaal gebrek aan respect voor zijn gevoelens. De makelaar die op zijn horloge keek en vreesde dat de andere cliënten elk moment voor de deur konden staan. De zon die arabesken van licht tekende op het parket –

de smetteloze muren, dit o zo mooie en o zo lege huis. Toen Maja voor hem langs liep, keerde Aris haar de rug toe en liep naar de woonkamer. Een kind, hij kon nergens anders aan denken. Als ze nog een kind krijgt, zit ze haar hele leven vastgeklonken aan Elio. Al haar praatjes, al haar projecten – alleen maar woorden. Maja zal nooit bij hem weggaan. Ze fantaseert maar wat over grote veranderingen, haar leeftijd, haar volgende leven, gewoon bij wijze van spreken, alleen om zichzelf wijs te maken dat er nog een uitweg is. De maanden zijn vergleden, een voor een, en ik heb mijn kans niet gegrepen. En nu hebben we geen tijd meer, en ben ik haar kwijt.

Hij liep het huis uit. Hij dwaalde verward heen en weer door een witte gang, waarbij hij het liftknopje aanzag voor de bel van het huis van de portier, en werd achtervolgd door een meute zwangere vrouwen – schommelende ganzen, dikke, machteloze geesten. Een beeld dat hem altijd van weerzin had vervuld. Aris walgde van alle gevolgen van seksuele contacten: geslachtsziekten, infecties, platjes, en baby's. Nee, dan was hij toch blij dat hij genoeg had aan zichzelf. Net zoals op alle andere gebieden. Zelfs van Maja hield hij alleen op een abstracte manier – als een welwillend idool dat hij nooit zou aanraken. De enige keer waarop hij het idee om een seksuele relatie met haar te hebben serieus had overwogen, was toen hij in een boek had gelezen over de theorie van het huwelijk als metafoor van het privé-eigendom. Als je de lijn van die theorie doortrok, was overspel de metafoor van revolutie, of van het communisme.

Terwijl hij langs het hokje van de portier liep, trof hij het stel van kwart over twee. Twee types van rond de veertig, hij met een dure merkzonnebril, zij met uitpuilende kikkerogen en tanden als een knaagdier. 'Is dit het appartement dat te koop is?' vroegen ze. Aris gaf geen antwoord. Hij liep achter ze aan als een robot. Maja wreef met haar vinger over de wanden in de woonkamer, ze wees de makelaar ergens op – ze bewoog zich door die kamers alsof ze thuis was. Ineens kreeg hij een ingeving die als een schok door zijn hele lijf ging. Er is helemaal geen vriendin. We zijn hier voor haarzelf. Haar keuze heeft met mij te maken. Daarom wilde ze dat ik meeging. Het is een verklaring, de gelofte van een band die steeds sterker wordt, stevig, echt.

Handelen, nu, met dezelfde onnadenkendheid als vannacht. De bom tot ontploffing brengen en al hun levens in stukken rijten. ONT-

PLOF! Revolutie. Loop met haar weg. Je hebt een cheque van twintig miljoen in je zak. De broeders weten niet dat mijn pa me die gegeven heeft, en hij zou het ze zeker niet vertellen. We gaan samen naar Barcelona. Hij zal ons laten zoeken – maar wat kan hij doen? We zijn nog altijd vrij, in deze wereld. Maja vindt een baan. Ze hoeft niet meer te werken als tolk voor een verachtelijk ministerie. Tot nu toe zijn woorden voor haar handelswaar geweest. Ze heeft nooit iets hoeven zeggen – alleen maar hoeven herhalen. Er is haar nooit gevraagd om zelf na te denken. Nu kan ze doen wat ze zelf wil. Ik ga schilderen. Ik ga de mondiale omverwerping van het systeem organiseren. Maar ook niet. Ik ga niets doen. Ik ga voor haar leven. Meteen verwierp hij die onwaarschijnlijke droom echter, want de belangrijkste eigenschap van een anarchist is helderheid van geest, en de objectieve inschatting van de werkelijkheid. En ook al had hij soms, de laatste maanden steeds vaker, het idee gehad dat hij het geluid van Maja's ware gedachten kon horen, en de woorden die ze nooit tegen hem had gezegd, hij had zichzelf altijd voorgehouden dat het enkel een illusie was. Hij had nooit tegen haar gezegd wat hij had willen zeggen, en zij evenmin tegen hem.

'Eigenlijk is het niet eens zo duur,' zei Maja peinzend, omdat ze zijn teleurstelling en zijn wrok aanvoelde, 'het gaat slecht met de huizenmarkt. Het zou een goede investering zijn. De aandelenbeurs heeft veel opgeleverd, er is al heel lang een opwaartse trend, ik zou mijn aandelenportefeuille kunnen inkrimpen en te gelde maken.' Aris leunde bedrukt met zijn hoofd tegen de muur. 'Iedereen investeert zijn geld zoals hij wil. Ik heb geen geld, maar ik heb tijd, en die had ik beter kunnen investeren. Ik had een afspraak bij de Battello Ubriaco. Er is een Arabische vriend van me, een illegaal, zoals jij het noemt, die ik help om een waardig leven te leiden, heb je daar enig idee van?' Hij merkte dat hij verhit raakte, de temperatuur van zijn woorden bereikte bijna het kookpunt, maar hij kon zijn woede niet bedwingen. 'Nee hè, wat weet jij nou van die dingen? Jij leeft in een perfecte wereld, ik had hem beloofd dat ik met hem mee zou gaan naar de werkplaats van zijn werkgever, om het geld op te eisen waar hij recht op heeft, want als je geen zin hebt om een illegaal te betalen, als dat je tegen gaat staan, dan betaal je hem gewoon niet en dank je hem af, er staan toch nog honderd anderen te trappelen om zijn plaats in te nemen, dát is het land waar jij in woont.' Toen bleef zijn stem in zijn keel steken, en had hij zijn tong wel willen afbijten. Hij wilde haar helemaal niet voor de voeten werpen dat ze was wat ze was, en dat ze hem van zijn vrienden had weggerukt om hem te betrekken bij dit toneelstukje – maar nu had hij het al gezegd. En Maja staarde hem gekwetst aan, en de Arabier was in zijn eentje naar zijn werkgever gegaan. En ook dat was oneerlijk, smerig, zinloos.

'Er verandert heus niets, Aris,' zei Maja sussend. 'Niets?' schreeuwde hij bijna. 'Alles is nu al veranderd.' Ze werd rood alsof hij haar een klap had gegeven, en ze bukte zich om het formulier van makelaardij Gabetti te ondertekenen. Ze vond dat ze zichzelf wel een droom kon gunnen, een onschuldig spelletje, voor een paar uur doen alsof ze vrij was – zonder consequenties. Ja, misschien zou Maja Riva in een ander leven op haar dertigste wél op zichzelf zijn gaan wonen en was ze hier ingetrokken. Dat andere leven verliep nu parallel aan het hare – en het leek haar niet minder reëel, minder echt. 'Het huis bevalt me,' zei ze tegen de makelaar, die onverstoorbaar was gebleven tijdens hun geruzie, 'het is gek, maar toen ik binnenkwam had ik het gevoel dat het al van mij was.' 'Zo gaat dat,' haastte de man zich te zeggen, zachtjes om te voorkomen dat het stel van kwart over twee hem zou horen. 'Wilt u een afspraak maken om maandag nog een keer te komen kijken?' 'Ja, nee, ik bel nog wel,' zei Maja. Ze keek nog een laatste keer naar de witte wanden van de woonkamer, het raam, de mandarijnboom, en haar andere leven bleef daar, achter de voordeur die ze achter zich dichttrok.

'Ga je met me mee naar Camilla's feest? Zij zou het heel leuk vinden. En ik ook,' probeerde Maja het goed te maken, treuzelend bij de Smart. Deze bezichtiging was een vreselijke vergissing geweest. Het liefst zou ze het afgelopen uur helemaal uitvlakken. 'Nee,' zei Aris, 'ik haat die kinderen. Ik kots van hun ouders, en van jullie vrienden. Ik kots ook van jullie.' Ik word niet zoals alle anderen. Gaan jullie maar naar waar je wilt. Het kan me niks schelen. Ik wil niks. Want ik ben niet zoals jullie. Al jullie geld – jullie huizen, jullie auto's, jullie kleren, jullie ambities – betekenen niks voor mij. Nul. Zero. Ik wil niks hebben – ook haar niet. Ik ga niet naar het Palazzo Lancillotti. Ik loop niet met haar weg. Ik vertel haar niet hoeveel ik van haar heb gehouden en wat voor leven ik met haar had willen leiden. Ik wil haar niet eens meer zien. 'Zoals je wilt,' zei Maja verbolgen, en ze stapte in de Smart zonder zich om te draaien.

Ze scheurt op de brommer heen en weer over de Via Cavour, met de helm niet vastgemaakt onder haar kin om stoer te doen, ze geeft gas en versnelt om Fabrizio in te halen die op één wiel rijdt met zijn brommer, en claxonneert om die tuthola's van een Paola en Giorgia te laten schrikken, die aan een ijsje zitten te likken op het muurtje van het plantsoen van de Piazza Dante. De brommer is van Miria, want Valentina heeft geen brommer, mama heeft er geen voor haar gekocht – ze zegt dat ze nog te jong is en dat tweewielers veel te gevaarlijk zijn in Rome, waar niemand zich aan de verkeersregels houdt. Maar tot februari had Emma zelf wel een motor, waar ze met het stinkdier op rondreed, en ze hield zich zelf ook niet aan de verkeersregels. In het plantsoen werd de sfeer een beetje landerig, het gezelschap dunde langzaam uit. Door de honger werd het groepje uiteengedreven en er was niets meer te doen of te zeggen. Valentina maakte nog een rondje om het plein – om wat ervaring op te doen met brommer rijden. Bijna reed ze een oud vrouwtje op het zebrapad omver. 'Zo rij je jezelf nog dood,' zei de oude vrouw goedmoedig. 'Je bent nog maar een kind, het leven is veel te mooi om het te vergooien.' Ze praatte zo omdat ze oud was en haar leven al achter de rug had. Op je veertiende heeft het leven niks moois.

Valentina toeterde om Miria het sein van vertrek te geven, maar haar vriendin bleef maar staan kletsen met een lange jongen van bijna twee meter, met haren als een tros bananen. Hij was niet van hun school, en ook niet van de sportvereniging. Als ze Kevin alleen naar huis stuurde, lunchte Valentina altijd bij Miria, de spelverdeelster van het team, en dan lagen ze urenlang in hun onderbroek – of ook wel zonder – op haar bed te kletsen met de deur op slot, terwijl de stereo achter hen op 10 stond, en dan drukten ze elkaars mee-eters uit en controleerden ze onbekommerd elkaars benen – om te bepalen of er nog geharst moest worden voor de wedstrijd. Dan gingen ze over naar hun blote voeten, die ze in de lucht staken, en ze lachten – want alle meisjes, zelfs de knappe, hebben lelijke voeten. Valentina's voeten zijn ongelooflijk lang – met tenen als botjes – omdat ze heel lang zal worden: ze is nu al meer dan een meter drieënzeventig. Vervolgens lakten ze hun nagels blauw. Andere keren hingen ze op het muurtje rond, voor de school van Miria die de toeristische opleiding deed in de Via Panisperna, of ze zakten af naar de Via del Corso en gingen de nieuwste cd's beluisteren bij de Messaggerie Musicali. Ze konden uren met de koptelefoon op in die megastore blijven, en dan luisterde zij echt naar de nummers terwijl Miria alleen maar deed alsof en intussen om zich heen keek of ze misschien een bekende zag. Vandaag had Miria die lange jongen echter gespot, en als ze in zo'n stemming was bestond er geen wedstrijd meer, en geen Valentina, en helemaal niks.

Miria had roodgeverfd stekelhaar en er liep altijd een hele horde jngns kwijlend achter haar aan. Op zaterdag trok Valentina altijd met haar groepje op, meestal brachten ze hun tijd door op het muurtje op de Piazza Dante, maar soms glipten ze naar binnen op feesten van mensen die ze nooit gezien of ontmoet hadden. Miria was degene dankzij wie ze Marilyn Manson had ontdekt, zij had haar geholpen een smoes op te dissen aan mama om naar het concert in het Palaghiaccio van Marino te kunnen gaan. Met vijfduizend uitgeputte fanatici, een heksensabbat die enorm kabaal had veroorzaakt; na het concert was de geniale Marilyn zelfs gearresteerd met de beschuldiging dat hij drie bezetenen had aangezet tot moord. Valentina had Emma de enorme smoes opgedist omdat mama haar nooit toestemming zou hebben gegeven om naar het concert te gaan, of anders had ze zelf mee gewild. Maar voor de rest vertelde ze haar niets meer, want mama beschouwde haar nog als een kind, terwijl ze al groot was.

'Zullen we gaan?' vroeg ze weer. 'Snap je dan helemaal niks?' siste Miria, hevig met haar opgemaakte oogleden knipperend alsof ze haar iets duidelijk wilde maken. 'Ken je Jonas?' zei ze plompverloren. 'Hij is de broer van Yuri.' Yuri was Miria's voorlaatste vriendje. Volgens haar verhalen kon hij goed zoenen, smaakte zijn speeksel lekker, was hij voorzichtig, gebruikte hij een condoom, en kon hij haar kippenvel bezorgen. Valentina wist niet meer waarom Miria het in godsnaam had uitgemaakt. Ongeïnteresseerd keek ze naar de lange jongen die stokstijf naast haar vriendin stond. Hij droeg andere kleren dan de rest. Een rendierleren jas met franjes, en een belachelijke, half gescheurde ruitjesbroek waardoor hij net een clown leek. 'Nee,' antwoordde ze. 'We hebben elkaar op het feest van Assia gezien,' zei Jonas, terwijl hij haar gegeneerd toelachte. Zijn ogen hadden de kleur van drop, met groene streepjes erin. 'O, daar weet ik niks meer van,' zei Valentina. Het was niet zo'n opwindend feest geweest als ze had gehoopt, ze had de hele tijd op een bank gezeten, eenzaam en droevig als een kapstok, terwijl iedereen om haar heen elkaar zat af te lebberen. Niemand flirtte met haar. Uiteindelijk had ze besloten er toch nog wat van te maken en had ze zich laten vollopen met sangria en de hele nacht liggen overgeven. Oma had haar warm water met citroenrasp laten drinken, en ze had gezegd dat er niets ergers is op de wereld dan drinken uit verdriet. Kennelijk wist ze waar ze het over had. Oma had het niet tegen mama gezegd – want als ze moest kiezen tussen haar dochter en haar kleindochter, koos ze altijd partij voor haar. 'Je had een rode jurk aan,' zei Jonas. Valentina stond versteld dat hij dat nog wist. Maar dat was vast vanwege de jurk. Die was van mama. Met een waanzinnige split op de rug, tot aan haar stuitje. Hij was wat ruim voor haar; ze had hem strakker moeten maken met tien spelden. Ze had gehoopt dat ze zich met zo'n jurk beter zou voelen, maar het was alleen maar erger geweest – ze had zich nog nooit zo onaantrekkelijk gevoeld.

Miria was weggelopen om met Giorgia te roddelen, ze had haar laten staan met die jongen die niet bij de groep hoorde en die niemand anders kende. Valentina wist niet wat ze moest zeggen, en hij ook niet. Hij stak zijn handen in zijn zakken. Hij rommelde wat met zijn mobieltje, maar hij had geen berichtje ontvangen. Valentina bleef op de brommer zitten, met haar handen aan het stuur, zonder hem aan te kijken. En na een paar minuten zei Jonas haar gedag en liep weg.

Miria duwde haar naar achteren op het zadel en stuurde de brommer de Via Merulana af. 'Wat zei je?' schreeuwde Valentina. 'Je bent een sukkel,' brulde Miria om boven het lawaai van de knalpot en het verkeer uit te komen. 'Hoe stom kun je zijn?' 'Wat?' Miria sloeg af naar de Via Labicana en stopte voor de deur van een laatnegentiende-eeuws gebouw dat er zo gerieflijk uitzag als een kazerne. Ze woonde op de derde verdieping.

De moeder van Miria deed een dutje in de leunstoel voor de tv

waarop de twintigduizendste aflevering van *Rad van Fortuin* bezig
was. Ze snurkte. Ze maakten haar niet wakker. Uit haar rommeli-
ge kast pakte Miria het volleybaluniform, de kniebeschermers en
de schoenen. Haar vader keek in de slaapkamer naar een Argentijnse voetbalwedstrijd. 'Ik blijf bij Vale slapen,' riep Miria naar
hem. 'Ik ben morgen rond de middag terug.' 'Maar er is helemaal
geen plaats bij mij thuis,' wierp Valentina verbaasd tegen. 'Ik ga
ook niet echt met jou mee, ik ga met Paolo naar Campodimare.
Mijn moeder belt toch niet op, die sufferd gelooft alles.' 'Wie is
Paolo?' vroeg Valentina. Toen gingen ze samen naar de badkamer.
Het geluid dat een maagd maakt als ze plast is anders dan dat van
vrouwen die seks hebben. Dat had Miria geleerd van haar vader,
die op die manier had ontdekt dat zijn dochter met jngns bezig was.
Valentina vond het maar een gênant idee om een vader te hebben
die naar het geluid van je pies luistert. Haar vader zou zoiets nooit
hebben gedaan, stiekem achter de wc-deur geposteerd. Of misschien ook wel. Haar vader rook aan mama's blouses, nylonkousen
en zelfs aan haar slipjes, omdat hij beweerde dat hij de geur van
sperma rook. Maar destijds wist Valentina nog niet wat sperma was.

Miria keek naar haar terwijl ze op de wc zat, ze wees naar haar
maandverband en zei dat dat ding te zien zou zijn tijdens de wedstrijd, met dat strakke broekje. Ze raadde haar aan om een tampon
in te doen. Ze maakte zich zorgen om haar onervaren vriendin. De
mannelijke toeschouwers merken het als een speelster niet be-
schikbaar is. 'Ben je gek?' gilde Valentina. 'Dat past er nooit door!'
'Neem dan een OB-mini, die zijn gemaakt voor meisjes die nog
maagd zijn, ik gebruik ze al jaren.' 'Maar jij bent al jaren geen maagd
meer, Miria!' protesteerde Valentina. Ze wist alles van de ontmaagding van haar vriendin, want Miria had er in geuren en kleuren over verteld toen ze een uitwedstrijd hadden, om het hele volleybalteam voor te lichten. Haar ontmaagding had plaatsgevonden
in de sportzaal van school, tijdens de gymnastiekles. Een zielige
vertoning, want hij had het ook nog nooit gedaan – vandaar haar
advies aan haar vriendinnen om het de eerste keer met een volwassene te doen, en vandaar haar voorkeur voor meerderjarige
jngns. Haar eerste wist niet waar hij hem in moest stoppen en had
bijna het verkeerde gat te pakken. En hoe was het geweest? Veel
pijn? Helemaal niet. Als een papiertje dat kapotscheurt. Een klein

beetje bloed, meer niet. Hij was na vier minuten klaargekomen. Niks lekkers aan. Maar wat tampons betreft was het een hele ommekeer geweest.

Miria maakte het kastje open en wapperde met een soort kogel. Met haar tanden haalde ze het plastic eraf. Er verscheen een piepklein vingerhoedje van samengeperste watten. 'Weet je het zeker?' weifelde Valentina. 'Je maagdenvlies is elastisch, het geeft mee, daar kan zelfs een vinger doorheen,' verzekerde Miria haar. Valentina vertrouwde op de mening van haar vriendin. Ze hadden al verschillende keren voor de spiegel gezeten en hun respectievelijke openingen vergeleken, om te kijken of ze geen van beiden een of andere afwijking hadden die hun toekomstige seksuele activiteiten zou kunnen belemmeren of verpesten. De controle had een geruststellende uitkomst gehad: ze hadden allebei een normale. Toch twijfelde Valentina nog steeds of er in zo'n strak spleetje wel een mannelijk orgaan zo groot als een maïskolf zou passen. 'En als ik mezelf nou ontmaagd?' vroeg ze aarzelend, terwijl ze dat vingerhoedje van watten in haar handen hield. 'Des te beter, dan bespaar je je een hoop gedoe. Ik zou willen dat ik was ontmaagd door een OB in plaats van door Oberdan.' Toen barstten ze allebei in lachen uit, want Oberdan was een verlengde versie van OB – in alle opzichten.

Het vingerhoedje van watten drukte tegen een wandje waarvan Valentina niet eens wist dat ze het had. Het lichaam is werkelijk een bron van verwondering. Waarom zouden vrouwen het in godsnaam zo heerlijk vinden om zich door een man te laten volproppen? Al dat gesteun, geduw en gekreun leek haar alleen maar belachelijk. Mama en papa deden dat niet. Ouders neuken nooit. Het vingerhoedje van watten botste tegen het onneembare obstakel en bleef steken. Het zat muurvast. 'Het lukt niet,' zuchtte ze. 'Het doet pijn.' 'Wie mooi wil zijn moet pijn lijden,' zei Miria verwijtend, terwijl ze de bebloede kogel wegslingerde, die door de badkamer heen vloog en door het geopende raam verdween, en misschien wel op het trottoir belandde. Ze bekeek haar gedesillusioneerd in de spiegel. 'Ik krijg ineens een idee. Ik zorg dat je er nog geiler uit gaat zien,' zei ze.

De winkel leek dicht. Het neonbord brandde niet. Miria parkeerde de brommer voor de deur en belde aan. Op de etalageruit stond: USE YOUR BODY, PAINT YOUR SKIN. Er deed een jongen van minstens twintig open met getatoeëerde armen, net Axel Rose. Miria zoende hem op de mond, zo lang dat Valentina gegeneerd deed alsof ze haar helm niet goed in het koffertje kreeg, en daarna wist ze niet meer waar ze moest kijken. Miria zei zachtjes iets tegen hem, en Axel Rose lachte. Hij leek echt sprekend op de zanger van Guns N' Roses, hij had ook lang blond haar en een haarband in. Maar hij was die Paolo met dat huis in Campodimare. Ze daalden af naar de kamer onder het straatniveau. Door de vossengaten zagen ze de schoenen van de voorbijgangers. Het was een steriele, kale ruimte, met een bank, een tafeltje met daarop een drukwerkcatalogus, en een hokje van plastic en glas dat deed denken aan de behandelkamer van de dokter bij de GGD. Maar aan de muren hingen foto's van beroemde mensen zoals David Beckham die een tatoeage hadden genomen op hun schouders, hun handen, hun billen, en zelfs op iets wat een penis leek. Het waren kunstig bewerkte tatoeages, de huid leek net een vel tekenpapier waarop een schilder zich onder invloed van xtc helemaal had uitgeleefd. Er was iemand met een schip op zijn borst, anderen hadden slangen, draken, blote vrouwen, zwaarden, sirenen en samoerai op hun rug of biceps laten aanbrengen. Miria zei dat Axel Rose het vlindertje op haar borst had getatoeëerd, het had razend pijn gedaan. Maar het was prachtig, knalroze, een fantastische kleur. Paolo kon goed overweg met de naald, hij was de beste op zijn gebied. De mensen kwamen helemaal vanuit Sicilië om zich door hem te laten tatoeëren. 'Maar je vriendin kan ik echt niet tatoeëren,' waarschuwde Axel Rose terwijl hij Valentina van top tot teen bekeek. 'Ze is te jong. Mensen onder de achttien hebben de toestemming van hun ouders nodig. Anders kom ik in de problemen.' 'Jeetje, je lijkt mijn opa wel! Vale is te vertrouwen, ze gaat het echt niet lopen rondbazuinen. Maak een zwaluw op haar onderrug, zodat die te zien is als ze volleybalt.' 'Ik kan geen tatoeage laten zetten, dat mag niet van mijn moeder,' wierp Valentina tegen. 'Vale,' zei Miria, 'je hebt echt een nieuwe look nodig. Je bent veel te normaal, je lijkt wel een non.'

Valentina bloosde. Axel Rose vroeg haar of ze bang was voor de pijn. 'Nee, helemaal niet,' antwoordde ze, want ze wilde niet dat Miria en die jongen van minstens twintig haar voor een schijtluis aanzagen. Maar eerlijk gezegd was ze doodsbang. Want ook al had ze zelf nooit iets gebroken, en ook geen verwondingen gekregen, ze wist wat het was. Zij was met mama naar het ziekenhuis gegaan toen ze twee gescheurde ribben en een gebroken pols had. Het was op haar tiende. Bij de eerste hulp hadden ze vijf uur op de stoelen in de gang zitten wachten voordat mama werd onderzocht, terwijl er mensen op brancards langs werden gereden – mensen die een auto-ongeluk hadden gehad of een hartinfarct. Valentina had nooit beseft hoeveel mensen er op één dag ziek worden, gewond raken of doodgaan in Rome. Ik word gek van de pijn, geef me wat morfine, had mama aan een verpleegster gevraagd. En die had gezegd dat dat niet mocht volgens de wet, en Emma had haar pijn verdragen. Ze was een harde. Ze had niet gehuild, thuis niet en ook niet bij de eerste hulp. Het had grote indruk op Valentina gemaakt, en ze had respect voor haar moeder gekregen.

'Dan geef ik je een piercing die je moeder niet ziet. Alleen je vriendje krijgt hem te zien.' 'Ik heb geen vriendje,' zei Valentina. 'Ja ja!' lachte Miria. 'Ben je soms blind, heb je niet gezien hoe hij naar je keek?' 'Wie?' riep Valentina verbaasd uit. 'Hoe vind je deze? Dit is het nieuwste model,' zei Axel terwijl hij een stukje metaal liet zien dat deed denken aan een kapotte speld. 'Hij kost honderdduizend lire.' Valentina pakte het aan, ook al wist ze niet wat ze ermee moest. 'Je krijgt het banaantje van mij,' zei Axel Rose. 'Het is van chirurgisch staal, dan krijg je geen infecties.' 'Trek je shirt uit,' zei Miria. 'Hij zet hem op je tepel. Het duurt niet lang, ik heb het ook al laten doen.' 'O god, nee,' zei Valentina weifelachtig. 'Kun je de handtekening van je moeder namaken?' vroeg Axel Rose terwijl hij haar een formulier aangaf dat met de pc was afgedrukt. 'Ik wil geen problemen. Ik bewijs je deze gunst alleen omdat je een vriendin van Miria bent, maar ik weet van niks, jij hebt die handtekening vervalst.' Valentina vulde het formulier ijverig in met blokletters:

Rome, datum... 4 MEI
Ik, ondergetekende... EMMA TEMPESTA BUONOCORE
geef toestemming aan mijn zoon/dochter... VALENTINA
om een piercing te nemen.
aldus naar waarheid... EMMA TEMPESTA BUONOCORE.

'Heeft ze twee achternamen, is ze soms van adel?' vroeg Axel Rose. 'Nee, ze is gescheiden,' antwoordde Valentina.

'De moeder van Valentina is een zeikerd,' verzuchtte Miria. Maar welke moeder is dat niet? De hare had een kruidenierszaak in de Via dello Statuto. Ze wilde er echter mee ophouden omdat de Chinezen daar in de buurt al die bazaarwinkeltjes hadden geopend, of wat voor mysterieuze holen het ook mochten zijn, en haar klanten weglokten met hun oneerlijke concurrentie. Haar moeder zei altijd dat deze wijk, die het hart van de Romeinse bevolking had gevormd, nu wel Chinatown leek. Je voelt je er een vreemdeling die wordt belegerd, net als in Fort Apache. Ze had het altijd over hoe Rome vroeger was, hoe anders de stad in haar tijd was geweest. Ze was de dufste vrouw ter wereld.

Axel Rose pakte Valentina bij de arm, nam haar mee naar de box en vroeg haar te gaan liggen op een ligbed met een papieren laken eroverheen. Hij deed een kast open en haalde er een flesje alcohol en een paar latex handschoenen uit. 'Goed zo, het leven is een uitdaging,' oordeelde Miria plechtig. 'Je moet alles proberen, om erachter te komen wat je leuk vindt en wat niet. Jij bijvoorbeeld, die nooit iets verkeerd doet, is er iets wat je leuk vindt?' Valentina dacht aan Marilyn Manson die – met een gekruisigde baby boven zich – grijnzend bij oma aan de muur van de eetkamer hing, boven de slaapbank. Maar het is achterlijk om verliefd te zijn op een zanger. 'Ik vind volleybal leuk. En dieren. De wetenschap.' 'Ach nee, kind,' onderbrak Miria haar, 'dat bedoelde ik niet. Wíé vind je leuk?' Valentina schudde haar hoofd en zwoer dat ze niemand leuk vond. Als Miria het niet geloofde moest ze het zelf weten, maar het was zo. Valentina was niet normaal. Ze was een zombie. Ze was ervan overtuigd dat ze in Siberië leefde, een wereld van ijs, waar alles bevroren en steriel is. Ze had het de leraar toevertrouwd, in een brief die ze hem in de kerstvakantie had geschreven. De leraar had haar uitgenodigd om bij Dagnino, de Siciliaanse banketbakker in de Galleria Esedra, een cassata met amandelmelk te gaan eten, om uit te zoeken hoe dat zat met dat Siberië. Ze had twee geweldige uren met hem gehad. Maar ze had hem niet meer duidelijk kunnen maken dan dat Siberië een planeet is waar je niets voelt – geen enkele emotie, geen enkele pijn. 'Trek je shirt uit.' Axel Rose begon zijn geduld te verliezen. 'Ik schaam me een beetje,' zei Valentina. 'Ach kom,' fluisterde Miria, 'hij is mijn vriend, ik ga nu met hem.'

Miria had een stuk of twaalf jngns gehad sinds Valentina haar kende. Ze had haar altijd alles tot in de kleinste details verteld. Zelfs hoe hun sperma smaakte. Smerig, naar een soort zurige kaas. Valentina geneerde zich als ze een van die jngns ontmoette. Ze had nooit sperma gezien. Ze wist dat jngns dat uit hun piemel spuiten, maar alleen van horen zeggen. Miria zei dat jngns ermee tegen je keelamandelen wrijven en willen dat je het doorslikt, maar dat valt niet mee. Valentina zou nooit van haar leven aan de piemel van een jongen zuigen. Alleen al bij de gedachte keerde haar maag zich om. Toen ze haar truitje uittrok en vervolgens haar hemd, merkte ze dat Axel Rose met klinische blik haar push-up bestudeerde – die haar witte, vijgvormige tietjes, verstijfd van schaamte, ruimhartig drie maten groter deed lijken. Miria merkte op dat haar borsten tamelijk onderontwikkeld waren. Maar ze hoefde zich geen zorgen te maken, ze konden over drie jaar ook nog gaan groeien. Zij was op haar vijftiende nog zo plat als een anorexiapatiënte. Het hangt van je bouw af. Hoe is je moeder? Daar hangt alles van af.

'Die heeft heel grote,' antwoordde Valentina terwijl ze geschrokken toekeek hoe Axel Rose bezig was met ijzertjes, tangen en haakjes die deden denken aan martelinstrumenten. 'Hangend, appelvormig of peervormig?' drong Miria aan. Valentina zei zoiets als Herzigova. 's Ochtends, tijdens de gemeenschappelijke lichaamsreiniging, voelde ze zich altijd vernederd als ze haar platte boezem vergeleek met de weelderige vormen van haar moeder die in de badkuip stond te kronkelen in een poging om het grillige waterstraaltje op te vangen dat uit de douchekop sputterde. Mama zat blij en gelukkig in haar lichaam als een worm in een appel. Ze had er geen last van en geneerde zich er niet voor. Ja, nogal wiedes, ze was net een standbeeld – zacht, met een fluwelige, perzikkleurige huid. Valentina had echter liever gehad dat ze zich bedekte als een non, en ze schaamde zich wanneer Emma – helaas minstens één keer per trimester, om niet de indruk te wekken dat ze een ongeïnteresseerde moeder was – naar school kwam om met haar leraren te praten, en heupwiegend de trappen beklom en de gang door liep omdat ze hoge hakken droeg maar ook haast had omdat ze te laat was, en net drie minuten voor het eind van de gesprekstijd aan kwam zetten. Luchtig, geurig, helemaal hupsend liep ze langs de lokalen, en haar klasgenoten lieten hun mond openvallen en staarden haar kwijlend na, alsof ze Pamela Anderson hadden zien lopen. Zij had liever gehad dat haar moeder net als andere moeders was: bescheiden, zwak, een beetje kleurloos.

'Je boft,' zei Miria. 'Mannen kijken bij een vrouw alleen maar naar de tieten. Het zijn allemaal stumperds.' Axel Rose gaf haar een tik, en Miria begon luid hinnikend te lachen. 'Ja, lach maar,' zei Axel. 'Maar die van jou groeien toch niet meer. Alleen kan ik het bij haar niet doen, haar tepels zijn nog niet breed genoeg.' Valentina keek misprijzend naar haar knokige borstkas. Gewoon een vogelverschrikker. Niet zo gek dat niemand je ziet staan. Je kunt nog niet eens een piercing nemen. 'Rustig maar, ik doe er gewoon een in je navel,' zei Axel Rose troostend, 'en als je wilt kom je volgend jaar terug, als je cup E hebt, en dan krijg je die andere ook.' Hij wreef met een in alcohol gedrenkte pluk watten over haar onderbuik. 'Je kunt wel zien dat je sportief bent,' merkte hij tevreden op. 'Je bent keihard.' 'Ze speelt niet,' preciseerde Miria. 'Ze staat alleen reserve.'

Valentina deed haar ogen dicht. Haar buik was gespannen als een bongo. 'Schiet op, om vijf uur moeten we weg,' spoorde Miria hem aan, terwijl ze achter de tussenwand van de box verdween. 'We moeten naar de wedstrijd.' 'Zeg, ik ben een professional,' stoof Axel Rose op. 'Jaag me niet op, anders prik ik in haar ader en bloedt ze dood.' Valentina huiverde. God, laat het snel voorbij zijn. Geef me moed. In een hoekje achter de kassa zette Miria de stereo aan en draaide het geluid open. Er stond een bandje van Metallica op. 'Het doet pijn!' schreeuwde Valentina toen de naald door haar huid drong. Ze voelde een soort wand die doormidden scheurde, en toen een enorme hitte. De pijn was scherp en hevig – maar verbazingwekkend snel voorbij. Ze hoefde niet te huilen. Axel Rose zei dat ze zich niet mocht verroeren, want ze moest niet denken dat het voorbij was. Om te beginnen moest hij nóg een gaatje maken – anders bleef het banaantje niet zitten. Een stroompje bloed druppelde op het papieren laken en vormde een vlek. Valentina staarde naar David Beckham op de poster tegenover haar. Zij vond David Beckham niet leuk, zij vond niemand leuk. Ze was niet normaal. Geen enkele pijn, geen enkele emotie – nul gevoelens. Siberië. Axel Rose zat aan haar navel te frunniken. Naalden, tangen, watjes, alcohol – de wond brandde. Er werd iets in haar gestoken. En het bloed bleef maar opborrelen. Als mama erachter kwam, zou ze razend zijn. Maar wat kon ze eraan doen? Nu was het al gebeurd.

'Hé! Geen geintjes! Ben je flauwgevallen? Wat zou er gebeurd zijn als je er een in je tong had gekregen?' zei Miria terwijl ze haar schertsend tegen haar wangen tikte. Toen Valentina haar ogen weer opende, zat de stalen speld door haar navel heen – glinsterend in het licht van de lamp. 'Ik zal je een zalfje geven waardoor het litteken sneller heelt. Die moet je er twee keer per dag op smeren, als je geluk hebt is het in twee maanden genezen, maar het kan ook een jaar duren. Als je ziet dat er vloeistof uit komt hoef je je geen zorgen te maken, dat is normaal. Het is een wond. Voorlopig kun je beter niet volleyballen. En pas op met zand en zeewater van de zomer. Als je een infectie krijgt, moet je terugkomen, dan haal ik hem eruit,' zei Axel Rose terwijl hij zijn handen waste boven de gootsteen. Valentina besefte nu pas dat hij dat van tevoren niet gedaan had. Ze drukte het watje tegen de wond. Het bloed begon te stollen. Het brandde wat, meer niet. Dat was alles.

'Dus je vindt Jonas niet leuk? Jammer,' zei Miria. 'Hij wilde je heel graag leren kennen.' 'Mij?' vroeg Valentina verbaasd. Ze bleef roerloos liggen, zoals Axel Rose haar had opgedragen, terwijl ze bewonderend in de spiegel aan het plafond keek naar het zwarte elastiek van haar string dat om haar heupen geklemd zat, en naar dat stalen dingetje bij haar navel. Het zag er geweldig uit. 'Yuri zegt dat Jonas je gespot heeft op het feest van Assia, hij zegt dat hij helemaal hoteldebotel was.' 'Van mij?' vroeg Valentina verbluft. 'Ja, waarom niet?' lachte Miria. 'Je bent toch niet misvormd of zo? Er mankeert toch niks aan jou? Die Jonas is een soort genie, vierde klas lyceum, helemaal gek van scheikunde, en hij speelt basketbal, volgens mij zijn jullie voor elkaar gemaakt.' 'Vierde klas lyceum? Hij is hartstikke oud!' zei Valentina, onzeker maar tegelijkertijd gevleid omdat een jongen van het lyceum haar had opgemerkt, terwijl zij nog maar in de derde klas van de middenschool zat. 'Ach wat,' sneerde Miria, opgewonden omdat ze het leuk vond om iets te ritselen voor haar vriendinnen, en Valentina was zo naïef en puur als een pasgeboren baby. 'Hij is net zo oud als ik, hij is perfect.' 'Ik heb heel stom tegen hem gedaan,' zei Valentina berouwvol. 'Ik zal hem een sms'je sturen dat hij naar de wedstrijd moet komen,' stelde Miria haar gerust.

En terwijl zij bleef liggen, en Axel Rose het licht in de winkel aandeed en een dweil over de vloer haalde die vol met haren en bloedvlekken zat, pakte Miria haar make-uptasje uit haar tas en begon haar op te maken met mascara en kajalpotlood, om haar ogen groter te maken, want als Jonas toehapt en naar de wedstrijd komt, gaan we naderhand met z'n allen een ijsje eten, en dan zullen we wel zien hoe het loopt. Valentina lag in gedachten verzonken. De planeten die tot nu toe ontdekt zijn liggen op honderden lichtjaren van de aarde. De diameter van ons melkwegstelsel is ongeveer honderdduizend lichtjaren. Eén lichtjaar is iets minder dan tienduizend miljard kilometer. Het zou ons alleen al honderdduizend jaar kosten om Alfa Centauri, de dichtstbijzijnde ster, te bereiken. Een bericht dat wij versturen naar een eventuele andere beschaving in de ruimte zou die pas kunnen bereiken wanneer onze wereld al miljoenen jaren is verdwenen door een holocaust. Er bestaan miljarden planeten en kosmische stenen waarop leven zou kunnen voorkomen. Volgens Valentina was de kans dat twee intelligente rassen elkaar kunnen ontmoeten in de galactische geschiedenis bijzonder klein. En toch wachten astronomen op die ene gebeurtenis die zal aantonen dat wij niet alleen zijn in het universum.

vijftiende uur

Ik vermoord je zodra je door dat hek komt lopen. Ik schiet je neer met mijn Springfield Armory 1911-A1. Ik heb het ingevet met dat smeermiddel dat ik een keer heb gedronken toen ik zelfmoord wilde plegen. Hij is geladen: 7 schoten + 1. Zelfs als ik niet zo'n goede schutter was als ik ben, zou ik het doel niet kunnen missen. Ik heb hem voor jou gekocht, ook al had je dat toen niet door en verweet je me dat ik vijf miljoen lire had verspild aan een pistool dat ik nooit zou gebruiken. Maar ik zal het wel gebruiken, en ik heb het niet eens helemaal afbetaald, alleen de eerste termijnen. Een kaliber 45 Acp, dat behoort tot de uitrusting van Amerikaanse Special Forces voor antiterroristische operaties en het bevrijden van gijzelaars. Daarom wilde ik het hebben. Je wordt gegijzeld door het kwaad, en ik zal je bevrijden. Ik schiet je neer zodra je naar Bar Vinicio's loopt waar je sinds zes maanden elke dag luncht met een stuk pizza zonder mozzarella, of een broodje gezond, of een sandwich tonijn en tomaat. Ik schiet je neer als je langs me heen loopt en net hebt gedaan of je me niet kent. Maar als je me begroet, zal ik op je rug mikken en je gezicht sparen. Dan zal ik je schoonheid onaangetast laten, als je dood bent kun je daar toch geen misbruik meer van maken. Nee, dat is niet genoeg. Dat zou te gemakkelijk zijn, alsof ik op de schietbaan ben, tegen het spook van de schietkaart. Dat zou me geen voldoening schenken – dat heb ik al zo vaak gedaan. Ik rijd je aan als je de weg oversteekt, ik rijd dwars over je heen zodat ik je botten hoor kraken en dan kunnen ze je niet eens meer herkennen, ze moeten in je paspoort kijken om erachter te komen dat die geplette brij op het asfalt jij was.

Maar ook die fantasie kon hem niet bekoren. Hij wilde een nog wredere oplossing. Ik duw je voor de metro, terwijl je ongeduldig naar de tunnel staat te kijken en glimlacht als de koplamp van de eerste wagon eindelijk opduikt – ik duw je voor de wielen terwijl je nog steeds die glimlach op je gezicht hebt. Nee, het beeld van Emma's soepele lijf, verbrijzeld en aan stukken gereten in die tunnel die stinkt naar verbrand rubber was onverdraaglijk. Dus droomde Antonio van een minder bloederige dood voor haar. Ik verdrink je in de Aniene, ik duw je in het water vanaf de Ponte Mammolo, waar je zo graag blijft staan om naar de stromende rivier te kijken. Deze stad is te oud, ik zie jou op elke brug, op elk kruispunt. Elke straat vertelt me over jou. Ik kan niet meer in Rome wonen. Ik wil een jonge wereld, ik wil in een huis wonen waar jij nooit binnen bent geweest, ik wil een nieuwe auto waarin jij nooit hebt gezeten, ik wil een landschap dat ik nooit samen met jou heb gezien.

Maar die nieuwe wereld bestaat niet, en ook al bestond hij, dan zou Antonio er nog niet naar op zoek gaan. Waarom? Hij hoeft haar niet te overleven. Daarom gooit hij haar dus niet in de rivier. Hij moet een laatste keer met haar in contact komen. Met haar lichaam. Ik laat je stikken, ik trek de glanzende nylonkousen die je vandaag hebt aangedaan voor een afspraakje met je minnaar strak om je nek. Ik wurg je met mijn blote handen. En ik heb geen medelijden met je, want jij hebt ook geen medelijden met mij gehad. En om vervolgens het kwaad dat in je zit uit te roeien snijd ik je open met het jachtmes waarvan je me zelf altijd vroeg het te gebruiken, om het fruit voor de kinderen te schillen tijdens een picknick. Ik gebruik het scherpe *drop-point* lemmet voorzien van *skinnerhaak*. Of de zaag met gefreesde tanden waarmee je zowel jong hout als beenderen goed kunt bewerken. Of het derde lemmet van mijn Beretta fieldlight, afgestompt, met een holle punt en een scherpe haak om de prooi te villen. Ik snijd je open om je te bevrijden van de lust die je vlees vernedert. En dan pak ik mijn Springfield Armory en schiet ik de kogel af die al in de loop zit, dwars door mijn hart, en dan hebben we rust en zullen we voorgoed bij elkaar zijn.

Emma verscheen terwijl Antonio, geschrokken van het beeld van haar ingewanden, weer een grootsere finale begon te bedenken, een wrede wraakactie: haar besprenkelen met benzine zodra ze naar de halte van de metro loopt, twee kilometer helemaal in haar eentje, onbeschut en zonder bescherming langs de kant van de weg. De volle jerrycan staat al klaar achter zijn stoel. En haar dan in de fik zetten, om haar in lichterlaaie te zien staan en naar de hel te zien gaan die haar toekomt. Met haar wapperende oranje boa, haar haar erotisch bijeengebonden in haar nek, haar paarse schoudertas, bontjasje om de schouders, laarzen en knierok, kwam Emma door het hek lopen dat de Via Tiburtina scheidde van het gebouw in glas en staal van het bedrijf, in het gezelschap van een groepje jonge vrouwen die liepen te kakelen en te lachen en er heel gelukkig uit-zagen. Ook Emma lachte – al zag ze er eerlijk gezegd niet geluk-kig uit, en deed ze alleen maar alsof om niet uit de toon te vallen. Antonio had te doen met haar dappere vrolijkheid.

Toen zag ze hem, leunend tegen de motorkap van de Tipo, en de lach bestierf op haar gezicht. Een brunette met krullend haar vroeg haar, zachtjes, maar niet zo zacht dat Antonio het niet kon horen: 'Is dat je nieuwe vent?' 'Dat is mijn man,' antwoordde Em-ma. De meisjes van het callcenter draaiden zich nieuwsgierig naar die atletisch gebouwde, donkere Apollo, de man van die terugge-trokken collega van hen die nooit had gezegd dat ze getrouwd was, en overigens ook geen trouwring droeg. Ze wierpen hem een blik toe waarin oprechte afgunst schuilde – waarschijnlijk hadden ze zelf een slappe, misvormde man – en liepen discreet weg. *Mijn man.* Ze had *mijn man* gezegd. Dus Emma had niet over hun scheiding ge-sproken. Antonio ook niet. Tegen al zijn kennissen was hij blijven doen alsof er niets gebeurd was. Alsof Emma niet was weggegaan, alsof zij tweeën nog steeds een stel genoemd konden worden, en zij vieren een gezin. Het was een soort bezwering: zolang 'het' niet was benoemd, bestond het eigenlijk ook nog niet, en zou het mis-schien ook wel nooit bestaan. De bezwering was doeltreffend ge-bleken. Maar inmiddels puilden de archieven uit van de papier-handel die de rechtbank had geproduceerd, inmiddels was de scheiding uitgesproken. Het mechanisme was op gang gebracht. Inmiddels was 'het' tot leven gekomen. En hij kon het niet meer verborgen houden.

Als beloning voor haar discretie, en voor die woorden – *mijn man* – die zo spontaan uit haar mond waren gerold, besloot hij haar nog tien minuten te laten leven. Emma versnelde haar pas om zich bij haar collega's te voegen, maar Antonio was sneller, hij ging naast haar lopen en pakte haar bij de arm. Bestookt door een bedwel-mend parfum van wierook en appel. Shampoo & conditioner, nog steeds dezelfde die ze al jaren gebruikte. Ze heeft net haar haar gewassen. Die vrouw is hartstochtelijk trouw aan haar shampoo & conditioner, maar niet aan haar man. O, hypocriet, liegbeest, gore slet.

'Laat me los,' siste Emma terwijl ze zich probeerde los te rukken, maar met een zachte beweging, omdat ze niet wilde opvallen. Ze vond het nog steeds een gênant idee dat de bedrijfsagent, een of andere onbekende, de geheimen van haar huwelijk zou ontdekken. Ze nam hem en zichzelf in bescherming. Antonio hield zijn arm stijf en hield haar stevig vast. 'Hoe gaat het met je? Je ziet er goed uit, *Mina*.' Aardig, beleefd, bijna hoffelijk. Hij wist zelfs haar koosnaampje nog op te diepen. 'Jij ziet er anders helemaal niet zo goed uit,' antwoordde Emma. 'Weet je zeker dat je bent gestopt met die pillen? Amfetamine tast je hersenen aan.' 'We kunnen toch als twee normale mensen met elkaar praten,' zei Antonio, 'of moeten we als vijanden met elkaar omgaan?'

Emma keek om zich heen. De Via Tiburtina was een kanaal van metaal met een dikke laag rook erboven. Haar collega's waren al in Bar Vinicio's verdwenen. Op dit tijdstip barstte het daar van de werknemers van de talrijke fabrieken in de omgeving, die zich verdrongen voor de broodjesvitrine. Pauzerende bouwvakkers die werkten aan een nieuw winkelcentrum in het aangrenzende blok stonden voor de deur een stuk pizza te verorberen. Ze zag haar collega's niet meer. Hoe dan ook, andere mensen bemoeien zich altijd met hun eigen zaken. Als hij me hier, midden op straat, in elkaar zou slaan, zou niet een van hen voor mij blijven staan.

De Tipo van Antonio stond dubbel geparkeerd, met de sleutels in het contact. De afgelopen twee jaar had Antonio haar al minstens tien keer om 'een laatste ontmoeting' gevraagd. Ingeleid met smeekbeden en beloften, en beëindigd met geschreeuw, tranen, dreigementen. 'Waar wil je het nu nog over hebben?' vroeg ze, op haar hoede. 'Over de kinderen,' antwoordde Antonio berouwvol. 'We hebben het al over de kinderen gehad,' zei Emma. 'Je moet ze onderhouden, dat is je plicht. Je mag ze zien, en dat is je recht. Je hebt noch het een, noch het ander gedaan. Kennelijk interesseert het je niet. Maar je blijft altijd een vader.' Antonio klemde haar arm nog steviger vast. 'Ik weet dat ik verkeerd zat, Mina. Geef me de kans om alles in orde te maken.'

'Hoe bedoel je?' vroeg Emma, zonder zich enige illusies te maken. Ze vertrouwde Antonio niet. Alles vergeven en verdergaan – dat is de oplossing. Er is te veel tijd verstreken. En ik ben een ander mens geworden. Het is voorbij. Ik ben vrij. 'Die alimentatie,' insinueerde Antonio, 'je krijgt nog een heleboel geld van me.' Geld – het toverwoord voor de dochter van Olimpia. Dat oude wijf zou nog een luis villen voor zijn huid. Geld, geld, onze kinderen zijn een cheque geworden – leugenachtige hoer, ik schiet je door je kop zodra je in die auto stapt.

'Antonio, ik wil het niet over geld hebben met jou,' zei Emma echter vermoeid. 'Je weet wat je moet doen. Als je iets wilt doen voor je kinderen, doe het dan. Zo niet, dan redden we ons wel zonder jou. Ik heb jou niet meer nodig. En je geld ook niet,' voegde ze er boos aan toe. En juist omdat het niet waar was, en juist omdat ze niet weer onderworpen wilde worden aan die chantage van de afhankelijkheid, wierp ze hem een trotse blik toe en vertelde ze hem een leugen die haar voor het eerst die dag enige voldoening bezorgde. 'Ik heb nu een vaste baan, Antonio. Ik ben aangenomen.'

Antonio wankelde, want dat was het slechtste nieuws dat Emma hem had kunnen geven. Geld was zijn laatste sprankje hoop geweest. Haar tijdelijke baantjes zijn laatste toevlucht. Hij was vergenoegd getuige geweest van Emma's razendsnelle afdaling van de sociale ladder – van verwende echtgenote en fulltime moeder tot parttime werkneemster, assistente en medewerkster zonder rechten, en een moeder die steeds meer verstrooid was en tekortschoot. En hij wist dat zolang zij verder omlaag zou rollen, er altijd nog iets van gevoel voor hem zou blijven – al was het maar uit spijt om wat ze was kwijtgeraakt toen ze hem dumpte. Het fatale woord dreunde na in zijn hoofd. Aangenomen. Aangenomen. Dus ook zijn laatste sprankje hoop werd hem afgenomen op deze vervloekte vrijdag in mei. En hij wist absoluut zeker dat Emma niet op haar schreden zou terugkeren. En hij ook niet.

Hij voelde aan de envelop in zijn jaszak. Vaarwel. Denk aan ons zoals we vroeger waren, toen we gelukkig waren. Schrijf niet te veel leugens. Heb een beetje respect. En mededogen, als het kan. Hoe dan ook, hij vergaf haar haar zinloze trots. Arme Emma, op haar laatste dag zo mooi als ze in geen jaren was geweest – onwetend, bleek, besluiteloos, met haar oranje boa die tot op het trottoir hing, haar magere handen die met de ritssluiting van haar tas speelden: ze wilde hem opendoen om een sigaret te roken, maar de rits zat vast. Antonio kende die paarse tas, hij kende al haar kleren. 'Dat is fijn voor je,' zei hij kil. 'Gefeliciteerd. Maar ik wil evengoed alles in orde maken. Mijn kinderen verdienen het allerbeste. Ik wil niet dat ze opgroeien als logés bij je moeder. Ik geef jullie het huis. Maar moeten we midden op straat praten?' voegde hij eraan toe, alsof het een onbelangrijk detail was. 'We zijn toch geen zwervers? Alsjeblieft, Mina, niet hier, laten we naar huis gaan, jij mag zeggen waar we heen gaan.' Hij opende het portier van de auto en mompelde: 'Stap in.'

'Nee,' zei Emma. Nooit alleen zijn met hem – nooit, vergeet niet wat de advocate je op het hart heeft gedrukt. Laat je niet overvallen door medelijden – er is niets om medelijden mee te hebben, hij heeft het recht gekregen om ze elk weekend te zien, dat hij dat niet heeft gedaan is zijn eigen keus geweest, jij hebt het hem niet belet, ook al had je dat graag gewild, hij is hun vader, hij houdt van ze. Maar hij houdt niet meer van jou, hij haat je. Je moet hem niet vertrouwen. Hij heeft je niets te zeggen, hij heeft je geen geld te geven. Nooit alleen zijn met hem. 'Stap in,' smeekte Antonio haar bijna, terwijl hij haar naar de auto duwde. 'Nee,' hield Emma vol, maar ze aarzelde omdat ze niet wilde laten merken dat ze bang voor hem was. En dat was ze ook niet, niet op klaarlichte dag, op een weg als de Via Tiburtina waar honderden vrachtwagens overheen reden, en waar nu met grote snelheid de bus naar het centrum langskwam – achter de raampjes zag ze onverschillige gezichten, matte getuigen van hun neergang. Die nerveuze man, met zijn grote pupillen en zijn trillende handen, was immers nog altijd Antonio. En ook al was hij haar nu volkomen vreemd, alsof ze hem nooit gekend had, nooit gehuwd had, nooit bemind had, 's nachts droomde ze van hem. Zonder dat ze het had verwacht, zonder dat ze het wilde, bedreef ze 's nachts de liefde met hem – zoals ze jarenlang had gedaan – in de Tipo die stond geparkeerd in de schaduw van de muur om het Verano-kerkhof. Ze voelde de versnellingspook tegen haar dij en ze zag heel duidelijk haar hand die tegen het beslagen raampje steunde. En het gezicht van Antonio onder haar, liggend op de hoofdsteun, gelukzalig. En ze voelde hem in zich – snel, hard, regelmatig en royaal. Ze schaamde zich ervoor, want in die dromen hield ze van een Antonio die al jaren niet meer bestond, of alleen heel af en toe, in die armzalige verwarde dromen die meteen weer werden uitgedoofd.

Ze staarde weifelend naar de stapel tijdschriften op de passagiersstoel. Op de glanzende cover van *Men's Health* prijkte de foto van een ontbloot mannelijk bovenlijf, glad en gespierd, zoals Antonio er vroeger ook uit had gezien en zoals hij meende dat hij er nu nog uitzag. Antonio veegde de stapel vlug aan de kant om plaats voor haar te maken. Hij leek tamelijk beheerst. Misschien was hij inderdaad, zoals de rechter en de maatschappelijk werker hem hadden gelast, naar een psycholoog gegaan om te genezen van zijn depressie. De behandeling had geholpen, de oude Antonio was terug.

De jongen van toen ze twintig was, de dienstplichtig soldaat, de judokampioen, en daarna de gewoon agent van politie die haar in uniform naar haar stageplek op een basisschool bracht, en haar 's avonds kwam afhalen van haar zangles, met wie ze omging zonder dat haar ouders het wisten. Antonio was de enige op de wereld die wist dat ze nooit onderwijzeres zou worden, ze had die studie alleen gedaan om de ambities van haar moeder te bevredigen, die van haar dochter de burgerlijke, respectabele vrouw wilde maken die ze zelf nooit had kunnen worden. Emma daarentegen wist al vanaf het moment dat ze op haar vijftiende in Ladispoli was verkozen tot Miss Zee dat ze was geboren voor het podium. Antonio was trots dat zijn meisje talent had. Als je een ster wordt, zei hij, ga ik weg bij de politie en dan word ik je manager. We reizen de hele wereld over en verdienen een hoop geld. En jij wordt beroemd. Verliefde mensen van twintig denken dat de eeuwigheid om de hoek ligt.

Emma ging in de Tipo zitten. Vanuit haar ooghoek zag ze dat er achter Antonio's stoel een jerrycan vol benzine stond en ze vroeg zich af waarom, maar toen werd ze weer afgeleid, ontroerd door de aanblik van haar cassettebandjes – de successen van Loredana Berté, Diana Ross, Celentano, Antonella Ruggiero – die nog steeds op het dashboard lagen. Op de voorruit zat nog altijd de sticker die Valentina er jaren geleden op had geplakt: MAKE LOVE NOT WAR. In de Tipo hing een geur van oude peuken en seks. Dat verbaasde Emma, want ze had niet gedacht dat Antonio een ander had. Maar misschien had hij, verlangend naar gezelschap, een hoertje opgepikt. Dat leek haar een bemoedigend teken. Toen Antonio achter het stuur ging zitten, en haar een zinderende blik toewierp, realiseerde Emma zich dat haar rok haar knieën helemaal bloot liet. Twintig jaar lang had ze hem verteld dat haar knieën een uitermate erogene zone waren. 'Breng me maar naar de Piazza Farnese,' zei ze. 'De generaal verwacht me om halfvier en ik wil een bejaarde niet laten wachten, zijn tijd gaat veel trager dan de onze.' Antonio glimlachte en startte de motor.

Aangezien hij niet kon wachten tot hij alleen was met haar – hij was helemaal niet van plan om haar naar de generaal te brengen en dacht koortsachtig aan de stille laantjes achter het Foro Italico – begon hij de auto's in te halen die in de file richting het centrum stonden. De tegemoetkomende automobilisten toeterden en flitsten met groot licht om hem te laten weten dat hij tegen het verkeer in reed. Antonio voelde een opwelling van haat opkomen voor de Via Tiburtina, die gekmakende, vage straat omzoomd door fabrieken, informaticabedrijven, loodsen, lelijke bouwwerken, een straat waar zelfs de bomen en de bloemen lelijk waren, maar waar Emma – deze nieuwe Emma die was geboren nadat zijn Emma was weggegaan – zich elke dag doorheen worstelde sinds ze niet meer voor hem leefde. En intussen haatte hij ook Rome, die vrouwelijke stad met de ronde vormen, een moederlijke stad bestaande uit koepels zo weelderig als borsten en deuren wijd opengesperd als benen – waarvan het symbool de leegte was, net zoals dat van de vrouwen: de onrustbarende Romeinse leegte die alles bedreigt, het is een ongeneeslijke ziekte. Hij haatte Rome net zo hevig als Emma, en als zichzelf.

'Waarom dacht je vriendin dat ik je nieuwe vent was?' vroeg hij achteloos, terwijl hij de achteruitkijkspiegel goed zette. 'Ik weet het niet,' antwoordde Emma, starend naar de dubbele streep voor haar die de rijbanen scheidde. 'We kennen elkaar helemaal niet, we zitten alleen aan hetzelfde werkeiland.' Ze kreeg het gevoel dat het geen goed idee was geweest om in de auto te stappen, maar ze had een lift nodig en die was Antonio haar verschuldigd. Hij had tenslotte haar motor kapotgemaakt. En zonder motor deed ze er langer dan een uur over om van de Via Tiburtina bij het huis van de generaal te komen. Bovendien waren er in het centrum altijd mensen. Niet zoals hier, waar bijna niemand liep – allemaal opgesloten in hun auto's, starend naar het nummerbord van de auto voor zich.

'Hoe lang ben je al bij die nieuwe vent?' informeerde Antonio. Hij bleef glimlachen, alsof het hem totaal niet interesseerde. Maar Emma kende die glimlach al eenentwintig jaar, evenals die nonchalante, lichte toon waarop hij praatte als hij zich eigenlijk vreselijk voelde.

Die kende ze al vanaf hun eerste zomer. Ze waren aan het kamperen op Lipari. Ze lagen naakt op hun rug in de tent te kijken naar de sterren achter de klamboe. Antonio had haar gevraagd hoe hij heette. Hoe wie heette? had Emma niet-begrijpend geantwoord. De naam van haar eerste. Toen ze de eerste keer hadden gevreeën – in de auto, de plek waaraan ze trouw zouden blijven ook toen ze eenmaal een huis en een matras hadden – had Antonio gemerkt dat hij niet de eerste was, maar dat leek hem toen niet zo belangrijk. Zij was ook niet de eerste voor hem. Waar het om gaat is dat je de laatste bent. Op zijn twintigste dacht hij zo. O, had zij gerustgesteld gezegd, wat maakt dat uit? Je kent hem niet. Jawel, ik ken hem wel, stoof Antonio op, met een kille stem die ze niet verwacht had, ik ben in hetzelfde gat geweest, ik heb praktisch met hem geneukt. Wat zei je daar? protesteerde ze, gekwetst door zijn ordinaire taalgebruik. Antonio was niet ordinair. Hij was juist heel attent. Hartstochtelijk. Hij bedolf haar onder de rozen! Hij liet de deejay van Radio Stereo zoetsappige liefdesliedjes aan haar opdragen. De vijandige stilte maakte geleidelijk plaats voor excuses, eerst nog gemompeld en daarna steeds hartstochtelijker, en uiteindelijk voor een heftige spijtbetuiging van Antonio die zei dat hij niet wist wat hem had bezield – hij was nooit van plan geweest om zoiets te zeggen. Ik hou gewoon te veel van je, Mina. Toen begon hij aan haar lippen te sabbelen, en haar vingers, haar borsten, en hij bedreef heel teder de liefde met haar, met meer aandacht voor haar dan hij ooit eerder had getoond, en Emma dacht dat alles voorbij was. Maar ineens, terwijl ze haar slaapzak openritste en erin wilde kruipen, begon Antonio opnieuw. Die naam, die naam. Hij wilde de naam van die jongen weten. Alleen zijn naam, verder niks, daarna zou hij haar met rust laten. Om van het gezeur af te zijn – ze had slaap, ze was al vanaf 's ochtends vroeg wakker – vertelde Emma hoe hij heette.

Hij heette Manlio. Wat een belachelijke naam, sneerde Antonio. En zij snoof, want ze vond het irritant dat hij de jongen beledigde aan wie ze haar maagdelijkheid had geschonken. Haar stilzwijgen kwetste Antonio, die wilde weten wie die Manlio dan was, zat hij naast haar in de klas? Was hij een puisterige pabostudent, de enige haan tussen dertig hennen? Nee, gaf Emma vervolgens toe, hij was de invaller voor de godsdienstleraar. Hij wist alles over ketters. Ik was op mijn zestiende bezig met een werkstuk over de genocide op de katharen. Je hebt je laten ontmaagden door een priester! Antonio barstte in lachen uit. Maar terwijl hij zich een ongeluk lachte, verscheen er een weerzinwekkend beeld in de tent, realistischer dan de slaperige, naakte Emma die met haar slaapzak worstelde: Emma op haar zestiende, een maagdelijke, onschuldige leerlinge onder een oude, perverse smeerlap, even hypocriet als alle andere priesters. Hij was geen priester, preciseerde Emma met een weemoedige glimlach, hij was theoloog. En hij was niet oud. Hij was zevenentwintig. Toen beet ze op haar lip, omdat ze hem te fel had verdedigd, en nu zou Antonio denken dat ze nog iets om hem gaf, terwijl het allemaal allang verleden tijd was. Maar wat maakt jou dat uit? fluisterde ze, terwijl ze zijn oor kuste, toen kende ik jou nog niet.

Antonio wilde echter weten of die theoloog een geduchte rivaal was aan wie zij misschien verlangend terugdacht. Hij wilde weten hoe hij eruitzag, of hij lelijk was, want waarom zou iemand anders op het idee komen om godsdienst te gaan studeren, dan moet je wel lelijk zijn. En zij, die de hele dag had gezwommen, en op alle zomerhits had gedanst, en alleen maar wilde slapen, vertelde het hem. Hij was heel lang, mager, hij had iets ascetisch, hij was net Jezus. Hij had groene ogen en een baard. Hij is de intelligentste man die ik ooit heb gekend. Antonio zag de rivaal voor zich: een valse profeet die een naïeve maagd van zestien had misleid. Hij zou hem wel eens willen ontmoeten, dan zou hij hem zijn kloten afbijten. Hij schreeuwde dat het verboden is voor een leraar om met een minderjarige leerlinge naar bed te gaan, dat is een overtreding, een misdaad. Emma beging een andere fout. Ze verdedigde hem. Ze zei dat Manlio inderdaad niet wilde. Hij was een man met sterke morele principes. Zij was degene geweest die hem een brief had geschreven waarin ze hem haar liefde had verklaard.

En zo ontdekte Antonio een onbekende Emma. Sentimenteel en ondernemend genoeg om zich aan een onwillige man aan te bieden. En toen? Toen was Manlio overgeplaatst naar een andere school en was hij dus niet meer haar leraar. Ze bleven elkaar zien omdat ze gefascineerd was door zijn culturele ontwikkeling, en hij liet haar boeken ontdekken die gingen over het mysterie van de geest en van God en van het leven. Hij had haar het *Symposium* van Plato gegeven en *Siddharta*, het *Tibetaanse boek der doden* en de *Mystieke gedichten* van Rumi, *Het paradijs verloren* van Milton en vervolgens ook de Russen, Marina Cvetaeva, Pasternak, Mandelstam – grootse dichters, want door hen leer je alles begrijpen van mannen en vrouwen en de liefde, ook al geloof je in geen enkele god, alleen in de mens. Ze hadden elkaar een keer gezoend en toen was het gebeurd. Hoe was het gebeurd? Zomaar, heel natuurlijk. *Natuurlijk* – dacht Antonio, als verstijfd bij de gedachte dat Emma het natuurlijk vond om met een man naar bed te gaan. Hoe was het geweest? *Normaal.* En hoe is het dan als het niet normaal is? Dan is het uitzonderlijk, antwoordde ze, terwijl ze hem nogmaals op andere gedachten probeerde te brengen met een afleidingsmanoeuvre van kusjes en liefkozingen. Wat betekent normaal? vroeg Antonio terwijl hij opzijschoof, verteerd door het feit dat zijn amper negentienjarige meisje achter haar argeloze glimlach allang in staat was om hiërarchieën aan te brengen, vergelijkingen, rangordes. Antonio had spijt dat hij haar aan de theoloog had helpen herinneren. Voor het eerst zag hij zichzelf geschokt zoals Emma hem misschien zag: zij, die op een dag de ster van het Italiaanse lied zou worden, erotischer dan Patty Pravo, rebelser dan Loredana Berté, tweeslachtiger dan Alice, zat opgescheept met een voormalig dienstplichtig militair die genoodzaakt was het leger te vragen zijn diensttijd te verlengen omdat hij met zijn miezerige lts-diploma geen baan wist te versieren. En dat terwijl Emma een theoloog had gehad. Iemand die was afgestudeerd in de godswetenschappen. En ze kon iedereen krijgen. Op elk moment. Ook morgen.

Hij wilde weten hoe vaak die theoloog haar geramd had. Hij hoopte dat het maar één keer was geweest: wat kon een theoloog in 's hemelsnaam weten van het lichaam en de lust van een meisje? Hoe kan ik dat nou weten, dat herinner ik me niet meer, lachte ze, wat is dat voor een vraag, net zoiets als vragen hoe vaak ik naar zee ben geweest. Antonio voelde een elektrische schok in zijn hoofd. Alles om hem heen ging uit. Dus voor Emma was dat hetzelfde. En als ze het niet meer wist, betekende dat dus dat het heel vaak gebeurd was. Zijn teleurstelling was zo groot dat hij haar met de rug van zijn hand in het gezicht sloeg, maar omdat Emma zich op haar zij had gedraaid om niet te hoeven kijken naar zijn bloeddoorlopen ogen, dreigende ogen, onbekende, waanzinnige ogen, trof hij slechts gedeeltelijk doel. Emma vloog overeind als een kat. Als je me nog één keer aanraakt sla ik je hersenen in, zei ze dreigend, terwijl ze een strandklomp vastpakte. Ze maakte de rits van de tent open. Het was midden in de nacht. In de caravan naast hen huilde een baby. Antonio rukte de klomp uit haar handen en rende over de hele camping achter haar aan, en over het hele strand, en toen ze uiteindelijk niet verder kon vluchten door de zee – koud en zwart op dat nachtelijke tijdstip – kwam hij erachter dat

de theoloog een zondaar was net als alle andere mensen

de theoloog het drie keer achter elkaar kon doen

de theoloog haar een zeker genot had bezorgd – aanvankelijk beweerde Emma dat het niet zo intens was geweest als met Antonio, maar later, na kwellend, martelend aandringen van zijn kant, gaf ze uiteindelijk toe dat ze was klaargekomen, en niet één keer maar verschillende keren, eigenlijk bijna altijd. Hij had dus al die tijd als een idioot gedacht dat hij haar het orgasme had laten ontdekken, terwijl zij dat allang met haar theoloog had ontdekt, ook al weigerde ze het beestje bij de naam te noemen en verschuilde ze zich achter het hoogdravende, vage woord 'genot'.

Aan het eind van de vakantie op de Eolische Eilanden had Emma ontdekt dat als je van iemand houdt, je niet alleen vóór hem maar ook dóór hem moet lijden, en kende Antonio Emma beter dan ze ooit had gedacht dat ze zichzelf zou leren kennen. Hij wist alles over haar relatie met de theoloog, hij kende hun lievelingsgedicht uit zijn hoofd, dat luidde:

Als met een ploeg de zee doorklievend /
zullen we ook in de ijselijke stroom der Lethe niet vergeten /
dat de aarde ons tien hemelen heeft gekost.

Hij wist van hun lyrische en veelbewogen seksleven, hij wist waar ze het hadden gedaan (zo'n beetje overal, ook in het portiershokje van het huis van Emma's ouders), en hoe lang, en in welk standje (meestal hij onder en zij boven). Hij wist ook dat Emma dertien maanden lang een seksuele relatie met hem had gehad, tot ze verliefd was geworden op de drummer van een rockband van het Pasteur-lyceum en het met hem had uitgemaakt om iets te beginnen met die drummer die

Daniele heette

achttien jaar was

lang haar had net als de drummer van Duran Duran

besneden was – omdat hij Joods was, wat leidde tot een lang betoog omdat Antonio niet precies wist wat besneden zijn inhield, en tot een steeds nauwkeuriger beschrijving totdat het duidelijk werd, met als gevolg dat het beeld van een penis zonder voorhuid die onbeschaamd binnendrong in Emma's vlees de eerste van vele aanvallen van darmkrampen in zijn leven veroorzaakte

haar altijd nogal haastig had geneukt – hij was snel, nooit langer dan tien minuten, waardoor ze moest toegeven dat ze nooit had kunnen klaarkomen, waardoor hij erachter kwam dat ze het jammer vond dat dat nooit gelukt was en dat die schaamteloze griet als ze aan seks begon alleen maar aan haar genot dacht:

in het ouderlijk huis van de drummer

op het ouderlijk bed, want dat was breed

ook op zijn bed – maar dat was smal en ongemakkelijk

ook in de garage

een keer op de wc van school

bijna altijd staand om niet zwanger te worden

ze was nooit klaargekomen

zij hield evengoed van hem

later had hij het uitgemaakt

zij had heel veel gehuild

ze had gezworen dat ze nooit meer verliefd zou worden

daarna had ze hem, Antonio, leren kennen.

Wat een naïviteit om te denken dat je verleden aan jezelf toebehoort, gekristalliseerd in een dimensie die voorgoed is vastgezet. Het banale verleden van Emma – ook al had hij daarin geen rol gespeeld – behoorde inmiddels toe aan Antonio. Er gaapte een ellendige afgrond achter haar, en als ze één stap in de verkeerde richting zou zetten, zou ze erdoor worden opgeslokt. En alleen hij kon voorkomen dat ze verloren ging. Hij moest haar beschermen. Bij haar blijven – waakzaam, met kokend bloed, klaar om haar te verdedigen. Want Emma – in het verleden, het heden en de toekomst – was nu van hem.

Emma bleef vaak bij hem slapen, in een eenkamerappartement dat uitkeek op de spoorlijn, op de zevende verdieping van een gebouw met tien verdiepingen in de afgelegen wijk Alberone, waar het politiebureau was waar Antonio net was aangesteld. Luister, we kunnen niet samenwonen, dat zien ze niet graag, een politieagent kan beter getrouwd zijn, waarschuwde Antonio haar. Emma zei dat ze voor ze trouwde eerst wilde verdienen met haar platen, zodat ze meer geld zouden hebben. In haar jeugd was er thuis nooit geld genoeg geweest, en zij wilde een ander leven. En zonder zich ook maar ene reet aan te trekken van wat Antonio's collega's ervan zouden kunnen denken, wachtte ze hem in zijn appartementje op toen hij helemaal van streek terugkeerde van de nachtdienst. Je werkt al zoveel, zei ze terwijl ze hem knuffelde, je gaat om met overvallers, moordenaars en criminelen, als we na zo'n dag niet eens met elkaar vrijen, wat heb je dan voor leven? Ze maakten geen nieuwe vrienden, en ze raakten de oude kwijt. Ze vond zijn collega's grof, en hun vrouwen deprimerend, die konden alleen maar over de kinderen praten. Zij op hun beurt vonden haar overigens te competitief, strijdlustig en vrijmoedig naar hun smaak. Antonio vond haar vrienden te studentikoos, en zij vonden hem jaloers en bezitterig, en hij had een verstikkende uitwerking op Emma's spontane, open karakter.

Emma had trouwens toch steeds minder zin om met wie dan ook uit te gaan als hij erbij was, want naderhand onderwierp Antonio haar aan de ondervraging die hij graag op het politiebureau zou uitvoeren, en die hij intussen op haar oefende en verfijnde: of ze diegene misschien leuk vond, het leek wel of ze iedereen met een beetje okselhaar leuk vond, en waarom ze ontkende dat ze geïnteresseerd was in diegene, ze had toch iets in zijn oor gefluisterd, hij had het heus wel gezien, hij was politieagent, niets kon hem ontgaan. Emma antwoordde onveranderlijk, hartstochtelijk – ach, met die ogen vol verbazing en liefde en onschuld – dat ze niet naar diegene had geglimlacht omdat ze de hele avond alleen maar met hem bezig was geweest, omdat ze van hem hield, en alle andere mannen mochten wat haar betrof uitsterven, dat zou haar niks kunnen schelen. En Antonio zou haar dolgraag willen geloven, maar dat kon hij niet, soms was hij zo gekwetst door haar afgeraffelde antwoorden dat hij haar klappen gaf en riep dat ze moest bekennen – er was niks mis mee als ze een ander leuk vond, maar ze moest het wel zeggen, eerlijkheid was fundamenteel, ik aanvaard je met al je tekortkomingen, zien hoe jij verandert hoort ook bij het leven. Als ze zou bekennen zou hij het haar vergeven, maar ze moest hem wel de waarheid vertellen. En aangezien zij hem die waarheid niet kon vertellen, begon hij vervolgens tegen haar te schreeuwen, maar dan op barse, beledigende toon, opdat Emma niet zou merken hoeveel macht ze over hem had, en protesteerde hij dat hij haar smoesjes en haar leugens niet verdiende, omdat hij nooit zoveel van iemand had gehouden als van haar, zijn eerste echte vrouw, hij wilde voor haar leven en haar beschermen, en alles doen met haar en voor haar, terwijl zij hem teleurgesteld had – ach, ze was gewoon maar een meisje, net zo veranderlijk en wispelturig als alle vrouwen, en ze hield niet echt van hem, daar was ze niet toe in staat. En dan, ontroerd door zo'n onmetelijke liefde, smeekte Emma hem om haar te geloven, om niet te denken dat ze net als alle anderen was, ook zij had nog nooit zo van iemand gehouden als van hem. En terwijl ze dat zei werd de uitdrukking op haar gezicht verlegen, en onderworpen, en bijna hartverscheurend, en daar werd hij nog opgewondener van, en moedigde die hem aan om nog agressiever te doen. En zij vergaf hem, omdat ze bang was dat ze verkeerd begrepen zou worden, of geminacht, of in de steek gelaten, en ze omhelsde hem, en dan maakten ze het goed en eindigden die heftige ruzies in nog heftiger herenigingen, en na afloop waren ze uitgeput en verdwaasd en gelukkig omdat ze zoveel van elkaar hielden.

In die periode stelde een technicus van de studio van een platenmaatschappij Emma voor aan de directeur, die vond dat het meisje een boeiende podiumverschijning had, en een behoorlijk zuivere stem. Hij bood haar een contract aan voor de plaatopname van een zanger die drie jaar geleden aan het festival van San Remo had meegedaan maar als zestiende was geëindigd; ze moest meezingen in het achtergrondkoor. Ondanks het feit dat het heel slecht betaald werd en dat de zanger in kwestie oersaaie liedjes voor bejaarden zong waar zij een bloedhekel aan had (zij aanbad Billie Holiday, Aretha Franklin en Ella Fitzgerald), nam Emma het aanbod aan, om ervaring op te doen. Ze verdween in de opnamestudio, maar ze zei niets tegen Antonio – later zou ze zich vergeefs afvragen waarom niet. Toen Antonio van de plaat hoorde, was het al gebeurd. De onbegrijpelijke – verdachte – geheimhouding van Emma beviel Antonio allerminst, al wilde hij niet dat ze dacht dat hij haar carrière belemmerde en betoonde hij zich ruimhartig en begripvol omdat hij ondanks alles droomde van een grootse toekomst voor Emma. Zijn meisje zou een ster worden. Iedereen zou haar aanbidden zoals hij haar nu al aanbad, en die triomf wachtte hij vol vertrouwen af.

Het toenemende aantal mannennamen in haar agenda, verdachte telefoontjes en het feit dat ze soms zonder reden te laat kwam, overtuigden Antonio ervan dat Emma buiten zijn medeweten omging met de geluidstechnici en de studiomuzikanten. Ze maakten er urenlang ruzie over, soms sloegen ze elkaar of krabden ze elkaar tot bloedens toe, ze schreeuwden tot zij hem liet zitten en een lift vroeg aan de eerste de beste vrachtwagenchauffeur die voorbijkwam. En hij werd alleen nog maar bozer toen Emma na een tijdje liet blijken dat ze niet eens meer wilde bewijzen hoe ongefundeerd zijn beschuldigingen waren – per slot van rekening ben ik twintig jaar, ik ben misschien niet Kim Basinger maar ik mag er best zijn en als mannen me leuk vinden is dat niet mijn schuld. Het probleem, had Antonio willen schreeuwen, is niet dat mannen jou leuk vinden, maar dat jij de mannen leuk vindt. Eén keer was ze uit de auto gestapt terwijl hij haar tas, haar schoenen, haar bril en haar sigaretten uit het raampje smeet, en ze was zo ongevoelig geweest voor zijn pijn dat ze op blote voeten naar huis was gelopen. Toen Emma haar derde plaat opnam, begon ze de indruk te krijgen dat hij niet meer de hartstochtelijke minnaar was, noch de medestrever naar het geweldige leven dat haar wachtte wanneer haar talent zou worden erkend, maar een fanatieke, verstikkende politieagent die haar in werkelijkheid nooit zou helpen haar droom te verwezenlijken, en haar juist alleen maar zou belemmeren. En al die ordinaire vragen, die ordinaire verdachtmakingen, die scherpe, voortdurende controle, de kwellende beschuldigingen van ontrouw en bedrog die haar voorheen hadden gekwetst maar ook gevleid, vond ze uiteindelijk alleen nog maar irritant.

Die zomer ging de melodische zanger op tournee. Er was een

achtergrondzangeres nodig voor de refreinen, die onveranderlijk gebaseerd waren op de herhaling van het woord liefde. De zanger had al tien jaar geen nummer in de hitparade gehad en de platenmaatschappij investeerde zo weinig mogelijk in hem – maar goed, aangezien die juffrouw Tempesta zo'n lach en zo'n kont en zulke lekkere tieten had, en dus op het podium leuk overkwam (de producer zei het letterlijk zo en Emma wenste dat ze gebocheld en lelijk was zodat alleen haar stem het recht had om mooi genoemd te worden) namen ze haar, ook al waren er wel betere achtergrondzangeressen op de markt, vooral zwarte. Emma tekende het contract zonder het er met Antonio over te hebben, en pas vlak voor vertrek liet ze hem weten dat ze dit jaar niet samen vakantie zouden vieren, omdat ze op tournee ging. Antonio zei verbluft dat ze moest weigeren om op tournee te gaan met een groep mannen van over de veertig, gefrustreerd door het uitblijven van succes en daardoor alleen maar nog wellustiger omdat seks het enige was waardoor ze nog het gevoel hadden dat ze leefden, mannen die het voor hun overleving onvermijdelijk en essentieel achtten om het te doen met die jonge achtergrondzangeres, fris als een lenteochtend, en uiteindelijk zou zij ze hun zin geven, want zo was ze nu eenmaal – ze had de neiging om altijd ja te zeggen. Emma antwoordde dat ze die muzikanten kende, dat hij ze niet moest veroordelen omdat ze niet succesvol waren, succes wil niets zeggen, waar het om gaat is je toewijding, je passie, je liefde, die lui waren alleen maar met de muziek bezig, net als zij trouwens, en ze was nu al tweeëntwintig en ze moest ervaring opdoen, want dit was het leven waarvoor ze had gekozen, zingen, zingen, en ze was bereid om daar alles voor aan de kant te zetten, ook haar liefde voor de beste soulzangeressen, als ze maar een echte zangeres kon worden, hoe dan ook, zaterdag vertrok ze naar Catanzaro, ze gaven een concert op het Lido, ze zou voor duizenden mensen zingen, ze droomde al jaren van deze kans.

Antonio zei dat als ze wegging, ze dus niks om hem gaf en ook nooit van hem had gehouden en niet kon wachten om zich te laten naaien door die muzikanten het was een enorme teleurstelling voor hem die zijn hele leven met haar had willen delen en kinderen met haar wilde krijgen en samen met haar oud wilde worden en dan op hun negentigste van geluk sterven in hetzelfde bed, maar hij had zich vergist: zijn lief was een slet – punt uit. Emma protesteerde dat dat niet eerlijk was, dat ze van hem hield, dat ze haar leven met hem wilde delen, kinderen met hem wilde krijgen, oud wilde worden met hem, op hun negentigste wilde sterven van geluk, en zich door niemand wilde laten naaien, zij wilde alleen maar zingen en dat wist hij goed – kortom, ze kregen ruzie, hij schreeuwde, vloekte, dreigde, zij bood weerstand, omdat ze nog steeds dacht dat die tournee door Calabrië, Sicilië en Puglië met de melodische zanger haar kans was om een echte zangeres te worden in plaats van een achtergrondzangeres die alleen maar was gecontracteerd vanwege haar lange benen, haar achterste en haar boezem die ze te danken had aan de genen van haar moeder terwijl ze haar stem alleen aan zichzelf te danken had. Antonio, die het doodsbenauwd kreeg bij het idee om haar echt kwijt te raken – want als ze zou gaan, en succes had, zou ze nooit bij hem zijn gebleven –, smeekte, protesteerde, snikte, ging op zijn knieën, kuste haar handen. Emma leek echter onverzettelijk, en ze barstte zelfs ineens in lachen uit, het was allemaal belachelijk en ze had er genoeg van, en ze zei dat het afgelopen was en dat ze bij hem wegging.

'Ik heb niemand, Antonio,' zei ze tegen hem. Ze hoopte dat het volgende verkeerslicht rood was, want ze moest absoluut uit deze auto zien te komen. Het was stom geweest om in te stemmen met een gesprek. Voor zijn kinderen, voor de alimentatie, voor de gesprekken met de psycholoog en de voorwaarden die de rechters hem hadden opgelegd om zijn kinderen te kunnen zien kon Antonio geen enkele interesse opbrengen. Zijn gedachten waren alleen maar op haar gefocust – wat zij deed, met wie ze omging, hoe ze zich kleedde. Zonder haar kan ik niet leven, had hij aan de rechter verklaard, tijdens het vooronderzoek. Sinds ze bij me weg is heeft het leven geen zin meer. Ik heb nergens zin in, ik vergeet te eten, ik slaap niet, ik ben mezelf niet meer, ik ben niemand meer. Ze is de enige vrouw van mijn leven. Ik ken haar beter dan mezelf. Als u haar toestaat om te scheiden, pleeg ik zelfmoord. Om te bewijzen dat het hem menens was, had hij na de zitting een fles smeerolie voor wapens gedronken. In werkelijkheid wilde hij helemaal niet dood, niemand wilde minder graag dood dan Antonio, hij wilde haar alleen maar dwingen om terug te komen. Ze hadden hem een maagspoeling gegeven en hem therapie bij een psycholoog voorgeschreven. Zij was niet naar hem teruggegaan. En hij was begonnen haar te bespioneren. Hij belde soms wel dertig keer per dag, op haar werk en thuis. Hij zei zelden iets. Vaak beperkte hij zich ertoe op te hangen zodra hij haar stem hoorde. Sinds enige tijd achtervolgde hij haar, als hij Fioravanti niet hoefde te bewaken. Zijn gebruinde gezicht, zijn zwarte, verdwaasde ogen doken onverwacht op in de menigte – in warenhuizen, in de supermarkt, in de bus, in de metro. Hij liet zich even zien en verdween dan weer, waardoor hij haar een doffe onrust bezorgde, en zelfs de vrees dat ze hallucineerde.

Het verkeerslicht was rood, maar Antonio scheurde het kruispunt over. Terwijl hij in volle vaart de tunnel in reed, schakelde hij naar de vijfde versnelling en reed de Tangenziale op, de rondweg die Rome verstikte als een te strakke ring. 'Heb je weer iets met die tandarts? Wat voor iemand is een ondernemer die zijn secretaresse neukt? Het is schandalig. En hij is nog getrouwd ook. Je moet het niet aanleggen met een getrouwde man. Je moet dat gezin niet kapotmaken.' 'Hou op,' zei Emma. Ze had het stelliger moeten ontkennen, maar dat kon ze niet opbrengen. Het waren trouwens haar zaken, en Antonio had niet het recht om zich ermee te bemoeien. Ze raasden langs de gebouwen van de wijk Tiburtino. Antonio ontweek bussen en taxi's en manoeuvreerde tussen de auto's door met de arrogante behendigheid die hij had geleerd tijdens de rijlessen van de politie. Vroeger had Emma er lol in gehad, in die roekeloze toeren van hem. Eén keer waren ze tegen het verkeer in over de Lungotevere gereden, helemaal van de Engelenburcht tot aan Castel Giubileo – ze waren zo jong. 'En die ouwe generaal die je vader zou kunnen zijn? Hoop je dat hij zijn testament gaat veranderen?' 'Ik doe mijn best,' tartte Emma hem sarcastisch. 'Hij heeft tien appartementen in Rome, en maar twee kinderen.' 'Wie doet het beter, een ouwe vent van tachtig met Viagra of een salsaleraar zonder?' vroeg Antonio op vlakke toon, zonder haar aan te kijken. 'Begin niet over de salsaleraar,' zei Emma.

Ze wendde haar hoofd af en haar ogen bleven hangen bij een hele rits verkiezingsposters die illegaal waren aangeplakt op honderden meters geluidswal langs de Tangenziale: oranje posters waarop een vent met een bril en grijzend kroeshaar opgewekt lachte en haar opriep om vertrouwen in hem te hebben. Even had ze het idee

dat ze hem ergens van kende, een geruststellende, vaderlijke man
– STEM STEM STEM, las ze, en verder niets. Toch bleef ze naar dat
gezicht staren, want ze moest hoe dan ook de herinnering verdringen aan de parkeerplaats van de dancing in de Via delle Gius-
tiniana, in mist gehuld op een avond in februari. Een donkere parkeerplaats waarop Antonio uit het niets was opgedoken en de
salsaleraar had aangevallen met wie zij de hele avond had gedanst.
Hij had hen gedwongen om van de motor te stappen, die hij vervolgens met een knuppel aan gort had geslagen, en toen hij dacht
dat hij de salsaleraar wel genoeg had afgeschrikt, had hij zich op
haar gestort. Hij had haar aan haar haren meegesleept, tussen de
plassen water en de geparkeerde auto's door. Uit de dancing, van-
waar Caraïbische muziek klonk, ideaal voor het vieren van een gezellige vastenavond, kwam niemand naar buiten, en de salsaleraar
had zich uit de voeten gemaakt, tenslotte kende hij haar pas een
paar uur, hij hoefde niks meer van haar nu hij wist wat hij ervoor
over zou moeten hebben om met haar naar bed te gaan. Antonio
had haar geschopt en geslagen omdat hij wilde weten wat die stomme dansende neger goddomme had dat hij niet had. En aangezien
Emma wist dat geen enkel antwoord hem tot bedaren kon brengen, had ze niets gezegd, en probeerde ze onder de auto's weg te
kruipen. Antonio was op haar in blijven beuken tot de vrienden van
de salsaleraar uit de dancing waren gekomen en hem hadden gewaarschuwd dat de politie eraan kwam. En zij had nee! geschreeuwd, en hij had gezegd: ik bén de politie. En net zoals op die
vastenavond was er ook nu geen antwoord dat Antonio tot bedaren kon brengen. Dat kon noch de waarheid, noch een leugen voor
elkaar krijgen.

Terwijl hij tussen de auto's door zigzagde die in de richting van
de moskee en de sportvelden van Acqua Acetosa reden, en met piepende banden door de tunnels van Monte Mario scheurde, bleef
Antonio aandringen, met verwilderde ogen die langzaam maar zeker bloeddoorlopen raakten: de naam van haar nieuwe vent, hij wilde zijn naam weten, meer niet, ze had de plicht hem dat te vertellen, ze waren twaalf jaar getrouwd geweest, hij had het recht om
te weten welke man de moeder van zijn kinderen neukte, daar had
hij recht op.

'Er is niemand,' herhaalde Emma terwijl ze zichzelf dwong rustig te blijven om hem niet nerveus te maken. 'Ik wil niemand meer', maar aangezien Antonio wist dat het niet waar was en de aderen bij zijn slapen klopten, en hij elk moment kon ontploffen, en zij het hele gedoe beu was en zichzelf had bezworen dat ze hem nooit meer een vinger naar haar zou laten uitsteken, omdat ze veranderd was en zich had bevrijd van haar schuldgevoel en niet langer door zijn ogen naar zichzelf keek, greep ze zijn arm vast en probeerde ze het stuur om te gooien, om hem te dwingen naar de berm te rijden, en ze schreeuwde: stop, stop, ik wil eruit.

Antonio stopte niet, hij zette de sirene aan waarvan het verboden was om hem aan te zetten maar ik ben toch zelf de wet, hij reed in volle vaart het straatje in dat parallel liep aan de Via della Farnesina, racete de Lungotevere op en reed recht op Arnaldo Pomodoro's kunstwerk in de vorm van een verroeste bol af, alsof hij die wilde platrijden. En doordat Emma aan hem bleef rukken om hem tot stoppen te dwingen, duwde hij haar met een elleboogstoot van zich af. Emma hield haar handen voor haar gezicht en merkte dat ze onder het bloed zaten. Antonio remde bruusk, zodat ze tegen de voorruit klapte. De motor sloeg af. 'Sorry, dat was niet de bedoeling,' zei hij – terwijl de Tipo half over de marmeren verhoging reed en vastliep tegen het voetstuk van de obelisk van de Dux, waarbij hij een hele vergadering van meeuwen opschrok – 'sorry, liefje, neem me niet kwalijk.' Hij zocht in zijn jaszak naar een zakdoek, vond er geen, en deed het dashboardkastje open. Emma rook de geur van ranzige olie, van smeermiddel, ze zag de Springfield Armory 1911-A1 – zijn favoriet, de enige die hij in de brandkast achter de *Waterlelies* van Monet bewaarde. Antonio greep een pakje papieren zakdoekjes dat hij die morgen bij het stoplicht had gekocht van een arme, oude Indische man en deed het kastje weer dicht, waarbij hij haar het zicht op de Springfield benam, maar in de wetenschap dat zij hem gezien had, in de wetenschap dat ze nu wist dat dit hun laatste afspraakje was.

Hij reikte haar een papieren zakdoekje aan. Emma worstelde met de handgreep van het portier, maar ze kreeg het niet open omdat Antonio het kinderslot erop had gezet. Hij boog zich over haar heen, hij snoof de welbekende geur van haar lichaam op, en van haar shampoo & conditioner met appel, en die geur wond hem op en maakte hem van streek. Hij drukte het zakdoekje tegen haar mond, teder, kwaad, verdrietig, en hij zei telkens weer: sorry, dat was niet de bedoeling, liefje, ik wilde je geen pijn doen – en dat was tegelijkertijd waar en niet waar, want het had niet zo moeten gaan. Emma pakte het zakdoekje aan, al was het alleen maar om het bloed te stelpen dat van haar lip op haar kin droop, en in haar hals, en op haar truitje druppelde – het zou vlekken, de generaal zou het zien, wat een afgang. Ze deed haar ogen dicht om Antonio die zich over haar heen boog te vergeten, zo dichtbij dat ze werd platgedrukt door het gewicht van zijn lichaam, Antonio die haar vol haat aanstaarde, een haat waarin echter ook medelijden lag voor haar en voor zichzelf en voor hun arme vernederde en verwoeste liefde. Omdat het bloeden niet stopte, hield ze haar hoofd achterover – en zonder het te beseffen, of misschien ook wel, bood ze hem daarmee haar hals aan. En Antonio voelde een schok door zich heen gaan, want het moment had morgen kunnen komen of pas over tien jaar, maar nu was de dag van het einde van de wereld ineens aangebroken.

Hij greep zijn Beretta fieldlight roestvrijstalen jachtmes met drie lemmeten, om het bot door te snijden en de prooi te villen, en duwde het tegen haar keel, waar haar halsader klopte als een hart. Het lemmet drong het vlees binnen, maar hij was als gehypnotiseerd door de aanblik van die witte hals met een dun rood streepje erover – de hals van een vrouw die niet meer jong was, waarop al twee horizontale lijnen prijkten, nu nog lichtjes, maar over een paar jaar zouden het diepe onterende rimpels zijn. Hij bleef maar naar de witte hals staren, die dunne horizontale lijnen, het verticale streepje bloed, en hij bedacht dat hij het ook moest doen om haar te redden, om te voorkomen dat ze net zo'n mislukte heks zou worden als haar moeder, haar behoeden voor overspel en ouderdom, voor aftakeling en ellende. Maar dat lichte teken van de tijd die was verstreken, van de tijd die hen had verenigd, ontroerde hem diep, en de aanblik van het stalen lemmet dat haar huid openreet gaf hem de rillingen. Hij stak de Beretta fieldlight weer in zijn zak en drukte zich tegen Emma aan, hij betastte haar overal en kuste haar, met zijn tong duwde hij haar lippen uiteen, en zij verzette zich niet, integendeel, hij had de indruk dat ze zich aan hem overgaf, dat ze zich voor hem opende als een schelp, en dat was precies zoals het moest gaan. Terwijl zijn handen zich om haar keel klemden, legde

hij zijn hoofd tegen haar witte hals, zijn mond op dat rode streepje, en hij liet het bloed tussen zijn lippen druppelen, want het was
van Emma en haar liefhebben was het eindrisico – hij was over de
drempel heen, hij leefde ver verwijderd van alles, en haar vinden
was als sterven.

zestiende uur

'Wat heb je met je oog gedaan?' vroeg Carlotta hem. 'Ben je ziek?'
'Ik heb een lui oog,' antwoordde Kevin met tegenzin, want hij
praatte niet graag over zijn oog. 'Is dat dichtgeplakte oog ook niet
goed?' 'Nee, het dichtgeplakte oog is mijn goede oog. Het andere
is lui, en dat moet zich extra inspannen,' legde hij voor de zoveelste keer uit. Alleen als hij het uitlegde kwam het hele verhaal hem
wel overtuigend voor. Elke keer als mama zijn pleister verving,
stribbelde hij tegen dat hij het niet meer wilde, volgens mij werkt
het toch niet. Maar mama zwoer dat over een tijdje, al wist ze niet
wanneer, zijn slechte oog weer beter zou worden en dan zou hij er
weer heel goed mee kunnen zien. Hijzelf wilde liever slecht zien
en geen pleister dragen. 'Ben jij een vriendje van Camilla?' vroeg
het neefje van Camilla, een rozig varkentje, in een jacquet geperst.
'Ja,' antwoordde Kevin. Hij had het liefst willen preciseren dat hij
wel wat meer was: haar bruidegom. Sinds een paar uur, maar voor
eeuwig. Dat hadden ze afgesproken. Bij haar thuis was Camilla ook
alleen maar heel aardig voor hem geweest, ze had hem innig aangestaard met haar liefdevolle Bambi-ogen, en ze had hem meegenomen naar haar kamer – die ook al groter was dan oma Olimpia's
hele huis. En aangezien de moeder van Camilla er niet was en haar
vader ook niet, alleen een oppas die zo oud was als Oma Duck en
ook net zo lelijk, maar die hen wel hun gang liet gaan en achter de
computer zat te chatten, waarbij ze zich misschien wel voordeed
als een mooie jonge babe, had ze hem meegenomen op ontdek-
kingstocht in het geheimzinnige labyrint van haar huis.
  Ze waren naar de slaapkamer van mevrouw Fioravanti gegaan,
die ongelooflijk netjes was – en vergeleken met mama's kamer wel
een winkel leek, met alle kleren keurig op een rij in de inloopkast,
een woud van kleerhangers en schappen. Camilla had een paar spit-

se pumps met naaldhakken aangedaan, en een peignoir van glanzende zijde, en ze had gezegd: ik was prinses Althea, en jij was prins Nikor. Kevin wist niet wie dat waren – misschien personages uit een tekenfilm die hij niet had gezien, of misschien door haarzelf verzonnen – maar hij had zijn best gedaan. We doen dat het onze bruiloft was, en dat het hele hof er was, zei Camilla. Oké, zei Kevin-Nikor, we doen dat ik uit de oorlog was teruggekomen met een gewond oog. Aldus overeengekomen had Camilla-Althea hem, struikelend over de lange peignoir en de veel te grote pumps, bij de arm gepakt en waren ze door de gangen gaan paraderen, langs het hele hof dat stond te klappen. En op een gegeven moment had Camilla zich ineens omgedraaid en hem een natte zoen op zijn wang gegeven, waarop Kevin zich achter een leunstoel had verstopt, omdat behalve mama, oma en Valentina nog nooit een andere vrouw zijn wang had gelikt. En Camilla had hem uitgelegd dat het heel normaal was, dat alle mensen die verliefd zijn elkaar kussen. Maar toen ze opnieuw zijn wang had ondergekwijld, had hij zijn oog dichtgedaan. Kortom, afgezien van die wat enge zoenen had hij een goede deal gesloten door met Camilla te trouwen, want ze was niet alleen de mooiste van de klas, maar ze had ook nog eens een loeigroot huis en een speelkamer, en ze was heel aardig voor hem. Maar sinds de oppas ze bij het Palazzo Lancillotti had afgeleverd, en de gasten waren gekomen, en de goochelaar in het zwart was begonnen met het wegtoveren en terugtoveren van tamme witte konijntjes en buiksprekende papegaaitjes, zeg maar sinds het feest was begonnen, was Camilla in beslag genomen door een hele zwerm zuurstokroze meisjes die haar hierheen en daarheen trokken. Hoezeer de heldhaftige prins Nikor ook door de zaal heen en weer schreed en dappere pogingen deed om prinses Althea te benaderen, het was hem niet meer gelukt.

'Wat voor werk doet jouw vader?' vroeg Carlotta terwijl de goochelaar de tamme konijntjes en de buiksprekende papegaaitjes in een kist stopte. Vier animatoren verkleed als clowns stonden te springen en te roepen dat ze nu twee teams moesten vormen omdat de jacht op de schat ging beginnen – ze moesten alle zeilen bijzetten omdat de zeventig kinderen, gefascineerd door de konijntjes en de papegaaitjes, voor geen meter luisterden en er een enorme drukte ontstond in de zalen, die de veiligheid van de fresco's en het kostbare parket in gevaar bracht. 'P-p-politieagent,' stotterde Kevin moeizaam, want elke zinspeling op het bestaan van zijn vader bracht hem in paniek, waardoor zijn maag omdraaide en de woorden in zijn mond bleven steken. Intussen keek hij benauwd naar de teams die werden gevormd doordat de kinderen rechts of links gingen staan nadat hun naam was afgeroepen. Hij wist dat hij zo meteen in zijn eentje midden in de zaal zou achterblijven, omdat niemand hem zou uitkiezen. 'Politieagent? En hoeveel verdient hij?' 'Weet ik het,' antwoordde Kevin. 'Wat voor auto heeft hij?' informeerde Lorenzo, die van zijn moeder had geleerd om de waarde van mensen te beoordelen aan de hand van hun auto, ook al was zij zich daar niet van bewust. 'Een Tipo.' 'Een Tipo? Maar die worden niet eens meer gemaakt!' riep Lorenzo uit. 'Mijn vader zegt dat Fiats rotauto's zijn, ze worden op Sicilië gemaakt en de maffia jat alle onderdelen en ze plakken ze aan elkaar met karton.' Zijn vader had een Mercedes. Die was zo lang dat hij nooit een parkeerplaats kon vinden.

'De mijne heeft een Toyota,' kwam een ouder jongetje met een pagekopje en korenblauwe ogen tussenbeide. 'Japanse auto's zijn de beste.' Kevin kende hem niet en vond hem heel interessant. Hij zou zijn vriendje wel willen zijn. 'De Tipo is een goeie auto en hij heeft een grote k-k-kofferbak,' mompelde hij, 'en hij is niet zo heel oud, ik weet nog dat hij hem kocht.' 'Dan heeft hij hem tweedehands gekocht,' merkte het jongetje met de blauwe ogen op, die nu al geen enkele belangstelling meer toonde voor Kevin en deed alsof hij geïnteresseerd was in het buffet, waar de minipizzaatjes rood oplichtten, om niet te laten blijken dat hij ook bang was dat hij niet gekozen zou worden. 'N-n-nietes,' protesteerde Kevin. 'Welles. Politieagenten verdienen weinig. Mijn vader zegt dat het een schandaal is dat staatsdienaren zo slecht betaald krijgen,' zei Lorenzo. Ook zijn vader was staatsdienaar, hij was rechter aan het gerechtshof. 'Mijn v-v-vader heeft een heleboel p-p-pistolen,' zei Kevin, wanhopig hengelend naar hun aandacht. 'Hoe weet jij dat?' twijfelde het jongetje met de korenblauwe ogen, terwijl hij op een frietje kauwde. 'Ik heb ze zelf gezien.'

De verhitte gezichten van de drie jongetjes wendden zich naar hem. Profiterend van dat sprankje belangstelling begon Kevin de verzameling van Antonio te beschrijven. Papa vond het belangrijk dat hij verstand had van pistolen. Hij liet ze hem zelfs vastpakken. Wapens zijn mannenzaken. Kevin vond het doodeng, maar dat zei hij niet want papa was blij als hij belangstelling toonde voor zijn wapens – daaraan kon je zien dat hij echt zijn zoon was. Want daarvan was papa – wie weet waarom – soms niet helemaal overtuigd, en als hij ruzie had met mama begon hij te schreeuwen dat hij een dejenná-test wilde want dat stotterende mietje kan wel uit de spermacel van god weet welke klootzak in zijn huis terecht zijn gekomen. Een spermacel, had Valentina hem uitgelegd, is het kikkervisje dat door de buik van de vrouw zwemt op zoek naar het eitje: en zo worden kinderen geboren. Kevin had dat verhaal van die zwemmende spermacel zo vaak gehoord dat hij het idee had gekregen dat het misschien wel waar was, en dat vond hij niet eens zo heel erg. Misschien zou zijn echte vader, de eigenaar van de spermacel, wel liever zijn geweest, voor mama en voor hem. Maar die andere vader had zelfs nadat ze bij oma Olimpia waren gaan wonen niet de moeite genomen om voor den dag te komen.

Zo ongeveer om de drie maanden wisselde mama van stemming, in zekere zin werd ze dan wakker uit haar winterslaap of uit de honderdjarige slaap van Doornroosje, en net als in tekenfilms veranderde ze dan in een soort fee: dan ging ze dus weer met iemand uit. Ze was uren in de badkamer bezig om haar haren te blonderen met plantaardige crèmes die ze bij de kruidenwinkel kocht, om haar nagels te lakken, zich te ontharen met wateroplosbare hars die overal aan bleef plakken, en alle kleren uit haar koffer te passen. Als ze eindelijk naar buiten kwam, gluurden hij en Valentina door het raam naar de man die zoveel aandacht had verdiend en die haar 's avonds kwam ophalen. De man in kwestie was meestal een enorme teleurstelling. Er was een tandarts geweest met een baard en een Jaguar, met wie het van Pasen tot Maria-Hemelvaart had geduurd, een monteur met een neus zo lang als een stalactiet, met wie het twee maanden had geduurd, verschillende muzikanten met wie het nog korter had geduurd – en er was al een hele tijd niemand meer geweest. Maar geen van hen leek ook maar in de verste verte op hem, en niemand was ooit aan hem voorgesteld als zijn vader.

'Ten eerste heeft mijn vader een Beretta t-t-tweeënnegentig, en een M twaalf m-m-met tweeëntwintig kogels in de lader, dat is een automatisch pistool, en die gebruikt hij als hij werkt, het automatisch p-p-pistool is voor als je m-m-moet schieten zonder te stoppen,' legde hij uit. 'En als hij werkt heeft hij ook een spuitbus met v-v-verlammingsgas, en een steekwapen, dat is een m-m-mes dat hij nodig heeft als hij iemand van d-d-dichtbij moet vermoorden. En d-d-dan heeft hij als hij niet op zijn werk is nog een Tauro, die is helemaal zwart, en een Mause loeker met een zware loop en een Amerikaanse Springfiel met een houten kolf die de Efbiejai en de Spesjel Fosses tegen het terrorisme hebben gebruikt en hij heeft ook nog de aakaa zevenenveertig, die gouwe ouwe kalla, dat is een kallasjnikof.' De neef van Camilla, Carlotta en het jongetje met de blauwe ogen keken behoorlijk geïnteresseerd, zodat Kevin er nog een schepje bovenop deed. 'Met oudejaar als we naar het d-d-dorp van mijn opa en oma gaan schiet mijn vader op het strand altijd op de meeuwen. En hij schiet ze altijd dood, hij kan net zo goed mikken als Mel Gibson. Mijn vader zegt dat *Lietel Weppen* allemaal nep is, maar dat híj echt schiet.' Ineens zweeg hij, want de reeënogen van Camilla verschenen achter Carlotta, en hij wilde niet over zijn schietgrage vader praten waar zij bij was, want ze was zo gevoelig en ze wilde niet eens de muggen doodslaan die al begin mei rondom haar villa vlogen. Maar hij kon nu niet meer stoppen, anders zouden de anderen hem de rug toekeren en hem in zijn eentje midden in de zaal laten staan. 'En heeft hij wel eens iemand vermoord?' vroeg Lorenzo, wiens vader mensen die moorden pleegden naar de gevangenis stuurde. 'Nou en of,' verzekerde Kevin hem. 'Een heleboel mensen.' Dat was niet waar, maar de kinderen keken hem vol ontzag aan. Kevin had indruk gemaakt.

Hij moest wel zijn handen droogvegen aan de revers van zijn smoking, want er was een onzinnige angst in zijn lichaam gekropen. Onder het praten herinnerde hij zich dat gevoel dat hij stikte, waardoor hij altijd naar de bank rende en de tv harder zette. En ineens dacht hij weer aan de laatste keer dat hij de Kalasjnikov had gezien, en dat was niet met oudejaar, en papa mocht hem niet hebben want dat is verboden, omdat het een oorlogswapen is, en in Italië is het geen oorlog, maar hij hield hem evengoed want ik wil graag zeker weten dat de oorlog niet in mijn huis komt. De Kalasjnikov is zo lang als een harpoen. Papa drukte hem tegen de buik van mama die in de loggia op haar knieën zat en tegen hem zei:

Wat wil je doen? Wil je me neerschieten? Schiet dan maar, vooruit, dan hoef ik jou in ieder geval nooit meer te zien. En hij bleef voor de open haard naar die Kalasjnikov staan staren tot Valentina hem had vastgegrepen en hem naar bed had gesleurd, ook al wilde hij zich niet verroeren voor hij zeker wist dat mama niet dood was.

De drie kinderen vonden het nieuwe vriendje van Camilla – het zoontje van een politieagent die een heleboel wapens had waarvan alleen de namen al angstaanjagend klonken en die echt mensen doodschoot, niet zoals Mel Gibson – een heel opwindend type. En toen het hun beurt was om iemand te kiezen riepen ze hem luidkeels en vroegen ze of hij bij hen in het team kwam voor de jacht op de schat. Zijn naam – 'Ke-vín, Ke-vín!' – schalde door de zalen van het Palazzo Lancillotti, en echode tegen de met fresco's versierde wanden, en tegen de cassetteplafonds, en viel weer op hem neer als een gouden regen.

zeventiende uur

Emma liep naar de spiegel. Toen ze het lichtknopje vond, werd ze meedogenloos beschenen door een sliert witte peertjes. Ze zag er beroerd uit. Bleek. Behoorlijk toegetakeld. Het is een vreselijke gedachte dat ons leven een roman zonder intrige en zonder helden is, volkomen onsamenhangend, zonder enige cohesie, enkel bestaand uit stiltes en leegtes, uit onzinnige uitweidingen. Waarom ben ik bij hem in de auto gestapt, waarom? Stomme trut, wat had ik anders kunnen verwachten van Antonio? Ze trok een papieren handdoekje van de rol en bevochtigde het onder de kraan. Mijn mond, lieve god. En het was niet eerlijk. Niet vandaag. Op vrijdagmiddag ging ze altijd generaal Ziliani helpen. Hij was herstellende van een beroerte. Ze las hem de romans van Salgari voor, die hij als jongen had verslonden. Zijn kinderen dachten dat hij op sterven lag. Maar de generaal vond haar stem zeer opwindend en hij had op het bordje geschreven, met zijn enige nog functionerende arm, dat hij liever wilde blijven leven omdat niemand hem kon garanderen dat een vrouw als Emma Tempesta in het paradijs zou worden toegelaten. Zij genoot van de kalme uren die ze in het gezelschap van de generaal doorbracht, in het halfduister van een barok gebouw in de binnenstad, met die kleine, verrimpelde man in het bed, wiens doorschijnende ogen overliepen van een ver verwijderd, ongrijpbaar geluk. Ze had moeten bellen om hem te vertellen dat ze vandaag niet kon komen. Het is verschrikkelijk om iemand teleur te stellen die morgen zou kunnen sterven.

De wc van het bureau van de carabinieri stonk naar bleekmiddel. Toen ze de pleister lostrok, zag ze dat haar gestolde bloed dezelfde kleur had als de roestige tranen die naar de afvoer van de wasbak rolden. Bij nadere inspectie bleek de wond aan haar mond dieper dan ze had gehoopt. De snee liep dwars door haar onderlip

– recht als een messteek. Bij de eerste hulp had ze drie hechtingen, een pleister en een heel banaal rapportje gekregen – dat echter misschien wel als bewijslast kon dienen. Het certificaat van de GGD verklaarde dat bij Emma Tempesta was geconstateerd

een kneuzing met lichte zwelling rond het linkerjukbeen
ontvellingen schaafwonden onder in de hals snijwond van
3,5 centimeter lengte onderlip, waardoor ze werd beoordeeld
als *vanwege scheur- en kneuswond en verscheidene blauwe plekken*
te genezen in acht (8) dagen behoudens complicaties.

Wat de oorzaak betrof meldde het rapportje enkel: *wijst op klappen.* Meer niet.

Emma gooide de pleister in de vuilnisbak. Ze maakte een handdoekje nat onder het water, depte haar mond langdurig, zodat die door de kou misschien niet verder zou opzwellen. Misschien zouden de hechtingen onder een dikke laag lippenstift niet meer zo opvallen. Als Kevin haar een kus gaf, zou het vast pijn doen. Zorgvuldig stiftte ze opnieuw haar lippen. Hij mocht niks merken. Hij niet, Valentina niet, haar moeder niet. Niemand. Antonio had haar willen vermoorden. Ze wist niet wat hem had tegengehouden. Gek genoeg was ze niet bang geweest, integendeel, ze had een ongelooflijke kracht gevoeld. Op de dag dat Valentina was geboren was haar angst om dood te gaan verdwenen – met het besef dat als zij er niet meer zou zijn, haar dochter nog wel zou leven. Er was nu een ander mensje met wie ze naar de wereld keek, een andere stem om dingen te zeggen, een andere geest om ze te interpreteren. Mijn leven, dacht ze, is niet meer alleen van mij: het is van ons.

Ze poederde haar wangen. Bij de aanraking van het kwastje voelde ze een scherpe pijnscheut. Ze ging zuchtend verder, tot ze het idee had dat de blauwe plek was weggewerkt. Ze kon dat pistool in het dashboardkastje maar niet van haar netvlies krijgen. En ze zei bij zichzelf dat zij niet het recht had om door te gaan. Ze had het gezworen aan Kevin, vanmorgen nog. Ze had het recht om Antonio aan te geven en zichzelf te beschermen. Mijn leven is niet meer alleen van mij: het is van ons.

In de wachtkamer staarden verveelde gezichten haar met nauwverholen vijandigheid aan – omdat zij er al langer was dan de rest.

Ze zaten daar maar te wachten, in dat anonieme voorgeborchte van de bureaucratie. Een wraakzuchtige kerel wilde zijn buurman aangeven omdat hij gek werd van diens piano. Een onoplettende mevrouw was haar portemonnee verloren, ze klaagde dat ze had geprobeerd haar creditcard te blokkeren, maar dat ze bij de bank hadden gezegd dat ze maar naar de carabinieri moest gaan, en intussen was een of andere oplichter bezig haar spaarcentjes op te maken. Een dikke neger, gehuld in een koninklijke blauwe tuniek, leek gelaten te zijn ingedommeld, met zijn kin op de borst. Emma viel uit tegen de jonge carabiniere die in de portiersloge zat. 'Hoor eens, ik heb lang genoeg gewacht, het is dringend.' Ze had gehoopt dat ze voorrang zou krijgen vanwege de bloeduitstorting op haar jukbeen, de drie hechtingen die helaas opvielen als een klungelig verstelde scheur, en het bloed op haar truitje. 'U moet geduld hebben, mevrouw,' antwoordde de bewaker, 'de sergeant is bezet, u bent met velen en wij zijn met weinigen.'

Emma gooide het raam open. In het bleke middaglicht hing de zon levenloos achter een kreukelige wolkenhemel. Zwermen meeuwen doorkliefden de lucht als witte blaadjes papier. Ze zag de betonnen bulten van de heuvels, de vormeloze uitstulpingen van de huizen. Rome was boven op zichzelf gegroeid als een levend organisme – een dier in zijn eigen huid, in zijn eigen botten. Alles was boven op iets anders gebouwd, het heden op het verleden, en de toekomst op het heden, tot er een onontwarbare samenklontering ontstond. Maar het grootste deel van Rome bleef verborgen in de onderaardse diepten – en alles wat zichtbaar is, is slechts de laatste episode van een gelaagde, ontoegankelijke geschiedenis. Wat hou ik toch van mijn stad – bescheiden en verscholen, verkracht en onaangetast. En jij zou daar een slachthuis van willen maken. Jij zou me mijn stad willen afpakken. Maar ik ga hier nooit weg.

Om tot bedaren te komen bladerde ze door de *Repubblica* van de wraakzuchtige kerel. Drie pagina's met vacatures: ze zochten verkoopmedewerkers, alleenvertegenwoordigers, technisch directeurs gespecialiseerd in logistiek, reclameadviseurs, Oracle-programmeurs, sales representatives in de leeftijd tussen de achttien en de dertig. Ze zochten geen vrouwen van boven de vijfendertig. Laat al die bedrijven en personeelsmanagers maar oprotten. Ik blijf niet werkloos. Ik ga wel de billen afvegen van een of andere demente weduwe. Ik ben tenslotte Italiaanse. En geen Poolse of Filippijnse. Dat zal toch op zijn minst in mijn voordeel werken. Het is de enige referentie die ik heb. Viva l'Italia.

Ze legde de krant weg. Ze belde Valentina – dat deed ze altijd even voordat die een wedstrijd had. Maar Valentina was bezig met de warming-up in de sportzaal van het Virgilio-lyceum, opgewonden bij de gedachte aan de ophanden zijnde wedstrijd, en ze was kortaf en cru zoals alleen jongeren kunnen zijn. 'Mama, je hebt echt een zesde zintuig, je belt me altijd op het verkeerde moment, ik zie je vanavond, doei.'

Toen de jonge carabiniere haar eindelijk de kamer van de sergeant binnenleidde, stond ze als aan de grond genageld. Alles in dat bureau was klein, oud en gammel. De muren waren grijs – alsof de tijd er zijn droefheid op had geschreven. De kasten waren van grijs metaal, de meubels van nephout. De computer van de brigadier die de aangiften opnam leek een restant uit het magazijn, vol plakband en vast al talloze keren opgelapt. Zelfs de vlag was oud – een stoffige, verschoten driekleur die boven het hoofd van de president van de Italiaanse republiek hing – die zelf ook niet meer al te jong was. Emma schrok van die verwaarlozing, die duidelijke armoede. Italië is echt een raar land. Ze waren allemaal rijk. Bijna onfatsoenlijk rijk. Ze hadden nieuwe auto's en nieuwe motoren en nieuwe kleren en nieuwe huizen, nieuwe telefoons, nieuwe brillen en nieuwe gadgets, en zelfs nieuwe neuzen, monden, borsten en billen. Maar de gerechtshoven, de rechtszalen en de kantoren waar ze had moeten verschijnen waren oud en arm, de scholen waar ze haar dochter had ingeschreven waren oud en arm, de ziekenhuizen waar ze zich had laten behandelen waren oud en arm, en de carabinieri brachten het er dus ook al niet veel beter van af. Zouden ze haar wel kunnen helpen? Maar ze had geen andere keus. De Italiaanse republiek. Ik ben ook Italiaanse. Viva l'Italia. Toen ze tegenover de sergeant ging zitten, viel haar op dat het enige nieuwe – schreeuwend aan de muur – een poster was die het korps der carabinieri aanprees. Een jongen en een meisje in uniform, allebei buitengewoon fotogeniek, stonden glimlachend onder de tekst: MELD JE OOK AAN BIJ DE KRIJGSMACHT. 'Waar gaat het om?' werd haar gevraagd. Emma antwoordde vastberaden: 'Ik wil mijn man aangeven.'

'Sinds de scheiding is uitgesproken is hij steeds agressiever geworden,' zei ze, zichzelf dwingend om op neutrale, overtuigende
en gereserveerde toon te spreken. Het toetsenbord van de pc begon te rammelen. En al haar vastberadenheid verdween. Ze voelde zich verward, haar hoofd was helemaal leeg. Want er is één goede manier om de dingen te doen, en er zijn honderdduizend
verkeerde manieren. 'Vandaag verloor hij zijn zelfbeheersing en
probeerde hij me te vermoorden,' zei ze, terwijl ze dacht: waar ben
ik mee bezig? Antonio. Mijn Antonio. Als ik hem aangeef, maak ik
hem kapot. Dan wordt hij geschorst. Zijn werk is het enige wat hij
nog overheeft. Als ik de waarheid vertel, ontneem ik hem zijn enige kans om er nog bovenop te komen. En zullen die mannen hier
me geloven? Ze zullen in zijn leven gaan wroeten, en in mijn leven, en mijn leven zal ze niet bevallen, het is zo rommelig en onsamenhangend. Maar als hij uiteindelijk, ondanks alles, toch wordt
veroordeeld, pakken ze hem ook de kinderen af. Heb ik het recht
om dat te doen? De kinderen hebben hem nodig. Wat voor moeder zou ik zijn als ik ze dat ook nog af zou nemen? Ik heb ze al alles afgenomen. Ik heb ze gedwongen om met me mee te gaan. Ik
heb hun toekomst opgeofferd aan mijn liefdeloosheid, en ja, ook
aan mijn vrolijkheid – mijn levenslust die hij me niet heeft weten
te ontnemen. Is dat niet genoeg? Antonio heeft me tenslotte niet
vermoord. En hij heeft hun geen kwaad gedaan. Zelfs God vond
het niet nodig, toen hij de tien geboden dicteerde, om de mensen
erop te wijzen dat ze hun kinderen moesten eren. Dat is de natuur.
Het spreekt voor zich. Hij haat alleen mij. En ik haat hem ook. We
laten elkaar leven, daartoe zijn we veroordeeld. De twee jongelui
op de poster nodigden haar uit om door te gaan. Om vertrouwen
te hebben. MELD JE OOK AAN BIJ DE KRIJGSMACHT. Maar ze ver-
stomde.

Op haar vijfentwintigste had Emma's carrière een dood punt bereikt, en begon het bergafwaarts te gaan. 's Winters nam ze wel
eens wat liedjes op in de platenstudio – platen die je nu alleen nog
maar bij de marktkraampjes van Porta Portese kon vinden – en
's zomers ging ze op tournee door de provincie, een aaneenrijging
van stoffige stadions, bevrijdingsfeesten, heiligendagen, braderieën
ter gelegenheid van worst, linzen of bruine bonen met zwoerd. In
datzelfde jaar, 1986, bereikte Antonio's carrière daarentegen zijn

hoogtepunt. Aan het eind van een vochtige, verstikkende augustusmaand bevond Emma zich in de anonieme kamer 236 van een viersterrenhotel in Rimini, twee uur voor het concert van haar vijfde of zesde melodische zanger op de 'vriendschapsmeeting' van de kerkelijke organisatie Communie en Bevrijding. Ze lag op bed en keek door de omlijsting van het raam naar de grauwe, dreigende hemel, vrezend dat er noodweer op komst was waardoor de hele avond in het water zou vallen. In de loop der jaren was haar liefde voor muziek en voor liedjes nogal verflauwd, aangezien geen enkele platenproducer op haar af was gestapt om te zeggen dat ze talent had, dat hij geld in haar wilde steken, om haar een kans te geven; en was ze haar aandacht meer gaan richten op de muzikanten en de zangers. Meteen nadat hij was klaargekomen stak de melodische zanger, naakt, bezweet en ontspannen, een sigaret op, en zette zij de tv aan. Het journaal was erop. Ineens verscheen Antonio Buonocore in beeld, hij was het echt, met zijn blauwe uniform, nog even ruw en knap als hij – ondanks alles – in haar herinnering was gebleven. En net zoals de eerste keer dat ze haar ogen op hem had gericht, dacht ze: dat is pas een echte man... Een journalist stelde de onbenullige vraag: hoe voelt het om een held te zijn? Antonio antwoordde dat hij zich helemaal geen held voelde. Ik ben een politieagent, legde hij bescheiden uit, ik heb gewoon mijn plicht gedaan, ik ben er om de burgers te beschermen, ze moeten weten dat het kwade nooit wint en dat ze op ons kunnen rekenen. De melodische zanger vroeg vol afkeer of ze een andere zender op wilde zetten, maar Emma zei, ontroerd en zo trots op Antonio als ze zich nooit had kunnen voorstellen, dat ze wilde horen in wat voor zaak die Buonocore de hoofdrol had gespeeld.

Iemand met een strafblad, die hoorde bij een groep woonwagenbewoners met een vaste standplaats, maar wel met een Italiaanse naam, had een juwelierszaak in de wijk Pinciano proberen te beroven. De overval was mislukt doordat een patrouille carabinieri op het alarm was afgekomen. Er was een vuurgevecht geweest en één agent was omgekomen. De overvaller was gevlucht en had de dochter van de juwelier als gijzelaar meegenomen. De beschrijving van de auto was aan alle politiewagens van Rome doorgegeven, maar twaalf uur lang waren ze elk spoor van de moordenaar en de gegijzelde vrouw bijster geweest, tot Antonio Buonocore ze had herkend terwijl ze in een gestolen Lancia probeerden Rome uit te komen. De gewoon agent had dapper de achtervolging ingezet – net als in Amerikaanse series. Op de Raccordo Anulare, de ringweg om Rome, had hij ze ingehaald, geramd en gedwongen te stoppen. De woonwagenbewoner had op hem geschoten, maar Antonio Buonocore had niet teruggeschoten. Hij had de man weten over te halen de vrouw vrij te laten en zich over te geven. De dochter van de juwelier – een vrouw van dertig, behangen met goud en duidelijk niet al te intelligent – zei in een interview: ik zal bidden voor de man die mij heeft gered, ik kan hem nooit genoeg bedanken, zonder hem zou ik dood zijn geweest, hij is een engel.

De melodische zanger ging douchen en Emma belde naar Antonio in Rome. Ze had hem al drie jaar niet gesproken. Antonio leek niet erg enthousiast dat ze belde, hij leek zich er juist een beetje ongemakkelijk door te voelen. Hij nam haar felicitaties in ontvangst, maar zei dat iedereen in zijn plaats hetzelfde zou hebben gedaan. Emma probeerde het gesprek een persoonlijke wending te geven. Antonio zei dat het in zijn privéleven ook goed met hem ging, begin december ging hij zelfs trouwen, met een meisje uit Riace. Aha, zei Emma. Een bruiloft met alles erop en eraan, verklaarde Antonio, het jawoord in de dom van Stilo en een feest in een hotel. Tweehonderd gasten. Een taart van drie verdiepingen. Een witte jurk en bruidsmeisjes. Angela wil het graag zo, voor haar zijn dat soort dingen heel belangrijk. En ook voor mijn moeder. Van de zes kinderen ben ik de enige die nog niet gesetteld is. Emma voelde zich ineens terneergeslagen. Ze had zichzelf altijd voorgehouden dat het feit dat haar liefdesleven zo'n rommeltje was en telkens weer op niets uitliep, dat niemand haar echt kon raken, enkel kwam doordat niemand van haar kon houden met dezelfde toewijding, jaloezie en passie als Antonio. Alleen met hem had ze het idee gehad dat ze niet zomaar een van de velen was. En nu bleek dat Antonio zich prima voelde zonder haar, en met een ander ging trouwen. En jij? vroeg Antonio op het laatst. De melodische zanger gebaarde naar haar dat ze moest ophangen omdat hij de gewoonte had zich voor elk concert succes te laten wensen door zijn vrouw. Ik voel me zo alleen, zei Emma.

Toen hij haar terugzag, was het enige wat hij zei: Je bent blond geworden! Emma wist niet eens meer wanneer ze was begonnen

haar haar te verven. Vind je het niet mooi? vroeg ze bezorgd en direct vastberaden weer terug te keren naar haar eigen donkere kleur.
Wat doet dat ertoe? antwoordde Antonio, als je het zelf maar mooi
vindt. Wat is hij veranderd, dacht ze vertederd. Die herfst zagen
ze elkaar stiekem. In het weekend – als hij geen dienst had – vertrok Antonio naar Santa Caterina. Hij moest het feest organiseren
en kiezen in welke winkel ze de bruidslijst zouden neerleggen. Elke avond belde zijn moeder hem op om de puntjes op de i te zetten omtrent het menu en de bruidssuikers – en hij noemde de ta-
felschikking terwijl Emma aan zijn tepel likte, en aan iets lagers.
Ook zijn vader belde hem op, een gepensioneerde metselaar die
sinds kort was teruggekeerd uit Duitsland waar hij twintig jaar eerder was gaan wonen, om zijn zoon te laten weten hoe het met de
bouw ging. Hij was eigenhandig bezig een nieuwe verdieping te
bouwen boven op het flatje dat hij voor zijn andere kinderen had
gebouwd – zodat ook Antonio, hun schoondochter en hun toekomstige kleinkinderen een vakantiehuis zouden hebben. Al die
voorbereidingen, die langetermijnprojecten, die hechte, saamhori-
ge familie hadden een fatale aantrekkingskracht op Emma. Ze had
het gevoel dat ze nooit iets dergelijks had gekend. Ze was al lang
van huis weg, iedere keer dat ze haar moeder zag wierpen ze elkaar
allerlei onaangename verwijten voor de voeten die ze onmogelijk
konden vergeten. Als ze zo nu en dan op zondagmiddag bij hen
ging eten, trok haar vader zich meteen terug in het portiershokje
om naar de radioverslagen van de voetbalwedstrijden te luisteren,
en uitte hij zijn genegenheid voor haar enkel door te vragen of ze
genoeg geld had en of ze een lening nodig had.

Als ik trouw, zei Emma op een avond tegen Antonio, wil ik ook
in het wit trouwen, in de dom, en ik wil ook een feest met tweehonderd gasten waarop zeven uur aan één stuk door wordt gegeten. Is dit een huwelijksaanzoek? spotte hij. Denk je soms dat ik
geen goede vrouw zou zijn? vroeg ze ernstig, maar in feite vroeg
ze het aan zichzelf. Dat wil ik liever niet weten, zei Antonio. Emma haalde haar schouders op. Ik zou nooit de vrouw van een ander kunnen zijn, zei ze. Antonio was zo verbaasd dat hij niets wist
te zeggen. En op een lauwwarme decemberochtend kwam, in de
dom van Stilo waar een opgewonden en ietwat roddelachtig geroezemoes klonk, aan de arm van een volkomen beduusde Tito

Tempesta, niet Angela maar Emma binnenschrijden, in het wit, met een krans van bloemetjes op haar donkere haar. Korte tijd later werd Valentina geboren. Op de bovenste verdieping van het flatje, dat Antonio's vader letterlijk op het witte strand van Jonio had gebouwd, brachten ze twaalf zomers door. Nu ze er op dit moment aan terugdacht, had Emma het idee dat een groter geluk niet mogelijk was. En de tranen begonnen over haar wangen te stromen, onbedaarlijk.

De sergeant staarde haar meelevend aan. Een getrouwde man, met wit haar, van bijna zestig. Hij had haar vader kunnen zijn. Maar Tito Tempesta was onder een bus gekomen, en hij zou haar geen lening meer kunnen aanbieden, en ook niets anders. MELD JE OOK AAN BIJ DE KRIJGSMACHT. Wapens. Uniformen. De vlag. De grote familie van het vaderland. Ze staan aan zijn kant. Ze zullen een rechtszaak aanspannen tegen mij. Ze zullen zeggen dat ik gewoon een paranoïde hysterica ben, een slechte moeder. Ik bied hem op een presenteerblaadje de manier aan om zich van mij te ontdoen. Uiteindelijk zullen ze zijn verweer accepteren. En dan pakt Antonio me mijn kinderen af. Hij zal me alles afpakken. 'Kop op, mevrouw,' zei de sergeant vriendelijk. 'U bent nu veilig. Zal ik een glaasje water voor u laten brengen? Een kopje thee?' 'Ik wil geen thee, ik wil hier weg,' zei Emma terwijl ze haar ogen afveegde. Ze probeerde vergeefs genoeg kracht te verzamelen om op te staan.

'Hoe bent u aan die, eh, die blauwe plek gekomen?' vroeg de sergeant om de situatie te redden, die hopeloos uit de hand dreigde te lopen. 'Dat heeft híj gedaan. Ik weet niet hoe het gebeurd is,' fluisterde Emma. 'Was dat de eerste keer dat uw man u, laten we zeggen, persoonlijk letsel toebrengt?' 'Nee,' zei Emma. Ze hoorde haar stem duidelijk tegen een dienstdoende arts zeggen: ik ben gevallen terwijl ik de was ophing. Ik ben in bad uitgegleden. Ik ben misgestapt op de trap, ik woon op de zesde verdieping, weet u, en er is geen lift. Ze dacht terug aan de nachten die Antonio op de eerste hulp had doorgebracht, naast haar bed. Zorgzaam, ongerust, met ontroerende toewijding en haar smekend om hem te vergeven, omdat het anders zijn dood zou worden, dan zou hij zich ophangen, of zich als een samoerai op zijn mes werpen. Hij bezwoer haar te geloven dat ze voor hem niet alleen zijn beminde echtgenote of de moeder van zijn kinderen was, maar het leven zelf, en Emma wist dat hij het meende. Terwijl ze op de arts wachtten kuste hij haar hand, haar voorhoofd en haar haren, en zei dat hij meer van haar hield dan van wat ook, en meer dan van zijn eigen leven, en dat hij haar nooit zou willen verwonden of haar pijn zou willen doen – Emma, mijn liefste, vergeef me. Hoe vaak had ze hem niet diezelfde zinnen horen zeggen, misschien zelfs wel dezelfde woorden? Ze herinnerde zich die verpleegkundige in het Policlinico-ziekenhuis, Rosa heette ze. Die had gedaan alsof ze haar geloofde, maar met het middageten had ze een folder voor haar meegenomen van een vereniging die gratis juridische bijstand verleende aan mishandelde vrouwen. Hoe durft u te beweren dat ik een mishandelde vrouw ben? had ze verontwaardigd gefoeterd, terwijl ze het foldertje verscheurde. Ik heb een geweldige man, ik ben heel gelukkig getrouwd. Ik ook, antwoordde Rosa, maar ik val niet steeds van de trap. Dit is al de tweede keer in een jaar dat u naar de eerste hulp komt. Ik had in januari ook dienst. U had een gebroken pols, twee gekneusde ribben en een verbrijzelde wervel. U had zoveel pijn dat u om morfine vroeg. Als ik had gekund, had ik u die gegeven. Ook al hebt u geen morfine nodig, maar een advocaat. Emma was nooit meer naar het Policlinico-ziekenhuis gegaan om zich te laten behandelen.

'Aha, mooi zo,' riep de sergeant uit, ook al had hij dat misschien niet moeten zeggen. Maar het feit dat er precedenten waren was heel nuttig. Het leek een gevoelige zaak. Die blonde dame gaf een agent aan – een hoofdagent die was toegewezen aan de beveiligingsdienst. 'Dat zal goed van pas komen. Wanneer hebt u de andere aangiften gedaan? Een op 13 november, drie jaar geleden,' zei Emma. 'U weet de precieze datum nog!' riep de sergeant verrast. 'Het was de verjaardag van mijn man,' preciseerde Emma. Veertig dagen daarna was ze bij hem weggegaan. Een jaar lang had ze de getallen van die datum – 23.12.1998 – elke woensdag aangekruist op haar lottoformulier. Ze had niets gewonnen en ze had zich zelfs afgevraagd of dat niet een teken Gods was. 'Weet u ook nog waar u die aangifte hebt gedaan?' vroeg de sergeant. 'Bij de carabinieri van Esquilino, maar ik heb de aanklacht ingetrokken.' Help me, red me, red ons – zeiden haar ogen tegen hem, zich vastgrijpend aan zijn zwarte uniform, zijn vaderlijke, goedmoedige gezicht, aan de emblemen op zijn schouders. 'Waarom dat nou?' verzuchtte de sergeant terwijl hij zijn armen in de lucht gooide. 'Wat kunnen we voor u doen als u ons niet helpt u te helpen?' 'Ik kon hem niet laten veroordelen,' zei Emma, zo zachtjes dat de carabiniere achter de computer haar niet eens hoorde. 'Ik hield van hem, hij was mijn man, de vader van mijn kinderen.'

'In het jaar 2001 op de 4e mei om 17.10 uur, in het hoofdkwartier van de Carabinieri van Rome-Centrum, verscheen voor mij, brigadier Raffaele Critelli, beroepsofficier van recherche aan bovengenoemd hoofdkwartier, mevrouw Emma Tempesta, hierboven nader omschreven, die het volgende verklaart. Op 4 mei 2001 ben ik bedreigd en aangevallen in de auto van mijn man Antonio Buonocore, woonachtig te Rome in de Via Carlo Alberto 13, van wie ik op 9 april jl. ben gescheiden,' las de brigadier die de aangifte had opgesteld met onpersoonlijke stem voor. 'Deze sloeg mij hard in het gezicht, en probeerde me te wurgen door beide handen zo stevig om mijn hals te knijpen dat er flinke blauwe plekken van zijn vingerafdrukken achterbleven, en hij schold me uit met zeer beledigende, kwetsende woorden die beter niet herhaald kunnen worden zoals "hoer", waarna hij schreeuwde (min of meer) "dit is de dag des oordeels", "ik gun je nog de tijd om te bidden", "vraag vergiffenis" enzovoort, tot ik het bewustzijn verloor, vervolgens probeerde hij me te vermoorden met een jachtmes dat hij in zijn jaszak had, en dat hij me op de keel zette waarmee hij me diepe krassen en een snijwond in mijn hals bezorgde, evenals zwellingen in het gezicht van de klappen.' De carabiniere stopte even en keek haar aan alsof hij wilde vragen: Gaat het goed? Zal ik doorgaan? Emma knikte, ook al had ze moeite om in die woorden van een vreselijke, onpersoonlijke naargeestigheid de scène te herkennen die ze net had meegemaakt. 'Vervolgens begaf ik me in hevig verwarde toestand naar de eerste hulp van het San Giacomo-ziekenhuis, waar ik werd behandeld voor letsel dat nader wordt toegelicht in het bijgevoegd rapport. Ik wil eveneens melding doen van het feit dat Buonocore me sinds ik hem heb verlaten de middelen heeft ontzegd om in het onderhoud van onze kinderen te voorzien, waardoor mijn moeder me heeft geholpen. Bovendien wijs ik erop dat Buonocore me al maandenlang lastigvalt, zowel via de telefoon als via herhaalde bedreigingen, telkens wanneer ik mijn voornemen niet bij hem terug te keren bekrachtigde. Aangaande het bovenstaande doe ik officieel aangifte tegen Antonio Buonocore, opdat hij strafrechtelijk wordt vervolgd wegens bedreiging, belediging, het toebrengen van persoonlijk letsel en eventuele andere misdrijven die uit de motivering van het vonnis op te maken zijn, waarbij ik verzoek om bestraffing van Buonocore, en ik me eveneens civiele partij stel. Ik heb verder niets toe te voegen noch te wijzigen aan datgene wat ik verklaard heb.'

'U hebt niet opgeschreven dat ik verzoek om schorsing van Buonocore uit de beveiligingsdienst en om intrekking van zijn vuurwapenvergunning,' onderbrak Emma hem. 'Dat valt niet onder de aanklacht,' wierp de carabiniere tegen. 'Schrijf het toch maar op,' herhaalde Emma. 'Hij heeft zes pistolen en drie geweren. Die móét u hem afpakken!' De carabiniere keek zijn meerdere vragend aan. De sergeant gebaarde dat hij haar moest laten praten, maar dat hij de tekst niet moest veranderen. De printer trad met een astmatisch gereutel in werking. 'Hij is de beste scherpschutter van de schietbaan van de politie,' vervolgde Emma toonloos. 'Ik heb twee kleine kinderen. U wilt er toch niet verantwoordelijk voor zijn als ze wees worden?'

De carabiniere reikte haar het papier aan. *Opgesteld, gelezen, bevestigd en ondertekend op bovengenoemde datum en plaats. De aangeefster Emma Tempesta.* En er viel een stilte. Ergens op straat schalde dé hit van het moment uit een autoradio: 'Luce. Ti sento vicino (Licht. Ik voel je dicht bij me),' zong Elisa, 'il respiro non mente, in tanto dolore, niente di sbagliato, niente, niente (de ademhaling liegt niet, in zoveel pijn, niets verkeerds, niets niets).' 'U moet onmiddellijk iets doen,' zei Emma ongeduldig. 'Hij heeft drie kisten munitie in de kast liggen. Hij is buiten zinnen, hij is gevaarlijk.' *'Niente, niente.'* 'We zullen een onderzoek instellen,' legde de sergeant vriendelijk uit. 'We moeten het waarheidsgehalte van uw beschuldigingen vaststellen.' 'Wat valt er vast te stellen?' schreeuwde Emma. 'Kíjk naar me!' De sergeant vermeed het om in te stemmen. Voor hetzelfde geld was die vrouw – ondanks haar duidelijke bloeduitstorting – gewoon een ziekelijke leugenares, die – uit wraak of uit wreedheid – een hoofdagent van politie beschuldigde. De aanklacht rammelde aan alle kanten. Emma Tempesta kwam tamelijk labiel over, tijdens het moeizame opstellen van de aanklacht had ze drie sigaretten gerookt. Toen haar werd gevraagd wat haar beroep was, weigerde ze daarop in te gaan, omdat een mens niet het werk is dat hij doet. Toen haar werd gevraagd of ze Buonocore enige aanleiding had gegeven voor zijn hevige jaloezie, had ze spottend geantwoord dat ze al net zo redeneerden als haar man. Buonocore had een verzoek ingediend om de vastgestelde maatregelen te wijzigen en om haar de voogdij over te kinderen te ontnemen omdat er nieuwe feiten boven water waren gekomen – en drie keer raden welke dat waren. Zij had een baan gevonden en ze zorgde niet meer goed voor de kinderen en ze ging met andere mannen om. Gelukkig had de rechter hem niet geloofd. Bovendien had mevrouw Tempesta niet kunnen uitleggen hoe de veronderstelde poging tot moord precies was verlopen. Ze was uit eigen vrije wil bij haar man in de auto gestapt. En een politieagent had een wapenvergunning. Hij mocht zijn pistool sowieso in zijn dashboardkastje bewaren. Dat was niet verboden. Daarbij had hij geen schot gelost en had hij het niet eens vastgepakt. Misschien had hij haar proberen te wurgen, of misschien ook niet. Mevrouw Tempesta herinnerde zich niet meer hoe het gegaan was, of ze wilde het niet zeggen, wellicht had ze zelfs vrijwillig geslachtsverkeer met haar man gehad – iets wat heel veel voorkwam in dergelijke gevallen. Hoe dan ook, als deze vrouw de waarheid sprak, zou dat uit het onderzoek wel blijken. Het was een gevoelig onderzoek, dat met de grootste discretie moest worden uitgevoerd. Er waren kinderen bij betrokken. Meer kon hij haar niet beloven. Alleen de overtuiging waar hij elke dag steun aan ontleende: de wet is voor iedereen gelijk.

Emma doofde haar sigaret in haar kop thee. Ze keek de sergeant aan alsof hij nu, op stel en sprong, naar buiten kon gaan, de wapenvergunning van Antonio kon intrekken, zijn geweren en pistolen in beslag kon nemen, hem kon verbieden haar te achtervolgen, te stalken, aan te vallen – en hem het liefst zelfs arresteren. 'Hoeveel tijd is daarvoor nodig?' vroeg ze. Een naïef sprankje hoop glinsterde in haar zwarte ogen. 'De volgende,' riep de brigadier. Er kwam een Amerikaanse toerist binnen die in bus 64 was beroofd van zijn videocamera. Emma verroerde zich niet. De sergeant bedacht dat deze vrouw in het gunstigste geval minstens drie, vier, misschien wel vijf jaar zou moeten wachten op een veroordeling. 'Gaat u nu maar naar huis, mevrouw,' zei hij. 'We houden u op de hoogte.'

'Laat hem binnen,' zei de body sculpture-instructrice terwijl ze zich door het hek wrong. 'Doe nou niet zo moeilijk, hij is lid.' Antonio schonk haar een glimlach. De stuurse agente die achter het tafeltje zat, in het portiershok van de sportclub, wees de body sculpture-instructrice erop dat Buonocore dan misschien wel lid was, maar dat hij evengoed zijn politiepasje moest laten zien, anders mocht hij er niet in. 'Laat hem nou maar gewoon binnen,' zei het meisje met een knipoog naar hem. Antonio liep achter haar aan over de oprijlaan, beschaduwd door hoge cipressen en eeuwenoude pijnbomen. De merels zongen. De lucht geurde naar hars en gemaaid gras. In de sportclub, die in een afgelegen bocht van de Tiber lag, waar de bebouwing al schaarser begon te worden, had je helemaal niet het idee dat je in Rome was. Antonio voelde een onvoorwaardelijke dankbaarheid jegens het meisje. Vóór alles was hij doodsbang om alleen te zijn. En hij kende niemand, hij had geen vrienden meer, niemand om mee te praten – hij had een vacuüm om zich heen gecreëerd, als een pestlijder. De sportclub van de politie was de enige plek waar hij het gevoel kon hebben dat hij onder de mensen was, dat hij nog ergens bij hoorde. Dat hij leefde.

Ze liepen het gebouw van de sportschool binnen. De gang rook naar zweet en badschuim. Uit de luidsprekers schalde de stem van Anastacia: 'I'm outta love.' Toen hij die stem hoorde, kreeg Antonio de rillingen. Die zangeres was alles wat Emma had willen zijn, en nooit zou worden. Hij had niet kunnen zeggen wat het was in die gekwelde, diepe stem dat hem aan de hare deed denken. 'Je bent al een hele tijd niet meer geweest,' zei de body sculpture-instructrice terwijl ze de deur van de kleedkamer opendeed. Haar toon was vriendelijk, zonder enig verwijt. 'Ik heb het druk gehad,' zei Antonio. 'Jammer,' zei het meisje, en ze deed de deur achter zich dicht. Er stond op: PRIVÉ.

Antonio kon zich amper haar naam herinneren. Misschien iets als Sarah. Ze kwam uit Amerika. Maanden geleden, toen hij op de loopband rende, had hij zich gerealiseerd dat ze naar hem keek. Hij had de indruk gehad dat ze hem leuk vond. Ze waren uit eten gegaan in het Ethiopische restaurant in de Viale Regina Margherita. Antonio verafschuwde de Afrikaanse keuken, en de Chinese, en de Mexicaanse. Misschien omdat die hem deden denken aan de exotische dromen van Emma. Hij had haar altijd beloofd dat ze het volgende jaar met kerst niet naar Santa Caterina zouden gaan, maar dat hij haar dan zou meenemen naar een of ander land bij de evenaar. Een kerst zonder kou of omgehakte sparren; met palmbomen en de zon hoog aan de hemel. Sarah had haar pannenkoek om de stukjes vlees gerold en had hem geleerd met zijn handen te eten. Ze had gevraagd wat zijn sterrenbeeld was. Daar geloof ik niet in, zei hij. Jij wilt me wijsmaken dat je nergens in gelooft, lachte het meisje, maar ik weet dat dat niet waar is. Uiteindelijk kwamen ze erachter dat ze allebei Schorpioen waren, en dat dat betekende dat ze goed bij elkaar pasten. En Tweelingen, vroeg hij, hoe goed passen die bij een Schorpioen? Emma was Tweelingen. Er is geen astrale binding, antwoordde Sarah. Dat was zo ongeveer alles wat ze onder het eten hadden gezegd. Hij had betaald, en zij had zich daarover verbaasd. Sarah woonde achter de universiteit. Ze deelde een miezerig huurflatje met een ander buitenlands meisje, dat hij echter niet had gezien. Ze hadden in stilte de liefde bedreven, omdat de medebewoonster in de woonkamer naar de *Maurizio Costanzo Show* zat te kijken. Het meisje was stevig, gespierd, spontaan. Ze hadden het twee keer gedaan en hij dacht er met plezier aan terug. Blijf je slapen? had ze naderhand gevraagd. Hij had nee gezegd. Terwijl hij zich aankleedde om ervandoor te gaan, had het meisje, met een oprechtheid die hem van zijn stuk had gebracht, gezegd: ik zou wel een relatie met je willen hebben. Antonio had zich niet meer laten zien.

Hij had ook niet verwacht dat hij haar vandaag terug zou zien. Hij wilde alleen maar op de loopband rennen, voortdurend de snelheid en de hellingshoek verhogen – met het zweet en de vermoeidheid elke gedachte, elk gevoel van spijt uitdrijven. Hij stapte op het toestel, de band zette zich in beweging, en Antonio stelde hem in op de maximaal toegestane tijd. Hij begon te rennen en pompte met zijn benen. Hij rende alsof hij ergens naartoe moest. Of alsof hij wegrende voor een achtervolger. Zijn nagels zaten onder het gestolde bloed. Hij hield zijn hoofd omlaaggericht. Hij wilde niet naar de enorme spiegelwand kijken, en niet zijn eigen blik kruisen. Ik heb geprobeerd Emma te vermoorden. En als hij aan haar dacht, ontplofte zijn hoofd. Dan kreeg hij zin om dat toestel in elkaar te rammen, en alle andere dingen, en zijn eigen gezicht. Zin om het pistool te pakken dat hij in het dashboardkastje had laten liggen en dat mens in het portiershok bij de ingang neer te knallen, en die pafferige manager die op de loopband naast hem rende, en zelfs de body sculpture-instructrice die aan de andere kant van de zaal een tiental al wat oudere echtgenotes van agenten op en van de step liet hupsen.

Hij kon het bloed op de keel van Emma niet uit zijn gedachten krijgen. Hij wilde haar naam schreeuwen, zo hard dat de ramen zouden springen. Hoe was het mogelijk dat die meedogenloze vrouw die nog geen uur geleden dwars door het verkeer op de Lungotevere heen was gerend om een taxi aan te houden hetzelfde lieve jonge vrouwtje was dat haar dagen doorbracht in een donker appartement in Torre Spaccata? Wachtend op hem, in het gezelschap van de luchtige radiomuziek en een kindje van een paar maanden – een geheimzinnig wezentje, ondergedompeld in een dierlijke loomheid, zacht van de zalf, warm, hongerig, zwijgend. Dat lieve vrouwtje dat hem tegemoet kwam rennen als hij eindelijk thuiskwam, en hem de verrukkelijke zekerheid gaf dat hij het middelpunt van haar bestaan was? Want hij wist dat Emma in die lange, eenzame uren het middageten en het avondeten klaarmaakte, veegde, stofte, dweilde, afwaste, liefdevol voor haar dochtertje zorgde, alles deed wat ze maar kon doen om ervoor te zorgen dat het leven van haar niet minder liefdevolle man zo veel mogelijk een oase van rust was. Het vrouwtje dat vrijwel alles had gelaten, behalve voor hem leven, dat zelfs weer bruin haar had omdat ze dacht dat ze hem daarmee een plezier deed. Misschien wilde ze hem tevredenstellen, goedgekeurd worden, gesteund, geprezen. De vrouw zijn zoals hij haar graag zag. Wat is er met je gebeurd, wat hebben ze je aangedaan, waar is die vrouw naartoe, mijn vrouw?

Doordrenkt van het zweet ging Antonio op de bank voor de buikspieroefeningen liggen. Hij trok tachtig keer zijn benen op, die werden belast met een steeds zwaardere stalen ballast. Vervolgens ging hij gewichtheffen. Hij was nog steeds in vorm. Maar zijn spieren deden pijn alsof ze elk moment konden scheuren. De instructeur kwam naar hem toe en bleef een poosje staan kijken, maar kon niets corrigeren aan zijn houding. Antonio ging door met gewichtheffen tot de vermoeidheid zijn geest vertroebelde en zijn keiharde lichaam hem vreemd voorkwam, en pas toen hij het gevoel had dat hij was gekalmeerd en dat hij een leegte in zichzelf had gecreëerd, stond hij op, liep door de sportzaal die op dit tijdstip in de middag verlaten was, en stapte in de sauna. Na een paar minuten was het raampje helemaal beslagen en had hij het gevoel dat hij van de wereld was afgesneden. Zo moest de dood ook zijn. Eén keer – ze waren twee of drie jaar getrouwd – had Emma tegen hem gezegd dat haar dromerige bestaan zo onwerkelijk was dat ze het gevoel had dat ze eigenlijk dood was. En dat was helemaal geen onaangenaam gevoel. Dat non-leven had al haar ambities, al haar onzekerheden, al haar teleurstellingen weggenomen. Die afwezige sereniteit van haar lichaam, die dagelijkse herhaling, het ontbreken van een toekomst, was precies wat andere mensen 'gelukkig zijn' noemden.

Antonio bleef op de bank in de sauna liggen terwijl zijn lichaam de woede, de vermoeidheid en de pijn uitzweette – ze druppelden uit zijn poriën op de handdoek, op de plankenvloer. Hij zou uren daar binnen blijven, misschien wel tot hij buiten bewustzijn raakte, misschien wel voorgoed. Maar toen de deur openging en twee goedgebouwde, spiernaakte nichten al kletsend op de banken kwamen liggen, vroeg hij zich af van wie die types familie waren en hoe ze in vredesnaam aan een pasje waren gekomen, en hij maakte dat hij wegkwam. Hij bleef onder de ijskoude douche staan tot hij begon te bibberen. Toen kleedde hij zich aan en liep naar de uitgang. Er zat geen bloed meer onder zijn nagels. Hij was schoon, nieuw. En hij voelde zich goed.

Op de oprijlaan kwam hij de body sculpture-instructrice weer tegen. Ze had geen joggingpak meer aan. Een camouflagebroek en een spijkerjasje, haar blonde haar hing los op haar schouders – ze sleepte een koffer op wieltjes achter zich aan. 'Ga je weg?' vroeg hij puur uit beleefdheid – want Sarah was aardig geweest voor hem destijds. 'Mijn cursus is afgelopen, in mei komen er niet genoeg mensen om mij ook nog te betalen,' antwoordde ze, terwijl ze zwaaide naar de stuurse agente in het hokje. 'Ik ga terug naar Amerika.' 'Nu?' vroeg Antonio. 'Ik heb de taxi al gebeld, over een halfuur moet ik de trein naar het vliegveld hebben.' Ineens besefte Antonio dat als het meisje hem verliet, hij alleen zou achterblijven met zichzelf, en met Emma. 'Bespaar je de kosten. Ik breng je wel,' zei hij. Sarah zei alleen: 'Als je dat niet erg vindt.'

Onderweg keek het meisje zenuwachtig naar de verkeerslichten, de eindeloze opstopping, de plattegrond van Rome in *Tuttocittà*. De Tiber tekende een kronkelige S tussen de twee gele blokken van de oevers. Vervolgens rommelde ze met de cassettebandjes van Emma op het dashboard – en Antonio vloekte tegen een onschuldige motorrijder om te voorkomen dat hij tegen haar zou zeggen dat ze daarvan af moest blijven. Sarah vroeg of hij Celentano wilde opzetten – een zanger die ze hier in Italië had leren kennen, ze vond hem erg goed – en Antonio zei dat de stereo kapot was. Hij had een dikke brok in zijn keel, hij kon niet meer slikken. Hij zou het liefst de auto willen neerzetten bij de Ponte Milvio, omlaaglopen naar de verlaten kades van de rivier waar alleen fietsers en marathonlopers kwamen, en allerlei onbenullig gebabbel aanhoren van de Amerikaanse – of ze het naar haar zin had gehad in Rome, wat ze had gedaan nadat hij haar uit het oog was verloren. En daar blijven tot de nacht kwam, en dan zou het te laat zijn geweest voor wat dan ook en zou hij niets anders kunnen doen dan naar huis gaan. Maar het meisje was bang dat ze de trein zou missen, en hij was bang om haar te vertellen wat die vlekken op de stoel waren – die roestkleurige vloeistof die nu in de stof van haar camouflagebroek trok. En tegelijkertijd had hij een onweerstaanbaar verlangen haar over Emma te vertellen, om haar álles te vertellen. Om haar uit te leggen hoe gelukkig hij was geweest met Emma, maar dat er daarna iets kapot was gegaan. Maar wanneer? En waarom? Hij kon het zich nu niet meer herinneren. Het leek hem allemaal zo ver weg, zo onbeduidend. Haar vertellen dat zijn huwelijk was veranderd in een rechtszaak en daarna in een voortdurend opgelegde straf, van Antonio aan Emma, en van Emma aan Antonio – waarbij ze allebei, misschien wel zonder het te beseffen, de meest geraffineerde en pijnlijke manier bedachten om de ander te kwellen. Emma die na jaren grauwheid weer opbloeide, en na de geboorte van Kevin ontlook in een explosie van vormen en kleuren; met de baby in de draagzak ging ze zonder iets tegen hem te zeggen weer langs bij haar muzikantenvriendjes en de plekken waar ze speelden – waardoor hij wel moest denken dat ze iets te verbergen had met die vriendschappen. Ze begon te flirten met de collega's van Antonio, en zelfs met zijn meerderen. Antonio luisterde haar telefoongesprekken af, snuffelde tussen haar ondergoed, ontdekte met onbeschrijflijke teleurstelling haar miezerige, zielige leugens en had haar drie keer het ziekenhuis in geslagen. Of was het vier keer geweest? Hij moest nu, onmiddellijk, praten over die jaren vol speurwerk en ruzies, beledigingen en ondervragingen, vernederingen en smoesjes. Hij wou dat hij als toehoorder de pastoor van de communie van Valentina had, of advocaat Fioravanti, of zijn vader de metselaar, stevig en geduldig als een steen. Maar er was alleen dat gezonde, frisse, jonge meisje, met haar camouflagebroek vol bloedvlekken.

'Ben je katholiek?' was het enige wat hij kon uitbrengen. 'Nee, evangelisch,' antwoordde Sarah. 'Wat betekent dat?' 'Dat is nogal moeilijk in een paar woorden uit te leggen,' glimlachte de Amerikaanse. 'Geloof je in Jezus Christus?' vroeg Antonio, die het maar niet voor elkaar kreeg om die bloem van bloed op de onderkant van haar dijbeen uit zijn gezichtsveld te bannen. 'Natuurlijk,' zei Sarah, een beetje verbaasd. 'Ik ook,' zei Antonio. 'Jezus Christus is de waarheid en het leven. Eeuwig is Zijn barmhartigheid.' En daar ging de hefboom van de parkeerplaats bij station Termini al omhoog, het groene licht gaf VRIJE PLAATSEN aan. En de dreigende overkapping van gewapend beton – omgekruld alsof er een aardbeving was geweest – kwam hem tegemoet, ze stonden inmiddels in de reusachtige hal waar de kaartverkoop was, omringd door een enorme drukte van koffers, toeristen, rugzakken, forenzen. Het was vrijdag. De mensen gingen een weekendje weg. Of ze gingen naar huis. Alleen Antonio had geen plek meer om naartoe te gaan. Hij had geen huis meer. Het appartement in de Via Carlo Alberto leek meer op een lege doos, en wat er ook in had gezeten, het was er nu niet meer.

De trein naar het vliegveld vertrok van perron 26, in een afgelegen deel van het station. Ze liepen langs de krantenverkopers, de politiepost, het kraampje met mineraalwater en de kluwen bagagekarretjes. Sarah had er wel een willen nemen, maar dat mocht niet van Antonio. Hij droeg haar koffer wel. Stel je voor zeg. 'Werk je niet meer?' vroeg Sarah terwijl ze hem een vragende blik toewierp. 'Ik heb een tijdje vakantie genomen,' antwoordde Antonio. 'Ik ben overspannen.' 'Waarom ga je dan niet met mij mee?' vroeg het meisje. 'We kopen een ticket voor je op het vliegveld. Ik weet dat je niet het type bent dat dingen doet zonder dat je alles van tevoren hebt uitgestippeld, maar doe het voor één keertje.' Antonio sleepte Sarahs koffer achter zich aan en zei niets. Amerika. Het was nooit in hem opgekomen dat hij ook ergens anders heen kon gaan. Dat er een andere stad bestond voor hem. Hij zag de trein aan het eind van het perron staan. Blauw en groen, als kinderspeelgoed. 'Mijn ouders wonen in Maine,' zei Sarah, 'aan de grens met Canada. Ben je daar wel eens geweest?' 'Nee,' zei Antonio. 'Ik heb vliegangst. Ik hou niet van vliegtuigen.' 'Dat gaat zo over,' zei het meisje met een bemoedigende glimlach. 'Het is een angst die nergens op gebaseerd is. Je hoeft het alleen maar te willen.' 'Jij bent een Amerikaanse,' zei Antonio, 'jij denkt dat de dingen gaan zoals jij wilt dat ze gaan, maar zo is het niet.' Verward stempelde Sarah haar kaartje af in de gele stempelautomaat. De trein vertrok over vijf minuten, ze hadden niet veel tijd. Een blond meisje, gespierd, gezond. Haar spierwitte huid bezaaid met sproeten. Een meisje van zesentwintig, direct en eenvoudig, zoals hij ze graag zag.

Antonio hielp haar de koffer aan boord te hijsen. 'Italianen zijn zo charmant tegen vrouwen,' zei Sarah lachend. 'Ik had best een Italiaanse vriend willen hebben, maar ik heb geen geluk gehad.' Ze bleef op de treeplank treuzelen, omringd door haar koffer, haar tas en een groen kunststof kistje waar misschien haar make-up in zat. 'Nou, dag dan maar,' zei ze weifelend. Toen ze zich omdraaide, liep Antonio achter haar aan de wagon in. Ze liepen naar de voorkant van de trein, van de ene wagon naar de andere, hij een paar passen achter haar, zijn blik vastgezogen aan die bloedvlek achter op haar linkerdij. Emma was zesentwintig geweest toen Valentina werd geboren. Emma. Waar zou ze nu zijn? Hij zou haar niet meer zien. Nooit meer. En er was niemand op de wereld die hem beter kende dan zij. Zonder haar kende hij zichzelf niet eens. Toen Emma bij hem weg was gegaan, was het niet alleen háár afwezigheid waaronder hij had geleden. Niet alleen de afwezigheid van de kinderen. Maar de afwezigheid van zichzelf. Hij was een andere man geworden dan hij dacht te zijn. Een man als miljoenen anderen, een man die nergens toe in staat was, zonder verleden, zonder toekomst.

Sarah koos een plaatsje naast het raam. Er zaten geen andere passagiers in de wagon. 'Waarom ga je niet mee? Ik meen het,' vroeg Sarah opnieuw. 'Ik vind je echt leuk, Antonio. Ik ben niet iemand die met de eerste de beste meegaat, als je dat soms denkt.' 'Ik heb geprobeerd mijn vrouw de keel door te snijden,' zei Antonio, terwijl hij haar koffer in het vak boven de stoelen duwde. Het meisje staarde hem verbluft aan – haar blauwe ogen wijd openge-sperd. 'Ik moest het tegen iemand zeggen,' verontschuldigde Antonio zich, 'anders word ik gek.' 'Ik geloof er niks van,' zei Sarah. 'Jij bent zo'n goeierd.' 'Hoe kom je daarbij?' lachte Antonio bitter. 'Ik ken je,' zei ze. 'Ik vergis me nooit.'

Er stapte een Frans gezin in. Ze gingen op de bankjes naast hen zitten. Twee kinderen. Een jongen en een meisje. Antonio dacht weer aan Kevin en Valentina. Ik moet ze niet zoeken. Ik moet ze niet terugzien. Ik zou ze nooit bij haar kunnen laten. Het Franse meisje wiegde met haar hoofd en bewoog haar handen over het dis-play van een elektronisch speeltje dat metalige geluiden produ-ceerde. Hij probeerde zich te herinneren hoe oud Valentina was. 'Maine is prachtig,' zei Sarah, 'een woeste natuur, er zijn heel veel bossen. Jij houdt van de natuur, dat heb je die ene avond tegen me gezegd.' Ik herinner me helemaal niet wat ik die avond tegen je ge-zegd heb, dacht Antonio, waarschijnlijk wilde ik alleen maar inte-ressant overkomen. 'Als je vakantie hebt,' zei Sarah, 'dan kun je toch gewoon meegaan? Mijn ouders hebben een groot huis, vlak bij de rivier. Je kunt gaan vissen, wandelen in de bossen, doen wat je wilt, je hoeft niet per se de hele tijd met mij op te trekken.' 'Ik kan niet,' zei Antonio. 'Dan kun je beter uitstappen,' zei Sarah. 'De trein gaat vertrekken.'

Antonio verroerde zich niet. Hij verdronk in de blauwe ogen van het meisje. Als ik uit deze klotetrein stap, is het afgelopen, dacht hij. 'Waar is je vrouw?' vroeg ze. 'In het ziekenhuis, denk ik,' ant-woordde Antonio. 'Ze was er slecht aan toe. Ze verloor heel veel bloed. Ze wilde niet dat ik met haar meeging.' Er kwamen twee spoorwegbeambten langslopen. Met groen-blauwe uniformen aan, in dezelfde kleuren als de trein en de stoelen. Ze hadden het over de voetbalcompetitie; de jongste wilde om een pizza wedden met zijn collega, een verstokte supporter van Juventus, dat AS Roma landskampioen zou worden. 'Vijf keer,' herinnerde hij zich ineens. 'Maar vijf keer in twaalf jaar. Heb ik daarvoor de doodstraf ver-diend?' De trein begon onder zijn voeten te trillen. Uit de aircon-ditioning die plotseling aanging kwam een vlaag koude lucht. 'Ze beweert dat zelfs seriemoordenaars niet op de elektrische stoel moeten worden gezet. Maar mij gunde ze niet eens een hoger beroep. Ze heeft me koelbloedig vermoord.' 'Antonio...' probeerde het meisje hem te onderbreken. 'Op een gegeven moment raakte ze buiten bewustzijn. Ik was er blij om. Ik wilde dat ze doodging,' benadrukte hij voldaan. 'Nee, dat wilde je niet,' zei Sarah terwijl ze zijn hand vastpakte. Antonio bracht haar hand naar zijn mond en drukte zijn lippen erop. Wat weet dat meisje nou van mij? Wat ziet ze in mij, iemand die niet meer bestaat. Wat heb ik dit meisje te bieden? Mijn leven is verwoest. Ik heb geen energie meer, en geen dromen, en geen hoop. Ik heb haar niets te geven. Ik heb het niet eens voor elkaar gekregen om inspecteur te worden. Ik ben tweeënveertig en ik ben nog steeds hoofdagent. Ik ben geen goede partner geweest. Ik heb geen goed referentiepunt en voorbeeld kunnen zijn voor mijn kinderen. Ik had iemand kunnen worden, en dat heeft zij verhinderd. Emma had zelf ook iemand kunnen worden. Beroemd kunnen worden. Ik heb het haar belet uit angst dat ze me zou verlaten. En toen heeft ze me evengoed verlaten. Zo is het gegaan.

Antonio rende naar de uitgang. Sarah riep hem achterna: we zien elkaar in september, als de cursussen weer beginnen kom ik terug naar Rome, maar hij draaide zich niet om. Hij stapte uit. De automatische deuren gingen dicht, en de spoorwegbeambte op het perron zwaaide in de richting van de locomotief om het sein van vertrek te geven. Aan het eind van het perron stond het sein op rood. Sarah sloeg met haar vuist tegen het raampje. Ze zei iets, maar Antonio kon haar niet verstaan. Haar mond bewoog. Het leek of ze elk moment in huilen kon uitbarsten. Hij had met haar te doen. Hij legde zijn hand tegen het glas en zij legde de hare er aan de andere kant tegenaan. Het licht sprong op groen. Ze bleven hun handen zo tegen elkaar aan houden – maar wel gescheiden door het stoffige glas. Daarna maakte de trein zich los. Zijn hand had een glanzende afdruk op het glas achtergelaten, als een lichtschijnsel. Even rende Antonio mee met de trein, het meisje, het vliegtuig, de bossen van Maine en de grens met Canada, de duizenden sproeten op haar huid. Toen kreeg de trein vaart, en Antonio bleef op het laatste stukje van het perron staan. Honderden rails liepen parallel aan elkaar in de grote vlakte van het station – tussen verlaten goederenwagons, seinen, vervallen muurtjes, witte gebouwen en torens waarvan niemand wist waartoe ze dienden. En op het moment waarop de groen-met-blauwe trein in de richting van de Porta Maggiore verdween, had het meisje nooit bestaan voor hem, was er nooit een mogelijkheid geweest om te kiezen, van gedachten te veranderen, nog een dag te leven, op een andere manier, een ander leven.

'Valentina is er niet,' zei Emma's moeder tegen hem. 'Waar is ze?' brulde Antonio in zijn mobiel, om het geraas van een trein te overstemmen. Hij worstelde zich door de menigte en staarde zonder ze te zien naar de lichtgevende elektronische borden die aan het eind van het perron hingen, waarop de vertrek- en aankomsttijden stonden aangegeven. 'Vandaag heeft ze haar wedstrijd,' tetterde het oude mens. 'Welke wedstrijd?' 'Je moest je schamen, dat je niks van je dochter weet,' merkte Olimpia op. Antonio schopte tegen een fles, die op de rails belandde. Die heks verdiende een gruwelijke, pijnlijke dood, na onzegbare martelingen – een fles zoutzuur in haar gezicht gooien, haar dwingen om rattengif te slikken, haar met spijkers aan de muur nagelen, haar doorboren met zijn oorlogsgeweer – maar toen bedacht hij dat het voor dat mens het allerergst zou zijn om te overleven.

'Waar is ze?' brulde Antonio. 'Je dochter heb niet eens geld om volleybalschoenen te kopen. Dat heb ik d'r geleend,' preciseerde Olimpia. 'Als dat een vader is, heb ik meelij met Italië.' En toen voegde ze er trots aan toe: 'Valentina is geweldig, ze heb niks van jullie twee, ze is een kampioene.' 'Waar is ze?' brulde Antonio opnieuw. Olimpia zweeg. Misschien vroeg ze zich af of ze hem de waarheid moest zeggen of plompverloren moest ophangen. Op het aangrenzende perron maakte de Eurostar zich los van de stootbuffers, traag als in een droom. De trein naar het vliegveld zou intussen al wel Rome uit zijn.

achttiende uur

Sasha herkende haar direct. Een onmogelijke boa van struisvogelveren, een paarsfluwelen tas, loshangend haar als zeewier, de mond
beschilderd als een koraal. Hoewel ze slechts een molecuul was in
de massa lanterfanteraars, toeristen en bewoners uit de volksbuurten die naar het centrum waren gekomen om op vrijdagmiddag te
flaneren, en die op het trottoir van de Via del Corso rondhingen
voor de etalages van de winkels waarin spijkerbroeken, cd's en mu-
zikale gadgets werden verkocht, pikte hij de moeder van Valentina
Buonocore er meteen tussenuit. Ze liep haastig, en ze hinkte een
beetje. Af en toe draaide ze zich om, alsof ze werd achtervolgd.
'Hallo!' groette hij. Beleefdheid gaat voor alles.

Emma kreeg hem maar met moeite scherp in beeld, met haar
ogen tot spleetjes geknepen. Ze was bijziend, en ze droeg geen
bril meer omdat ze met een bril overkwam als de verwaarloosde
vrouw van Antonio, en niet als de vrouw die ze meende te zijn.
Toen ze hem herkende, lachte ze hem verrast toe. Een zo stra-
lende lach – schaamteloos, maar gek genoeg ook onschuldig – dat
Sasha zich verbaasd afvroeg of die wel voor hem bedoeld was en
meende dat ze hem aanzag voor iemand anders. Hij was dan ook
in een heel andere stijl gekleed dan wanneer hij – voor zijn leerlingen en voor hun ouders – de bedeesde leraar Italiaans moest
zijn, de jonge intellectueel die was geofferd op het altaar van de
school. Hij zag er opzichtig, strak en cool uit. Hij droeg niet zijn
ronde brilletje, maar had zijn lenzen in. Een heel ander mens.
Daar kwam bij dat hij zo enthousiast was over het diner van vanavond in de Colline di Maremme en de drie dagen in het chique
hotel van Saturnia dat hij Emporio Armani in de Via del Babui-
no had leeggeplunderd; in onhandige tassen van geplastificeerd
karton droeg hij een nieuw overhemd en een nieuw jasje, evenals

een fantastische zwembroek voor in de warmwaterbronnen.

'Ik ben de leraar van Valentina,' hielp hij. 'Haar leraar Italiaans. Weet u nog? *La Bohème*, Ostia Antica, de opgravingen.' 'Als u denkt dat u zo weinig indruk maakt,' lachte Emma, al had ze daar meteen spijt van omdat de hechtingen aan haar mond pijn deden, 'dan onderschat u uzelf behoorlijk.' Even had Sasha het idee dat hij iets anders, iets onaangenaams in haar gezicht zag – maar dat weet hij aan haar make-up. Veel te dik. Met dat synthetische bontjasje, die lippenstift, die onwaarschijnlijk blonde haren, leek ze regelrecht uit een bordeel te komen. 'Hoe gaat het met u?' 'Gisteren voelde ik me beter,' antwoordde Emma, terwijl ze de boa zorgvuldig om haar hals wikkelde. 'Gek, sinds ik in Rome woon ben ik nog nooit iemand toevallig tegengekomen,' mijmerde Sasha. 'Dan is het het lot,' suggereerde Emma, 'van die drie miljoen mensen hadden wij tweeën elkaar blijkbaar iets te zeggen.' 'Het lot lijkt me een groot woord,' zei Sasha, 'maar we kunnen evengoed wel een praatje maken. Als u tien minuutjes hebt, kan ik u uitnodigen voor een kop koffie.'

Emma knipperde ongelovig met haar ogen. Haar verscheurde hart bonsde onbekommerd. Haar gehavende rib protesteerde. En ze was er blij om. Ze had niet gedacht dat dit haar nog zou overkomen, nu ze bijna veertig was. Ze betreurde het dat ze hem op zo'n moment was tegengekomen, die ontwijkende leraar die ze al maanden niet eens zo heel discreet probeerde te versieren. Ze zag er vast vreselijk uit. En dat terwijl ze hem zo graag zou willen leren wat een vrouw is. Ook al ben ik niet meer dan ik ben, en wil hij zelfs dat niet weten. Zou het kunnen? Is dit een droom? Hoe hoog zal de prijs zijn die ik ervoor moet betalen? 'Het gaat om Valentina,' legde Sasha uit, terwijl hij als gehypnotiseerd naar die glanzende kerskleurige mond staarde, die zinnelijk een beetje openstond. 'Wat heeft ze gedaan?' zuchtte Emma teleurgesteld. Meteen afgeserveerd. Wat had ze dan gedacht? Die leraar voelde zich niet in het minst aangetrokken tot haar. En hij had ook niet laten merken dat het hem was opgevallen dat ze met verdachte regelmaat op gesprek kwam in de lerarenkamer. In die paar minuten, die Emma vermenigvuldigde door hem te bestoken met vragen, meed Sasha haar blik en was hij hardnekkig naar de proefwerken blijven staren – die hij tussen hen in liet liggen, als een batterij raketten. Zwijgend had Emma de opstellen van Valentina gelezen, en ze wist niet of ze meer van streek raakte door de woorden van haar dochter of door het opwindende geurtje van de leraar. *De drie dingen die ik het liefst wil: normaal zijn, mijn vader, normaal zijn. Het andere wat ik soms wel zou willen is doodgaan. Als ik dan opnieuw geboren zou worden, zou ik weer hetzelfde zijn als de rest. Ik ben niet bang voor de dood, sterker nog: die lijkt me beter dan dit leven.* O god, moet ik me zorgen maken? had ze gevraagd. Volgens mij niet, had Sasha geantwoord. Op de leeftijd van uw dochter denken veel kinderen dat ze anders zijn dan de rest, en geloven ze dat ze beter dood kunnen zijn dan dat ze niet hetzelfde zijn. Hetzelfde als wat? vroeg ze nietbegrijpend. Valentina is juist net als iedereen. Precies daarom kan ze het me juist niet vergeven.

'Het is niks ernstigs,' verklaarde de leraar, 'maar over een tijdje heeft ze haar eindexamen. Daar slaagt ze sowieso voor, maar ze spijbelt heel veel, ze vervalst de absentiebriefjes – met uw handtekening, mevrouw Buonocore. Ik heb het er met Valentina over gehad, ze zegt dat ze, als ze niet op school is, in elk geval geen jointjes rookt of winkeldiefstallen pleegt. Ze zegt dat ze naar het parlement gaat en wacht tot de afgevaardigden naar buiten komen om te kijken of haar vader erbij is, het is eigenlijk niet zo netjes van me dat ik het u vertel, mevrouw Buonocore, maar u weet het niet en u hoort het wel te weten.'

Het begon frisjes te worden. Sasha trok de rits van zijn jack dicht. Blauw leer, strak om het middel, kort, nauwsluitend. Het jack accentueerde de driehoek van zijn rug, en de verbijsterende compactheid van zijn billen. Emma wendde haar blik af van die aangename aanblik, omdat ze bang was dat hij het zou merken. Als de leraar zou beseffen hoe leuk ze hem vond, zou hij zich bedreigd voelen en ervandoor gaan. En dat moest ze koste wat kost zien te voorkomen. Ook al zou er nooit iets gebeuren tussen hen, ook al zou alles zo blijven, stilgezet, als bevroren, voor altijd, en ook al wist zij dat en kon ze er niets aan doen. Dus glimlachte ze hem waardig toe en zei ze dat ze eigenlijk naar huis moest.

Maar onwillekeurig draaide ze zich om, met een katachtige beweging, en speurde de menigte af die door de Via del Corso liep, ze bestudeerde iedere voorbijganger, en elke straathoek, en toen voegde ze er met een zucht aan toe dat ze al met al nog wel even een kop koffie met hem kon gaan drinken. Hij wist veel over haar dochter. Misschien kon hij haar ook uitleggen waarom ze had geprobeerd haar te vergiftigen. 'Heeft ze u al over die stunt verteld? Ze had een scheutje terpentijn in mijn wijn gedaan, godzijdank had ik er maar één slokje van gedronken. Toen ik vroeg waarom ze dat gedaan had, zei Valentina: *zomaar*. Zomaar, meneer, alsof het helemaal niks voorstelde. Terpentijn in het glas van je moeder doen, nou vraag ik u.'

Pas toen ze praatte zag Sasha dat Valentina's moeder drie hechtingen in haar lip had en een gruwelijk paarsige plek die op haar jukbeen door de dikke laag poeder heen schemerde. Hij wilde net vragen wat haar was overkomen, maar toen trok mevrouw Buonocore gegeneerd een haarlok over haar wang en bleef de vraag in zijn keel steken. 'Zullen we naar Rosati gaan?' stelde Sasha voor. 'Dat is hier vlakbij.' 'Zouden ze ook iets te eten hebben?' vroeg Emma sceptisch. 'Ik heb nog niets gehad.'

Ik heb slecht geslapen. Ik heb door mijn koptelefoon naar de klachten van honderden abonnees geluisterd. Het callcenter heeft mijn contract niet verlengd. Ik heb zojuist mijn man aangegeven. Ik heb voor de tweede keer zijn leven verwoest. Ik heb niet de energie om te praten over de schoolproblemen van mijn dochter, had ze tegen hem willen zeggen. Met jou zou ik over alles willen praten, maar niet daarover, en niet nu. Maar meneer Solari had haar nog nooit gevraagd of ze meeging koffiedrinken. En hoewel ze de afgelopen maanden met Valentina en de 'weesmeisjes' van 3b naar de Opera was gegaan om *La Bohème* te zien, en naar het Teatro Argentina om Mariangela Melato te horen, met vrijkaartjes die de leraar had verschaft, was ze nog nooit alleen met hem geweest.

Ze weken uit voor de stille elektrische microbus en liepen naar de Piazza del Popolo, zo dicht naast elkaar dat de sterke aftershave van Sasha haar een aangename euforie bezorgde. Op de hoek van elk steegje bleef ze even staan, met het hart in de keel, en ze bedacht dat ze hem zou moeten waarschuwen, en hem uitleggen dat het eigenlijk niet zo'n goed idee was – als Antonio haar achtervolgde was het gevaarlijk voor de leraar om bij haar in de buurt te zijn. Maar ze voelde zich te wanhopig en egoïstisch, en ze wilde zichzelf hem niet ontnemen. Overigens zag ze gedurende de hele wandeling Antonio nergens tussen de voorbijgangers. Hij achtervolgde haar niet. Hij zou het nooit weten. Als hij ook maar het minste vermoeden had gehad van het bestaan van Sasha Solari, had hij haar vandaag niet laten gaan. 'Sorry, ik ben er helemaal niet bij met mijn hoofd,' probeerde Sasha zich eruit te redden. 'Ik heb u niet eens gevraagd hoe u zich pijn gedaan hebt.' Het leek Emma verstandig om deze man niet te vertellen hoe ze door een andere man was behandeld; anders zou Sasha haar misschien met Antonio's ogen gaan zien. 'Als ik het al aan iemand zou moeten vertellen, zou ik het het liefst aan u vertellen,' zei ze innemend, terwijl ze recht op een tafeltje in de hoek van het café af liep, goed verscholen achter een heg en met een weergaloos uitzicht op de Pincio-heuvel. 'Maar het is nu eenmaal zo. Ik heb het nu al aan iemand anders verteld, en het is een verhaal dat niet de moeite waard is om twee keer te vertellen.'

Vanuit Rosati keken ze uit over het enorme lege plein. Een langwerpige leegte, die vaag deed denken aan een vulva met krioelende wandelaars die in die grote ruimte piepklein leken als spermacellen, gedomineerd door een grote, granieten obelisk. Een uitzicht dat Emma verontrustend vond. Rome lag voor hen te sudderen, warm en rozig in het schuin vallende middaglicht. Dit was een van de beroemdste cafés van Rome, wist ze. In de bladen die haar moeder las kwam de naam veelvuldig voor, er werden actrices en tv-presentatoren gefotografeerd. Het was een dure zaak. De serveersters liepen in uniform, de tafeltjes waren bedekt met kanten kleedjes, en de kopjes waren van porselein. Achter de beplanting die de klanten afschermde, dobberden de hoofden van de toeristen – alsof ze van hun romp waren geplukt – en rolden zonder haast voorbij, alsof ze nergens naartoe hoefden, geen lichaam mee hoefden te slepen. Emma bestelde een tosti en een cappuccino, de leraar een thee met citroen. Ze slikte alvast haar vermageringspillen en vertelde hem ronduit dat ze het vervelend vond om mevrouw Buonocore genoemd te worden, aangezien dat de naam van haar man was, sterker nog: van haar ex-man. Haar achternaam was Tempesta. Haar voornaam daarentegen was Emma. 'Een zeer literaire naam,' merkte Sasha op. Literair? 'Hoezo? Mijn grootmoeder heette zo,' zei ze.

Toen zwegen ze, en de stilte werd voelbaar. Sasha probeerde zich naarstig te herinneren waarom hij het in vredesnaam belangrijk had gevonden om te praten met deze vrouw die hij totaal niet kende en die hij over minder dan een maand nooit meer zou zien, net nu hij zo snel mogelijk naar huis had gemoeten om zich klaar te maken voor de komst van Dario. Dat het geen gewone dag zou worden was al duidelijk geweest vanaf het moment dat die blauwe tulpen waren bezorgd. Maar het gevoel was bevestigd door de volkomen onverwachte mail die Dario hem na de middag had gestuurd en die hij sprakeloos had gelezen en herlezen. Onderwerp: 'Onbehoorlijk voorstel. Moppie,' – schreef zijn geliefde – 'ik sta op het punt een opname te maken met een priester die is getrouwd. De aflevering zal een enorme ophef veroorzaken. Als we de verkiezingen verliezen wordt mijn programma stopgezet en zetten ze me op de zwarte lijst. Zou je bereid zijn naar Nederland te vluchten met een werkloze journalist van negenenveertig? Hij had wel enig talent, maar maakte alles kapot door te proberen andermans liefdesproblemen op te lossen. Denk erover na. Mister Waarheid.' Zo ondertekende hij altijd. Misschien dacht hij wel echt dat hij dat personage was aan wie hij zijn naam had verleend, en uiteindelijk ook zoveel van zichzelf. Sasha keek niet graag naar zijn programma – dan werd hij bevangen door een hardnekkig gevoel van vervreemding. Want Mister Waarheid, die op het scherm praatte en lachte en barmhartig probeerde de kwellingen van de mensen te lenigen, bevond zich in werkelijkheid niet in het scherm en ook niet in de opnamestudio, maar god weet waar. Hij was de schim van Dario, zijn geestverschijning. De hele middag had hij alleen maar over die woorden lopen piekeren, en zich afgevraagd of er echt een concrete kans was dat zijn bestaan radicaal zou veranderen. Terwijl hij de deprimerende pashokjes van de boetieks in en uit ging, wist hij zeker dat het antwoord bevestigend was. Maar met het verstrijken van de uren begon die overtuiging te verslappen, en nu had hij het idee dat Dario's woorden alleen maar een ironische, bijna spottende capitulatie aan de realiteit inhielden. En ineens kreeg hij ontzettend de balen van die vrouw die zwijgend haar tosti oppeuzelde, verzonken in wie weet wat voor gedachten – maar ook van Dario en van zichzelf. Terwijl mevrouw Buonocore of Tempesta een hap nam van haar tweede tosti – waarmee ze het toch al ongezonde effect van de vermageringspillen die haar hongergevoel zouden moeten stillen tenietdeed – voelde hij alle veerkracht en alle hoop wegebben en zakte hij weg in een sombere moedeloosheid.

Al tien jaar lang leidde hij een verminkt leven. Zijn leven en dat van zijn geliefde kruisten elkaar voor een etentje, of voor een nacht die werd ontfutseld aan de sleur van een huwelijk dat Dario hardnekkig gelukkig bleef noemen. Af en toe kwam Dario met een koffer aanzetten, alsof hij een lange reis had gemaakt, en installeerde hij zich in het eenkamerappartement in de Borgo Pio. Hij stootte Godot van de troon, die de indringer boos grauwend en met zijn haren overeind verwelkomde, waarna hij zich beledigd niet meer vertoonde tot diens vertrek. Dario liet sokken en overhemden rondslingeren op de stoelen, hij zette zijn tandenborstel in het bekertje op de badkamer, en twee dagen lang leefden ze vrij – intiem en met vaste gewoontes, als een getrouwd stel. Elk van hen had zijn eigen rituelen, zijn eigenaardigheden, zijn eigen manier om 's ochtends uit bed te stappen. En alles was vertrouwd, en echt. Maar op zaterdag keerde Dario terug naar zijn vrouw. Sasha haatte de zaterdag. En de zondag, en Pasen, Kerstmis en oudejaar. Hij had gewacht. Geduldig, vol vertrouwen, ervan overtuigd dat er vroeg of laat een eind zou komen aan die walgelijke komedie van dat huwelijk, dat Dario met zijn vrouw zou praten, of niet eens – wat deed het ertoe? – dat hij hoe dan ook bij haar weg zou gaan en bij hem zou intrekken. Ze zouden gaan samenwonen en samen de bioscoop, Kerstmis, de vakanties en hun vrienden delen. En de ouderdom, de ellende, ziekte, alles wat het leven voor je in petto heeft – niet alleen de gelukzalige momenten van het wachten en de hartstocht, die trouwens niet het echte leven zijn, maar alleen een distillaat ervan, een karikatuur.

Dario had dat echter niet gedaan. Hij bleef het maar uitstellen. Met een smoesje – aanvankelijk – en daarna zelfs dat niet meer. En nu was hij niet langer een onbekend verslaggevertje van een privételevisiezender die lokaal werd uitgezonden, maar Mister Waarheid, die de mensen op straat herkenden en aan wie ze vroegen of hij hun existentiële problemen wilde oplossen. Steeds verder verwikkeld in de farce, steeds minder vrij, en steeds minder verlangend om zich vrij te maken. En Sasha was geen drieëntwintig meer, zoals de avond waarop hij hem had leren kennen – onder een donkere zuilengalerij in Venetië, waar Dario naartoe was gekomen om een skinhead te interviewen die een zwerver in brand had gesto ken. Hij had niet meer het slanke postuur van Tadzio in *Dood in Venetië*, en ook niet meer het lange haar tot op de schouders. Hij was dikker geworden en verloor zijn haren – die hij 's ochtends, broos en afgebroken, op zijn kussen vond. Hij droeg een bril, en hij koesterde geen hoop meer. Hij werd oud zonder dat hij ooit echt jong was geweest.

Maar hij had genoeg van de leugens, het gehuichel, de lafheid. Schoon genoeg van de monogamie, de trouw – hij was het beu om zich te buigen naar de conventies, de omstandigheden, de rede. Hij kreeg zin om een grote kras te maken op de lak van Dario's BMW, met de sleutels van het huis waarin hij nooit zou wonen. Om als invaller te gaan werken in een rechts dorpje in de Veneto, zodat hij genoodzaakt was bij hem weg te gaan. In de Valle Giulia een minderjarige Roemeen op te pikken en mee naar huis te nemen. Maar het allerliefst wilde hij de vrouw van Dario opbellen, een afspraak met haar maken en haar vertellen dat hij al met haar man ging vanaf het moment dat hij nog niemand was, en dat hij zijn stad, zijn vrienden en zijn familie in de steek had gelaten om dicht bij hem te kunnen zijn. En haar vanavond uitnodigen voor hun jubileum – tien jaar, een aanzienlijke prestatie. Vandaag de dag zijn noch huwelijken, noch auto's, noch beroemdheid van erg lange duur. Hij zou willen dat hij gek was, onredelijk, verdorven. Maar in plaats daarvan zat hij nu in een protserige koffietent met de moeder van Valentina Buonocore, die zijn beste leerlinge was geweest, maar zelfs zij zou een nutteloos, verspild jaar zin hebben kunnen geven.

Niettemin haastte hij zich, alsof hij zijn rol tot de bodem moest uitspelen, om op schoolmeesterachtige, pedante toon te vertellen dat Valentina – ook al ging het met Italiaans heel goed – een ongewoon talent voor de exacte vakken aan den dag legde. Emma Buonocore of Tempesta zei dat ze dat niet wist. Ze wist niets van haar dochter. Net zoals haar dochter overigens niets van haar wist. Dat wilde zeggen, ze wist de dingen die er niet toe doen. De dingen die andere mensen van ons weten: naam, leeftijd, beroep, burgerlijke staat, soms het adres. Aangezien Sasha de afgrijselijke indruk had dat Emma Buonocore of Tempesta zinspeelde op datgene wat zijzelf van hem wist – namelijk niets –, voegde hij eraan toe dat de familie het meisje moest aanmoedigen door te leren, ondanks de crisissituatie waarin de scholen en universiteiten verkeerden.

Een crisissituatie waarvan hij zich inmiddels een helder idee had gevormd, ook al had hij eerlijk gezegd nooit gedacht dat hij uiteindelijk zou gaan lesgeven op een middenschool, aangezien hij er altijd van overtuigd was geweest dat scholen zinloos en zelfs schadelijk waren, omdat ze naar zijn idee geen ander doel hadden dan de ontwikkeling en de ontplooiing van jongeren belemmeren. En in plaats van ze te leren wat het leven is, en ze helpen er grip op te krijgen en het te leven, namen ze de taak op zich om het de kop in te drukken en te reduceren tot een bittere, pijnlijke mislukking.

Sasha was in feite afgestudeerd in Romeinse archeologie, en hij had vol enthousiasme deelgenomen aan opgravingen in Libanon, Syrië en Turkije. Vervolgens had hij echter de fout begaan om de archeologie de rug toe te keren, omdat hij op een gegeven moment geen enkele passie meer kon opbrengen voor die stoffige scherven die aan het verleden toebehoorden, en hij vond dat het juist zijn plicht was om te proberen in het heden te leven, hoe banaal en onbeduidend de huidige tijd soms ook mocht lijken. Hij vond, kortom, dat hij in zijn eigen tijd moest leven. Dus was hij teruggekeerd naar Italië, dat, laten we wel wezen, enkel een kolonie is die geen enkel strategisch belang meer heeft sinds de Berlijnse muur is gevallen. Italië is een randgebied, en nog behoorlijk vervallen ook – vanuit cultureel oogpunt beschouwd, welteverstaan – waarin elk talent en elke authentieke spontane uiting werden onderdrukt en verstikt en afgevlakt tot een troostende uniformiteit. Hoe dan ook, Italië was toch nog altijd zijn land; het hedonisme van de jaren tachtig – waarvan hij niet had kunnen genieten – was het achterland van zijn jeugd; de economische boom van de jaren negentig – waarvan hij de vruchten niet had weten te plukken – was dat van zijn jongvolwassenheid; en de periode-Berlusconi – die hij net als veel Italianen niet had gewild maar had ondergaan – zou die van zijn volwassenheid worden. En met die huidige Italiaansheid moest hij afrekenen.

'Mijn moeder is dol op Berlusconi,' zei mevrouw Buonocore of Tempesta, terwijl ze afwezig op haar lepeltje sabbelde, 'ze zegt dat hij haar een goed humeur geeft. Stel u voor, mijn vader was lid van de communistische partij. Hij bewaarde al zijn lidmaatschapspasjes, hij had ze allemaal vanaf 1956. Ik ben onder de zwarthemden geboren, zei hij altijd, ik wil sterven met een communist als minister-president. Het was hem bijna gelukt, maar niet helemaal. Hij overleed één week voordat D'Alema aantrad. Hij was kerngezond, niets aan de hand. Mijn vader heeft altijd pech gehad.' En opnieuw viel er een stilte.

Sasha zei dat hij was begonnen met schrijven over sociale problemen voor een krant in de Veneto, maar dat hij in het onderwijs had gesolliciteerd om zijn ouders een plezier te doen, die niet geloofden dat hij ooit zou kunnen leven van de archeologie of de journalistiek. Hij had wel zijn bevoegdheid gekregen maar geen vaste baan, met als gevolg dat hij nu niet echt leraar was, noch archeoloog, noch schrijver. Door het lesgeven kreeg hij met de dag minder drang om te schrijven, terwijl schrijven juist vóór alles een drang is, en alles wat hij had geschreven sinds hij lesgaf en het geheim van de literatuur probeerde over te brengen op zijn leerlingen, leek hem nu slap en kleurloos. Zinloos, zeg maar, zozeer dat hij tot de slotsom was gekomen dat schrijven een even archeologische handeling is als het opgraven van een Romeinse nederzetting. Toch wist Sasha dat er niets anders bestaat, en dat de literatuur – ook al is die onvermijdelijk tot mislukken gedoemd – het enige is wat ons in staat stelt die perverse waanzin die het leven is te verdragen. Hij had echter geen werken noch theorieën weten te scheppen. En nu was hij al over de dertig, en vroeger was hij ervan overtuigd geweest dat hij op zijn dertigste al iets belangrijks zou hebben geschreven. Om maar wat te noemen: Foscolo had zijn *Jacopo Ortis* op zijn achttiende geschreven, Gabriele D'Annunzio had *Il piacere* op zijn zesentwintigste gepubliceerd, en Tasso had op zijn eenendertigste *Verlost Jeruzalem* af.

Hij vertelde haar dingen waarvan hij nooit had gedacht dat hij ze aan haar zou vertellen, alleen maar om haar geen ruimte te geven, omdat hij bang was dat Emma Buonocore of Tempesta de dingen wilde weten die andere mensen niet mogen weten, en hem zou vragen of hij getrouwd of verloofd was of samenwoonde, en waarom hij geen kinderen had. Maar Emma vroeg daar niet naar. Ze keek hem aan zonder hem in de rede te vallen en glimlachte hem toe met een zweem van vulgaire weemoed in haar ogen, en ineens begreep hij dat ze alles wist. En dat bezorgde hem een gevoel van opluchting en verdreef zijn wrevel en zijn zelfkastijdingsplannen, en Nederland leek ineens dichtbij en mogelijk, en de aanblik van het rozige, warme Rome voor hen leek een belofte van toekomstig geluk. En hij voelde zich gelukkig, om zichzelf, om Dario en om de komende avond.

'Dat is flauwekul, sorry dat ik het zeg,' merkte Emma op, met een directheid die hij niet gewend was, want de mensen die hij kende zouden het nooit in hun hoofd halen om hem tegen te spreken. 'Dat waren heel andere tijden, tegenwoordig geldt voor de meeste mensen dat ze als ze op hun dertigste zouden doodgaan, net zo goed niet geboren hadden kunnen worden. Ik ben pas op mijn zevenendertigste gaan begrijpen wie ik ben. En daarbij heeft Italië volgens mij niks te maken met het feit of u wel of niet schrijver wordt. Dat hangt van uzelf af, en niet van de plek waar u schrijft. Misschien schrijft u uw boek vannacht, of op uw zeventigste, of nooit. U moet alleen ophouden uzelf doelen te stellen en uzelf te bevredigen met uw twijfels. Leef, schrijf, en klaar.'

Sasha bedacht dat vrouwen als je tegen ze aan botst óf ombuigen, als een plant, óf je huid openhalen, als een steen. Emma Buonocore of Tempesta behoorde tot de tweede categorie. Op dat moment zag Emma achter de heg die de tafeltjes van Rosati afschermde het gebruinde gezicht van Antonio die bij het koffiehuis naar binnen gluurde. Ze sprong overeind, keek om zich heen, en aangezien er alleen maar klanten en obers waren zakte ze door haar knieën en probeerde ze zich te verstoppen achter de brede gestalte van de leraar en de vaas met een struik plastic bloemen. 'Is er iets?' riep Sasha verbaasd. 'Kijkt hij naar me?' fluisterde ze terwijl ze tegen hem aan kroop. Sasha had het idee dat hij vastgeklemd zat achter het tafeltje, met haar haren op zijn handen en haar gezicht dramatisch dicht bij zijn gulp. 'Wie?' vroeg hij gegeneerd. Hij had het idee dat de gasten aan het aangrenzende tafeltje elk moment de zedenpolitie konden bellen. Beschaamd glimlachte hij tegen de stijve serveerster die kwam vragen of ze nog iets wensten te bestellen. 'Een stuk taart,' zei hij. 'Wat voor taart?' vroeg de serveerster verveeld. 'Slagroomtaart, chocoladetaart, sachertaart of feuilleteetaart?' Het haar van mevrouw Buonocore of Tempesta kriebelde aan zijn vingers. Hij kruiste de blik van een gebruinde kerel die de prijslijst op het raam bestudeerde. 'Een man met een sikje à la Che Guevara,' siste Emma. De kerel voldeed niet aan de beschrijving. Het was een toerist die een fotocamera om zijn nek had hangen.

Kennelijk vond hij het koffiehuis te duur, want hij liep weer verder. 'Rustig maar, er is niemand,' zei Sasha. Emma stond op, maar ging niet meer zitten. 'Ik kan maar beter naar huis gaan,' zei ze. 'Het spijt me, ik was hier graag nog een tijdje met u blijven praten over de crisissituatie van de scholen en Italië.'

Sasha vroeg zich af of Valentina's moeder hem nu voor de gek hield. Hij vroeg zich af of ze de gewoonte had om ook de man met het sikje à la Che Guevara voor de gek te houden, die net nog haar lip kapot had geslagen. Hij betaalde de thee, tosti's en cappuccino, liet een schamele duizend lire fooi voor de serveerster liggen en pakte Emma's tas van de grond. Hij zag dat het hengsel gescheurd was, en toen ze haar arm uitstak om hem aan te pakken, bleef haar veren boa achter haar stoel hangen en zag Sasha dat haar truitje onder het bloed zat. Hij wendde zijn blik af, pakte haar bij de arm en leidde haar tussen de tafeltjes door naar de uitgang. Emma beet op haar lip, want voor geen goud zou ze tegen hem zeggen dat hij haar moest loslaten – ook al deed haar arm pijn en voelde elke centimeter van haar lichaam beurs, alsof ze zweepslagen had gehad.

Sasha herinnerde zich de keer dat hij haar tatoeage had gezien, bij de strandtent langs de kustweg van Castelfusano op paaszaterdag, waar ze met z'n allen tussen de vaten en kratten bier het zand uit hun zakken en schoenen stonden te schudden. Emma Buonocore of Tempesta had achteloos haar coltrui uitgetrokken en had hem haar zoontje aangedaan, die kletsnat was geworden doordat hij over het natte gedeelte van het strand had liggen rollen. Ze had zijn shirt te drogen gehangen onder de warme lucht van de handdroger, en Sasha had de goudbruine duinen gezien die boven het kant van haar zwarte beha uit kwamen, maar vooral was hem de grote blauwe A opgevallen die op haar linkerschouder prijkte en in de huid getatoeëerd was. De voorletter van mijn grote liefde, had Emma gezegd, onuitwisbare stommiteiten die je op je twintigste uithaalt, nu moet ik wel verliefd worden op iemand met dezelfde voorletter, en Sasha bloosde omdat hij niet wist of zij wist dat zijn volledige naam Alessandro was.

Toen ze midden op het grote lege plein stonden, bood hij aan haar naar huis te brengen – misschien omdat hij die beleefdheid niet van zich af kon schudden die zijn ouders erin hadden gestampt. Of misschien omdat hij, aangestoken door de onrust van Emma

Buonocore of Tempesta, het gevoel had dat hij daadwerkelijk de dreigende aanwezigheid van die kerel met zijn sikje achter hen voelde. Ook al was hij nog nooit met iemand op de vuist gegaan, hij vond het een prettig idee om te denken dat hij in staat zou zijn hem het hoofd te bieden, hem uit te schakelen en haar te verdedigen. Hij zei dat hij het gevoel had dat hij haar niet alleen naar huis kon laten gaan. Dat wilde zeggen, hij had de morele plicht om te voorkomen dat haar iets zou overkomen. Emma dacht verbaasd: wat is hij toch aardig, hij zou al die tijd voor mij verspillen, en hij vind me niet eens leuk. 'Ik heb de auto in de parkeergarage van de Via Veneto staan. Waar woont u?' vroeg hij. 'Stel u zo'n randgebied voor waarover u het net had – tamelijk vervallen, vanuit cultureel oogpunt beschouwd, welteverstaan,' antwoordde Emma sarcastisch. Sasha liet ook dat over zich heen komen. Hij kon nooit inschatten hoe die spitsvondige, agressieve, wispelturige vrouw zich werkelijk voelde. Er waren momenten waarop ze grappig en kalm overkwam, en het volgende moment kon ze ineens, zonder aanwijsbare reden, heel heftig en bijna woest uit de hoek komen. 'Dan breng ik u naar de metrohalte,' drong hij aan. Hij moest nog even op de Via Condotti zijn, als zij de metro nam op de Piazza di Spagna kwam hij er sowieso langs. Emma glimlachte, omdat ze niet wist of het gesprek over futiliteiten ging of dat ze een code aan het opstellen waren om de dieperliggende betekenissen cryptisch weer te geven. 'Je moet me niet verwennen,' zei ze, 'anders wil ik straks niet anders meer.' Ze had niet eens door dat ze hem had getutoyeerd.

'Het is vreselijk om zonder hulp te zitten,' beaamde de moeder van Guendalina meteen, terwijl ze neerplofte op de bank die haar met een ruisende geeuw verzwolg. 'Ik zit in hetzelfde schuitje, het is een ramp.' 'Hoezo?' vroeg de moeder van Cristian verwonderd. 'Alwééér?' 'We hebben haar moeten wegsturen, ze voldeed niet,' zuchtte de moeder van Guendalina. 'Die huishoudelijke hulpen van vroeger vind je nergens meer.' 'Als je wilt, Maja,' kwam de moeder van Lorenzo prompt tussenbeide, 'kan ik je een Eritrese werkster aanraden, ze is geweldig, en ze zit zonder werk omdat de bejaarde vrouw voor wie ze werkte plotseling is overleden, een hartinfarct, wat een pech hè, ze was kerngezond, ze is te vertrou-

wen, het is de zus van de mijne...' 'Een Eritrese?' vroeg Maja weifelend. 'Spreekt ze wel Italiaans? Elio en ik willen personeel dat de
taal goed spreekt, Sidonie praat ook al Frans met Camilla, als de
hulp ook geen Italiaans spreekt wordt haar woordenschat...' 'Je hebt
helemaal gelijk,' erkende de moeder van Carlotta, die snel de kans
greep om haar zegje te doen, omdat ze tot nu toe nog niet aan bod
was gekomen. 'Je moet geen buitenlandse nemen, daar worden je
kinderen niet beter van, echt waar, buitenlanders begrijpen niet wat
je zegt, ze hebben rare gewoontes, en je weet nooit wat ze je kinderen leren, en Eritreeërs zijn ook nog moslims.' 'Nee hoor, Eritreeërs zijn christenen,' protesteerde de moeder van Lorenzo beledigd. 'Deze spreekt vloeiend Italiaans, ze heeft op Italiaanse
scholen gezeten, Eritrea is toch zeker een Italiaanse kolonie geweest?' Ze onderbrak haar geschiedenislesje omdat de serveerster
petitfours uitdeelde aan de moeders van de kleine gasten.

'Ik wil vooropstellen dat ik geen racist ben, maar een blanke is
beter,' oordeelde de moeder van Guendalina afwezig terwijl ze haar
lepeltje in het gebakje stak, en toen ze merkte dat het gevuld was
met slagroom zette ze haar bordje laatdunkend op het tafeltje, zonder dat ze in de gaten had dat Maja's tasje eronder lag – een bewerkt buideltje van Gucci van leer in pythonprint. 'Ik wil niet dat
Guendalina wordt opgevoed door iemand met een donkere huids-
kleur, niet uit racisme, helemaal niet, ik vind negers juist prachtig,
denk maar aan Carl Lewis, Denzel Washington, Naomi Campbell,
maar ze zou ervan in een crisis kunnen komen. Een identiteitscri-
sis bedoel ik, ze is zelf tenslotte blank.' Maja vroeg zich af hoe ze
het bordje onopvallend kon verplaatsen; ze was bang dat er een vlek
op haar tasje zou komen. Tenslotte was het een model waarvan maar
honderdvijftig exemplaren waren gemaakt, bedoeld voor prinsessen, popsterren en vrouwen van sultans – ze had het alleen te pakken kunnen krijgen omdat het hoofd Marketing al tien jaar een
vriendin van haar was.

'Polen zijn de besten,' zei de moeder van Matilde genadig. 'Mijn
pastoor zou kunnen...' 'O nee! Geen Polen, u moet geen Poolse
nemen, mevrouw Fioravanti,' zei een vrouw van wie Maja zich
vergeefs probeerde te herinneren hoe ze heette, ze was al aan haar
voorgesteld dus ze kon het nu niet meer vragen. 'Dat raad ik u af,
ik heb een Oekraïense gehad, die at heel veel knoflook, ze stonk

een uur in de wind.' 'Volgens mij ligt de Oekraïne anders niet in Polen,' merkte Maja op, terwijl ze in een kers hapte die helaas naar plastic smaakte. Ze was niet tevreden over de catering. Absoluut niet. Ze had zoveel geld betaald, voor die vette broodjes vol mayonaise en ham die zo droog was als een schoenzool, het was pure oplichterij. Laten we hopen dat het animatieteam in elk geval goed is, ze hebben me verzekerd dat het het beste van heel Rome is. Die goochelaar was inderdaad wel de moeite waard. De kinderen zaten ademloos te kijken naar zijn trucs met die konijntjes en papegaaitjes. 'Dat ligt toch in Rusland?' zei de moeder van Carlotta, die meteen weer werd afgeleid door een schuimgebakje. 'Mijn Poolse is een aardig mens,' zuchtte de moeder van Matilde. 'Maar ze kleedt zich slecht, ze koopt haar schoenen op de markt, ze is heel eenvoudig, schat,' insinueerde de moeder van Guendalina met een venijnige glimlach. 'Ik vind dat je er een zou moeten zoeken die zich beter presenteert, niet uit bemoeizucht, ik zeg het je in alle eerlijkheid, maar het maakt geen goede indruk.' 'Ach, dat doet er niet toe, ze strijkt de overhemden net zoals mijn oma deed, de anderen kunnen niet strijken, misschien omdat ze in hun eigen land geen strijkijzer hadden.' 'Hebben ze echt geen strijkijzer?' verbaasde de onbekende vrouw zich – wie was ze in godsnaam? 'In Italië hebben we dat al honderd jaar! Op de fancy fair heb ik een ijzeren strijkijzer gekocht, uit de negentiende eeuw – we gebruiken het als bloempot.' 'Hoe dan ook, mijn Poolse kan alles, wassen, poetsen, het huis blinkt als een spiegel, de andere vrouwen die ik heb gehad waren viespeuken, trouwens, als je naar het buitenland gaat merk je wel dat onderontwikkelde volken zich niks aantrekken van hygiëne, ze wonen midden tussen het vuilnis.'

'Het zal wel iets met religie te maken hebben,' concludeerde de moeder van Carlotta peinzend. 'Weet je nog wat een smeerboel het was in India? Die arme Lucrezia liep er hepatitis op, vreselijk, ze is er nog niet van hersteld.' 'Ik snap niet hoe mensen naar India op vakantie kunnen gaan,' zei een vrouw met een krakerige stem die tot nu toe niets gezegd had, terwijl ze Maja een groen beschaduwde blik toewierp. Ze was al wat ouder, haar haren wit bestoven – misschien een oma? Ach nee, misschien een cynische, gewiekste vrouw die pas op haar veertigste haar eerste kind had gekregen, niet zoals zij, die op haar vijfentwintigste al was bevallen van Camilla. Deze vrouw had van het leven genoten, ze had gewacht tot haar laatste eisprong, en daar had ze goed aan gedaan. God weet wie het was. 'Waarom hebben Europeanen toch dat masochistische verlangen,' kraste de cynica weer, 'om op vakantie te gaan naar plekken waar de ellende van alle kanten op je af komt? Ellende is niet pittoresk, het is afschuwelijk. Dan kun je veel beter naar Polynesië gaan, daar heb je geen armoede. Of desnoods naar de Bermuda-eilanden, hoewel die inmiddels ook al niet meer zo exclusief zijn. Wij gaan van de zomer een cruise maken met een zeilboot, naar Tonga. En jullie, Maja? Weer naar jullie villa in Maremma? Ach ja, ik snap het wel, waarom zou je twaalf uur in een vliegtuig zitten om jezelf af te matten op Mauritius of de Andamaneilanden als je het paradijs vlak bij huis hebt?' Maja knikte. De villa, o god, ze kreeg het benauwd bij het idee zich de komende drie maanden weer met Camilla te moeten opsluiten in die luxueuze villa aan de Tyrrheense Zee, in de schaduw van de Etruskische resten van Cosa. De maanden van haar zwangerschap, van vitaminen, ontsmettingsmiddel, echo's. De maanden van misvorming, onzekerheid, angsten.

'Wanneer wordt de regering gevormd?' informeerde een dame met een gezicht als een mopshond, tot wie niemand nog het woord gericht had, omdat ze allemaal, net als Maja overigens, dachten dat ze een oppas was. 'Een maand na de verkiezingen? Dan kunnen jullie niet lang op vakantie, ik heb gezien dat de peilingen gunstig zijn.' 'Heel gunstig,' knikte Maja. 'We staan minstens vijf punten voor.' In werkelijkheid kon ze al tijden geen belangstelling meer opbrengen voor de plichtplegingen van Elio's carrière. Jaren geleden, toen Elio net de politiek in was gegaan, had ze stiekem de ambitie gekoesterd om de eerste echte first lady van Italië te worden – dat was immers het enige westerse land dat oma's en verzetsstrijdsters de wereld over had gestuurd, huisvrouwen en replica's van Mussolini's vrouw Rachele, zelfs rondborstige minnaressen, maar nog nooit een moderne vrouw die als vertegenwoordigster zou kunnen optreden voor de Italiaanse vrouwen in de eenentwintigste eeuw. Een jonge, kosmopolitische jackiekennedy, mooi en afgestudeerd, die het waard was om de covers van tijdschriften te sieren en als ambassadrice van de Wereldvluchtelingenorganisatie van de VN te fungeren, om met het presidentiële vliegtuig te reizen en voor de afschaffing van landmijnen te pleiten. Maar dat was slechts een kinderlijke droom gebleken – net als vele andere, helaas – die nooit zou uitkomen, en die was verdwenen als sneeuw voor de zon. Elio zou geen president worden, en evenmin minister, niet omdat hij niet de juiste contacten en vriendjes had weten te kiezen, en ook niet vanwege zijn weinig mediagenieke kapsel en zijn scheve tanden – daar kon je altijd nog wat aan doen –, maar simpelweg omdat hij te intelligent was om echt iemand te worden, en te stom om te doen alsof hij dat niet was. Hooguit kon hij – als hij erin slaagde de hinderlagen en valkuilen waarmee zijn weg bezaaid lag te omzeilen – blijven wat hij nu al was: de schaduw van iemand anders, diens bliksemafleider en raadgever. En Maja hoopte nu alleen nog maar dat de fotografen haar zouden negeren en dat ze niet aan zijn zijde in de krant zou verschijnen. Ook al gaf die desinteresse, die desillusie haar een onrustig gevoel, alsof ze hem bedroog.

'Religie heeft er niets mee te maken,' zei een andere vrouw, met waterige ogen die wezen op een overactieve schildklier, van wie Maja zich herinnerde dat ze enthousiast had deelgenomen aan Elio's laatste verkiezingsdiner – deelname kostte één miljoen lire per persoon – en die ze dus toelachte, ook al vond ze haar kakelstem bijzonder irritant. 'Ik heb een heel netteTunesische, ik kan je haar echt aanraden, Tunesiërs zijn praktisch Italianen, maar dan islamitisch, dat is het enige verschil.' 'O nee, ik zou nooit een islamitische willen, dat is zo'n enge godsdienst, ze zijn zo achterlijk, hoe ze met vrouwen omgaan is gewoon middeleeuws,' riep de moeder van Guendalina gechoqueerd. 'In de Oekraïne zijn ze in elk geval wel katholiek,' bracht Maja te berde, gewoon om maar iets te zeggen, anders zouden haar gasten nog denken dat het gesprek haar niet kon boeien. Of erger nog: dat ze zich te goed voelde voor hen – de allerergste zonde, in een milieu waarin buitensluiting het enige hiërarchische gevoel was dat nog springlevend was. Maar ze wist het eigenlijk niet zeker, misschien waren ze orthodox? 'Ach, godsdienst is niet zo belangrijk, tenslotte zijn Zuid-Amerikanen ook katholiek en die zou ik je echt niet aanraden, ik neem nooit meer een Zuid-Amerikaanse, die zijn werkschuw, misschien komt het doordat de Indio's tot slaven werden gemaakt, dat ze daardoor die afkeer van werken hebben gekregen, die haat voor de blanke bazen. Ik heb een Peruviaanse gehad, nou, Peruviaanse vrouwen zijn de ergsten van allemaal, als we gasten hadden serveerde ze het eten zo lomp en zo onbeleefd, daar zijn geen woorden voor, we schaamden ons kapot, en hoe ze naar onze vrienden keek, vol haat, echt waar, pure haat, we waren gewoon bang dat ze ons allemaal zou vergassen. Guido stond 's nachts op om te controleren of ze de gaskraan niet had opengedraaid, we hebben haar moeten wegsturen.' Op het dramatische verhaal van de mevrouw met de kakelstem volgde een stilte vol begrip en onderkenning van het gevaar dat het gezin had gelopen.

'Mijn moeder heeft een Ecuadoriaanse die geen woord Italiaans spreekt terwijl ze al twee jaar hier is, ze heeft niks geleerd, ze kan niet eens de telefoon opnemen,' zei de moeder van Guendalina, die veel te dicht op de huid werd gezeten door haar moeder en daarom ook veel te dicht op de huid zat van haar dochtertje, een brutale spinnenkop aan wie Camilla een hekel had maar die ze van Elio per se had moeten uitnodigen omdat haar vader een hoge pief was bij de Hoge Raad en hem dus ooit nog wel eens van pas zou kunnen komen. 'Je moest eens weten hoeveel moeite het heeft gekost om mijn moeder zover te krijgen dat ze haar aannam, ze vindt haar net een aap en dat maakt haar bang, weet je, ze is van 1932, ze heeft de wereld zien veranderen, stel je jezelf eens in haar plaats voor, mensen die nooit een neger hadden gezien en hebben moeten leren die als gelijkwaardig te beschouwen, tegenwoordig mag je niet eens meer neger zeggen, dat is nog erger dan een scheldwoord. Ze schreeuwde dat ze niet wilde dat die aap haar aanraakte, je moest eens weten wat ik uit de kast heb moeten halen om haar te overreden, uiteindelijk hebben we haar praktisch gedwongen, wij konden niet voor haar zorgen, we sturen je naar het bejaardentehuis zeiden we tegen haar, en uiteindelijk nam ze die aap aan, en die doet het heel goed, dat arme ding.'

Maja dwong zichzelf te glimlachen, maar ze had vreselijke hoofdpijn gekregen van al dat gebabbel en ze had dringend behoefte aan een aspirientje. O nee, dat mocht ze niet hebben. Mijn god, mijn god. Ik had het niet tegen hem moeten zeggen. Over een paar weken, een maand, zou Aris het uit zichzelf hebben opgemerkt. Dan zou hij er niet zo op hebben gereageerd. Ik heb alles verpest. 'Chileense vrouwen zijn veel beleefder,' zei de moeder van Lorenzo. 'Het zijn geen boerinnen, ze komen uit de stad, Chili is een beschaafd land, net als Frankrijk, mijn zus heeft een Chileense die in Bogota als tandarts werkte, er heerst een economische crisis in Chili.' 'O nee!' riep de moeder van Carlotta vol afschuw, de vrouw van een afgevaardigde van een inmiddels opgeheven maar nog altijd invloedrijke partij. 'Chilenen zijn communisten, denk aan de jaren zeventig, de Intillimani, al die poncho's, *el pueblo unido*, de rode vlaggen, ze wilden het privé-eigendom onteigenen, en dan te bedenken dat ze nu een rechtszaak willen beginnen tegen Pinochet, de geschiedenis verandert wel heel snel, ze vluchtten allemaal naar Italië, ze hielden manifestaties en vroegen geld, weet je nog, Maja? Nee, daar ben jij te jong voor, het was verschrikkelijk, ik zou nooit een Chileense nemen.' 'In Argentinië is ook een economische crisis, wij hebben geïnvesteerd in Argentijnse obligaties want die hebben een rendement van 12 procent, de Italiaanse Argentijnen willen terugkomen naar hier, u zou een Italiaanse Argentijnse kunnen zoeken,' opperde de moeder van Matilde. 'Argentijnen zijn net Napolitanen,' snibde de moeder van Lorenzo, van wie Maja zich trouwens meende te herinneren dat ze met een Napolitaan getrouwd was, 'Napolitanen zijn heel grappig, denk maar aan Totò, en aan Massimo Troisi, de stakker, veel te jong gestorven, maar de Argentijnen lijken op de slechtste Napolitanen, zoals Maradona, snap je, het zijn mensen die geen zin hebben om te werken.'

Vanuit de aangrenzende zaal kwam een opgewonden gekrijs dreigend dichterbij. Een hele horde kinderen verspreidde zich door de ruimte. Ze renden achter een van de clowns aan – de kleinste, met een grote kromme neus en een trompetje in de hand. Toen ontdekten ze een kaartje dat in een pilaar zat geschoven, en vervolgden ze de jacht op de schat omlaag over de trappen. Maja hoopte dat het animatieteam het aantal genodigden goed had geteld en dat er genoeg cadeautjes waren voor iedereen – zowel voor de winnaars als de verliezers; kleine kinderen kunnen niet tegen hun verlies. Trouwens, volwassenen eigenlijk ook niet. 'Wij zijn tien jaar geleden in Venezuela geweest, toen Carlo verantwoordelijk was voor de olieboorinstallaties,' vervolgde de moeder van Matilde onverstoorbaar, die wilde laten weten dat haar man een leidinggevende functie had bij de ENI. 'Het is een mooi ras, de meisjes zijn beeldschoon, ze lijken allemaal net sambadanseressen, jammer genoeg zijn er niet veel Venezolaansen in Italië.' 'Pff! Zuid-Amerikaansen denken alleen maar aan dansen,' schamperde de vrouw met het gezicht als een mopshond die geen oppas was, alsof ze veel te lijden had gehad van dat danstalent van de Zuid-Amerikaanse vrouwen – 'de samba, de rumba, de merengue, al dat gekronkel, maar als er gewerkt moet worden zie je ze niet meer. De besten zijn de Filippijnse vrouwen, wij hebben er al tien jaar een, ze is fantastisch, ik zou niet weten wat ik moest beginnen als ze bij ons wegging, nu heeft ze haar kinderen ook laten overkomen, wij waren het er niet mee eens maar uiteindelijk hebben we haar geholpen met de papieren, wat wil je, je moet toch menselijk blijven, je zou ze eens moeten zien, schattig zijn ze, met grote amandelogen en een gebronsde huid, maar ze gaat toch niet bij ons weg, ze zegt dat de kinderen bij haar zus kunnen wonen, laten we het hopen want Alessia en Giulia zijn erg aan haar gehecht en ze zouden er een trauma aan overhouden als ze haar zouden kwijtraken.' 'Ik heb een slechte ervaring gehad met een Filippijnse,' oordeelde de moeder van Guendalina onverbiddelijk. 'Ik had er een die zodra ze alleen was naar haar man in Manila belde, je moest eens weten wat voor telefoonrekeningen wij kregen, we hadden een slot op de telefoon gedaan maar ze was slim, ze schroefde het gewoon los, we hebben haar moeten ontslaan.'

Mijn god, hou op, wilde Maja bijna schreeuwen, waarom had ze gezegd dat Navidad bij haar weg was gegaan om terug te keren naar Caracas? Waarom? Omdat ze niks te zeggen had tegen die dames, dáárom. Omdat ze niet hetzelfde was als zij, ook al deed ze alsof dat wel zo was. Of misschien was ze wel zo geweest, maar nu was ze het niet meer. Ze haatte hen. Als ze had gekund, had ze ze allemaal de trap af geschopt. Maar dat kon niet. Je kunt nooit zeggen wat je denkt. We wisselen grapjes en leugens uit, net als in het theater. Waren we maar doofstom. Vissen, zoals Aris zegt. Ze was zomaar over Navidad begonnen, om maar iets te zeggen, om maar niet te zwijgen, en niet te denken aan het appartement tegenover de Villa dei Cavalieri di Malta, aan de geur van de mandarijnenboom, aan het sleutelgat waardoor je de koepel van de Sint-Pieter kon zien, aan die grote woonkamer waar ze graag haar kokosmat

zou neerleggen en haar batiks en aboriginalschilderijen zou ophangen – die Elio en zij op zolder hadden gelegd omdat ze niet bij
de inrichting van de villa pasten. Maar bovenal niet aan Aris, die
ze maar niet uit haar hoofd kon krijgen, en die voortdurend achter de barbiegezichten van de moeders van de genodigden verscheen, en haar streng aankeek zonder te glimlachen, vanuit de
hoek van de zaal, waar hij echter niet was. Aris, tegen wie ik nog
nooit gelogen heb, die me echt kent. De enige bij wie ik me niet
schaam om me te laten zien zoals ik ben, in al mijn monstrueuze
onverschilligheid. Die me nu misschien wel haat en minacht. Aris
– wat een dappere, utopistische, onbuigzame jongen, als hij maar
altijd blijft zoals hij is, als de tijd maar geen gevoelloos, bekrompen, verbitterd mens van hem maakt zoals van alle anderen. Aris
die op haar had gewacht terwijl zij haar rol als makelaarsklant speelde – en haar daarna, toen hij weigerde in de auto te stappen, een
zwaarmoedige, afstandelijke blik had toegeworpen. Alsof alles
voorbij was, voorbij, mijn god.

Maar de dames waren doodsbang voor de plotselinge stilte die
zou vallen als het gesprek zou stokken. Doodsbang om elkaar te
moeten trotseren, te moeten onderhouden, te moeten luisteren
naar elkaars lofzangen op de kwaliteiten, de intelligentie, de vaar-
digheden op het gebied van dans, paardrijden en taal van respec-
tievelijk hun zoon of hun dochter of allebei, iets wat de ouder in
kwestie veel vreugde bezorgt maar voor de anderen dodelijk saai
is. Ze wilden het probleem uitspitten tot ze de oplossing hadden
gevonden: ze wilden, ze móésten haar helpen, of tenminste doen
alsof, en elk van hen wilde met de eer gaan strijken dat ze haar een
nieuwe hulp hadden bezorgd. Maja drukte haar handen tegen haar
slapen. Mijn god, mijn god, wilde ze schreeuwen. Ik wil hier niet
blijven. Ik wil hier weg. Ik moet met Aris praten. Ik moet het uitleggen. Ik heb de waarheid net zo hard nodig als de lucht die ik in-
adem. Waar ben je, mijn jongen? Ik hoef geen huishoudelijke hulp,
dat maakt me niks uit, ik kan wel zonder, ik wacht wel tot Navidad
terugkomt, alsjeblieft, ik smeek jullie, hou je mond.

En eindelijk kwam het team van Camilla de zaal weer binnen, in
het kielzog van de clown die de schatkist torste. De tweede clown
speelde vrolijk op zijn trompetje en de derde sloeg de trom. En terwijl de winnaars kleine cadeautjes in rood pakpapier uit de kist haal-

den, en de clowns cadeautjes in blauw pakpapier uitdeelden aan de teleurgestelde kinderen, begonnen de clowns, de winnaars en de verliezers langzaam maar zeker op hun trompetjes te toeteren, in een oorverdovend concert van scheetjes. De steltloper die ineens was verschenen begon reusachtige zeepbellen te blazen, zo groot als schoenen, katten, ballen, en bij de aanblik van die verbluffende tovenarij vielen alle gesprekken stil, en er werd die dag geen huishoudelijke hulp gevonden voor mevrouw Fioravanti.

negentiende uur

Na het fluitje van de scheidsrechter wierp de paardvrouw een dodelijke blik naar haar tegenstandster in het witte shirt – die met bungelende armen en gebogen knieën achter het net stond, in gespannen afwachting. Ze gooide de bal op, sprong en sloeg hem uit alle macht met haar vlakke hand. De bal zakte ineens omlaag achter de driemeterlijn. Valentina dook er met uitgestoken hand op af, maar de bal schoot omhoog naar het hoge plafond van de sportzaal en kwam op de tribune terecht. Punt voor het gele team. Zes grimmige, akelig agressieve amazones – een zo dreigend en verontrustend vrouwbeeld dat Antonio er onpasselijk van werd. De meisjes met de witte shirts gingen in een kringetje staan, met de schouders tegen elkaar, en schreeuwden – tegen de vloer, of misschien tegen zichzelf: 'Hup! Hup! Hup we halen het!' Valentina was de tengerste van hen, ze wankelde onder het gedrang tijdens de strijdkreet. De paardvrouw greep de bal vast en ging weer aan de achterlijn staan. Opnieuw wierp ze een dodelijke blik naar haar tegenstanders – sterker nog: juist naar Valentina, om haar bang te maken.

'Lelijk wijf, die benen van jou lijken wel tafelpoten!' schreeuwde een jochie met een rendierleren jas, dat zich naast Antonio druk zat te maken. Alhoewel, jochie... Hij was een bonenstaak van bijna twee meter. Maar wel met een kinderlijk gezicht, nog bijna onbehaard – de paar haartjes die aan zijn kin ontsproten gaven die de aanblik van een oksel. Even overwoog Antonio of hij zijn neus zou platslaan, maar toen realiseerde hij zich dat zijn complimenten voor de tegenpartij bedoeld waren. De lange jongen was voor Valentina's team, AS Esquilino. Een clubje dat was ontstaan op het betonnen speelveldje van de kerkelijke jeugdclub San Vito, maar dat als kweekvijver gold voor het team van de universiteit, dat in de eerste divisie speelde. Door steeds complexere en kwaadaardiger beledigingen te schreeuwen, slaagde de lange jongen er uiteindelijk in de paardvrouw zo te demoraliseren dat ze een slap balletje gaf – dat tartend in het net bleef steken.

De jongen riep: 'Hup Vale, je bent de beste!' Antonio blies een korrelige bel met zijn kauwgom en liet hem vol afschuw knappen. Was hij haar vriendje? Had Valentina al een vriendje? Valentina, met nummer 9 op haar rug gedrukt, haar vingers omwikkeld met witte pleisters. Het korte broekje met daaronder haar blote spillebenen, waarvan de spieren nog niet duidelijk ontwikkeld waren. Zijn meisje. Toen Valentina een punt maakte, sprong Antonio overeind achter de balustrade, hij klapte, zwaaide en schreeuwde haar naam, die door de slechte akoestiek nog lang onder de bogen van de zaal nagalmde. De eerste keer had Valentina zich verbaasd omgedraaid naar het publiek. Aangezien er hooguit vijftig toeschouwers op de tribune zaten, had ze Antonio meteen gezien, die opviel tussen het handjevol bontgekleurde leerlingen van het Virgilio-lyceum en de vrienden van het muurtje op de Piazza Dante – hé, zat Jonas daar niet bij? Ze had naar hem geglimlacht. Daarna had ze de hele eerste set geen bal meer fatsoenlijk geraakt.

Wie is die donkere man? had Miria haar gevraagd, profiterend van de time-out. Mijn vader, had ze met tegenzin geantwoord. Miria had bewonderend naar hem gekeken, zonder op de tactische preek van de trainer te letten. Wat ben jij nou voor een vriendin, had ze gefluisterd, waarom heb je me nooit aan hem voorgesteld? Valentina hoopte dat ze een grapje maakte, maar Miria meende het. Als je zo reageert op de aanwezigheid van je vader, moet je hem maar niet meer naar de wedstrijden laten komen, had de trainer geopperd, met een geërgerde blik op die kaalgeschoren gladiator die zich druk zat te maken op de tribune. Valentina kon zichzelf wel voor haar kop slaan, ze was bang dat ze zou worden gewisseld. Het was de eerste keer dat de trainer haar in het eerste team had opgesteld. Normaal gesproken ging ze wel met de senioren mee, maar bleef ze onveranderlijk op de bank zitten. Op zaterdag- of zondagochtend, op veldjes in buitenwijken en volksbuurten buiten de Raccordo Anulare, de ringweg – betonnen veldjes, in de buitenlucht, zonder tribune en zonder publiek –, speelde ze met de junioren, haar krukkige leeftijdgenoten die geen enkele strijdlust hadden. Toen ze terugkeerde op het veld had ze naar hem gezwaaid. Antonio had zijn vuisten naar haar opgestoken – een aansporing om vol te houden en te laten zien wat ze waard was.

Papa is hier. Papa is naar me komen kijken. Hoewel ze maandenlang nergens anders naar verlangd had dan naar de kans om met het eerste team te mogen spelen, was ze nu zo blij hem te zien dat die wedstrijd haar ineens niets meer kon schelen. Nu ze eindelijk had gekregen wat ze wilde, was het niet meer datgene wat ze wilde, maar gewoon datgene wat ze had gekregen. En dus keek ze naar papa in plaats van naar de bal – papa in burger, supercool in een zandkleurig pak. Papa met zijn glanzende schedel, zijn puntige sikje, zijn rode wangen van de hitte – en telkens als ze opkeek naar de tribune was ze bang dat hij er niet meer zou zitten. Dat ze een lege bank zou zien. Ze was bang dat papa het beu werd, dat hij terug moest om afgevaardigde Fioravanti weer te gaan bewaken, dat hij wegging voordat ze met hem had kunnen praten. En wie weet wanneer ze hem dan weer zou terugzien. Zij zat vast op dat veld, ze moest achter een bal aan, en papa zou voor de zoveelste keer verdwijnen – en dan was ze hem kwijt.

Maar deze keer leek Antonio niet van plan ervandoor te gaan. Integendeel, hij bleef op de bankjes van de tribune zitten, ontspannen en meelevend met het lot van een team waarvan hij tot voor een uur niet eens had geweten dat het bestond. Hij had kauwgom in zijn mond, hij had zijn jas uitgetrokken en hij zat in zijn hemdsmouwen naar de wedstrijd te kijken. Toen had Valentina begrepen dat hij echt voor haar was gekomen. Uiteindelijk was ze gewend geraakt aan zijn aanwezigheid, die zo ongewoon, ja bijna misplaatst was in deze sportzaal. Toen pas wist ze de pijnscheuten aan de wond aan haar navel te negeren, en voor hém te spelen. Telkens als ze voor het net opsprong en de bal op de helft van de tegenstander smashte, waarna haar teamgenoten zich juichend rond haar verdrongen, keek zij alleen naar hem. En papa klapte – hij was uitzinnig, ook al wist hij niets van volleybal.

Aangezien hij de regels niet kende, en zich eerlijk gezegd dood verveelde, raakte Antonio op het laatst afgeleid. En de doffe klap van de leren bal die werd gesmasht, mishandeld en geslagen onder luide kreten, aanmoedigingen en uitroepen in het oorverdovende kabaal van de sportzaal, deed hem denken aan een andere bal, een andere wedstrijd, een andere dag. Vandaag kon hij zeggen dat zijn hele leven was bepaald door één bal. Zelfs Valentina zou nooit hebben bestaan zonder die ene bal.

Een simpele plastic bal – rood met zwarte blokken – gekocht in een kiosk langs de boulevard van Ostia. Hij lag destijds als militair gelegerd in de kazerne Cecchignola, bij Rome. Na zes maanden ballingschap in Macomer op Sardinië had hij dankzij een barmhartige oom een goede aanbeveling gekregen waardoor hij weer op het vasteland was terechtgekomen, en naar Rome was overgeplaatst. Van Rome kende hij alleen de kazerne, de metro, een paar jeansshops aan de Via del Corso en de Spaanse Trappen, waarvan hij de steile, glibberige treetjes veelvuldig op en af liep, krampachtig op zoek naar vriendschappen. De Romeinse meisjes lieten zich gemakkelijk aanspreken, ze waren luidruchtig en sociaal, maar zodra er een afspraakje gemaakt moest worden en ze doorkregen dat hij soldaat was, moesten ze niets meer van hem hebben en gaven ze hem valse of niet-bestaande telefoonnummers. Antonio voelde zich verloren in Rome: hij vond het niks, veel te groot en veel te leeg, met al die pleinen waarop je kunt verdwalen, die verbrokkelde muren, die sleetse gebouwen, zelfs het licht was sleets en leek al eeuwenlang vastgekoekt te zitten. Een verleidelijke stad die geen afstand kan bewaren, als een te opdringerige vrouw. Bovendien landerig, lui, een stad zonder haven en zonder fabrieken. Wat deden de mensen in Rome eigenlijk? Waar leefden ze van? Na zijn militaire dienst wilde Antonio terugkeren naar huis en zich ergens in Reggio Calabria, of Messina, of Salerno vestigen – waar ze een haven hadden, en bouwwerven, daar hadden ze vast en zeker een baan voor hem. Hij had er nog geen idee van dat hij bij de politie zou komen. Hij had een lts-diploma. Dat vond hij al heel wat.

Het was een zondag in juli en voor het eerst had hij, na talloze corveediensten waarin hij de plee moest schoonmaken, moest afwassen en aardappels schillen, verlof gekregen. Met andere dienstplichtigen, die even ongelukkig en eenzaam waren als hijzelf, had hij het treintje naar Ostia bestormd. Het treintje dook onder de grond, door vele beroete, zwarte, donkere, stinkende tunnels waarin je bijna geen lucht kreeg – en kwam toen weer boven. Het stroomde vol. Het reed door schitterende wijken vol marmer, langs wolkenkrabbers en steeds spaarzamere buitenwijken, vervolgens tussen pijnbomen, oleanders en palmbomen door, het passeerde raadselachtige duizend jaar oude ruïnes en hield ten slotte stil. Lage villa's waarvan de pleisterkalk was aangetast door de zilte lucht en verlopen hotels waarvan de gestreepte zonneschermen als oogleden waren neergelaten boven de veranda's, lagen op een rijtje langs de zee. Het rook naar algen, platschelpjes en verse kokosnoot. Hij vond Ostia meteen geweldig. Net als Emma, overigens. Op de boulevard had Salvatore erop gestaan dat ze een bal zouden kopen. Wat moesten vijf soldaten op verlof anders de hele dag doen?

Om elf uur was het strand al één grote vlakte van parasols, emmertjes, schepjes, frisbees, plastic stoeltjes, duikbrillen, luchtbedden. Ze liepen langdurig onder de bloedhete zon, langs verhitte lichamen, paniekerige moeders die hun kind uit het oog waren verloren en stelletjes die een potje stonden te tennissen en de veiligheid van de badgasten in gevaar brachten met schuimrubber balletjes die zich hadden volgezogen met water. Ze ploften neer op het enige vrije plekje tussen het natte gedeelte van het strand en het hek van de aangrenzende strandtent. Achter het hek wapperde een rood vlaggetje. Zo nu en dan klonk er uit de luidspreker die op een rieten bouwsel was bevestigd een stem die de gasten van de strandtent uitnodigde om mee te doen aan spelletjes en vermaak waarvan zij waren buitengesloten. Ze voelden zich buitengesloten. Om het gevoel tegen te gaan dat ze op het strand ook al paria's waren, net als in de stad, gingen de soldaten zwemmen. De zee was woelig, de golven waren troebel en sterk en zaten vol glibberige, draderige algen, er was een sterke stroming richting open zee, je kon gewoon niet zwemmen.

Ontmoedigd lieten ze zich op hun handdoeken vallen. Misschien praatten ze wat over meiden, schepten ze op over denkbeeldige heldendaden of telden ze de dagen die ze nog moesten dienen tot het eind van hun diensttijd, maar dat wist Antonio niet meer precies. Daarna vormden ze goals met hun schoenen en shirts en verdeelden ze zich in twee teams. Lusteloos trapten ze wat tegen de bal. Het werd steeds warmer. Ze zweetten, elke keer als ze vielen drong het zand hun zwembroek binnen, wat jeukte aan hun ballen. Terwijl hij aan de beurt was om te keepen zag Antonio dat een groepje laatkomers zich op het natte gedeelte van het strand had geïnstalleerd. Bij gebrek aan ruimte waren de meisjes op het natte zand gaan liggen. Ze hadden geen parasol en geen picknicktas. Ze hadden wel een stereo waarop snoeihard – op z'n watkanonshetverrekken – een bandje van de Clash speelde. Hun gebruinde lichamen – dat is wat hij zag. Vier meisjes die naast elkaar lagen – benen en armen en haren en navels en borsten. In bikini's van hetzelfde model, gekocht in hetzelfde warenhuis, van dezelfde synthetische, glanzende stof. Allemaal precies hetzelfde. Ook de andere jongens hadden hen gespot. Maar ze waren in het gezelschap van een stel gozertjes, dus ze hoefden echt niet te denken dat er iets te versieren viel. Ze waren allemaal precies hetzelfde, tenminste, zo leek het. Ze had gewoon een kennis van het strand kunnen zijn. Ze veranderde zijn leven.

Wanneer ze precies zij werd, en niet langer een naamloos lichaam was, glanzend van de zonnebrandolie, languit in de zon, identiek aan alle andere? Dat was toen de brunette – ze was toen nog een brunette – overeind kwam en het zand afklopte van haar kuiten, van haar lendenen en haar schouders, en ze zich omdraaide om de rode plastic haarspeld die haar haren bijeenhield in haar tas te stoppen. Haar haren vielen over haar rug – ze waren lang en warrig, alsof ze haar kam kwijt was. Antonio passeerde Salvatore met een dribbel en stond paf. Het meisje was een stuk. Hij raakte de bal kwijt, hij struikelde, hij viel, en kreeg een doelpunt tegen. Het meisje zette een paar passen en liep weifelend naar het water. Ze was lang en slank, ze had smalle heupen en haar billen, die gul werden geaccentueerd door haar zwembroekje, waren hard als een onrijpe perzik. De schouderbandjes van haar bovenstukje tekenden een donkere streep op haar gebruinde huid. Ze liet de golfslag om haar enkels spelen. Ze draaide zich om om haar vriendinnen te roepen, maar die kwamen niet. Ze sprong aan de kant voor de spetters van een golf. Antonio zag dat haar borsten maar net in haar bovenstukje pasten; er stak een lichter streepje bovenuit, bijna wit. Het water kwam nu tot haar knieën, maar het meisje liep niet verder. Misschien vond ze de zee te troebel en wild, misschien had ze gemerkt dat hij naar haar keek en wilde ze zich laten bewonderen.

Maar toen kreeg hij ineens de bal voor zijn voeten en hij greep zijn kans. Zo zat hij in elkaar, hij dacht nooit twee keer na. Hij gaf een flinke schop – niet op doel, maar in haar richting. Hij raakte haar vol. De bal belandde met een plons in het water. Zij slaakte een kreet, legde haar hand tegen haar heup en veegde de zanderige vlek eraf, misschien schold ze die lompe voetballer ook nog uit – haar kennende was dat eerlijk gezegd wel waarschijnlijk, maar dat wilde Antonio zich liever niet herinneren en hij had het verdrongen. Hij herinnerde zich wel hoe het meisje haar hand tegen haar pijnlijke heup hield, en de geblokte bal die op de kop van een golf dobberde, en de gozertjes van het gezelschap protesteerden dreigend tegen zijn makkers dat ze maar ergens anders moesten gaan spelen en dat ze hun meisjes niet moesten lastigvallen. De soldaten reageerden strijdlustig: die andere jongens waren maar studenten, als het op knokken uitliep maakten ze geen schijn van kans. Antonio rende weg om de bal te gaan halen, maar toen hij naast haar was stopte hij. Ze was zo mooi. Ze was nog geen achttien. Sorry, zei hij, dat was niet de bedoeling. Heb ik je pijn gedaan?

Zij kneep haar ogen tot spleetjes en taxeerde de onbekende. Wat zag ze? Een jongen van twintig. Een judokampioen, atletisch, breedgeschouderd, keiharde buikspieren. Kort haar, een donkere kuif over zijn voorhoofd. Vastberaden trekken – indianenneus, volle lippen, intelligente zwarte ogen. En dus antwoordde ze: nee. De geblokte bal werd door de stroming meegevoerd naar open zee, maar hij verroerde zich niet. Ik heet Antonio, zei hij. Zij keek naar de bal die op het schuim dobberde en toen naar hem. Ze zei niets en tegelijkertijd zei ze alles. Ze glimlachte en waagde zich in de golven, en hij volgde haar. Vanaf dat moment hield hij van haar. Toen Emma, zonder dat ze het zelf wist, voor hem had gekozen, was hij boven het grote niets uitgestegen, boven de anonimiteit van de soort die iedereen gelijkmaakt. Toen ze voor hem koos, had ze hem zijn zelfbewustzijn gegeven. Maar nu ze bij hem weg was gegaan, was hij zijn geschiedenis, zijn herinneringen, zijn dromen kwijtgeraakt. Hij was al dood, zonder haar.

Het speelveld was leeg. De meisjes in het wit omhelsden elkaar juichend voor de reservebank. Ze zogen een groen drankje uit plastic flesjes met drinkdop. De scheidsrechter klom voorzichtig omlaag van zijn troon. De wedstrijd was afgelopen. Antonio kwam verdwaasd overeind. De gedachte aan Emma bezorgde hem een ellendig gevoel, alsof het een ziekte was. Het wás ook een ziekte. Toch probeerde hij niet eens om de gedachte van zich af te schudden. Hij wilde niet dat de pijn wegtrok. Toen hij alleen was gebleven – en zij van hem was geamputeerd als een arm of een long – had hij bij zichzelf gezegd dat als hij zijn plicht maar zou doen, als een soldaat, de nachtmerrie wel zou verdwijnen. Elke zonde zou worden vergeven, elke schuld uitgewist. Bovendien was de pijn de laatste, uiterste metamorfose van de liefde. Hij voelde dat hij leefde als Emma hem pijn deed – in de herinnering, in het verlangen, in het heimwee naar alles wat geweest was, in die verloren werkelijkheid die nu deed alsof ze nooit bestaan had, alsof ze niks anders was geweest dan een illusie. Als hij niet heel duidelijk die pijn had gehouden, had hij zelf ook kunnen gaan geloven dat het allemaal enkel een droom was geweest, of een smoesje van hem om te kunnen leven. Maar zolang hij die pijn bleef voelen, had hij het bewijs dat Emma echt bestaan had, dat ze bestond, dat ze van hem gehouden had, dat hij nog steeds van haar hield.

Valentina maakte zich los van het groepje vriendinnen en rende de tribune op. 'Papa, papa, papa!' gilde ze, alsof ze hem moest overhalen er niet vandoor te gaan. Toen ze bij hem was vloog ze hem om de hals, net zoals ze als kind had gedaan. Ze was groot geworden, maar ze was nog steeds een kind. Veertien was ze geworden in maart – en ik ben niet op haar verjaardag geweest. Antonio kuste haar bezwete haren en een wang die naar stof en zout smaakte. Ook Emma smaakte naar zout, die ene dag. Valentina leek pijnlijk veel op haar, hij kon gewoon niet naar haar kijken. 'Wacht je op me? Ik ga gauw even douchen, over vijf minuutjes ben ik terug.' 'Nee,' zei Antonio, 'je kunt thuis douchen.' 'Thuis?' vroeg Valentina verwonderd. 'Je blijft bij mij tot zondag,' zei Antonio. Valentina keek hem verbluft aan. 'Bedenk maar vast wat je vanavond wilt gaan doen. Het moet een speciale avond worden.' 'O papa!' riep Valentina. 'Kies jij maar, mij maakt het niks uit.' Toen zag ze het gezicht van mama voor zich, het vermoeide, bezorgde gezicht dat ze vanmorgen in de metro had gehad. Ze leek het heel belangrijk te vinden om de zaterdag met haar door te brengen. Was dit verraad? Wat is verraad? Valentina had nog nooit iemand verraden. 'Wat zegt mama ervan?' vroeg ze voor de zekerheid. 'We zijn het eens,' loog Antonio. 'Ze is er blij om. Ik had het idee dat ze morgen iets te doen had, ik weet niet, misschien had ze met iemand afgesproken.'

Valentina trok de pleisters van haar vingers. Liegbeest, liegbeest, liegbeest. Ostia! De zee! Picknicken! Allemaal bullshit. Ze wilde ons gewoon lozen. Waarom geloof ik telkens weer alles wat ze zegt? Dit is de laatste keer geweest. Wat zou ik graag bij papa gaan wonen. Waarom heeft de rechter me dat niet gevraagd? Zou hij misschien daarvoor zijn gekomen? Weemoedig keek ze naar de vrienden van het groepje die zich voor de kleedkamers verdrongen – en te midden van hen herkende ze de lange Jonas, de zeventienjarige chemicus die zich haar rode jurk nog herinnerde en misschien wel hoteldebotel was van haar. Ze zwaaide naar hem. Misschien lachte Jonas naar haar, maar hij was te ver weg, ze kon het niet zien. Miria bleef een paar minuten op haar staan wachten, midden op het veld, maar toen greep ze haar tas en liep naar de kleedkamers – waar haar teamgenoten opgewonden en triomfantelijk stonden te zingen omdat ze hadden gewonnen van die paarden van de sportclub van het Virgilio, eeuwige vijandinnen die ze nooit eerder hadden verslagen. Onder de douche zouden er grappen worden gemaakt en strijdliederen worden gezongen. De meisjes van AS Esquilino wachtten al maanden op een overwinning: ze stonden onderaan in de competitie, ze zouden bijna gedegradeerd worden. Valentina vond het jammer dat ze zich de beloning voor haar dodelijke klappen niet kon laten smaken en niet kon delen in de feestvreugde, gehuld in de warme, dierlijke geur van de kleedkamers – de geur van schoenen, voeten, oksels, kamfer, haren, vermoeidheid. Een geruststellende geur. Haar geur, en die van haar teamgenoten. Van het gewone leven waarin ze wilde terugkeren, en waarvan ze het gevoel had dat ze ervan was buitengesloten. En ze vond het helemaal megajammer dat ze die lange Jonas niet kon leren kennen, met zijn haren als een tros bananen. Maar ach. Het was pech dat papa uitgerekend vandaag was komen opdagen. Maar hij was er nu, en de rest deed er niet toe.

Gevolgd door Antonio, die verwoed op zijn kauwgom kauwde, liep Valentina de tribune af en pakte haar tas, die verlaten op de inmiddels lege reservebank stond. 'Leuk om je te leren kennen,' zei de trainer terwijl hij Antonio de hand schudde. 'Valentina heeft me veel over je verteld.' 'O ja?' vroeg Antonio onbewogen. Wat was dat voor bezwete papzak die zo'n innige band had met zijn dochter? Hij vond het nogal verdacht, een vent van dertig die zijn tijd doorbrengt met twaalf minderjarige meisjes die altijd blote benen hebben. 'Ik ben degene die Valentina heeft ontdekt voor het team van *under 15*,' zei de trainer om hem een plezier te doen. 'Valentina is een talent. Ik wed dat ze volgend jaar voor het nationale team gevraagd wordt.' 'We zullen zien,' zei Antonio vaag. Valentina trok haar spijkerbroek aan, waarbij ze ervoor zorgde dat papa het glimmende dingetje in haar navel niet zou zien, net zomin als het elastiek van haar string. Ze had het idee dat papa er niks van geloofde dat ze volgend jaar in het nationale team zou spelen – en dat vond ze jammer. 'Zien we elkaar morgen?' vroeg de trainer. 'Roma Volley is om zes uur. We hebben om vijf uur bij het Aquarium afgesproken.' 'Nee, morgen niet, ik kom niet naar de wedstrijd,' fluisterde Valentina. De trainer snapte het. Gescheiden vaders zijn een ramp, ze sturen altijd het hele weekend van hun kinderen in de war. 'Maandag dan,' hielp hij haar herinneren. 'Training om zeven uur.' 'Maandag,' beloofde Valentina. Toen zei ze, als een bezwering, met haar vingers gekruist: '*Wind of regen, hondenweer, Esquilino traint iedere keer.*' Maandag – dacht Antonio. Er komt geen maandag voor mij.

twintigste uur

Bij de ingang van het Vicolo Bottini versnelde Emma haar pas en zei dat ze moest opschieten, omdat Valentina's wedstrijd inmiddels wel afgelopen zou zijn. En ze wilde vanavond koken, de kinderen klaagden voortdurend over haar diepvriesmaaltijden. O, niet dat ze niet graag kookte, maar ze had er gewoon geen zin meer in, sinds een tijdje had ze nergens meer zin in – 'Wat denk je, zou ik ziek zijn?' Sasha schudde zijn hoofd. 'Ik weet niet, ik ben geen dokter,' zei hij. De metrotunnel stootte ineens de lading van de laatste trein uit: honderden verkreukelde, haastige passagiers. Sasha realiseerde zich dat het pakje met het horloge nog aan Emma's pols hing, waarvan ze toen ze de juwelierszaak uit liepen had aangeboden dat voor hem te dragen omdat hij al zoveel tassen had. Hij bedacht pas nu, vreselijk laat, dat hij haar niet had moeten vragen hem te helpen een horloge uit te kiezen voor Dario. Dat had iets onfatsoenlijks – iets van pijnlijke tactloosheid.

'Waarom kom je niet een keer naar me luisteren in de Heaven or Las Vegas?' waagde Emma. 'Daar zing ik elke donderdag. Misschien kun je Valentina ook zover krijgen dat ze eens komt.' Ze legde uit dat het in het centrum was, achter de Via del Governo Vecchio. Niet al te groot, een beetje discobar, een beetje concertzaal, veel bands die daar voor het eerst hadden opgetreden hadden later naam gemaakt, en er hing altijd een prettige sfeer, hij zou het vast leuk vinden. 'Kun je zingen?' vroeg Sasha verbaasd. 'Daar heeft Valentina nooit iets over verteld.' 'Dat weet ik,' zei Emma schouderophalend. Maar toch stond ze elke keer als ze het podium betrad, met dichtgeknepen ogen tegen de felle lampen, de tafeltjes in het halfdonker af te speuren in de onzinnige hoop dat de leraar op de eerste rij zou zitten. En ze zong beter als ze fantaseerde dat ze voor hem zong. 'Valentina vindt dat het niet de moeite waard is om naar mij te komen luisteren.' 'En is het de moeite waard?' vroeg Sasha. 'Ach, ik ben geen Annie Lennox en geen Gloria Gaynor, maar ik doe mijn best. En het is trouwens gratis.' 'Misschien aanstaande donderdag,' hield Sasha een slag om de arm – hij wist toch al dat hij niet zou gaan. Donderdag kwamen zijn ouders: ze kwamen hem één keer per maand opzoeken – omdat hijzelf, zo zeiden ze, nooit zijn gezicht liet zien, terwijl zij, nu ze met pensioen waren en al oud begonnen te worden, van hun zoon wilden genieten. Zijn ouders waren ervan overtuigd dat hij geen tijd voor hen had omdat hij moest schrijven, want op een dag zou hij een beroemd schrijver worden. Ze gaven hem het gevoel dat hij gewaardeerd werd. En hij vond het fijn om ze in huis te hebben. Maar beslist niet langer dan tweeënzeventig uur.

'Kom je echt luisteren?' vroeg Emma, terwijl ze hem het pakje met het horloge aanreikte. De onderhandelingen met de verkoopster waren zenuwslopend geweest. Terwijl ze met professionele achteloosheid en verachting voor de betrekkelijkheid van geld zescijferige bedragen opdreunde, had ze hun een veelheid aan chronometers voorgesteld. Een Calatrava Travel Time van Patek Philippe uit Genève, die de tijd in twee verschillende tijdzones aangaf, met een bandje van krokodillenleer en een kast van 18-karaats witgoud, slechts achtentwintig miljoen lire. De Chronomètre à Resonance van F.P. Journe Invenit et Fecit, grand prix d'horlogerie à Genève. Een Cintrée Curvex van Franck Muller, in witgoud, met saffierglas en peervormige wijzers. De Chronomaster El Primero Zenith, een Bedat & C. in platina, de Cartier met een bandje van zwart canvas, en de Bubble Corum met een innovatief, futuristisch design, waterdicht tot 200 meter diepte, voor een zeer redelijke prijs. Uiterst verfijnde horloges die elk een veelvoud van zijn maandsalaris als leraar kostten, en die Emma hardop, zonder zich iets aan te trekken van het feit dat de verkoopster haar kon horen, had bestempeld als identiek aan de prullen die ze elke dag in de kraampjes bij de metro-uitgang zag liggen. Uiteindelijk had hij zich door Emma laten overreden om een TAG Heuer model Carrera te nemen, in de uitvoering met zwarte wijzerplaat en een bandje van opengewerkt leer. Misschien was Emma geïntrigeerd door het feit dat de verkoopster had gezegd dat filmsterren als Steve McQueen en Paul Newman de chronometers van dit Zwitserse huis droegen. Waarschijnlijk zou Dario het echter niet mooi vinden. Te jeugdig, te agressief. 'Ja, ik kom,' beloofde Sasha. Emma bedacht treurig dat mannen nooit letten op wat ze zeggen.

Sasha aarzelde. Ook al was het bijna acht uur en kon Dario elk moment bij zijn huis zijn, hij vond het vervelend om zomaar afscheid van haar te nemen, hij had het idee dat hij nog iets tegen haar moest zeggen. 'Bedankt voor alles wat je voor Valentina hebt gedaan,' zei Emma. 'Ik heb niks gedaan,' protesteerde Sasha. Ik heb haar er niet eens van kunnen overtuigen dat Siberië niet bestaat. Het land van de ijsvlakte. Wie weet of het alleen maar de metafoor van een donker meisje was. Soms had hij zelf ook het idee dat alles rondom hem Siberië was – het bevroren land van de non-gevoelens, de non-woorden, de stiltes. 'Ik ben slechter dan ik lijk,' biechtte hij op. Zij zei: 'Ik ook.'

'Is dat jouw mobiel die overgaat?' waarschuwde ze. En terwijl Sasha koortsachtig in zijn zakken zocht en zich probeerde te herinneren waar hij hem had weggestopt – en zijn tassen neerzette, en het pakje met het horloge weer aan haar gaf, en zijn jack tevergeefs binnenstebuiten keerde – probeerde Emma elk detail van zijn gezicht in haar geheugen te prenten, omdat ze niet zeker wist of ze hem nog zou terugzien. En ze wilde graag iets bewaren van die vriendelijke, onbereikbare man, zo begripvol en verstrooid – wat dan ook: een bonnetje, een knoop, een of ander kaartje. Maar ze had niets, ze kon niets bewaren. En misschien was dat ook maar beter zo. Dan zou ze uiteindelijk denken dat al die intense gevoelens nooit een lichaam hadden gehad, noch een naam – dat ze een verlangen kwijtraakte, niet meer dan een droom.

'Hé schat,' zei Sasha haastig terwijl hij het oordopje in zijn oor stopte. 'Ben je er al? Ik loop nu naar de auto, over tien minuten ben ik bij je.' Hij was blij om zijn stem te horen – het bewijs dat Dario niet alleen maar een hersenschim van zijn verlangen was geweest, de afwezige god van zijn dagen. Hij knipoogde samenzweerderig naar Emma, die hem geheimzinnig toelachte. 'Moppie, er is iets tussen gekomen,' onderbrak Dario hem echter. Hij stortte zich in een verwarde monoloog, onbegrijpelijk en tegelijkertijd ongekend wanhopig. Allemaal de schuld van die dief die twee weken geleden zijn horloge had gestolen. Zijn vrouw hield vol dat het allemaal door de schrik kwam. Misschien was ze het kind kwijtgeraakt, of misschien was er nooit een kind geweest. Hoe dan ook, de test was negatief. Zijn vrouw was heel gedeprimeerd. Ze had een zenuwinzinking gehad. Ze had Dario overal gebeld, zelfs in de studio terwijl hij met de opnamen bezig was. Hij had wel moeten opnemen.

Hoe dan ook, het kwam erop neer dat hij nu niet bij Sasha thuis was, maar in zijn eigen huis. Bij zijn vrouw. Al urenlang zaten ze alleen maar te praten over het dochtertje dat ze niet hadden gekregen. Sasha wist toch hoe hij daarover dacht? Dario's vrouw zou dolgraag een dochter willen. Maar Dario had helemaal niets met meisjes. Als hij erover nadacht, kende hij er niet één. Hij zou niet weten wat hij ertegen moest zeggen. Als het dan toch moet gebeuren, laat het dan een jongetje zijn. Hij zou een betere vader worden dan zijn eigen vader – een hypocriete, laffe conformist op wiens begrafenis hij te laat was komen opdraven. Zijn telefoon was overgegaan tijdens de begrafenismis in de kerk, zodat alle aanwezigen hadden begrepen wat voor bevrijding zijn dood voor Dario betekende. Maar uiteindelijk zal een kind je beoordelen, je veroordelen, je onderdrukken; het is een keten waaraan je jezelf uiteindelijk verhangt; en als een kind hem minstens zoveel verdriet zou doen als hij zijn vader had gedaan, dan kon het maar beter helemaal niet gemaakt worden. Trouwens, iedereen wordt geboren met een roeping, en hij had helemaal niets met de roeping van het vaderschap. Hij had nu al een blok aan zijn been. Als hij er nog een bij nam, zou hij verzuipen.

'Wat wil dat zeggen?' vroeg Sasha verbijsterd. 'Ik heb haar alles verteld.' 'Ben je bij haar weg?' schreeuwde Sasha bijna. Hij kreeg haast geen adem. Was dit het geluk dat hem wachtte? Emma staarde hem aan, met wijd opengesperde ogen. Ze waren heel donker, bijna zwart, en vreemd glinsterend. 'Nou nee, niet echt,' zei Dario. 'Het was een heel verdrietige toestand. En daarom probeer ik nu alles op een rijtje te zetten met haar. Hoe dan ook, we moeten het uitstellen. We gaan volgende week vrijdag naar Saturnia. We vieren het evengoed. Het wordt precies hetzelfde. Het wordt zelfs beter.'

Sasha sloeg zijn ogen ten hemel. De gebouwen aan de Piazza di Spagna hingen dreigend over hem heen. Achter het knokige kruis van een kerk dobberde een lijkbleke maansikkel. De broodmagere palmbomen wierpen ragdunne schaduwen op de grond. De spitse antennes verhieven zich op de daken als vechtsperen. Hij zag een meeuw die omhoogzweefde op de lauwe opstijgende luchtstromen. Toen enkel een sliertje verkreukelde wolk, en daarna bleef de hemel volkomen leeg, vaal en grijs. Hij nam geen genoegen met Dario's uitleg. Dario had niet met zijn vrouw over hun ongeboren kinderen moeten praten, maar over hém. 'Maar ik wil je nú zien,' protesteerde hij. Morgen bestaat niet, morgen is een woord dat ik niet ken, dat ik niet heb geleerd.

'Ik kan niet, moppie,' mompelde Dario droevig. 'Het is een kritiek moment. Ik heb haar alles uitgelegd. Ze is ingestort. Ik heb medelijden met haar, ik weet dat het niet goed is, maar het is zo – medelijden. Het minste wat ik kan doen is haar naar haar zus in Genua brengen.' 'Laat haar maar in haar eentje gaan, ze moet leren om zonder jou te kunnen,' zei Sasha. Zo is het ook met leerlingen: als ze opgroeien, moeten ze de leraar die hen heeft geleid vergeten. Maar Dario voelde zich schuldig – vanwege die dief, vanwege zijn vrouw die zich al jarenlang op bepaalde dagen van haar cyclus, zonder dat hij het wist, 's ochtends in de badkamer opsloot en in een beker plaste waar ze een plastic staafje in stak, wachtend tot het schermpje rood werd, wat nooit gebeurde. Vanwege het dochtertje dat nooit geboren was, vanwege de gênante leugens waaraan hij zich had vastgegrepen om het gebouw vol scheuren van zijn leven niet helemaal te laten instorten. 'Moppie, het spijt me vreselijk.' Nú. Niet morgen. Meteen. Ik ben het wachten zat. Ik ben drieëndertig. En jij bijna vijftig. Hebben we genoeg aan morgen? De tijd dringt – we hebben er maar zo weinig van.

'Ik moet nu ophangen, ze komt er weer aan,' zei Dario. 'Ik hou van je.' 'Ik hou ook van jou,' zei Sasha, maar zijn woorden klonken schraal, ongewoon naakt. Toen had Dario opgehangen. Hij had hem alleen gelaten. Een straatverkoper die met zijn zak vol namaaktassen wegvluchtte toen de politie er aankwam botste tegen hem aan, en hij wankelde. Door een open raam hoorde hij de tune van het achtuurjournaal. Vluchten hysterische zwaluwen, hysterisch vanwege het naderende einde van de dag, wervelden laag over de daken van de huizen en de tv-antennes. Hun treurige gekrijs gaf hem een helder gevoel van het duister om hem heen, en van zijn verloren vreugde. Emma stond voor hem, met het metroabonnement in haar hand, met haar haren die eerst zwart en toen blond waren geweest en nu de kleur van verbrand graan hadden, haar lange benen, haar korte rokje, haar boa van struisvogelveren om haar hals, die haar kneuzingen en blauwe plekken echter niet kon verbergen. 'Ik heb ook een vreselijke dag gehad,' zei ze tegen hem – want ze wist alles. 'Maar zoals je ziet, heb ik het overleefd.'

Op dat moment gingen de straatlantaarns in heel Rome aan, alsof ze reageerden op een geheim teken. Een spoor van licht kronkelde tussen de daken door. Een reeks glazen lampen die aan gietijzeren straatlantaarns hingen verscheen ineens op het plein, geel tegen de schemerige achtergrond van de hemel. Nu waren de gebouwen en de koepels, de antennes en de heuvels weer zichtbaar, en de rij huizen, die de horizon aan alle kanten afsloot. De zon ging onder. De avond viel.

Er vloog iets vloeibaars tegen Sasha's hoofd, dat langs zijn slaap omlaagdroop. Toen hij het aanraakte voelde het kloddering als slijm. Een duif met diarree had hem uitverkoren. Even had hij het idee dat hij het mikpunt van de universele spot was geworden; en Emma, de menigte die hem heen en weer slingerde, de straatlantaarns, de etalages, de rijtuigen die op toeristen wachtten voor de Fontana della Barcaccia verdwenen in het halfduister van de tunnel die hen opslokte. Hij liep als tegen de stroom in door de menigte. Kon ik de woorden, de beloften, de leugens maar vergeten. Langs de muren van de metrogangen bestookten de reclameborden hem met hun verlokkingen. En boven hem, aan het kale gewelf van de gang, ingelegd met elektriciteitsdraden en tl-buizen, knipperde met regelmatige tussenpozen een waarschuwend bord, blauw als een wegwijzer. Het was een pijl. BLIJF RECHTS HOUDEN, benadrukte een opschrift om de tien stappen. Want hier beneden, en misschien wel overal, moesten ook de voetgangers zich aan de verkeersregels houden. Aan de linkerkant van de gang, waar de passagiers in tegengestelde richting liepen, aan de andere kant van de gele streep die het linoleum in twee banen verdeelde, waarschuwde een ander onmiskenbaar verkeersbord, wit met rood: TOEGANG VERBODEN. Gevoelens verboden. BLIJF RECHTS HOUDEN.

Emma meed de blik van de leraar. SPAGNA SPAGNA SPAGNA stond op de borden aan de muren van de metrotunnel. Ze was nog nooit in Spanje geweest. En ze zou er graag eens naartoe gaan met hem.

Maar hun wegen zouden weldra worden gescheiden – VIA VENETO VILLA BORGHESE pijl naar links, NAAR DE TREINEN rechtdoor. De menigte haastte zich in de richting van de treinen. Maar Emma sloot zich er niet bij aan en stopte haar metroabonnement weer in haar tas. 'Als je niks beters te doen hebt,' zei ze, met de brutaliteit waaraan het haar in zijn bijzijn altijd had ontbroken, 'wil ik die lift naar huis nu toch wel accepteren.' VIA VENETO VILLA BORGHESE PARKEERGARAGE pijl naar links. NAAR DE TREINEN, rechtdoor. En de hele litanie van de haltes die ze elke dag nam, in de winter, FLAMINIO LEPANTO OTTAVIANO-SAN PIETRO CIPRO-MUSEI VATICANI VALLE AURELIA BALDO DEGLI UBALDI CORNELIA... Sasha zei dat het aanbod nog steeds gold. Hij wilde niet alleen blijven. Hij wilde dat er iemand voor hem zorgde en de leegte die voor hem lag vulde. Dus verlieten ze de tunnel en sloegen ze links af. TOEGANG VERBODEN. Gevoelens verboden.

Hij duwde haar voor zich op de roltrap. Stalen treden die zich onophoudelijk naar boven hesen, knarsend en piepend. De trap was eindeloos hoog. Omhoog. Omhoog naar de uitgang van de dag waarop ik mijn illusies begraven heb. 'Ik vraag je niet te eten,' zei Emma tegen hem terwijl ze zich omdraaide en over hem heen boog vanwege de plotselinge, onhoudbare drang om zijn slaap schoon te vegen met een veer van haar boa, 'mijn kinderen waren altijd heel vijandig tegen de mannen die de fout hebben gemaakt zich met mij in te laten.' 'Waren het er veel?' vroeg Sasha. Hij stond met zijn gezicht ter hoogte van haar navel. Die ontbloot was – want sinds enige tijd liepen vrouwen, jong en oud, er dag en nacht mee te pronken, alsof het niets voorstelde, alsof de navel niet het meest intieme teken van onze sterfelijkheid was. Ze droegen krappe truitjes, te strak of te kort, of broeken die te laag op hun heupen hingen, en te wijd. De navel van Emma. Een volmaakt rond kuiltje. Een schelp. Een donker plekje dat als een kogelgat afstak tegen haar perzikkleurige huid. Een levend gaatje dat hem tegelijkertijd en met dezelfde intensiteit deed denken aan een oor en een aarsopening. De veer van Emma's boa bleef aan zijn wang plakken. 'Minder dan ik zou hebben gewild, en meer dan er nodig waren,' zei Emma. 'En jij?'

'Voor mij geldt hetzelfde,' lachte Sasha, terwijl hij tegen de leuning van de roltrap aan leunde, die langzaam door de eindeloze

gang omhoogging, uitgegraven onder de Villa Medici om de ingewanden van de stad te doorboren. VIA VENETO VILLA BORGHESE. Tussen de oranje afscheidingen bewoog het metalen tapijt zich met ze-
nuwslopende traagheid onder hun voeten. Hij voerde hen mee –
maar blijkbaar nergens heen, want het einde van de gang was nog
steeds niet in zicht. Toen Emma een paar stappen zette, om sneller vooruit te komen, want ze had geen geduld, had ze bijna het
idee dat ze geen grond meer onder haar voeten had – dat ze vrij en
licht over deze dag heen zweefde. Sasha streelde haar lippen met
zijn vinger. 'Doet het pijn?' vroeg hij. Emma antwoordde: 'Nu niet.'
En weg waren Antonio, het callcenter, de carabinieri, Olimpia, Valentina die haar niet bij de wedstrijd wilde hebben en zelfs Kevin
die zich vermaakte op het feest van Camilla Fioravanti, waarvoor
zijn moeder haar niet gevraagd had of ze meekwam. Een beroemde psycholoog op wiens mening Emma blind vertrouwde, had in
een talkshow gezegd dat we om de liefde te vinden alle kansen die
voorbijkomen moeten aangrijpen, zonder vragen te stellen, vol vertrouwen in het heden en de toekomst. En ook al is het een vergissing, ook al leidt het niet tot verovering of bezit, gelukkig zijn bestaat juist uit het feit dat je zo leeft en niets anders wilt dan zijn wie
je bent. De roltrap werd het vliegende tapijt van Ali Baba. Til je
op. Til me op. Voer me hier weg. En als ze op dat moment echt
waren opgestegen, had ze het niet raar gevonden.

De parkeergarage was vol. De geel-blauwe lijnen waarmee de
parkeerplaatsen gemarkeerd werden, tekenden lichtgevende wegen
in het donker. Emma was er nog nooit geweest. Ze dacht dat alleen toeristen en mensen uit de provincie gebruikmaakten van ondergrondse parkeergarages. Romeinen lopen nog liever het risico
op een bekeuring dan dat ze te dicht bij de winkelstraten parkeren.
Maar Sasha kwam uit Venetië, of god weet waarvandaan. En de Romeinen waren veranderd. Er stonden overal auto's. Auto's die kwamen, auto's die wegreden, auto's die manoeuvreerden, auto's die er
al dagenlang stonden. Het beviel haar wel in die ondergrondse parkeergarage. Het deed haar denken aan de wereldsteden waar ze nog
niet was geweest en waar ze misschien ook nooit zou komen. Aan
schietpartijen, hinderlagen en geheime ontmoetingen. Het had ontegenzeglijk iets onguurs. Deze avond kon nog wel eens leuk worden. Ze zochten langdurig naar de donkere Peugeot van Sasha, die

werd omringd door tientallen andere donkere auto's. De zware lucht, verzadigd met benzine, steeg hun naar het hoofd. Sasha zette het alarm af en even verlichtten de knipperlichten het duister.

'Je mist niks, hoor, ik ben een waardeloze kok en Kevin heeft bepaald wat er op het menu staat: schnitzel en frietjes, kun je nagaan,' zei Emma terwijl ze het portier opende. De auto van Sasha geurde naar pepermunt. De stoelen waren bekleed met wit linnen. In de stereo had zijn geheimzinnige geliefde *Eternal Caballé* laten zitten. Het cd-hoesje somde de nummers op: 'Vivi ingrato a lei d'accanto.' 'Io sono l'umile ancella.' 'Sempre libera.' 'Mon coeur s'ouvre à ta voix.' Sasha ging achter het stuur zitten, bracht zijn vingers naar zijn ogen en deed zijn lenzen uit. Met een bevrijdend gebaar dat hem veel voldoening schonk gooide hij ze uit het raampje. Hij zette zijn bril op alsof hij iemand een hak wilde zetten. Of zichzelf. Emma zette de stereo aan. De stem van Montserrat Caballé galmde tegen de gesloten raampjes. Ze had nog nooit een man gekend die het gekweel van een sopraan kon waarderen. Wat een stem heeft die Caballé, daarbij valt de mijne totaal in het niet – het gejank van een krolse kat, naar de weinig vleiende mening van Antonio. Antonio. Vandaag heb ik hem misschien voorgoed uit mijn leven gewist. Ze dwong zichzelf om de tekst van de aria's te volgen – maar aangezien Caballé het Italiaans en het Frans met een zekere nonchalance articuleerde, ontging het meeste haar. 'Mon coeur s'ouvre à ta voix' kon ze echter wel verstaan. Sasha gaf haar het pakje met de TAG Heuer voor Dario. Emma legde het op haar schoot, voorzichtig, alsof het van kristal was.

'Jammer, ik ben een echte omnivoor,' zei Sasha terwijl hij de parkeergarage uit reed. 'Ik eet alles. Vlees en groenten, vis en bruine bonen.' Emma vroeg zich af of hij met die verklaring van onkieskeurigheid misschien op iets heel anders zinspeelde. *Mon coeur s'ouvre à ta voix.* Ze bekeek zichzelf bezorgd in het spiegeltje van de zonneklep. Ze likte aan haar gewonde lip en voelde er met haar tong aan. Ze besloot zichzelf een klein beetje hoop te gunnen.

AVOND

Ben je bang, in durf en daad dezelfde man te zijn
als in diepst verlangen?
SHAKESPEARE, *Macbeth*

eenentwintigste uur

Voor de ingang van het Palazzo Lancillotti, in een schaal van zilverpapier, brandde een kaars in de vorm van een discus met de geur van citroen of een aanverwante citrusvrucht. De rook trok over de bloembak ernaast, die auto's de toegang tot het voor voetgangers bestemde plein ontzegde. De plantsoenendienst had beoogd dat de loodzware bloembak een buxus zou bevatten, die het echter allang had begeven. Een acrobatische of reuzegrote hond had een cilindervormige drol gedeponeerd op de uitgedroogde aarde, die was bezaaid met peuken en foldertjes waarin het toeristenmenu van het nabijgelegen restaurant annex pizzeria La Taverna del Duca werd aangeprezen. De auto's van de feestgangers hadden evenwel toch hun weg gevonden naar het voetgangerspleintje; de chauffeurs hadden niet eens de moeite genomen om langs de rand van het plein te parkeren. Ze hadden de auto's in het midden neergezet, rondom de zeventiende-eeuwse fontein, overal, de politie kwam toch nooit langs en ze zouden hoe dan ook geen chique wagens bekeuren die op het dashboard kaartjes versierd met een wapenschild hadden liggen, en bordjes met de namen van de provinciale, regionale of nationale instanties die hen stuurden.

De parmantige portier in livrei die de hermetisch gesloten ingang bewaakte, weigerde Antonio naar boven te laten gaan: hij had geen uitnodiging. Hij protesteerde dat hij zijn zoontje kwam ophalen. De portier bekeek hem aandachtig, en het leek hem onmogelijk dat de zoon van die patjepeeër kon zijn uitgenodigd op het feest van de dochter van afgevaardigde Fioravanti. Antonio was niet in uniform – anders was de portier beslist minder selectief geweest; de bel-etage van het gebouw waarvan hij al jaren als waakhond fungeerde werd namelijk vaak gehuurd voor bijeenkomsten met personages die werden omringd door minstens twee en soms wel vier of vijf lijfwachten. Bovendien was hij in het gezelschap van een meisje wier slipje boven haar broek uitstak, en dat meisje was zomaar op de motorkap van de auto van de president van de republiek gaan zitten. 'Ga eraf,' zei hij tegen haar, 'straks komt er een deuk in.' Valentina wierp hem een brutale glimlach toe en bleef gewoon zitten.

'Laat me naar boven gaan,' beval Antonio, 'ik heb geen zin om me kwaad te maken.' De portier had de indruk dat die vent behoorlijk mesjogge was, alsof hij onder de invloed van drugs was of zoiets. Hij had pupillen als kattenogen, en zijn handen trilden als die van een parkinsonpatiënt. Even was hij bang dat hij een pak slaag zou krijgen. Toch hield hij voet bij stuk. 'Niemand mag naar boven zonder uitnodiging.' Antonio verloor ogenblikkelijk zijn geduld, want hij wist dat hij weinig tijd had, en die wilde hij niet verspillen door met een demente portier te gaan staan ruziën. Hij verhief zijn stem en maakte hem uit voor vieze vuile imbeciele klootzak; de man incasseerde de scheldwoorden terwijl hij zijn eindeloze afkeuring duidelijk kenbaar maakte, en pas na een lange tirade op een steeds gênanter volume – waarbij zijn doden en de ziel van zijn moeder betrokken werden – liet hij zich overhalen om via de intercom te informeren of er inderdaad een schoffie genaamd Kevin Buonocore aanwezig was op het exclusieve feest van de dochter van Fioravanti.

Door de openstaande ramen van de zaal op de bel-etage werd een oorverdovend kabaal van kinderstemmen over het pleintje uitgestort, in de vorm van een liedje met een akelig aanstekelijke melodie, dat typisch genoeg een badkuip als onderwerp scheen te hebben ('Ik badder, ik plons, ik spetter en draai me om en ik ontspan. Ik badder ik droog me af en de pret begint pas dan', of iets dergelijks luidde het refrein). Een paar minuten lang bleven Antonio en de portier elkaar grimmig aankijken. 'Nou zullen we hem eens laten zien wie we zijn, papa,' zei Valentina, terwijl ze zijn arm vastpakte. 'Hij krijgt nog spijt dat hij zo kut deed tegen jou.' 'Wie zegt dat jij zulke smerige taal mag uitslaan? Je moeder zeker!' stoof Antonio op, negerend dat hij net zelf had staan vuilbekken. 'Papa!' zuchtte Valentina. 'We praten niet over haar, dat heb je gezworen!' Maar er was geen tijd voor discussies. Verbijsterd doordat hem van boven zojuist was bevestigd dat het zoontje van die lomperd inderdaad op het feest was, deed de portier de deur open en siste neerbuigend: 'Loop maar door.'

Een hostess in blauw uniform vroeg of hij zijn jas in de garderobe wilden achterlaten, een ober in het wit of hij soms een aperitiefje, een glas mousserende wijn of een Coca-Cola wilde – maar Antonio nam niet de moeite om antwoord te geven en beende de zaal in. Tientallen rode ballonnen zweefden rond – op een paar meter boven de grond – of stuiterden met weidse, plechtstatige hupjes op de vloer. Het liedje van de badkuip was afgelopen, ook al klonk die kwellende melodie nog na in zijn oren. Het kinderkoortje zette in met: 'Sorry, ja wat gedaan is is gedaan maar ik zeg, sorry' – maar er waren nergens kinderen te zien. Op de zitbanken zaten alleen maar vrouwen. Ze zagen er allemaal hetzelfde uit voor hem – hetzelfde kapsel, dezelfde sieraden, dezelfde horloges, dezelfde kuise donkere kleren en dezelfde pumps met hoge hakken en spitse punten voorzien van enkelbandjes. 'Het einde is nabij voor de openbare scholen,' zei een kakelende kip met een behoorlijke neus, opgetuigd als een kerstboom. 'Wie wil er nu nog leraar worden, met dat schamele salaris, ze verdienen nog minder dan mijn werkster. Het is logisch dat alleen de mislukkelingen nog op de openbare scholen terechtkomen. Ik heb de meisjes ingeschreven aan het Nazzareno, een privéschool biedt veel meer zekerheid, dat is niet te vergelijken.' Een ander kweelde: 'Het Chateaubriand trekt een beter publiek, de Italiaanse scholen kun je beter mijden.' Het koortje: 'Ik weet zelf hoe ik ben, dus zeg ik, sorry.' Eindelijk herkende Antonio mevrouw Fioravanti, die op het randje van haar fauteuil zat, met rechte rug alsof ze een stok in haar reet hadden gestoken. Die gans die zich met de geblindeerde auto naar het ministerie liet rijden, en naar de manege van haar dochter, soms zat hij uren in de kou op de Piazza di Popolo te wachten terwijl zij doodgemoedereerd tientallen zonnebrillen uitprobeerde bij haar vaste opticien Bernabei. Ze had elk seizoen een nieuwe zonnebril nodig. En natuurlijk een nieuwe tas, nieuwe schoenen, een nieuw kapsel en de hele reutemeteut. Op dit moment had ze kort haar met een pony, waardoor ze er jonger uitzag.

Antonio probeerde niet eens te glimlachen, en evenmin slaagde hij erin Maja's ondoordringbare kilte aan te tasten, die afwezig naar de moeder van Carlotta luisterde met een loze glimlach om haar mond. Uit het ritmische getrommel van haar vingers tegen het bordje op haar schoot leidde Antonio af dat ze niet echt naar die vrouw luisterde – ze was er en ze was er niet, ze knikte, maar ze wist niet waarom, en misschien zelfs niet tegen wie. Antonio wachtte tot ze naar hem keek, maar Maja hield voortdurend het trotse profiel van haar hals naar hem gericht. De verfijnde Hollywoodschoonheid van de jonge mevrouw Fioravanti verspreidde de warmte van een met sterren bezaaide dageraad. Hoe uitgezakt, pafferig en kaal ze ook mogen zijn, politici en machthebbers hebben altijd mooie, jonge vrouwen. Maar ze zijn nog niet een pink waard van mijn vrouw. O Emma, Emma, Emma. Antonio sloeg met zijn vuist een ballon aan de kant, recht op een serveerster af – die achteruitdeinsde en bijna haar dienblad liet vallen – en beende op mevrouw Fioravanti af.

'Jullie zijn er!' riep Maja uit, blij om hem te zien, omdat het betekende dat het feest was afgelopen. 'Waar is Kevin?' antwoordde Antonio, terwijl hij slapjes haar kleine witte hand vol ringen met veelkleurige edelstenen schudde. Maja trok haar hand terug. 'Waar is mijn man?' vroeg ze, opgelucht dat Elio stipt op tijd was gekomen, voordat de moeders van de kinderen zich verwaarloosd zouden gaan voelen en het jonge grut aan de kinderdisco zou beginnen – Elio moest absoluut met Camilla karaoken, dat had hij haar beloofd. 'De afgevaardigde zou om negentien uur de opening bijwonen van de aula van een lyceum van de congregatie der barnabieten, ik weet niet meer hoe het heet,' antwoordde Antonio koeltjes. 'Ik daarentegen ben met verlof.'

Valentina ving een dwalende zeepbel op en liet hem op haar vinger balanceren. Hij was reusachtig en had alle kleuren van de regenboog. Als hij niet knapt, dacht ze, komt er een wens uit. Welke wens? Dat Jonas de chemicus nog een keer naar een wedstrijd van me komt kijken. Wat zagen die dames op die zitbanken er chic uit. Wat een schitterend gebouw was dit. Wie zou er normaal wonen? Sommige mensen hebben ook altijd geluk. Maar mama zegt dat ik het ook slechter had kunnen treffen. Stel dat ik in Afrika was geboren, dan was ik misschien voor mijn vijfde verjaardag doodgegaan aan dysenterie. Ze hield haar hoofd achterover. Het plafond van de zaal was versierd met drukke fresco's – ze begreep niet wat ze voorstelden, maar het blauw van de hemel leek haar op te tillen naar het oneindige. De bel was geknapt: op haar vinger bleef een plakkerig goedje achter, als spuug. Ze wreef het af aan de deuropening.

'Wilt u erbij komen zitten?' vroeg Maja aan Antonio, wijzend op de plek die was vrijgemaakt door de cynische moeder van in de vijftig, die er met een smoesje vandoor was gegaan. 'De kinderen zijn aan het karaoken, ik denk dat ze daar nog een kwartiertje mee doorgaan, het animatieteam wil ze alle liedjes laten zingen.' Antonio negeerde haar. In feite gold voor mevrouw Fioravanti – die hij in het verleden wel psoriasis, haaruitval, anale groepsverkrachting door een hele meute Marokkanen en alle mogelijke straffen had toegewenst als genoegdoening voor de krenkende vernederingen die ze hem had aangedaan terwijl ze het zelf niet eens doorhad – dat ze voor hem niet meer bestond, ze was alleen maar een obstakel: een hoopje botten dat in de weg lag tussen hem en zijn zoontje. Zijn blik gleed over dienbladen vol toastjes, minipizza's, bladerdeeghapjes en broodjes. Allemaal voor zo'n kinderfeestje. Wat een verspilling. 'We moeten meteen weg,' antwoordde hij – toen hij langs haar heen liep kreeg hij een klap in zijn gezicht van haar dure parfum. Ze was net zo'n onderdrukt, hoerig wijf als de rest. Net goed dat Fioravanti haar bedroog met een of ander tv-sletje – hij zou niet weten hoe hij haar anders moest omschrijven – met een voorgevel als een opblaaspop, die hem luxueus pijpte in zijn appartementje in de Via della Camilluccia. Hij kreeg zin om het haar te vertellen. Ter plekke. In het bijzijn van al die keurige, beschaafde dames. Dat had dat wijf wel verdiend. Wat een kop zou ze dan trekken. Wat een vernedering. Wat een genot, wat een wraak. Maar het zou alleen maar nog meer tijdverlies betekenen.

Hij ontweek obers die zilveren dienbladen droegen, een steltloper die onvermoeibaar bellen bleef blazen, en een jongetje in tranen dat een leeggelopen ballon achter zich aan sleepte. In de aangrenzende zaal stonden allemaal dwergen met jasjes en dasjes rondom een clown wiens schmink was uitgelopen door het zweten, ze staarden naar een monitor die voor hen stond. Ze zongen, waarbij ze de woorden volgden die op het scherm voorbijgleden. De woorden werden een voor een geaccentueerd, dan kleurden ze rood. Antonio kon het nauwelijks geloven, maar een van die dwergen verkleed als pinguïns was nota bene zijn eigen zoon. Wat heeft zijn moeder hem aangedaan? Een pleister op zijn oog geplakt! 'Kevin!' schreeuwde hij. De pinguïn met de pleister staarde hem verbluft aan – een zweem van paniek verdreef zijn lach. En hij had de microfoon al gegrepen, hij hield hem met beide handen vast, samen met een ruisend rood snoepje – Camilla misschien. Kevin negeerde hem en begon te zingen. Geen enkel respect voor zijn vader. 'Ga hem halen,' zei hij tegen Valentina, die verrukt in het midden van de zaal bleef staan, met haar neus omhoog. 'We gaan.'

'Ik ga niet mee,' zei Kevin onverzettelijk tegen zijn zus. Wanneer hij zo deed wenste Valentina altijd dat ze enig kind was. Zij mocht nooit zo nukkig zijn. Mama verwachtte dat ze gehoorzaam en verstandig was, en ze was zo stom om zich daaraan aan te passen. Het klopt precies wat oma zegt: dat sommigen jong sterven en anderen oud geboren worden. En zij moest wel oud geboren zijn – ze kwam nooit te laat om mama niet ongerust te maken, en in ruil daarvoor had mama Kevin een dominant en tiranniek mannetje laten worden. Ouders mogen geen voorkeur hebben, maar die hebben ze wel, net als leraren. Valentina had hem het liefst een klap gegeven. 'Zeg je vriendinnetje gedag en schiet op,' zei ze. Kevin deinsde achteruit tot hij tegen de muur aan botste. 'Ik ga n-n-niet mee, straks begint de k-k-kinderdisco.' Camilla in haar rode jurkje knipperde met haar ogen, verontwaardigd door de brute invasie van die twee woestelingen. Ze smeekte hem terug te komen bij de monitor, want nu begon de tune van de Digimons, en ze had speciaal voor hem om dat liedje gevraagd.

'Is dat je vader?' fluisterde het neefje van Camilla in Kevins oor. Hij staarde naar Antonio met een mengeling van angst en teleurstelling. Hij had nooit een moordenaar in levenden lijve gezien. Hij had gedacht dat moordenaars er monsterlijk uitzagen, net als Freddy Krueger en Hannibal the Cannibal, dat ze enge ogen en littekens op hun wang hadden. Maar moordenaars lijken net gewone mensen. De moorddadige vader van Kevin was een heel normale man, met een heel normaal gezicht, met rubberen schoenen, een pak van zandkleurig linnen en een streepjesoverhemd. Hij was normaal. Kevin knikte, met tegenzin. Het was stom van hem geweest om dat verhaal te vertellen. Hij had net als anders moeten vertellen dat zijn vader een heldendood was gestorven. Voor hem wás hij immers ook dood, hij was de zoon van een rondreizende spermacel, wiens eigenaar zich ooit bekend zou maken en hem voorgoed in veiligheid zou brengen. Degene die voor hem stond was slechts een vreemde, despotisch en vervuld van wrok. 'Ik blijf hier,' herhaalde Kevin. 'Ik wil dansen, en op het eind gaat het animatieteam ons tatoeëren met henna, en ik wil Joe op mijn arm laten tatoeëren want ik lijk op hem.' Joe was de bebrilde menselijke held van de Digimons, de enige schijterige en misvormde te midden van de ontegenzeglijk beter gelukte Izzy, Tai, Matt en alle anderen. 'O, hou op, stinkdier,' zei Valentina, wrevelig omdat zij ook liever bij Miria had willen blijven en nader kennis had willen maken met Jonas, die misschien wel een minder sukkelige jngn was dan de rest, en nu was ze hier. 'De plannen zijn veranderd, we blijven tot maandag bij papa.' 'Ga jij maar,' drong Kevin koppig aan. 'Ik blijf hier en daarna brengt de oppas van Camilla me weer naar mama.'

Valentina liep terug naar haar vader. Hij was op de drempel van de zaal blijven staan, hij stompte tegen alle ballonnen die over hem heen scheerden en liet meedogenloos de laatste zeepbellen knappen die boven zijn hoofd zweefden. Een paar serpentines die god weet waar vandaan kwamen vormden een bizarre krans op zijn jas. Van een dienblad had hij een glas met een fuchsiakleurige vloeistof gepakt, en hij liet een papieren parapluutje tussen zijn lippen heen en weer rollen. Hij was de enige man in de zaal – lang, gespierd en zongebruind tussen al die met sieraden behangen dames. De dames gluurden naar hem, en terwijl ze bespraken of Hotel San Pietro in Positano beter was dan het Timeo Hotel in Taormina of Hotel Villa Serbelloni aan het Comomeer – waarover de meningen verdeeld bleven – draaiden ze zich voortdurend om en wierpen hem steelse blikken toe, want ook al vonden ze het onbeschoft dat hij zo was komen binnenvallen, of misschien wel juist daarom, ze vonden hem ook fascinerend. Dat was hij ook. Er was niemand zoals papa. Jngns zijn allemaal skkls. Skkls en puistenkoppen met stinkpoten en stinkbekken. Behalve dan misschien die lange Jonas. Nou, als Kevin niet mee wilde, des te beter. Valentina had er altijd van gedroomd om een weekend alleen met papa door te brengen. Zonder die zeurpiet erbij zouden ze uit kunnen gaan, als twee volwassenen. Uit eten gaan in een van die restaurants met kaarslicht die reclame maakten in de *Trovaroma*, waarvan mama lachend vertelde dat mannen haar ermee naartoe namen op hun eerste avondje uit, omdat ze indruk wilden maken op haar. Wat een skkls. Maar Valentina was er nog nooit geweest, in die restaurants die mnnn uitkozen om een vrouw het bed in te krijgen. En vanavond konden papa en zij oesters gaan eten en net doen of ze verkering hadden. Ze glimlachte hem toe en pakte zijn arm vast. Zoet en lieflijk, als een duivelin, probeerde ze hem over te halen. 'Kom, we laten dat monstertje hier, daar mag mama zich mee bezighouden vanavond, en morgen, en zondag, wat kan ons het schelen? Laten we met z'n tweetjes weggaan.'

Antonio streelde haar haren. Hij had de vreemde indruk dat Valentina, zonder het zelf te beseffen, met hem stond te flirten. Met een schalksheid en een naïviteit die hem aan Emma deden denken – een verloren Emma, even onbereikbaar als de maan – en hem treurig stemden. Hij wilde Valentina niet teleurstellen. Maar hij kon haar nu niet meer haar zin geven. Zijn wraak bood geen ruimte voor krijgsgevangenen. Allebei. Hij zou ze haar allebei afpakken. De lege bedjes. De afschuwelijke stilte. Het leeggeroofde huis. De zinloze dagen. Het hopeloze verleden. De vermoorde toekomst. Ze moet net zo erg lijden als ik geleden heb. En ze moet zich elke dag voorhouden dat ik de kinderen heb genomen *door haar schuld* en *in haar plaats*. 'Nee,' antwoordde hij onverbiddelijk, 'hij moet ook mee.'

Hij liep op het groepje kinderen af, dat de draad van het liedje kwijtraakte en ineens stil was. Ze waren zo geschrokken door Kevins verhalen dat ze een moordenaar met twintig streepjes op zijn pistool niet durfden tegen te spreken. Antonio greep de mouw van de pinguïn die zijn zoontje was. Hij zei geen woord. Hij greep hem alleen maar vast. Kevin zette zich schrap, greep Camilla's hand vast en probeerde weerstand te bieden – maar papa was te sterk, de hand van Camilla gleed als een stuk zeep uit de zijne, en ze was al ver van hem verwijderd, een rode vlek tegen de achtergrond van een overdreven blauwe hemel.

'Maar w-w-waarom?' protesteerde Kevin terwijl hij over het glanzende hout van de zaal gleed. 'W-w-wat heb ik gedaan?' Ik wil jou ook, sukkel – jij bent haar leven, haar hoop. Ik heb je gemaakt, ik heb je gewild – anders bestond je niet, zou je nooit bestaan hebben. Jij moest ons redden en dat is je niet gelukt. En van ons beiden heeft zij voor jou gekozen – blinde dwerg van een pinguïn die je bent. Ik heb je gemaakt, en ik neem je terug – jij bent van mij. En ze zal het betreuren dat ik zoveel van haar hield dat ik haar wilde sparen. Ze zal het berouwen dat ze nog leeft, en het verdriet zal haar voor altijd achtervolgen.

Piepend sleepten Kevins schoenen over de vloer langs de vrouwen, die zwegen toen ze voorbijkwamen. Maja zat als verstijfd in haar stoel, ze had zich niet verroerd. Ze wierp Antonio Buonocore een blik vol ingehouden verontwaardiging toe. Wat een lomperik. Er zijn geen woorden voor wat hij gedaan heeft. De kinderen zo de stuipen op het lijf jagen. Op het feest van Camilla. Een perfect feest, dat animatieteam is fantastisch – inderdaad het beste van heel Rome. Hoe durft hij? Wie denkt hij wel dat hij is? Hier zal hij voor boeten. Die arrogante vent. Plotselinge, verlate solidariteit met die geverfde blondine in haar bontjasje van hondenhaar. Die de moed had gehad, en geen ongelijk, om bij hem weg te gaan. Petje af. Wat heb ik soms toch weinig inzicht in andere mensen. Altijd gedacht dat Antonio Buonocore onze dierbare beschermengel was. 'Dag Kevin,' riep ze terwijl ze naar hem zwaaide. Het arme kind zag eruit alsof hij elk moment in huilen kon uitbarsten. Hij liet zich als een dood gewicht meeslepen, met zijn benen slap achter zich aan, duidelijk doodsbang. Dat was eigenlijk niet normaal. Moest ze misschien tussenbeide komen? Verhinderen dat hij hem zo meesleepte als een zak aardappelen? Maar hoe dan? Meteen naar die Emma bellen en zeggen dat haar man, haar ex-man of wat hij ook is, als een of andere maffioso het Palazzo Lancillotti is komen binnenstormen en Kevin heeft ontvoerd? Maar ik heb haar nummer niet, ach, en trouwens, wat een idee, hij is zijn vader, ze zullen het zo wel hebben afgesproken.

'Hou hem tegen!' gilde Camilla, terwijl ze aan haar moeders arm trok. 'Ik wil niet dat hij hem meeneemt. Hou hem tegen, hou hem tegen, hou hem tegen!' Aarzelend zette Maja haar taartbordje op het tafeltje, en het zilveren vorkje gleed op de grond. Het metalen klauwtje deed haar denken aan de speld die door Aris' wenkbrauw zat gestoken. Het deed haar denken aan haar eigen conformisme. Ik heb nooit iets durven doen wat men niet van mij verwachtte. Ik ben nooit in staat geweest om moeilijkheden het hoofd te bieden. Misschien omdat ik nooit moeilijkheden heb gehad. Wat zou Elio op dit moment doen? Zou hij de andere kant op kijken? Ook al is hij niks, en zal hij nooit iemand worden, Elio is wel dapper. Elio is al honderd keer verslagen en honderd keer herrezen, beledigd, bespot, gekleineerd, maar altijd weer klaar om op te krabbelen en opnieuw de aanval in te zetten. Misschien is dat de eigenschap in hem waarvan ik heb gehouden. Zijn onbeschaamdheid. Zijn moed. De schaamteloosheid om in zijn eigen leugenachtige dromen te geloven. Verder niks. Ze wilde opstaan, die neanderthaler van een Buonocore tegenhouden, Camilla blij maken – ze wilde het, ze wilde het echt. Maar op dat moment voelde ze een kramp – als een hondenbeet – in haar baarmoederwand. In drie maanden tijd was dit de eerste keer dat ze zich bewust werd van hem. Het eerste levensteken van haar gast. En dus bleef ze zitten en liet ze het over aan Elio, zoals altijd. Hij zou alles in orde maken. Hij kan elk moment komen. Hij zal het wel regelen. Elio laat die bullebak van een Buonocore wel wegsturen, en bestraffen, hij stuurt hem zo terug naar de politiewagen, dan kan hij weer gewoon gaan patrouilleren. Hij mocht willen dat hij nog voor ons kan blijven werken. Die Buonocore krijgt mijn Elio van nu af aan alleen nog maar op tv te zien.

'Dag mevrouw Fioravanti,' fluisterde Kevin terwijl hij langs haar heen gleed. Hij wilde haar bedanken voor de smoking, maar Antonio gunde hem de tijd niet. Ze waren in een oogwenk langs haar heen – Valentina stuurs, beledigd dat haar vader niet drie dagen met haar alleen had willen doorbrengen; Kevin met zijn wangen nat van de tranen; Antonio met het parapluutje in zijn mond en een hand in de zak, glimlachend. Toen verdwenen ze de trap af. Een onvoorzichtige rode ballon ging hen achterna, omlaagstuiterend over de marmeren treden. 'Schat,' zei Maja tegen Camilla, die haar lijkbleek aanstaarde, met bloedeloze lippen en grote ogen van ontzetting, 'ga maar weer zingen, ze spelen jouw liedje.' Maar Camilla verroerde zich niet. 'Je vriendje Kevin is een leuk jongetje,' voegde ze er troostend aan toe, anders zou het feest op een drama uitlopen. 'We nodigen hem nog wel een keer uit, hij mag komen wanneer je maar wilt.' Camilla schudde haar hoofd en liep nukkig terug naar de karaoke. Ze geloofde haar niet meer. Wie één keer verraad pleegt, pleegt altijd verraad. Maar ze had haar toestemming niet meer nodig. Prinses Althea en de heldhaftige Nikor hadden de ceremonie al achter de rug. Even ving ze een glimp van hem op, onder aan de trap: in die zwarte smoking leek hij echt net een prins.

'Nee, ik ben d'r moeder, ik heb d'r gebaard, ze wilde d'r niet uit komen, ze hebben d'r met een tang uitgetrokken, ik was zowat doodgebloeid,' legde Olimpia uit aan de sympathieke jongeman die daar stokstijf op de schemerige overloop stond, met verlegen ogen achter zijn ronde brillenglazen. 'Iedereen vraag altijd of we zussen zijn, dezelfde ogen, dezelfde mond, dezelfde tie... sorry dat ik zo vrij ben, echt twee druppels water,' deed Olimpia vertrouwelijk. Blij dat ze eindelijk met iemand kon praten, ze was al vanaf vanochtend alleen in het gezelschap van Alda D'Eusanio en Maria De Filippi, waarbij ze telkens naar de andere zender zapte zodra het reclame-blok begon omdat die twee tegelijkertijd werden uitgezonden, wie bedenkt zo'n programmering in 's hemelsnaam, in haar eentje met een bordje kip en sla voor de tv – want de kleinkinderen zijn tus-sen de middag niet thuisgekomen om te eten, god weet waar Em-ma ze gelaten heeft, die gezinnen van tegenwoordig kennen geen regels meer, in onze tijd was het middageten heilig, als mijn kin-deren om twee uur niet thuis waren kregen ze klappen. En nu het journaal was afgelopen zat ze hier alleen met Mister Waarheid, ge-schokt omdat de blauwogige journalist de zaak van een getrouwde priester besprak, en het is niet netjes om zoveel aandacht te schen-ken aan een vent die Jezus Christus heeft verloochend voor de grot van een vrouw.

'Ach mama, hou toch op,' zei Emma, terwijl ze haar bontjasje op de bank gooide, 'zet me nou eens een keer niet voor paal. Alsje-blieft, Sasha, kom even binnen, dan kun je Valentina gedag zeggen. Ze zal het leuk vinden om je te zien. Ik pak iets te drinken voor je. Volgens mij heb ik nog martini in de koelkast.' Nee, nee, ik kom niet binnen, hoe zou ik aan Valentina moeten uitleggen waarom ik hier ben, had Sasha willen antwoorden, maar dat lukte niet omdat de vrouw met het getoupeerde haar – die leek op Emma over der-tig jaar, of misschien minder – hem bij zijn arm had gegrepen, hem de piepkleine hal in had gesleept, de voordeur achter hem dicht had gedaan en hem bestudeerde alsof hij een marsmannetje was. Vanaf het blauwe tv-scherm keek Mister Waarheid bedaard glim-lachend de kamer in, betrouwbaar en kalm, en hij complimenteerde de priester en zijn vrouw met hun moed om de hele wereld te trotseren – terwijl Dario op datzelfde moment, maar god weet waar, de ergste crisis van zijn huwelijk beleefde, en bezig was zijn vrouw te verlaten. Of hem.

'Hoe zei u ook alweer dat u heette?' vroeg Olimpia. 'Dat heb ik niet gezegd, mevrouw,' antwoordde Sasha. 'Ik ben Alessandro Solari.' De jongeman praatte heel beleefd, ware klasse herken je aan het accent – noordelijk, misschien uit Milaan of uit Turijn, in elk geval niet uit een achterbuurt, en hij was vast afgestudeerd in medicijnen, handelsrecht, of misschien wel strafrecht. Goed van Emma dat ze er eentje met geld aan de haak had geslagen. Ik zie haar wel voor me met een advocaat, ze heeft zelf ook gestudeerd, ze is per slot van rekening niet in de wijk Tufello opgegroeid maar in Trionfale, veertig jaar in hetzelfde gebouw, de bewoners zijn de familie Tempesta nog steeds niet vergeten, ze sturen me nog altijd kaartjes, vandaag de dag is het allemaal vervallen, ze willen geen huismeesters meer, de beschaafde mensen sterven bijna uit. Maar het was ook een schandaal, dat liegbeest had een nieuwe vrijer en ze had er niks over gezegd tegen haar eigen moeder, die haar al twee jaar onderhield.

Om de opgemaakte, sluwe, boosaardige ogen van de oude vrouw en de blauwe, onbereikbare ogen van Dario te ontwijken, deed Sasha of hij de kroonluchter bewonderde – een inktvis van onbreekbaar glas waarvan de tentakels op een paar centimeter van zijn voorhoofd af schommelden. Op tv vroeg Dario aan de priester: 'Wanneer hebt u besloten de pij af te leggen? Wat bracht u ertoe die grote stap te zetten?' Sasha schoof een gordijn met een psychedelisch ruitjespatroon uit de jaren zeventig open en wierp een blik op het uitzicht in de omlijsting van het raam, maar hij zag niets, want tegenover de toren, voorbij de parkeerplaats, lag enkel een onverlichte, volkomen donkere vlakte. Dus keek hij, in de hoop dat Emma zou terugkomen voordat Valentina opdook, naar de posters aan de muren van de eetkamer, die waren bedekt met een afgrijselijk, psychedelisch oranje behang. Marilyn Manson, grijnzend in een duivelspak. De volleybalkampioen Andrea Luchetta. Het Beest van Disney en het vliegende olifantje Dombo. De verbleekte reproductie van de Melkweg en het zonnestelsel. De priester antwoordde: 'Ineens realiseerde ik me dat ik het leven van een ander leidde, en dat die ander een bedrieger was. Ik voelde de roep van de waarheid.' Op het dressoir, waarop een stoffig uitziend glasservies prijkte, stond de *Natuurencyclopedie* in afleveringen, en er lag een stapel schoolboeken op die dreigde om te vallen, als de wanden van een ravijn. Dus dit was het huis waar Emma in woonde. En toch was er geen enkel voorwerp dat van haar was, of dat iets van haar onthulde. Misschien was ze opgegroeid in precies zo'n kamer, ingericht met dezelfde wansmaak en dezelfde zuinigheid, terwijl ze sliep in een opklapbed en haar huiswerk maakte aan de tafel in de woonkamer. En ze had geprobeerd daaraan te ontsnappen, en het was haar niet gelukt. Of misschien wel. 'Waar is Valentina, mama?' gilde Emma vanuit de keuken. Maar Olimpia was te nieuwsgierig naar de onverwachte gast en gaf geen antwoord.

'Wat voor werk doet u?' vroeg ze gretig. 'Ik geef Italiaans,' antwoordde Sasha braaf. Hij ging op de slaapbank zitten en zakte weg in een omarming van zacht velours. Hij bleef de moeder van Emma hartelijk toelachen. Een paar tellen later echter haalde hij, zonder iets te laten merken, de voorwerpen weg die pijnlijk in zijn achterwerk prikten. Een gedeukte robot met een ijzeren haak in plaats van een arm, en – een troostende ontdekking – *Anna Karenina*, de roman die hij drie maanden eerder aan Valentina had uitgeleend en waarover het meisje vervolgens met geen woord meer had gerept. Hij dacht dat ze er niet in was begonnen. 'Niks tegen haar zeggen, Sasha,' riep Emma vanuit de andere kamer. 'Dit is geen ondervraging, we willen hier niks met de politie te maken hebben. Laat hem met rust, mama, alsjeblieft.' 'M'n dochter schaamt zich voor d'r moeder, u weet hoe jongelui zijn,' merkte Olimpia bagatelliserend op. 'Dus u bent leraar,' vervolgde ze nieuwsgierig, 'en waar kent u Emma van?'

'Ik ben de leraar van Valentina,' antwoordde Sasha. Dario noemde een telefoonnummer (zonder erbij te zeggen wat een telefoontje kostte) en vroeg het publiek te bellen om hun mening kenbaar te maken. Op tv leek hij gebruinder, en zijn ogen waren blauwer. Hij was ongelooflijk mediageniek. Sasha glimlachte. Olimpia zuchtte – wat een jonge vent was die leraar, zeker een stuk jonger dan Emma, in mijn tijd gebeurde dit soort dingen niet, jammer genoeg. Dus die gek van een Antonio had toch gelijk, en misschien is hij helemaal niet gek; Emma altijd maar volhouden dat ze niemand had, dat ze schoon genoeg had van mannen, en dan blijkt ze een leraar als minnaar te hebben. En tegen haar eigen moeder, die haar heeft gebaard en haar met open armen heeft ontvangen toen ze terugkwam, doet mevrouw haar bek niet open, wat een liegbeest. Maar goed, als Emma een leraar als minnaar had was die misschien niet zo lomp als die anderen, en hield hij misschien wel echt van haar want in wezen was Emma geen slechte meid, ze had een groot hart, en wie weet trouwde hij met haar en nam hij de verantwoordelijkheid voor de kinderen op zich en dan kon zij haar pensioentje voortaan houden en weer fatsoenlijk gaan leven, niet als een zigeunerin. Ze voelde zich verplicht om haar dochter aan te prijzen, want Emma prees zichzelf totaal niet aan.

'Emma is ook onderwijzeres, dat heb ze u toch hopelijk wel verteld, ze heb haar pabodiploma, nou en of, ook al holt het onderwijs achteruit de laatste tijd, jongelui hebben gewoon geen respect meer voor hun leraren.' 'Er bestaan geen moeilijke leerlingen, alleen maar leraren die hun interesse niet weten te wekken,' zei Sasha, om maar wat te zeggen. 'Zet die tv uit, mama!' gilde Emma, ontzet bij de gedachte dat Sasha de archeoloog en aankomend schrijver haar zou beschouwen als een volkse tv-verslaafde, aangezien ze niet naar het actualiteitenprogramma *Groene straal* van Michele Santoro keek, maar naar dat domme, zogenaamd kritische programma dat gewoon doorgestoken kaart was, bestemd voor het minder gecultiveerde publiek. 'Echt waar, Sasha, ik kijk nóóit naar *Mister Waarheid*!' riep ze. Een deur klapte dicht, werd weer opengedaan en klapte weer dicht. 'De presentator is zo'n knappe man,' zei Olimpia verontschuldigend, waarna ze met tegenzin naar de andere zender zapte. In de studio van Santoro zat Silvio Berlusconi iets te vertellen, met een grote grijns die paste bij de uitslag van de verkiezingen die al gewonnen leken te zijn. Dario ging uit. Een paar tellen lang had Sasha het idee dat hij zijn contouren nog steeds op het matte scherm kon zien. Toen hij goed keek zag hij echter dat het niet Silvio Berlusconi was, maar een actrice die hem persifleerde, Sabina Guzzanti. De nep-Berlusconi zweeg en de camera zoomde in op het gezicht van Michele Santoro.

'Mister Waarheid is een heel serieuze vakman. Ik ken hem toevallig,' zei Sasha. 'Echt waar?' riep Olimpia uit, onder de indruk. 'Ik heb hem ook wel 'ns gezien, in Cinecittà, in de studio's. Ik heb twee keer in het publiek gezeten,' voegde ze eraan toe, op gewichtige toon, want die Solari was een academicus van een bepaald niveau, niet zoals die misdadige politieagent van een Buonocore, die nog uit het zuiden kwam ook.

'Dat was zeker leuk om mee te maken?' vroeg Sasha, blij dat hij een onderwerp had gevonden om met die ouwe bemoeial over te praten. Gek genoeg was *Groene straal* al afgelopen en verscheen de aftiteling op het scherm. Sasha vroeg zich af wat hem was ontgaan. Hij had de indruk dat er daar bij Santoro in de studio iets aan de hand was, en dat dat iets belangrijk was. 'Waar is Valentina?' herhaalde Emma. 'Meneer Solari wil haar even gedag zeggen, hij moet zo weg.' 'Praten jullie altijd vanuit verschillende kamers met elkaar?' informeerde Sasha, die het een nogal ingewikkelde manier vond om een gesprek te voeren. Olimpia haalde haar schouders op. Ze had een positieve indruk van de leraar: zijn verzorgde haar; zijn bril, die getuigde van zijn geleerdheid; zijn stevige lichaam, dat duidelijk bewees dat hij een levensgenieter was; zijn pauwblauwe overhemd ook al was het een tikje frivool; zijn muskusgeur ook al was die een tikje overdadig; zijn gebleekte zeeblauwe spijkerbroek, ook al was het een strakke zoals je vaak bij homo's zag – jammer dat hij geen stropdas draagt, maar dat doen ze tegenwoordig niet meer. Bovenal had ze echter een positieve indruk doordat hij die tv-presentator kende. Tja, de waarheid was eenvoudig. Deze jonge, bedeesde, en o zo beschaafde leraar was geknipt voor Emma. Hij was de man op wie ze wachtte. Olimpia vond het onvoorstelbaar dat haar dochter hem eindelijk gevonden had. Maar soms krijgen we een beloning voor al ons lijden en bestaat er nog gerechtigheid in de wereld. Toen kreeg ze ineens een fantastisch idee.

'Als u 'm zo goed kent, meneer Alessandro, moet u 'ns tegen Mister Waarheid zeggen dat hij een aflevering over ons moet maken, om de situatie te verbeteren. Als iemand eenmaal op tv is geweest kan hij niet meer van die gemene dingen doen, want dan kent iedereen hem, dat is toch zo? We zitten in de ellende, m'n schoonzoon is depersief, dat is de ziekte van de eeuw en er is niks aan te doen, hij wil me vermoorden, mij op m'n zestigste met m'n botontkalking, m'n botten worden zo broos als glasscherven, ik heb tegen de rechter gezegd dat m'n schoonzoon rare ogen heb en z'n hoofd door de war en oorlogsgeweren die heus geen speelgoed zijn, maar wolven vallen elkaar niet aan, als u snapt wat ik bedoel.' Hij snapte precies wat ze bedoelde. 'Nou ja, ik weet niet precies volgens welke criteria Mister Waarheid zijn verhalen uitkiest...' hield Sasha zich op de vlakte. Dus die vent die haar achtervolgde was Emma's ex-man en Valentina's vader. Dat verhaal had hij al eerder gehoord. En het beviel hem niets.

'Laten we het zo doen, meneer,' zei Olimpia, die al haar hele leven gewend was om mensen voor haar karretje te spannen, en die gevleid was doordat deze beschaafde jongeman mevrouw tegen haar zei, iets wat haar nog nooit was overkomen. 'Ik geef u z'n geheime mobiele nummer, dat hebben alleen de kinderen, het ministerie van Binnenlandse Zaken en advocaat Fioravanti. Ken u die toevallig? Hij is afgevaardigde en hij heb zich nu ook weer kandidaat gesteld, stemt u in Rome? Een goeie man, de afgevaardigde, luister maar niet naar die mensen die zegge dat hij rechters heb omgekocht en geld in z'n zak heb gestoken, da's allemaal poletiek, en trouwens, u weet toch wat ze zeggen? Wie weinig steelt zullen ze in de gevangenis stoppen, wie veel steelt zal het in de wereld ver schoppen, dus uiteindelijk zijn ze allemaal hetzelfde, als u snapt wat ik bedoel, maar goed, ik geef u het nummer van m'n schoonzoon en u geeft het aan de presentator en zegt dat het sterk materiaal is voor een aflevering, meer niet, u moet niet zeggen dat ik het u gegeven heb, u moet helemaal niet zeggen dat u met mij gepraat heb, want m'n schoonzoon moet niks meer hebben van de familie Tempesta, één keer heb hij m'n zoon Fausto bedreigd die voor Emma opkwam, zeg in godsnaam niet dat u een vriend van Emma ben anders vermoordt hij jullie allebei want hij is een heethoofd, hij is politieagent en ook nog een Calabrees, als u snapt wat ik bedoel. We laten Emma een oproep aan hem doen, ze is heel mooi en ze komt goed over op foto's, en ook de kinderen, zelfs de grootste schoft begint te janken als kinderen een oproep doen voor alle kijkers, nou ja ik weet niet hoe het moet ik heb geen verstand van tv maken, ik ben huismeesteres, hij moet zelf maar zeggen hoe we dit verhaal het beste kunnen brengen want als Mister Waarheid ons niet helpt, helpt niemand ons, Emma en ik hebben geen contacten en hij werkt bij de politie, als u snapt wat ik bedoel, en die zeggen dat hij niet gevaarlijk is maar ik doe geen oog meer dicht.'

Sasha knikte. Hij betwijfelde of hij Emma kon helpen. Dario zou zeggen dat het verhaal niet geschikt was voor televisie. Ze zouden het totaal moeten verdraaien om er iets toonbaars van te maken. Het was een hopeloze situatie. Hij bladerde door *Anna Karenina*, dat hij nog in zijn hand had. Enigszins teleurgesteld kwam hij tot het besef dat het niet Valentina was die het las. Tussen de pagina's, waar hier en daar door een kinderhand met vilstift op was gekrabbeld, zat bij wijze van boekenlegger een blaadje dat uit een schrift was gescheurd, waarop met potlood een rijtje getallen was geschreven. Het kasboek van de maand april. De uitgaven overschreden de inkomsten ruimschoots. Hij vond het gênant om een kijkje te nemen in Emma's kleine dagelijkse worsteling met het leven. En nog gênanter vond hij de gedachte dat Emma die roman alleen maar was gaan lezen omdat híj hem aan haar dochter had aanbevolen. Hij had niet gedacht dat ze zoveel belang hechtte aan zijn mening. Hij sloeg het boek weer dicht en zocht een tafeltje waarop hij het kon neerleggen. En terwijl hij rondkeek, en zijn ogen over een kaal, verschoten tapijt en een dekenkist met een lappenpop erop dwaalden, dacht hij weer aan de laatste brief die Valentina hem had geschreven, waarvan de woorden hem diep geraakt hadden: 'Soms heb ik het idee dat ik midden tussen de zombies leef, of dat ik zelf ook een zombie ben. Misschien ben ik niet normaal en heb ik een hart van silicium. Ik snap E.T. of die androïde Roy uit *Blade Runner* beter dan de mensen om me heen. Ik voel me meer met hen verwant dan met mijn moeder of mijn vader. Ik snap de gevoelens niet die te pas komen aan persoonlijke relaties tussen mensen. Ik begrijp niet waarom ze van elkaar houden, wat hen ertoe drijft om elkaar pijn te doen, hoe ze elkaar zo kunnen haten. Misschien voel ik geen emoties. Of misschien weet ik niet wat het is – om een mens te zijn.'

Emma verscheen weer in de eetkamer. Ze was bezig een rubberschort voor te binden, waarop een bord met spaghetti al pomodoro prijkte. 'Hou op, mama,' beval ze, 'ik wil niet dat je kwaadspreekt over Antonio.' 'O, ben ik aan het kwaadspreken?' zei Olimpia terwijl ze haar dochter een spottend lachje toewierp. 'Wat doe je met dat schort? Wat doen jullie hier, bij zo'n ouwe taart? Jullie zijn nog jong. Ga toch ergens anders vrijen.' 'Mama, alsjeblíeft,' zuchtte Emma met een rood gezicht. Daarop sloeg Olimpia kalmpjes toe.

'De kleine meid komt niet thuis eten,' zei ze eindelijk. 'Ze is bij hem.' Ze legde een boosaardige nadruk op haar woorden, want het was niet eerlijk dat Emma zich voor haar eigen moeder schaamde. 'Dat is niet waar!' riep Emma uit. Olimpia knikte beslist. 'Valentina heb om halfacht gebeld. Ze zegt dat ze zondagavond terugkomt.' 'Waarom heb je me niet gewaarschuwd!' schreeuwde Emma. 'Ze was dolblij om bij d'r vader te zijn,' deed Olimpia er een schepje bovenop. 'Ik geloof er niks van,' protesteerde Emma, 'Valentina heeft me na de wedstrijd een sms gestuurd, ze schreef dat ze hadden gewonnen. Maar over hem heeft ze niks gezegd.' 'Had je d'r dan laten gaan als ze het verteld had?' wierp Olimpia slim tegen. Nee, vandaag niet. Vandaag heeft hij geprobeerd me te vermoorden. Vandaag heb ik hem aangegeven. De carabinieri hebben gezegd dat ze me op de hoogte zullen houden. Maar hij komt het zeker te weten, en dan wordt het nog erger. Haar advocate had haar altijd op het hart gedrukt Antonio niet te vertrouwen. Ze achtte hem niet in staat om de agressie die zijn vrouw bij hem opriep in de hand te houden. De advocate zei dat hij die zelfs tegen zijn kinderen zou kunnen inzetten, puur om haar te straffen, haar een schuldgevoel te bezorgen. Maar dat geloofde Emma niet. En de rechters geloofden het evenmin. Bovendien bood Antonio meer zekerheden dan zij – hij was een goede vader, hij had een uitstekende baan en uitstekende referenties van Fioravanti – en ze wilde de zaak niet te ver doordrijven, uit angst ze kwijt te raken. Antonio had als een leeuw gevochten om ervoor te zorgen dat de rechters de kinderen aan hem zouden toewijzen. Jammer dat hij al lang geleden had afgezien van zijn weekenden met hen. Waarom nu? Waarom had hij niets tegen haar gezegd? Wat was hij van plan? Hij wilde Valentina van haar afpakken. Haar aan zijn kant krijgen en dan opnieuw verzoeken om een wijziging van de besluiten van de rechter, vanwege het nieuwe feit dat het meisje niet meer bij haar moeder wilde wonen. Het zou kunnen. Valentina was haar zwakke punt, haar achilleshiel. Valentina vergaf haar vader alles en haar niets. 'O ja,' voegde Olimpia eraan toe, omdat het laatste deel van de boodschap haar ineens te binnen schoot, 'je hoef niet op Kevin te wachten. Valentina zei dat zij hem wel gingen afhalen van het feest van Camilla Fioravanti. Ze zei dat je vrij bent.'

'Nee,' herhaalde Emma, 'dat wil ik niet.' Ze haastte zich naar de telefoon om het nummer van Valentina's mobieltje in te toetsen. 'Wees blij dat-ie eindelijk weer 'ns aan z'n kinderen denkt,' mompelde Olimpia. 'Die vent heb nooit last van z'n geweten, die blagen zijn al twee jaar bijna weeskinderen, als dat een gezin moet voorstellen...' 'Ze neemt niet op,' zei Emma verbijsterd. Valentina zette haar telefoontje nooit uit, ze zat altijd te frunniken met sms'jes, beltonen en god weet wat allemaal, en ook al werkten die metalige piepjes Emma op de zenuwen en was ze woest omdat ze elke week een nieuw beltegoed moest kopen, ze was er toch blij mee omdat ze in elk geval altijd wist waar haar dochter was, en ze zichzelf kon wijsmaken dat ze nog enige controle over haar had. Sasha staarde naar de planeten van het zonnestelsel. Hij was in een familiecrisis beland die hem niet aanging. En die andere crisis, de zijne, was verboden terrein voor hem. Valentina keek hem aan vanuit een lijst van nepzilver die op de televisie stond. Kastanjebruin haar, dezelfde fonkelende ogen als haar moeder, dezelfde mond met die volle, donkere lippen, maar een totaal andere uitdrukking: stuurs, streng, zonder glimlach. Hij zou graag zo'n meisje hebben gehad. Als ze zijn dochter was geweest, zou dat meisje gelukkig zijn. 'Het is zíjn wiekent,' besloot Olimpia terwijl ze naar de keuken slofte, opgelucht omdat Emma nu weg zou gaan met haar leraar en zij weer terug kon zappen om te kijken hoe Mister Waarheid de problemen van die priester oploste. 'De rechter en ook de spycholoog hebben tegen 'm gezegd dat hij voor ze moet zorgen, hij is hun vader.' 'Hij kan niet zomaar verdwijnen en weer opduiken wanneer het hem uitkomt, zo raken ze ontregeld, dat kan zo niet,' zei Emma. In de keuken viel een pan op de grond. Emma hield de hoorn tegen haar oor. Een eindeloze minuut lang luisterde ze naar de stem op het bandje van Omnitel die maar bleef herhalen dat de abonnee niet bereikbaar was.

'Antonio heeft haar mobieltje uitgezet,' zei ze tegen Sasha, alsof hij er iets aan kon doen. Ze zag het pistool in het dashboardkastje weer voor zich. De wanhoop van Antonio toen ze uit de auto was gestapt en hij achter haar aan was gerend en omdat ze niet wilde blijven staan aan haar tas had getrokken. Ze waren aan de voet van de obelisk van Mussolini Dux op de grond gevallen, en hij had haar omhelsd en haar gekust op haar haren en haar handen en haar mond die bloedde en hij had haar gesmeekt – kom bij me terug kom bij me terug Emma kom bij me terug kom bij me terug ik kan niet leven zonder jullie. Ze had zich losgemaakt uit zijn greep, ze was opgestaan en vanuit een bus die voor het stoplicht wachtte waren de ogen van de passagiers op hen gericht en in haar mond proefde ze de smaak van haar bloed en van zijn speeksel, en Antonio draaide haar arm om, hij klemde haar tegen zich aan en hij deed haar pijn en hij herhaalde: kom bij me terug kom bij me terug kom bij me terug Emma. En ze had gedacht: dit is mijn man, hoe vaak heb ik hem niet gekust, ik zal hem nooit kunnen haten en wat zal er van me worden als ik weer met hem meega en ze had geen idee waar ze de kracht vandaan had gehaald om te zeggen het is afgelopen Antonio. Op dat moment had hij haar arm losgelaten en haar met een onbeschrijflijke blik aangestaard, een stervende blik, zieltogend, en toen er eindelijk een taxi was gestopt om haar mee te nemen had ze zich omgedraaid en Antonio was onbeweeglijk voor die witte obelisk blijven staan, zelf ook een stenen obelisk, alsof hij dood was, en hij keek nog steeds naar haar. Koortsachtig toetste ze het nummer dat vroeger het hare was geweest. Maar in de Via Carlo Alberto nam niemand op. Antonio had de kinderen niet mee naar huis genomen.

'Ik wil niet dat hij ze vandaag ziet,' zei ze terwijl ze haar schort afrukte en zich op de slaapbank in de eetkamer liet vallen. Mijn kinderen. God, waarom heb ik het hem niet belet, waarom hebben ze hem niet gearresteerd? Waarom was ik niet bij ze? Blijf rustig. Alles komt goed. Hij is dol op ze. Mijn kinderen. Ze deed haar ogen dicht. Ze wilde niet huilen in het bijzijn van Sasha. Ze wilde niet huilen. Ze wilde niet alles verpesten. Waarom nu? Waarom? Sasha staarde naar het omslag van *Anna Karenina*, ongemakkelijk. Hij wist niet wat hij moest doen. Hij wist niet wat je voor je kind kunt voelen. Hoe je kunt proberen het te beschermen tegen de wereld en tegen onszelf. Van je kind houden. Een gevoel van ontoereikendheid en almachtigheid dat hij nooit zou kennen. Hij moest tegen haar zeggen dat het allemaal goed zou komen, haar verzekeren dat als de rechtbank had vastgesteld dat Antonio Buonocore een verantwoordelijke vader was die in staat was om zijn kinderen op te voeden, dat dan ook zo was. Maar hij geloofde het zelf niet, en hij wilde niet liegen tegen deze vrouw.

Hij had Emma's spanning ingeademd. Hij had die plek gezien

die haar jukbeen paars kleurde. En terwijl hij naar haar moeders huis was gereden, had ze aan één stuk door in het achteruitkijkspiegeltje gekeken of ze soms werden gevolgd door een groene Tipo. De Via Boccea werd steeds onsamenhangender; om de zoveel tijd wendde hij zich tot Emma en vroeg: rechtdoor blijven gaan? Emma knikte. De witte koplampen woelden door het schemerduister vóór de motorkap, en een hele bestaande wereld die hij niet kende nam vaste vorm voor hem aan. Reclameborden gleden voorbij, en parkeerhavens met gele palen die de bushaltes markeerden, en pijnbomen, gedenkstenen met bloemen erop, als altaartjes tegen de vangrail aan, de zijwegen, zwakke straatlantaarns, zonderlinge gebouwen die dreigend over de straat heen helden. Ineens had Emma gezegd: stop hier maar, je moet niet meegaan tot aan de deur, misschien staat Antonio op de parkeerplaats. Ik wil niet dat je iets overkomt. En Sasha had zijn auto langs de kant gezet, ook al was het een dood gebied tussen twee onvoltooide wijken en was er niet eens een trottoir: rechts van de weg lang alleen een strook grond waarop brandnetels en doornige braamstruiken groeiden. Emma was uitgestapt, ze had het portier krachtig dichtgegooid, en de doffe klap waarmee het dichtviel voelde als een punt na een ellenlange zin. Ze was weggelopen langs de donkere weg, in de richting van een hoge torenflat die afstak tegen de donkere hemel – zonder zich nog om te draaien. Een paar minuten lang had ze voor hem uit gelopen, verlicht door het witte licht van de straatlantaarn, als een geestverschijning. Maar de laatste straatlantaarn langs de weg was kapot, en daar was ze opgeslokt door de schemering. En hij was haar achterna gerend, want als Antonio haar opwachtte op de parkeerplaats voor de flat kon hij haar niet alleen laten. Hij wilde ook niet dat haar iets overkwam. Ze werden vergezeld door een droevig, klaaglijk geblaat – schapen, ongetwijfeld. Tussen de auto's die op de open plek voor de verroeste omheining stonden geparkeerd, zagen ze geen Buonocore. Ook niet in de hal van de flat, noch in het trapportaal.

Misschien is het moment gekomen om enige zin te geven aan deze dag. Want ik ben nu eenmaal hier, en het is net negen uur, en als ik dan niets voor mezelf kan doen, laat me dan in elk geval iets voor haar doen. Teder legde hij een hand op haar schouder en trok haar naar zich toe. Emma verborg haar gezicht in zijn overhemd.

'Mijn kinderen,' mompelde ze. Sasha rammelde met de sleutels van zijn Peugeot. 'We gaan ze zoeken,' zei hij.

Op de Piazza Navona wandelde hij arm in arm met Valentina, en Kevin liep onwillig een paar passen achter hen. Hij nam ze hier altijd mee naartoe met Driekoningen. Maar dit jaar waren ze niet gegaan. En het jaar ervoor ook niet. Antonio herinnerde zich hoe vol het plein dan was, met de kring van kraampjes rondom het ovale, verhoogde eiland, de lolly's in linten van doorzichtig plastic die aan de golfplaten daken van de kramen hingen, de rode kousen gevuld met het typische *carbone dolce*, zwartgekleurd suikergoed, de kerstmannen die zich lieten fotograferen naast arrensleeën van papiermaché, de Italiaanse vlaggen die wapperden op de karretjes van de straatverkopers en in het midden van de heksenketel, naast de fontein, de draaimolen met de bewegende paardjes, die langzaam rondjes draaide terwijl uit de luidsprekers keihard de lambada schalde. Op een willekeurige doordeweekse avond als deze waren er echter alleen toeristen die foto's met flits maakten bij de Fontein van de Vier Rivieren – nooit geweten welke rivieren dat dan waren – of een biertje dronken op een van de terrasjes – nooit op die terrasjes gezeten. Emma zou heel graag een ijsje hebben gewild bij Tre Scalini. Emma, Emma, Emma – elke hoek van deze stad schreeuwt jouw naam uit. Alles wat we niet hebben gedaan, alle kansen die we hebben gemist.

Ze gingen bij Tre Scalini zitten en bestelden reusachtige ijsjes in glanzende zilveren coupes – met drie bolletjes, felgekleurd als lampjes. Framboos, chocola en watermeloen. Kevin, die de rode ballon van Camilla's feest om zijn pols heeft gebonden omdat hij bang was dat hij hem zou kwijtraken, sabbelt op zijn lepeltje terwijl de slagroom een snorretje op zijn bovenlip tekent, en Valentina knabbelt op haar wafel. Ze praten over het feest van Camilla, dat geweldig was – met clowns, tovertrucs, witte konijntjes, poppenkast, behendigheidsspelletjes, een jacht naar de schat, wij hebben gewonnen, maar ik heb mijn prijs op de bank laten liggen, hopelijk bewaart Camilla hem voor me. De wolken likken aan de tweelingtorens van de kerk van Sant'Agnese, maar het gaat toch niet regenen, en de tijd blijft stilstaan, en ze zijn gewoon weer met z'n drietjes, eindelijk weer samen.

'Ben je je prijs vergeten, Kevin? Dan krijg je van mij een nieuw cadeautje. Nog veel mooier.' Maar het rolluik van Berté was al omlaag, de lichtreclame gedoofd. Op de winkelschappen stonden ingewikkelde speeltjes als kostbare technische snufjes. Al die cadeaus die ik mijn kinderen niet heb gegeven – al die dingen waar ik niet aan gedacht heb. Emma heeft me fysiek buitengesloten van hun groeiproces. Ik heb niet gezien wanneer Kevin zijn naam heeft leren schrijven. Ik was er niet bij toen Valentina in een vrouw veranderde. Er is nog tijd. Mijn kinderen zijn bij mij. Ik zal ze schadeloosstellen voor alles wat ze gemist hebben, voor alles wat ik gemist heb. Genoegdoening. Om te zorgen dat Kevin de egocentrische liefdadigheid van de familie Fioravanti zou vergeten, beloofde hij hem een mountainbike. 'Wanneer?' 'Maandag.' 'Dat is wel heel duur, papa,' liet Valentina hem weten. Antonio glimlachte. Geld had geen enkele waarde meer. Enkel stukjes papier – hypothesen. Hij werd overspoeld door een ongekend gevoel van vrijheid. Valentina vroeg wat ze met de Tipo moesten doen. 'Als je die wielklemmen niet meteen laat weghalen, plukt de parkeerpolitie je helemaal kaal.' 'We gaan onze avond niet verknallen door ruzie te maken met de parkeerpolitie,' zei Antonio schouderophalend. We gaan wel te voet naar huis, we hebben geen haast. Niemand zit achter ons aan. Ik heb geen enkele overtreding begaan. Niemand wordt aangeklaagd voor wat hij van plan is.

Ze wandelden door de steegjes van het centrum – kijkend naar de etalages, die verlicht waren ook al waren de winkels reeds gesloten, en ze bleven bewonderend staan kijken naar de obelisk op de Piazza del Pantheon, waar de zuilengalerij krioelde van de Japanners en ansichtkaartverkopers. Ondanks het tijdstip was het Pantheon geopend, want er vond een avondrondleiding plaats. In de koepel van de tempel zat een gat, waardoor ze een donkerblauwe cirkel zagen die in tweeën werd gekliefd door een wolksliert – de hemel. 'Waarom hebben ze in het midden een gat opengelaten?' vroeg Kevin. Antonio wist niet wat hij moest antwoorden, hij was een heel slechte gids. Hij was trouwens nog nooit in het Pantheon geweest. Op zondag nam Emma de kinderen mee naar de catacomben, naar de basilieken en het Forum Romanum. Hij ging nooit met ze mee. Hij had nooit tijd, en daarbij stemden al die oude dingen hem treurig. 'Ik weet het niet, Kevin,' gaf hij toe.

'Niet alle dingen hebben een reden.' Maar dat gat in de koepel leek hem een scheur in de illusie van de hemel. Het leek hem een oog, een pupil – maar waar keek het naar? Valt er iets te zien in het oneindige? Onder de zuilengalerij stelde hij Kevin voor om een ballon van verguld plastic in de vorm van een hagedis voor hem te kopen – of was het een krokodil –, maar Kevin weigerde: hij hield liever zijn eigen rode ballon, die hem herinnerde aan Camilla en aan de rare dag die nu bijna was afgelopen. Af en toe wiebelde en schudde hij met zijn pols: de ballon zweefde hoog boven zijn hoofd, rood en licht.

Ze liepen zeven rondjes om het olifantje op de Piazza della Minerva. 'De olifant is een sociaal dier,' merkte Valentina op. 'Hij heeft een heel goed geheugen en hij kan vijfenzeventig jaar worden, net als een mens.' Antonio had nooit belangstelling gehad voor de dierenwereld. 'De moederolifant is erg liefdevol voor haar kleintje en ze verzorgt hem heel goed,' vervolgde Valentina. 'De basisfamilie van olifanten is een volwassen vrouwtje met haar kinderen, tot hun veertiende.' 'Jij weet alles over dieren,' zei Antonio – getroffen. 'Mama heeft de *Natuurencyclopedie* voor me gekocht,' zei Valentina, waarna ze op haar lip beet omdat ze hadden afgesproken dat ze het daar vandaag absoluut niet over zouden hebben, over háár. 'Ik ben gek op natuurwetenschappen. Daar heb ik het hoogste punt voor.' 'Wil je boswachter worden?' vroeg hij, ook al sloeg dat nergens op. 'Geneticus,' preciseerde Valentina. 'Mensen die zich bezighouden met klonen, weet je, van dat schaap Dolly? En met stamcellen, en ze ontdekken hoe je ongeneeslijke ziektes kunt genezen.' 'Dan moet je wel naar de universiteit,' zei Antonio. Hij streelde met zijn vingers over de stenen slurf, de staart, de grote oren, de poten die elk moment in beweging leken te kunnen komen – een barok meesterwerk als imitatie van de natuur. Dit had hij ook nog nooit gezien. Wat weet ik toch weinig van de stad. En ik woon al twintig jaar in Rome. Wat is Rome eigenlijk? Het is de stad waar Emma me aan vastgeketend heeft. Rome laat zich net zo liefhebben als een vrouw, omdat je haar leuk vindt, omdat je je fijn voelt bij haar, omdat ze je begrijpt, je met open armen ontvangt en op je reageert. Want ondanks de tekortkomingen en gebreken die haar schoonheid onregelmatig maken, is die schoonheid in jouw ogen de grootste van allemaal. Ik ben net zo met Rome getrouwd als met Emma. Een schoonheid waarvan ik heb genoten, maar die me nooit heeft toebehoord.

De olifant was koud. Hij leek net echt, maar het was een dood stuk marmer. 'Natuurlijk moet ik dan naar de universiteit,' lachte Valentina. 'Ik heb dan ook voor het wetenschappelijk gekozen.' 'Het wetenschappelijk lyceum?' vroeg Antonio. 'Zit je al op het lyceum?' 'Papa, daar ga ik in september naartoe! Ik heb me ingeschreven op het Righi.' Antonio keerde de olifant en haar zijn rug toe. Ik weet niet eens op welke school mijn dochter zit.

Ze liepen door steegjes die waren bezaaid met flesscherven, waar een stank van oude urine hing. Hun schaduwen klommen tegen de muren op. Opeens had Antonio het gevoel dat die schaduwen het enige waren wat nog over was van hen, en van hem. Toen kwamen ze tegenover het Palazzo Montecitorio uit. Honderden keren had hij op dit plein afgevaardigde Fioravanti afgezet. Honderden keren had hij op hem gewacht, in de blauwe auto, in de regen. Hij had geen flauw idee wat hij deed in het parlement. De advocaat placht te zeggen dat hij zich aan de politiek had gegeven uit liefde voor de Italianen. Antonio wist dat dat een leugen was, maar Fioravanti vertelde leugens met zo'n overtuiging dat men er uiteindelijk van doordrongen raakte dat ze de voorkeur genoten boven de waarheid. Met zijn bril en zijn grote bos haar zag hij er op de verkiezingsposters sympathiek en oprecht uit, hij boezemde vertrouwen in. Ook al verdiende hij dat niet, hij had Antonio wel deze middag met de kinderen geschonken, en daarvoor zou hij hem eeuwig dankbaar zijn. Hij zond hem een groet. Trek het je niet aan, advocaat, jij wist het niet, je kon het niet weten. Het parlementsgebouw was donker. Het leek bijna nep, als een filmdecor. Niets leek hem meer echt – Rome niet, de avond niet, de kinderen niet en hijzelf ook niet.

Op de Piazza Colonna bleef Kevin als aan de grond genageld staan voor de etalage van de Romastore. Voetbalschoentjes, ballen met handtekeningen, geel-rode sjaals, vlaggen. En het shirt met nummer 10. Dat van de blonde aanvoerder, Totti. 'Je bent toch zeker niet ineens voor AS Roma?' vroeg Antonio, die altijd voor Juventus was geweest. 'Je kunt niet van club veranderen, Kevin. Je kunt alles veranderen in je leven, de plaats waar je woont, je beroep, je politieke partij, je auto, alles, maar niet je club.' En ook niet je vrouw, had hij eraan toe willen voegen. Kevin gaf geen antwoord. Hij staarde naar het shirt van Totti – verrukt. Het kostte honderdvijftigduizend lire. Praktisch onbereikbaar. 'Wil je dat hebben?' vroeg Antonio, terwijl hij hem in zijn nek krabbelde. Kevin rilde, want papa raakte hem nooit aan. Het leek wel of hij het eng vond om hem aan te raken – alsof hij een reptiel was. Zonder zich om te draaien knikte Kevin met zijn hoofd. Hij drukte zijn handen tegen de etalageruit – de vette afdrukken van zijn vingers die nog plakkerig waren van het ijs bleven erop achter. 'Kun je goed voetballen?' vroeg Antonio. 'Gaat wel, papa,' fluisterde Kevin. 'Ik moet altijd in de goal staan.' Hij was bang dat hij een klap zou krijgen, want papa was zelf de beste voetballer van het bewakersteam, en altijd topscorer op politietoernooien. Hij kreeg een aai over zijn kuif, die stijf stond van de gel. Dat was nog eens wat anders dan een plaatje. Papa ging echt het rode shirt van Francesco Totti voor hem kopen. Vandaag kocht iedereen voor hem wat hij maar wilde hebben. Deze dag had een soort toverlamp, net als die van Aladdin. Hij hoefde maar een wens te doen of die kwam uit. Hij was in een sprookje beland – alles was fantastisch en volmaakt. Maar hoe laat kwam de pompoenkoets om hem weer naar huis te brengen?

'Papa,' zei Valentina ineens, 'als we bij jou moeten slapen, moet je een tandenborstel voor ons kopen. Die hebben we niet bij ons.' Antonio voelde dat zijn hart sneller ging kloppen, het kromp ineen als een vuist en lag zwaar als een steen op zijn borst. Hij vroeg zich af waar hij de moed vandaan moest halen. Waarvandaan de kracht. 'Natuurlijk,' zei hij. Ze liepen naar de apotheek op de Via del Tritone, maar toen ze daar aankwamen zat het rolluik al met een groot hangslot aan het trottoir vastgeketend. Alle winkels waren op dit uur gesloten. 'Nou ja, dan koop ik morgen wel tandenborstels voor jullie,' zei Antonio luchtig, terwijl hij aan zijn hart voelde – hij had de indruk dat het zo uit zijn overhemd kon vallen, als een muntje, en dat hij het niet eens zou merken als hij het verloor.

Ze aten bij de McDonald's op de Piazza di Spagna, aan een tafeltje in de hoek geropt, onder een felle lamp die het nepbruin van papa accentueerde – hij gebruikte een speciale crème omdat hij al zenuwachtig werd als hij rustig onder de zonnebank moest liggen. Ze verorberden hamburgers doordrenkt met ketchup, die ze wegspoelden met Coca-Cola. Ze brandden hun lippen aan de bloedhete *apple pie*. Nu was hij niet meer de agressieve vreemdeling met de rare ogen die hen had weggesleept uit de sportzaal en van het feest. En ook niet de sporadische vader tegenover wie ze zich geen houding wisten te geven toen hij zich, in het eerste jaar na de scheiding, als een tornado in hun leven stortte: hij nam ze mee naar de dierentuin en in de achtbanen van het Lunapark, naar de Pincioheuvel voor de poppenkast, naar de Gianicolo voor de kanonschoten om twaalf uur 's middags, naar de megawinkel van Toys "R" Us bij de afslag Romanina van de ringweg, om speelgoed uit te zoeken – ik koop alles wat jullie willen, alles – en die betaalde en nooit wat zei, behalve als hij zich ineens opwond en vreselijke scheldkanonnades uitkotste aan het adres van mama die hersenloze hoer die zijn hele leven verwoest had, die hem had vermoord. Nee, hij was weer papa, die net als vroeger met drukke, theatrale handgebaren praatte, die net als vroeger zo'n pocherige houding had van: ik zorg overal voor geen probleem ik regel het. Het was een avond als alle andere. Papa had nooit zijn Kalasjnikov op mama's hart gericht, hij had haar nooit in elkaar getrapt – dat was die vreemdeling geweest die plotseling was verdwenen op de Piazza Navona, dat was zijn slechte tweelingbroer die op een onbewaakt moment zijn plaats had ingenomen. De man die bij hen aan het tafeltje zat, die zich naar hen toe boog omdat hij in het rumoer hun stemmen niet kon verstaan, dat was wel echt papa, die zich volpropte met appelgebak – daar was hij dol op – en vroeg hoe het op school ging, en met het volleybalteam, en of Valentina al vriendjes had. Hij kon niet geloven dat die knappe Vale nog steeds niemand had. Papa lachte – omdat ze zich geneerde toen ze hem uitlegde dat ze zichzelf helemaal niet knap vond, oerlelijk juist, echt een gedrocht, en dat er inderdaad nog geen enkele jongen was geweest die verkering met haar had gevraagd. Papa vroeg beschermend en opschepperig of iemand hun de laatste jaren iets had aangedaan, want van nu af aan zou diegene met hem te maken krijgen. En toen vergat Kevin om te zwijgen. Hij had al jaren geen woord meer tegen hem gezegd, maar nu maakte zijn tong die aan zijn gehemelte vastgeplakt had gezeten zich ineens los.

'Bij mij op school is een heel gemene jongen,' begon hij. 'Hij heet Anzalone.' 'Heb je ruzie met hem gehad?' vroeg Antonio. 'Ja,' antwoordde Kevin. 'Jij moet hem straffen.' 'Oké,' verzekerde Antonio hem. 'Wat moet ik dan met hem doen?' 'Je moet zijn broek omlaagtrekken en een rotje in zijn kont steken,' legde Kevin uit. Het wonder was geschied: hij stotterde niet meer. Antonio lachte, verbluft dat er zoveel agressie schuilde in die mollige, halfblinde pinguïn van hem. Maar het vervulde hem ook van trots. Kevin was dus niet zo'n slap mietje als hij had gevreesd. Hij was zijn zoon. En hij leek op hem. Hij had hetzelfde zwarte haar, krullend en stevig. En hetzelfde lichtgeraakte karakter. En hij eiste wraak. 'Het zal gebeuren,' knikte hij. En om hun verbond te bekrachtigen, deed hij een high five met zijn zoontje, waarbij hij hem flink raakte. Het felle oog van Kevin, dat op hem gericht was, straalde zoveel dankbaarheid uit, zoveel onvoorwaardelijk vertrouwen, dat Antonio een heel warm gevoel kreeg, en de steen achter zijn ribben begon te trillen. Waarvandaan de kracht. Waarvandaan. Stiekem slikte hij twee pillen door met de Coca-Cola. In de overtuiging van een hogere rechtvaardigheid. In de gedachte aan haar. Voor haar doe ik het. En zij zal voorgoed vervloekt zijn.

tweeëntwintigste uur

In de Via Carlo Alberto waren de ramen van de bovenste flat op de zesde verdieping donker en de luiken dicht. Emma biechtte aan Sasha op dat ze de huissleutels een jaar lang bewaard had. Ze had ze in haar tas zitten, net zoals altijd. Toen had ze ze op een dag, uit een onverklaarbare impuls, in een brievenbus gestopt. In zekere zin had ze ze opgestuurd. Misschien omdat ze bang was dat ze ze zou kunnen gebruiken. En ze wilde niet de mogelijkheid hebben om terug te keren. Er werd niet gereageerd door de intercom. Antonio had de kinderen niet mee naar huis genomen.

Het feest van Camilla was afgelopen. Voor het Palazzo Lancillotti, op het voetgangerspleintje, verdrongen de laatste feestgangers zich rond afgevaardigde Fioravanti. Ze duwden elkaar en renden koortsachtig van het ene groepje ouders naar het andere, om degenen aan te schieten aan wie ze graag voorgesteld wilden worden, aan wie ze hun kinderen en vrienden graag wilden voorstellen, aan wie ze ooit projecten zouden moeten voorleggen of gunsten vragen. Rondom Elio vormden ze een dichte haag, die gonsde als een zwerm bijen. Emma probeerde zich met haar ellebogen een weg te banen naar hem. 'Afgevaardigde! Afgevaardigde!' schreeuwden de fotografen die als bavianen op de bloembakken stonden. 'Wilt u even deze kant op kijken?' Elio gehoorzaamde, voldaan omdat hij een moeilijke, bittere dag toch nog met een persoonlijk succes kon afsluiten. Hij wist dat hij zich in een staat van vergevorderd verval bevond: schor, duizelig van vermoeidheid en doorweekt van het zweet, met een glimmende neus en een draaierige maag – gedeprimeerd door die vervelende mislukking in de buitenwijk, geïrriteerd door de ijselijke ontvangst van Maja, door zijn werkelijk onvergeeflijk late komst, door alles. Maar hij glimlachte geduldig naar rechts, hij glimlachte naar links, zoals de fotografen hem vroegen, en hij hief zijn hand op ten teken van ongedwongen zegening. Hij had respect voor het werkvolk. Dit was trouwens het prettigste aspect van zijn populariteit.

Ondanks de glimlach die als een sticker op zijn gezicht geplakt zat, zag Emma dat de afgevaardigde nogal bozig keek – zijn toch al behoorlijk lange neus leek nog spitser, scherp als een spijker. Dit was de man die Antonio al jarenlang beschermde. En dan te bedenken dat hij haar had doen geloven dat het zijn eigen bewuste keus was geweest om naar de beveiliging over te stappen. Later was Emma er echter achter gekomen dat zijn meerderen hem hadden overgehaald om overplaatsing aan te vragen, omdat Antonio steeds vaker de regels aan zijn laars lapte; hij had een onschuldige arbeider neergeschoten die de wegversperring niet had opgemerkt, en hij had een overste uitgescholden omdat hij zeker wist dat die zijn loopbaan saboteerde. 'Hebt u mijn zoon Kevin gezien?' vroeg ze aan Fioravanti, terwijl ze hem aan zijn mouw trok, omdat hij druk in gesprek was met een dame die was behangen met rinkelende sieraden als een kroonluchter van de glasblazers op Murano. Toen Elio haar herkende, veerde hij op – en instinctief keek hij om zich heen om te zien of Maja in de buurt was. Maar gerustgesteld constateerde hij dat zijn toegewijde vrouw nog in het gebouw was, om de fooienkwestie af te handelen. 'Nee,' zei hij terwijl hij zich tot de bejaarde oma van Carlotta wendde, die vroeg of ze hem mocht kussen, en terwijl ze hem vastpakte in een onhandige omhelzing verzuchtte ze: 'Wat fantastisch, afgevaardigde, ik val bijna flauw. Op televisie ziet u er minder goed uit, in het echt bent u veel jeugdiger.'

'Ik heb hem niet gezien,' herhaalde Elio, terwijl hij zich grootmoedig overgaf aan de omhelzing van de oma van Carlotta. 'Toen ik kwam was hij al weg.' Ik was er pas heel laat, had hij erbij willen zeggen. Ik kon niet meer met Camilla karaoken, ook al had ik het haar beloofd. Maja is degene geweest die die hele eindeloze middag in het Palazzo Lancillotti voor haar rekening heeft genomen, ze heeft al die kinderen vermaakt en hun onbeschofte moeders onderhouden, opdat de familie Fioravanti een luisterrijke en tegelijkertijd vriendelijke indruk maakt, elitair maar ook oecumenisch, opdat niemand zich buitengesloten of misdeeld voelt – gevoelige zaken, de kunst van de pr, die Maja tot in de puntjes beheerst. Het feest van Camilla is bijzonder goed geslaagd en zal een nuttige investering blijken – wie meer uitgeeft, geeft minder uit. Maja is grandioos. Gewoonweg volmaakt. Dit is het ultieme bewijs van de ware echtelijke liefde. Niet trouw, zelfopoffering of het feit dat je jezelf wegcijferde voor je kinderen, maar het dagelijkse heroïsme. Ik moet binnenkort toch eens tegen haar zeggen hoezeer ik alles wat ze voor me doet waardeer.

Op dat moment besefte hij dat de vrouw van Buonocore helemaal niet voor hem was gekomen. Ze was in het gezelschap van een donkerharige man met een rond brilletje en een blauwleren jasje. Behoorlijk jong, stelde hij ontgoocheld vast. 'En mijn man, waar is die? Moest hij u niet begeleiden tot u vanavond thuiskomt? Waarom is hij niet bij u?' vroeg Emma op een onderzoekende toon, die hem niet beviel. Elio vertelde dat Buonocore vanwege dringende familieomstandigheden zijn dienst om twee uur had beëindigd. 'Maar dat is waanzin,' riep Emma uit. 'Antonio vindt zijn werk heel belangrijk, hij zei altijd dat u zijn missie bent, hij zou u nooit iets laten overkomen, hij zou met u naar het eind van de wereld reizen, hij is altijd met u meegegaan, zelfs per vliegtuig, waar hij eigenlijk helemaal niets van moet hebben. Heeft hij niets tegen u gezegd? Weet u niet wat hij moest doen?'

Elio zei dat Buonocore zíjn beschermengel was, en niet andersom. Even dacht hij terug aan de waardige, mannelijke glimlach waarmee het gezicht van de agent was opgeklaard toen hij hem uiteindelijk de weinig orthodoxe toestemming had gegeven om zijn dienst te beëindigen – hoewel het een onwettige procedure was. Dank u wel, u bent een groots man, had Buonocore tegen hem gezegd, moge God u belonen voor uw ruimhartigheid. En toen, terwijl ze elkaar de hand drukten, had Buonocore hem plompverloren op een bezielde, profetische, bijna uitzinnige toon, die hem verrast had, de zoveelste Bijbelse vraag gesteld: 'Afgevaardigde, snapt u waarom God Abraham heeft gevraagd om zijn enige zoon Isaak op te offeren?' Hij bedacht dat Buonocore een religieuze crisis doormaakte, wat soms een teken van bekering is, maar vaak het symptoom is van een beginnende verstandsverbijstering, en dat zijn vrouw dat hoorde te weten. Maar op dat moment vroeg een blondine die zo te zien gekleed was in de afgestroopte huid van een luipaard of ze met hem op de foto mocht. Elio legde een hand op haar schouder. Hij voelde het geluk als een elektrische lading door zijn hand naar de jonge vrouw stromen. Ik schenk de mensen geluk, bedacht hij, net als Jezus. En in de roes van de miraculeuze krachten van zijn aanraking vergat hij de mislukking in de buitenwijk, en de rampzalige verkiezingsbijeenkomst, en de president die een paar minuten geleden nog steeds had geweigerd om hem te spreken, en het offer dat aan Abraham gevraagd was en de vrouw van Antonio Buonocore.

In de Multisala Barberini waren de voorstellingen al begonnen. In zaal 4 draaide *Rancid Aluminium*, in zaal 2 *The Calling* – alleen al uit de agressieve titels kon je afleiden dat het geen films waren voor Kevin. Antonio was op het idee gekomen met ze naar de bioscoop te gaan. Hij vond het vermoeiend om met ze te praten. Valentina wilde per se *Billy Elliot* zien, maar die draaide al bijna nergens meer, en op de filmlijst die op de deur van de bar hing konden ze hem ook voor de tweede voorstelling niet meer vinden. 'Naar welke films gaat mama met je?' vroeg Antonio. Valentina en Kevin keken elkaar verbaasd aan. Hij had haar genoemd. Alsof er niets aan de hand was. Dan is er echt iets veranderd. 'Mama gaat nooit met me naar de film,' constateerde Kevin, meteen bereid om haar te verloochenen als papa zijn hand maar op zijn schouder liet liggen. 'Mama haalt altijd video's.' 'Wil je een video huren?' 'Ja.' 'Welke?' '*De Leeuwenkoning*.' 'Die heb je al honderd keer gezien,' protesteerde Valentina, waarna papa haar een por gaf – 'Wij hoeven toch zeker niet mee te kijken?' fluisterde hij samenzweerderig. O, papa. Het zij je vergeven dat je het stinkdier ook hebt meegenomen.

'Kom, we gaan naar huis, kinderen.' O ja papa, nu meteen. Blij dat ze niet naar binnen waren gegaan in die bioscoop. In zaal 1 draaide *Valentine – Afspraakje met de dood*. De regisseur was een zekere J. Blanks. Op de filmposter stond een mooi meisje met lang haar – dat duidelijk in gevaar verkeerde. Misschien was zij wel de Valentina uit de titel. Valentina is wel een goede naam voor een mooi meisje. Eindelijk vond ze dat hij ook wel goed bij haar paste. Ze huurden *De Leeuwenkoning* bij Blockbuster in de Via Barberini. Zesduizend lire. 'U moet de band uiterlijk maandagochtend terugbrengen, anders moet u bijbetalen,' waarschuwde de caissière. 'Oké,' zei Antonio. 'Ik zal eraan denken.'

Traag liepen ze de weg omhoog. Onderweg tekenden de logo's van de luchtvaartmaatschappijen een mengeling van gekleurde lichtjes. Air Algerie. Air Gabon. 'Gabon ligt in Afrika, waar Simba woont, en de bavianensjamaan Rafiki, het wrattenzwijn Pumbaa en de gemene hyena's,' zei Kevin. 'Heb je zin om naar Afrika te gaan en de leeuwen en olifanten te zien?' vroeg Antonio. 'Wanneer?' vroeg Kevin. Zijn klasgenootjes waren in Namibië geweest, in Amerika en op de Seychellen. Als hij hun verhalen hoorde, kreeg hij het gevoel dat hij niks voorstelde, want hij was nog nooit ergens geweest. 'Als je school afgelopen is,' antwoordde Antonio. Hij pakte zijn hand vast en Kevin trok hem niet terug. Papa's hand was groot en ruw en sterk. Hangend aan die hand stak hij de Piazza Esedra over – terwijl de auto's voor ze moesten stoppen, want papa trok zich geen reet aan van de stoplichten en besliste zelf wel waar hij wilde oversteken. In de buurt van station Termini hingen de verslaafden en de dealers rond, en daar pakte papa ook Valentina bij de hand. Hij hield ze stevig vast, want hij wilde ze beschermen tegen die vreemdelingen die hun kwaad zouden kunnen doen.

In de Via Cavour was alles donker, alleen de koepel van de kerk van Santa Maria Maggiore straalde. De klok sloeg – en dat geluid, dat ze al heel lang niet meer gehoord hadden, gaf ze de rillingen. Vlak bij de obelisk, onnatuurlijk bewegingloos in het midden van het plein – als een antenne, of een boom –, stond een zwerver. 'Vervloekten. Vervloekten. Vervloekten,' tierde hij. 'Jullie hebben niet gelopen volgens mijn voorschriften. Jullie hebben mijn wetten niet gevolgd. Kijk, ik kom naar jou toe. En ik doe met jou wat ik nog nooit gedaan heb en wat ik nooit meer zal doen. Vaders zullen hun kinderen opeten, kinderen zullen hun vaders opeten, en ik zal alles wat van je rest in de wind verstrooien. Mijn oog spaart niemand en ik zal geen mededogen hebben. Vervloekten. Vervloekten.' Het leek of hij het over hen had, maar als je de hele tirade beluisterde begreep je dat hij het eigenlijk over een stad had, en dat die stad Jeruzalem was. De zwerver woonde op dat plein en herhaalde dat soortement van vervloeking urenlang, tot hij ineens besefte dat hij leefde en één been optilde, waarna hij weer even lang roerloos zo bleef staan, steunend op zijn andere been. 'Jullie altaren zullen verlaten zijn. Jullie zuilen neergeslagen, jullie afgodsbeelden verbrijzeld. Jullie werken weggevaagd. Ik maak jullie stad tot een woestijn.'

Papa – die de zwerver niet kon verdragen en zich ergerde aan die apocalyptische tirade die hij dag in dag uit moest aanhoren – sleepte hen weg. Boven in de superhoge kerktoren sloeg de klok nog steeds – donkere, doffe, diepe slagen, die uit de hemel zelf leken te komen. Mama nam ons op zaterdagmiddag altijd mee naar het voetgangersplein voor de basiliek om daar te spelen, dat lijkt eeuwen geleden. Ze ging op de treetjes rond de fontein zitten, in de schaduw van de zuil van Massenzio, en terwijl ze ons in de gaten hield luisterde ze naar Tina Turner op haar walkman. Soms, als het een mooi nummer was, vergat ze Kevin, en dan sprong ze ineens overeind, en als ze hem uit het oog was verloren begon ze hem te roepen, met dodelijke angst in haar stem: Kevin, Kevin, waar ben je? En daar waar de bladeren van de lindebomen de gebouwen strelen, daar begint de Via Carlo Alberto. Thuis.

Ze renden over de trappen omhoog. De hal van het hotel was verlicht. Een groep Slowaakse pelgrims die net uit een prehistorische reisbus was gestapt stond over de balie gebogen, omringd door stoffige koffers en tassen. Antonio begroette de portier met een handgebaar. Normaal gesproken negeerden ze elkaar. Het is gek om in een gebouw te wonen waar een hotel in huist – maar je raakt eraan gewend. Antonio stak de sleutels in de aluminium deur die de toegang tot de appartementen versperde en deed hem open. De negenentwintig blikken brievenbussen vielen op in het halfdonker, dof, gedeukt, haveloos. Papa had de post al dagenlang niet opgehaald. Uit de brievenbus van de familie Buonocore staken tientallen enveloppen. Valentina pakte ze. Papa kreeg brieven van de bank, de gemeentereiniging, het elektriciteitsbedrijf – kennelijk had hij de rekeningen niet betaald. Er was ook een brief van de GGD – een psycholoog die D'Urso van zijn achternaam heette. Wie weet waarom. Ze klommen de trap op. Misschien was dit gebouw ooit een klooster geweest, maar het had Valentina altijd aan een ziekenhuis doen denken – met die spierwitte muren en die ronde raampjes in het trappenhuis, net als in een operatiekamer. Hoe dan ook, heel lang geleden, nog voordat papa en mama geboren waren, was het gebouw verkocht en hadden de nieuwe eigenaren het verbouwd. Zonder er al te veel geld aan te spenderen, omdat ze toch weer verder trokken – en nu liet de roze pleisterkalk van de voorgevel dan ook los als een aardappelschil, het nepmarmer van de traptreden was afgebrokkeld, de kozijnen waren meteen kapotgegaan en nu kreeg ze alleen al de kriebels bij het idee dat ze haar hand op de vieze trapleuning zou moeten leggen. Vanuit de gesloten appartementen verspreidde zich de stank van broccoli in het trapportaal. De gezinnen zaten allemaal thuis televisie te kijken. Valentina herkende de stem van Mister Waarheid. 'Liefde is de kracht die de wereld draaiende houdt,' zei die. Papa liep snel naar boven, maar zij waren het niet meer gewend. Ze waren al heel lang niet meer thuis geweest. Kevin bleef hijgend staan op de overloop van de derde verdieping. Papa tilde hem op en nam hem als een rugzak op zijn rug. 'Je bent zwaar geworden,' zei hij. Maar hij droeg hem evengoed omhoog. Hij was sterk.

Op de zesde verdieping was alles nog net als eerst. Voor de deur lag nog steeds dezelfde deurmat in de vorm van een kat. De deur zag er nog precies hetzelfde uit, alleen een beetje meer afgebladderd. Ook het slot was nog hetzelfde, papa had het niet verwisseld voor het geval dat mama wilde terugkomen: als vanouds draaide de sleutel niet goed en moest papa kracht zetten en vervolgens een flinke duw tegen de deur geven. In de hal stond nog dezelfde dekenkist – en in de hoek dezelfde staande lamp, waarvan het peertje geknapt was. In de woonkamer stonden nog dezelfde banken met daarop dezelfde kussentjes bestikt met glimmende pailletten – en de kachel stond nog steeds in de hoek tussen het raam en de deur van de slaapkamer van papa en mama, net als altijd. De kachel was al lang niet meer aangestoken: er lagen alleen maar oude kranten en een piramide van lege flessen in. Ook de boekenkast tegen de tegenoverliggende muur was nog hetzelfde – maar op de planken lag niet één boek meer, alleen maar een stapel tijdschriften die net zo scheef stond als de toren van Pisa. Het bovenste blad was een wapentijdschrift getiteld *Armi e Tiro*. Op de cover stond een geweer met een kolf van bewerkt zilver en de tekst: ALLE SOORTEN MUNITIE.

Thuis. Alles identiek, maar dan doffer en ouder. Anders was de muffe, bedompte geur van schimmel en oude rook, die in de banken was getrokken en een soort grijze nevel vormde. En een vlindervormige vochtplek, roestkleurig, die zich om de hanglamp in de woonkamer verbreidde – een lekkage van het bovenliggende gemeenschappelijke dakterras. En dan het stof. Stofnesten dwarrelden over de vloerbedekking, hingen als dode spinnenwebben in de hoeken van het plafond, een dikke laag stof bedekte de salontafel en de weinige snuisterijen die hun vlucht hadden overleefd – een Pinocchio van gekleurd hout, een glazen bol waarin eeuwige sneeuw viel op de Madonna van Loreto, een handjevol zilveren munten uit god weet welk tijdperk en land. Valentina liep door de woonkamer en deed de deur van de loggia open. Ze herinnerde zich nog goed wanneer ze hem hadden gebouwd. Eerst hadden ze geen loggia; in plaats daarvan was er een groot terras – dat zij als kind altijd gigantisch vond. Maar toen was Kevin geboren en wilde papa de keuken vrijmaken zodat hij een kamertje voor zichzelf zou krijgen. Mama wilde het niet. Ze zei dat je je aan de wet moet houden, je kunt niet zomaar een loggia bouwen op het dak van een achttiende-eeuws klooster, dat is illegaal. Dat was grote onzin, trouwens, als ze ruzie hadden was het altijd papa die gelijk had. Dit is mijn huis, ik heb het van mijn eigen spaargeld gekocht, ik heb de hypotheek pas afbetaald als ik praktisch met één been in het graf sta. De wet van de mensen is niet de wet van God. De wet is een spinnenweb; vliegen worden erdoor gevangen, maar horzels trekken het gewoon kapot. En dus was de keuken verplaatst. Kevin had zijn eigen kamertje gekregen en papa had de loggia met behulp van opa in tien dagen tijd gebouwd. Of eigenlijk in tien nachten tijd, want ze wilden niet dat de buren hen zouden betrappen. Een glazen doos, met een dak van golfplaten en met kozijnen van glanzend aluminium, die in de zon schitterden als goud. Het was fantastisch om 's avonds in de loggia te eten, als het overal om hen heen donker was, en zij met z'n vieren om de vierkante tafel zaten, in het schijnsel van de lamp – alsof ze alleen op de wereld waren, opgesloten in een cabine van licht, een glazen doos die boven de daken van Rome hing.

Valentina liep het balkon op. Nadat de loggia was gebouwd, was er nog maar een strook van een meter breed overgebleven van het terras. Maar ach, als ze per se buiten wilden spelen zette papa de trap tegen de muur en dan tilde hij ze naar het gemeenschappelijke dakterras. 's Zomers smolt het teer en vonden ze het leuk om hun voeten in die kokendhete blubber te zetten. Misschien waren haar voetafdrukken nog steeds te zien daar boven – afdrukken van heel kleine voetjes, die van het kind dat ze niet meer was. Ze ging bij de balustrade staan. Zes verdiepingen onder haar was de Via Carlo Alberto niet te zien – alleen de toppen van de lindebomen en de voorgevel van het Russicum-seminarie, aan de overkant van de weg. Ze had zich altijd afgevraagd wat dat plechtstatige, een beetje lugubere gebouw toch was: ze had er nooit iemand naar binnen zien gaan. Op het balkon stonden nog steeds het wasrek en de wasmachine in een inham van de muur, en de bloembakken met planten – ook al waren die allemaal dood. Alles nog net als vroeger, alsof er niets gebeurd was. Alsof we nooit zijn weggegaan.

'Willen jullie weer hier komen wonen?' vroeg papa terwijl hij naast haar bij de balustrade kwam staan. Het houten raamwerk dat mama had laten maken uit angst dat Kevin naar beneden zou vallen zat er ook nog. Papa drukte Kevin tegen zijn benen aan en stak het parapluutje dat hij had meegenomen van het feest van Camilla tussen zijn haren. 'Ja,' zei Valentina. 'En mama dan?' vroeg Kevin weifelend. 'Mama ook,' verzekerde Antonio hem, waarna hij ze weer de woonkamer in duwde omdat het vochtig begon te worden. 's Avonds was het nog frisjes, de lente had er nog niet echt zin in. Kevin stopte *De Leeuwenkoning* in de videorecorder en installeerde zich op de bank. Zijn plek was in het midden: de bank had de vorm van een boemerang, parallel aan de muren van de woonkamer. Hij drukte op de knop van de afstandsbediening en het scherm kwam tot leven. Papa bleef naast de bank staan. Zijn plek was helemaal links. Hij ging niet zitten. Valentina was benieuwd naar de rest van het huis – ze wilde zien of het bureau nog steeds voor het raam stond op haar kamer. Toen ze waren verhuisd had mama het niet meegenomen, omdat ze niet zou weten waar ze het moest neerzetten in het huis van oma. Ze liep in de richting van haar oude kamer. Ze bleef staan omdat papa iets verbijsterends zei. 'Van nu af aan blijven we weer allemaal bij elkaar.' 'Echt waar?' vroeg Valentina. 'Echt waar,' zei papa. Hij keek eerst naar Kevin, die echter helemaal opging in het verhaal van de welp Simba en hem misschien niet meer hoorde, en toen naar haar – die het niet durfde te geloven, niet durfde te hopen, want wie geen hoop heeft is onoverwinnelijk. 'Zweer dat je niet liegt, papa.' 'Ik zweer het,' zei An-

tonio, terwijl hij zijn vinger voor zijn mond hield. 'Voor altijd?'
'Voor altijd.'

Emma en Sasha ondervroegen de eigenaren van de restaurants in
de Via dei Coronari, ze stelden vragen aan de barmannen, aan de
koks die in de steegjes voor hun keukens stonden te roken, aan de
bediening van de talloze tentjes waar pizza in stukken werd verkocht. Niemand had een man met een sikje in het gezelschap van
twee kinderen opgemerkt. Emma moest de hele tijd denken aan
een verhaal dat ze op tv had gezien. De details wist ze niet meer
precies. Het ging over een gescheiden vader die op een dag bij de
schoolpoort was verschenen, zijn zoontje had meegenomen en was
verdwenen. Misschien was hij uit Italië weggegaan. De moeder had
foto's laten publiceren in de kranten, en ze had op alle stations, op
de vliegvelden en in bussen posters opgehangen. Ze had ze nooit
meer gevonden.

Toen zag ze de auto. Een mosgroene Tipo geparkeerd in een
wegsleepzone voor de kerk van San Salvatore in Lauro. Twee gele
wielklemmen hielden de achterwielen gevangen. Het was de auto
van Antonio. Emma tuurde door de stoffige raampjes. De jerrycan
benzine stond nog steeds achter de bestuurdersplaats. De tijdschriften en cassettehoesjes lagen nog op het dashboard. En de
bloedvlek zat nog op de passagiersstoel. De auto was op slot. Ze
pakte de bekeuring onder de ruitenwisser vandaan. Hij was om
20.40 uur uitgeschreven. Antonio en de kinderen moesten nog in
de buurt zijn. Ze doorzochten de steegjes, de pleintjes vol jongelui die naar de binnenstad afzakten voor de wilde vrijdagnacht, de
donkere, verlaten spelonken van Tor di Nona, waar een rottweiler
die uit een soort grot opdook hen bedreigde terwijl hij zijn vlijm-
scherpe hoektanden ontblootte. Een vent in een rolstoel, gezet en
met het uiterlijk van een crimineel, riep de hond terug net voordat hij op ze af sprong. 'Als rechercheur speel ik niks klaar,' probeerde Sasha de spanning te breken. 'Je kunt me beter ontslaan.
Maar laat me niet verslinden, ik ben onschuldig.' Hij zag voldaan
dat Emma zichzelf dwong te glimlachen. Ze kwamen uit op de Corso Rinascimento en stelden vragen aan de taxichauffeurs die bij de
standplaatsen stonden te wachten, aan de carabinieri die het Palazzo Madama bewaakten. Ze vroegen het zelfs aan de caissière van

bioscoop Augustus. Nee, ze wist zeker dat ze geen kaartjes had verkocht aan een man met twee kinderen. Ze liepen voortdurend terug naar de auto, maar die stond nog steeds waar Antonio hem had achtergelaten. *Waarom komt hij hem niet ophalen? Waar zijn ze naartoe?*

Tijdens de derde ronde belde Emma naar haar schoonmoeder. Misschien was Antonio met ze op weg naar Santa Caterina, wilde hij zich terugtrekken in het dorp van zijn jeugd, van de vakanties, waar hij werd beschouwd als een man van aanzien, waar hij zich nog een koning voelde. Sasha staarde als verdoofd naar haar tas, met het losgerukte hengsel. Hij zag dat haar knie kapot was. Op die plek was haar huid zichtbaar door een scheur in haar kous. Er bungelde een sliertje nylon langs haar been. Dat sliertje kwam hem voor als het onverdraaglijke symbool van de chaos in de wereld. Hij voelde ineens een onverklaarbare genegenheid voor die zo levendige en zo weerloze vrouw wier man haar lip had kapotgeslagen en haar kinderen had ontvoerd. Want vrouwen vallen altijd voor de verkeerde mannen. En mannen soms ook. 'Wil je hem nu ook al het recht ontnemen om hen te zien? Je hebt ze toch al tegen hem opgezet!' verweet een vrouwenstem haar bitter aan de telefoon. 'Je hebt hem kapotgemaakt, is dat nog niet genoeg? Wat wil je nou nog van hem?' Emma haastte zich om het gesprek te beëindigen. 'De moeder van Antonio heeft hem al sinds Pasen niet meer gesproken,' concludeerde ze met enige nonchalance.

Leunend over de muurtjes langs de Tiber tuurden ze naar de oevers onder hen, voor het geval Antonio daar beneden ronddwaalde met de kinderen, verloren, opgesloten in zijn obsessie als in een schelp. Zo dicht naast elkaar dat Emma's haren in zijn mond prikten. Sasha's vader had hem een keer verteld dat hij het een groot genot vond om bij het postkantoor of in de supermarkt in de rij te staan. Pas op latere leeftijd was hij zo gevoelig geworden voor de aanraking van vrouwenharen. En hoe toevalliger de streling was, des te gelukzaliger hij zich voelde. Sasha herkende die gelukzaligheid echter helemaal niet. 'Het had niet mogen gebeuren,' zei Emma. 'Je kon het niet voorkomen, het is niet jouw schuld,' zei Sasha. 'Maar ik had niet door wat Antonio van plan was.' Ze kon het zichzelf niet vergeven. 'Je maakt je zorgen om niks,' zei Sasha. 'Probeer je eens in hem te verplaatsen. Waar zou jij de kinderen mee naartoe nemen als je Antonio was?' Emma staarde naar de stroming van de Tiber, verlicht door de gele weerkaatsing van de straatlantaarns. Antonio zou proberen om van die bekeuring af te komen. Maar niet vanavond. Hij wil bij hen zijn, hij wil ze gelukkig maken.

Ze zwierven langs de plekken waar Antonio in vroeger tijden de kinderen mee naartoe had genomen. Het meertje in de Eur, het Lunapark, het uitzichtpunt op de Pincio. Op de Gianicolo werd de klank van hun voetstappen op het wandelplein weggevaagd door de wind. Alle bankjes waren bezet. De stelletjes in de schaduw kusten elkaar. Terwijl ze langs het onthoofde borstbeeld van een martelaar van de Romeinse republiek liepen, bedacht Sasha dat deze stad nu ook de zijne was. De beste manier om je een stad eigen te maken is er al je hoop te zien vervliegen, er al je verdriet naartoe te slepen. O Rome, met je grandioze, gastvrije eenvoud. Met je ruwe en toch zo wijze geest, je ondoorgrondelijke wezen, je vermogen om te blijven, te persisteren, te volharden – ondanks alle veranderingen en zelfs alle rampen. O aller-Italiaanste van alle Italiaanse steden, onvergelijkbaar in je schoonheid – die smaakt naar weelde, plezier, schuld en vergiffenis. Hij wilde niet weggaan, maar hier blijven. Het was een risico dat hij bereid was te lopen. Ook al zou hij in Rome misschien nooit de man worden die hij had willen zijn. En ook al zou hij evenmin dat boek schrijven over Valentina Buonocore en de jongelui die op de drempel van het leven stilstonden. Maar misschien zou hij wel een ander boek schrijven. Hij moest ophouden met treuren om de dingen die hij niet gedaan had en de rozen die hij niet geplukt had. Alleen dat wat vervuld wordt is echt.

Het huisje van de poppenkastvoorstellingen was vergrendeld. Sasha bedacht dat het al laat werd. Emma was in staat om de hele nacht door Rome te blijven zwerven – net zo lang tot ze ze gevonden had. En hij wilde haar vergezellen. Hij had het idee dat hij haar had leren kennen vandaag, onverwacht maar wel voor altijd – iemand die ontsnapt aan het alledaagse, die voortdurend uit focus is. Hij had zelfs het idee dat voor haar kon gelden wat hij een keer over zichzelf en Dario had geschreven: 'Wie ons zoekt in de zekerheden waarmee de geslachten en de rollen gedefinieerd worden, wie denkt te weten wie wij zijn, wie ons zoekt in het leven dat we leiden, ziet van ons alleen de schaduw die we projecteren. Maar wij zijn niet zo.'

Op de lanen van de Gianicoloheuvel knerpte het grind onder hun voeten. Een vochtige sluier deed de daken van de auto's die onder de platanen geparkeerd stonden glinsteren. De voorruit van Sasha's Peugeot zat onder de druppels – alsof het geregend had. Maar de wolken werden hoog in de lucht voortgedreven en slaagden er niet in dikker te worden. De ene keer verborgen ze de maan, dan weer onthulden ze haar – bleek, als een geldstuk. Emma wees hem op de rode lichtjes van een vliegtuig dat de grijze sliert wolken doorkliefde. In het grijs werden de lichten van de stad weerkaatst als in een spiegel. Ze vroeg of hij dacht dat Rome te zien was vanuit het vliegtuig – of alleen de weerspiegeling van het vliegtuig zelf, en van de passagiers. Sasha antwoordde dat hij het niet wist, hij had er nooit bij stilgestaan. Hij zei dat hij, als hij met het vliegtuig reisde, altijd bij het raam ging zitten. Hij had bijna de hele wereld gezien vanuit de lucht. En zou hij Emma eens wat vertellen? Italië is groen. Hij was een keer teruggekeerd van een reis naar Nepal. Ze waren over heel Azië heen gevlogen. Hij zag de woestijn. De bergen, de rivieren en de steden. Alles was geel, grijs, roze. En daarna, toen ze over de Middellandse Zee heen waren gevlogen, had hij een groene streep gezien, die vervolgens was veranderd in een fel donkergroene vlek, de kleur van pijnbomen – en dat groen was Italië. En hij was ontroerd geweest. Want Italië is niet groen. Dat is het misschien wel geweest, maar dat is het nu niet meer. Het is verkracht en verminkt door een woeste stroom beton. Het is net alsof we vanuit de lucht het beeld zien van een land dat niet meer bestaat – het verleden. Emma knoopte haar bontjasje dicht. Ze zei tegen de leraar dat zij maar één keer in een vliegtuig gezeten had, toen ze op huwelijksreis was gegaan naar de Nijl, en destijds had ze niet eens in de gaten gehad dat ze vloog. Maar als ze nog eens in een vliegtuig zou stappen, hoopte ze dat ze onder de wolken niet het verleden, maar de toekomst zou zien, want de toekomst heeft nog niet plaatsgevonden en die is misschien wel prachtig.

'De entree is op intekening,' liet een groenharige jongen haar weten, die ineengedoken op een vuilnisbak zat voor de ijzeren deur die op een kier stond. Maja begreep niet wat hij bedoelde en vroeg of hij het nog eens kon herhalen – om hem te kunnen verstaan moest ze zich naar hem toe buigen en hem bijna aanraken. De jongen had dezelfde geur als Aris. Hond, zweet en verf. Misschien was hij een vriend van hem. Hun werelden waren zo ver van elkaar verwijderd als planeten in verschillende melkwegstelsels. Maja en Aris hadden geen wereld. Ze hadden jarenlang op een eiland zonder aanlegplaatsen geleefd, waar geen enkele vreemdeling aan land kan komen, maar waarvan ze ook niet konden vluchten. De groenharige jongen bekeek haar nieuwsgierig, maar hij gaf geen commentaar en zei ook niet dat ze waarschijnlijk op het verkeerde adres was. Hij legde haar uit dat ze zoveel kon geven als ze wilde, dat was de gewoonte in de Battello Ubriaco: eenieder geeft wat hij kan missen, eenieder krijgt wat hij nodig heeft. Maja had het idee dat ze die zin al eens eerder gehoord had. Ze stopte een biljet van tienduizend lire in de gleuf van de schoenendoos. De ijzeren deur ging open en ze haastte zich het gebouw binnen.

Donker. Ze werd getroffen door een weeïge geur van hennep en ongewassen lichamen, en gewiegd door de klanken van Jamaicaanse muziek. In het midden van de enorme ruimte, tussen betonnen pilaren bedekt met krabbels, deinden tientallen lichamen als in trance heen en weer op het ritme van het nummer dat uit ouderwetse zwarte boxen schalde, die op ijzeren steunen hingen. De huidige manier van dansen, een suggestieve evolutie van de dansstijl in het Camden Palace-tijdperk, beperkte zich tot een ordeloos heen en weer zwaaien op hypnotiserende ritmes. Belachelijk om naar te kijken en gênant om na te doen. De enige manier om te voorkomen dat je voor gek stond was alle waardigheid te laten varen en je precies zo te bewegen als de rest. Waar iedereen voor gek staat, staat degene die niet danst het meest voor gek van allemaal. Maja danste niet. Een ongeschreven wet bepaalt dat dansen verboden is voor mensen boven de dertig. Ze bleef beheerst en stevig op haar voeten staan, terwijl de gestalten en schimmen rondom haar deinden, sprongen en wiegden. Er was weinig licht, en tussen al die lichamen herkende ze niet dat van Aris.

Aris was in de loop der jaren steeds spichtiger, dunner en bijna vormeloos geworden – alsof hij zich van zijn lichaam wilde ontdoen. En van alles wat dat lichaam met zich meebracht: verlangen, bezit, verlies. Aris die werd gekleed en verborgen door zijn haren.

Zo hebben we geleefd, als twee schimmen zonder geslacht. En dat zijn we niet, o nee, dat zijn we niet. Ik heb hem mijn schrift laten lezen. 'Ik kwam Aris toevallig tegen, in Parijs, op de Champs-Élysées. Ik was op weg naar het pied-à-terre dat we hebben genomen in de rue Monceau. Ik wist niet dat je in Parijs was, blijf je bij mij? vraag ik. Ik wil hem een kus geven en hij deinst achteruit. Heel afstandelijk, agressief. Hij zegt: ga maar liever naar huis. En hij loopt weg.' Wanneer is dat gebeurd? vroeg Aris geschokt. Dat kan toch niet waar zijn, dat ik zo gereageerd heb? Volgens mij ben ik je nooit tegengekomen in Parijs. Het is een droom, legde ik uit. Wat heb je eraan om je dromen op te schrijven? vroeg hij. Dat zijn alleen maar de afvalresten van de dag.

Maja mengde zich in het gedrang en ging op haar tenen staan om hem te zoeken. Meerdere keren trok ze een jongen met lang, piekerig rastahaar aan zijn shirtje, en meerdere keren draaide een vreemde zich om en keek haar verbaasd aan. Ze leken allemaal op elkaar. Ze waren net als hij. Zijn stam. En zij had hier niets te zoeken. Ze was zich er heel goed van bewust dat ze belachelijk overkwam, met haar door Michael gekapte haar, haar jurk van Prada, haar leren tasje aan haar pols, haar spitse, hooggehakte schoenen en die riem om haar middel – belachelijk. En oud. Waarschijnlijk was niemand hier binnen oud genoeg om een senator te kunnen kiezen. Ze kruiste wazige blikken, beneveld door het bier of door iets anders, of gewoon onverschillig. Toen besefte ze dat ze haar niet opmerkten. Ze was in hun midden, ze baande zich een weg tussen hen door, duwend en struikelend over de ongelijke vloer, en zij zagen haar niet. Ze bestond niet. Een vreemd lichaam. Die jongelui deinden en sprongen onsamenhangend heen en weer, alsof ze gewichtloos waren, en Maja voelde een ballast in haar binnenste die haar aan de grond verankerde. De ballast waarvan ze zich nooit zou kunnen bevrijden, want het was niet het kind, het was zijzelf.

Haar ogen brandden. De rook was zo dicht dat hij als een tapijt boven hen zweefde. Ze kwam iets te dicht bij de steun waarop de box hing, en de muziek was oorverdovend. Op de muur tegenover haar was met vlugge hand een weemoedig mannetje gespoten, mager, bijna vormeloos, een mannetje dat een en al haren was, met een afstandsbediening in de hand, terwijl hij net op de enige knop wilde drukken. ONTPLOF! zei het mannetje tegen eenieder die naar hem keek, terwijl hij van bovenaf terugstaarde, alsof hij zich in een andere wereld bevond. Het mannetje drukte geen haat of agressie uit. Alleen maar een krachtige, bijna kille constatering van de toestand in de wereld. Wie die Zero ook mocht zijn die dat rare figuurtje op de muur had gespoten, hij had een eindeloze woede en verdriet in zich.

Dus de plek waar Aris zich terugtrok om te ontkomen aan zijn vader, en aan haar, en aan alles wat zij vertegenwoordigden, was dit vervallen gebouw dat stonk naar bier, zweet en oksels. Met zand op de vloer en de grijze muren besmeurd met leuzen – I NEED LAND, A PLACE WHERE NO MONEY IS SPENT, THEN KICK BACK AND LIVE LIFE IMMACULATE –, met een dak vol scheuren dat rustte op balken van verroest ijzer, en de ramen bijeengehouden met plakband. Die slaapwandelende poppen, gehypnotiseerd door het ritme van de muziek, waren zijn vrienden. Meisjes met zeven oorbellen in elk oor, en lange dunne pubers met geel-groen gestreepte wollen mutsen op hun hoofd. Middelbare scholieren die hun eerste joint rookten met meer concentratie dan ze aan hun eindexamen wijdden. Leerlingen die tegen de pilaren aan hingen, buitenlandse studenten die in elkaars oor moesten schreeuwen om een gesprek te kunnen voeren. Bob Marley die haar toelachte van een poster die op de achterwand hing, onder de A van anarchie omlijst door een cirkel van zwarte verf. Jongelui met baarden als talibanstrijders die haar zonder enige sympathie of mededogen aanstaarden, en misschien om haar lachten terwijl ze uit plastic bekertjes een gelige vloeistof dronken. Ze herkende de honden van Aris die tussen de benen van de dansers door scharrelden en aan handen en polsen likten, waarmee ze aaitjes en klopjes verdienden. Maar de honden herkenden haar niet, en toen ze ze wilde aaien ontblootten ze hun tanden. Ze zag Mabuse, de hond met de baard, Dillinger, Shylock – en nog een, een nieuwe, die misschien verlamd was en zich komisch voortbewoog met zijn achterpoten vastgebonden op een karretje met wielen. Zijn honden. Aris zegt dat zij zijn enige echte vrienden zijn.

Ze herkende ook Meri, het Spaanse meisje dat bij Aris was ingetrokken. Ze had haar op een avond ontmoet – toen ze terugkwamen van de Tibur-bioscoop, waar ze een Koreaanse film hadden moeten aanzien die wemelde van de weerzinwekkende, tegennatuurlijke seksuele praktijken waarvoor ze zich geneerde om er samen met hem naar te kijken, en zij hem in haar Smart naar huis had gebracht. Die Meri was een flegmatieke, sproetige blondine, getatoeëerd als een krijger. Is dat je meisje? had Maja gevraagd. Dat weet ik niet, had Aris geantwoord, ik hou niet van relaties die met één woord gedefinieerd kunnen worden. Een ontdekking die haar vreugde had moeten bezorgen – want Aris was drieëntwintig en het was volkomen natuurlijk dat hij uiteindelijk, ondanks zijn stugge verlegenheid en zijn geslaagde pogingen om de geest van het lichaam te scheiden, een meisje zou krijgen. Maar in plaats daarvan had het haar een doffe pijn bezorgd – misschien afgunst, misschien bezitterigheid.

Meri. Misschien was ze een van die fly-girls met wie Aris omging, de street-art-kunstenaressen met bijnamen die waren geïmiteerd van de scene in buitenlandse wereldsteden en buitenwijken – zoals Butter-Fly, Daphne, Hu 72 of Lady Blue. *Writers.* Meisjes die afgebroken golfplaten, leegstaande fabrieken, zijkanten van bussen, rolluiken en huizen onder een dikke, agressieve laag verfspray bedekten. Maja vond het maar kinderlijk gekrabbel, geklieder, barbaarse provocaties, niet te vergelijken met de barokke annunciaties die de wanden van hun villa sierden. Aris had meerdere malen geprobeerd om haar, de conservatieve bewonderaarster van madonna's, ervan te overtuigen dat kunst tegenwoordig niet meer wordt gemaakt door de hovelingen van de machthebbers maar door de drop-outs uit de buitenwijken, die geen doeken of penselen hebben om te schilderen, maar spuitbussen, en om hun werk te exposeren geen zalen in prachtige paleizen tot hun beschikking hebben, maar de lege, verwaarloosde ruimtes van wijken die zijn gedoemd tot eeuwige, onherstelbare lelijkheid, tot pure anonieme gruwel. Hoe dan ook, Meri was na enige tijd verhuisd naar het gastenverblijf van de Battello Ubriaco en haar slaapzak was verdwenen van het plekje op de grond van Aris' zolderkamer. Meri zat nu in kleermakerszit in een hoek, en Mabuse likte haar liefdevol de hals. Ze had haar herkend, ze staarde haar aan – maar ze zei geen woord tegen haar. Ze vroeg niet wat Maja in de Battello Ubriaco kwam doen, want het was overduidelijk dat ze op zoek was naar Aris. Alleen was Aris nergens te bekennen.

En nu werden de ongelooflijk harde muziek, het onsamenhangende gedans, de dichte rook, de scherpe lucht van wiet en lijven die nooit met zeep in aanraking kwamen, de doodse lampen, de schimmen die tegen haar aan stootten en haar ruw behandelden, de spottende blikken, allemaal onverdraaglijk. Ik ben gewoon zielig. Waarom ben ik hier? Waar ben ik naar op zoek? Ik behoor tot een andere wereld. Ook al weet ik niet welke. En ook al heb ik me nooit ergens thuis gevoeld, waar dan ook. Ze dwaalde verloren van de dansvloer naar het mengpaneel van de deejay, van de hoek met de bar naar de vergrendelde deur waarop het weemoedige mannetje met de afstandsbediening prijkte. ONTPLOF! Zelfs hier kon ze de uitgang niet vinden.

Haar hoofd draaide. De bekladde muren van het gebouw bonsden, helden over, draaiden. De muziek dreunde in haar oren, echode in haar slapen – kneep haar hart samen. Ze was weer misselijk. Ze wankelde naar een scheur van licht onder in de muur, ze wrong zich tussen de jongelui door die zich springend en dansend tegen de anderen aan stortten, elkaar aanraakten, omhelsden, wegduwden. Ze kreeg een zet, ze werd vastgepakt door een onbekende, ze draaide om haar as, struikelde, greep zich vast aan een houthakkershemd, maakte zich los uit de omhelzing, duwde tegen de deur aan – ze moest naar buiten. Dat donkere lapje was misschien een binnenplaats. Ze klauterde over een tapijt van lege flessen, leunde tegen een muur aan die glibberig aanvoelde – misschien het vocht dat van de nabijgelegen rivier af kwam. De koude avondlucht kletste als een windvlaag in haar gezicht. Maar haar misselijkheid werd alleen maar erger. Er zijn te veel dingen, te veel geluiden, er is te veel licht, de wereld is een caleidoscoop, een flikkerlamp, een onontkoombare machine van vlees en metaal. Het getoeter van de claxons, de stemmen, de motoren, de muziek, dringen bij haar binnen als storende radiozenders. En intussen zwelt het geraas aan. Een onophoudelijk, dof, diep geraas, als de ademhaling van een onbekend monster. Dat aanzwelt, aanzwelt, aanzwelt, tot het een explosie wordt die tot ontploffing komt in haar hoofd, in haar hersenen, in haar oogbollen, en aanzwelt als een golf waardoor ze het bijna uitschreeuwt.

'Voel je je niet goed?' vroeg een stem ver weg. 'Nee,' fluisterde ze, zonder zich om te draaien. 'Ga even zitten,' zei Meri. 'Ik haal een glas water voor je.' Ze liet zich op de grond zakken, maar twee armen grepen haar krachtig vast en hielden haar tegen. 'Ben je gek? Het is hier hartstikke goor, zo word je helemaal vies,' waarschuwde Meri haar. Ze duwde haar achter een stapel houten kisten – wellicht restanten van de oude markthallen hier vlakbij – op een bankje voor een donkere kamer waar roerloze lichamen in slaapzakken gesponnen lagen. Maja leunde tegen iets hards aan, haar jasje scheurde aan een spijker. Het glas water dat de Spaanse haar aanreikte dronk ze in één teug leeg. Ze deed haar ogen dicht en het geraas van de stad stroomde weer terug in haar lichaam en werd één met haar ademhaling. 'Gaat het al beter?' vroeg de Spaanse. 'Ja. Sorry, ik heb last van claustrofobie, ik kan niet tegen overvolle ruimtes, dan krijg ik meteen te weinig lucht,' probeerde ze zich eruit te smoezen. Maar misschien was het wel waar. Sinds een tijdje had ze overal waar ze was, bij de kapper of in het Palazzo Lancillotti, zelfs thuis, het gevoel dat ze stikte. Misschien moest ze maar weer in psychotherapie gaan. Drie jaar geleden had de therapeut haar ontslagen met de mededeling dat ze genezen was, dat ze een volkomen evenwichtige persoon was, in staat om haar eigen plek in de maatschappij te vinden, om interactie te hebben met haar gelijken, en om het leven flexibel en opgewekt te trotseren. 'Aris gaat zo weg met de crew, maar hij is er nog wel, ik ga hem even voor je halen,' zei Meri. Zonder een spoor van vijandigheid of spot.

'Ken je me nog?' vroeg Maja. 'Natuurlijk!' lachte de Spaanse. 'Jij bent de moeder van Camilla.' Die naam was een klap in haar gezicht. Camilla wilde niet terug naar huis na het feest. Ze ging maar door over die vader van Kevin Buonocore. Ze vertelde vreselijke, absurde dingen. Camilla heeft altijd al veel fantasie gehad. Ze stelde haar een hele hoop krankzinnige vragen, ze wilde zelfs weten of Elio wel eens iemand heeft vermoord, of hij streepjes op zijn pistool zet, of hij een oorlogsgeweer heeft, en waar hij dat verstopt, en of hij me wel eens in elkaar getrapt heeft, hoe komt ze erbij? Ik snap echt niet hoe ze op het idee komt dat mensen iemand in elkaar kunnen trappen. Ik heb haar nog nooit zo overstuur gezien. Ik heb haar beloofd dat ik even de fooienkwestie zou afhandelen met de clowns en de obers, en dat ik daarna meteen naar haar toe zou komen. Misschien kom ik nog op tijd om haar een verhaaltje voor het slapengaan voor te lezen. Ik hoor bij haar te zijn. Ze heeft me nodig. En ik hoor bij Elio te zijn. Hij heeft me ook nodig. Maar wat heb ik nodig? Heeft iemand zich dat ooit afgevraagd? Maar nee, op dit tijdstip ligt Camilla allang te slapen, en Elio is vast meteen naar bed gegaan, die was kapot. Ik ben ook moe. Ik neem een kopje kruidenthee. Als ik morgen wakker word wil ik gewoon verdergaan zoals ik altijd gedaan heb. Ze stond ineens op. 'Alsjeblieft,' zei ze tegen Meri, 'als je Aris tegenkomt, zeg dan niet tegen hem dat je me gezien hebt.'

Meri keek haar verbijsterd aan. Maja klopte haar rok af – aan de zijde kleefden nog rozemarijnnaaldjes en stukjes aardappelschil. Ze greep haar tasje. Er was weinig licht op de binnenplaats, maar ze wist zeker dat ze de weg kende. Als ze om het gebouw heen liep, kon ze waarschijnlijk bij de auto komen zonder dat ze weer door die heksenketel heen hoefde. 'Waarom?' vroeg Meri. 'Aris zal blij zijn dat je bent gekomen. Hij dacht dat je de Battello Ubriaco maar niks zou vinden.' 'Ik vind het er juist leuk,' zei Maja. 'Het is een prettige plek. Maar ik moet naar huis.' Ze legde haar niet uit dat Elio een zware dag had gehad, dat had ze van zijn gezicht afgelezen zodra hij het Palazzo Lancillotti was binnengekomen. En hij had er vast behoefte aan om met haar te praten. Maja kon de dingen die hem overkwamen op een andere manier interpreteren en er iets goeds in zien dat hij over het hoofd zag. Dat had hij tenminste altijd tegen haar gezegd. Op zware dagen zaten ze wel tot vier uur 's nachts te praten. En daarna kon Elio eindelijk slapen, heel rustig, en zij keek naar hem terwijl hij sliep, zich bewust van het feit dat ze een rol had, een functie en een nut in deze wereld. Als ze nu meteen naar huis ging, zou Elio misschien niet vragen waarom ze er eigenlijk zo lang over gedaan had om de fooienkwestie af te handelen. Ze zou tegen hem zeggen dat ze misselijk was geweest en dat ze had moeten wachten tot ze zich beter voelde – ja, misselijk, want ze was al twaalf weken zwanger, het komt in november, het is een jongetje, we moeten Camilla vragen of zij de naam wil kiezen, ik had het je pas na de verkiezingen willen vertellen, want je hebt al zoveel stress en ik wilde het niet nog erger maken, maar ik kan gewoon geen geheimen bewaren. En Elio zou er blij mee zijn. Lieve schat, zou hij zeggen, mijn allerliefste, ik ben de gelukkigste man op aarde, wat heb ik toch gedaan dat ik zoveel goeds verdien? En dan zou hij haar vragen of ze dit teken beschouwde als een bewijs van welwillendheid, een gunstige boodschap van de hemel voor hun toekomst. En dan zou alles als vanouds blijven. *Er zal niets veranderen.* ONTPLOF*!* Ze liep met haar hand tegen de muur van het gebouw aan om niet de weg kwijt te raken. Meri volgde met haar blik het donkere silhouet van de moeder van Camilla – een gestalte die tussen de kuilen door strompelde, spitse pumps met enkelriempjes die zigzagden tussen kapotte autobanden en blikken vaten, zwartgesluierde benen op wiebelig hoge hakken die wegzakten in putten en gaten. Toen ging ze weer naar binnen en vroeg ze of Ago nog een biertje voor haar wilde halen.

Maja stak de sleutel in het portier en wilde dat net opendoen toen een hand het tegenhield en haar tegen de auto aan duwde. Eerst dacht ze dat een zatlap die van het feest kwam haar Smart wilde jatten, want die was veelgevraagd op de zwarte markt en bovendien nog als nieuw, er zat nog geen krasje op de glanzende blauw-met-zilveren lak. Maar toen schraapte er een hondenpoot tegen haar rok aan, en werden er twee armen om haar middel geslagen, en daarop pakte zij hem ook vast. 'Je bent gekomen,' zei Aris. 'Ja,' zei Maja, zonder zich om te draaien. En ineens werd ze overmand door verwondering. Wie had gedacht dat haar zo'n onaangekondigd en onbestraft geluk ten deel zou vallen? Maar wat een tomeloze energie levert het op, om te ontdekken dat ik van alle mensen op de wereld degene was op wie je wachtte. Vraag me wie ik ben, ik zal je verrassen. Laat me mezelf ontdoen van alles waarmee ze me hebben opgezadeld, al voordat jij was geboren. Ik wil niets anders hebben dan mezelf. ONTPLOF*!* Aris hield haar tegen de auto aan gedrukt tot ze elk tijdsbesef verloor. Hij was ontzettend dichtbij, zo dichtbij dat ze hem niet kon aankijken, dus boog ze haar hoofd en deed ze haar ogen dicht.

drieëntwintigste uur

HET IS LEUK MET PAPA ALLES OK AL1 JAMMER DAT JIJ ER NIET BIJ BENT WLTRST MAMA IHVJ!!!

'Wat doe je?' schreeuwde papa terwijl hij de gang in kwam rennen. Hij merkte alles. Hij was niet voor niets politieagent. Valentina drukte op VERZENDEN en liet het telefoontje in haar heuptasje vallen nog voor ze de tekst BERICHT VERZONDEN kon lezen. 'Niks,' mompelde ze. Ze huiverde, net als die keer dat de bewaker bij de Coin haar had betrapt toen ze een kanten slipje had gejat. 'Niet waar, je hebt een sms gestuurd!' zei Antonio. Hij zette zijn nagels in zijn handpalm. Blijf rustig. Blijf rustig. 'We hebben een afspraak,' siste hij, terwijl hij zich forceerde om niet zijn geduld te verliezen. 'Telefoontjes uit tot maandag, ben je dat nu al vergeten?' Valentina sloeg haar ogen neer. Die van papa straalden een ijskoude glans uit, als van zwart kwarts, ze kon er niet naar kijken. Ze gaf hem haar mobieltje, want ze wilde niet dat hij dacht dat ze dingen achter zijn rug deed. Papa zette het telefoontje uit en stopte het in zijn jaszak. Valentina kon wel janken, want ze had het gevoel dat ze de betovering had verbroken. 'Ik heb haar alleen maar een kort berichtje gestuurd, papa,' zei ze vergoelijkend. 'Anders maakt mama zich zorgen. Wij sms'en elkaar wel honderd keer per dag.' Antonio slaagde erin zijn woede in te slikken. Hij slaagde erin om niet teleurgesteld of verdrietig te lijken, hij glimlachte juist en kuste haar teder op haar hoofd. 'Dat heb je goed gedaan, muisje,' zei hij. 'Je bent een goede dochter. Mama mag niet ongerust worden.'

Maar het moment was verdwenen. Hij had zijn kans gemist. Een hinderlijke glinstering had zijn blik beneveld en hem belet om zijn pistool te trekken. En het onmiskenbare geluid van een mobieltje dat een of ander stom berichtje verzendt had hem gealarmeerd. En nu stond Kevin boven op de bank aan zijn overhemd te trekken –

en terwijl hij hem omhelsde, hield hij hem in de gaten, alsof hij bang was dat hij zijn belofte niet zou houden. Antonio wilde het niet doen terwijl het kind naar hem keek. In zijn ene schele, weerloze oog huisde een ondraaglijke kracht – de kracht om hem tegen te houden. Hij liep naar de slaapkamer. Ach, moest hij het dan per se nu doen? Hij kon het beter nog even uitstellen – zich de tijd gunnen om zichzelf weer in de hand te krijgen. Hun gezelschap had hem aangetast. Als ze sliepen zou het makkelijker zijn. Ze zouden niet hoeven lijden. Ze zouden het niet eens merken. Eindeloze slaap. Geen pijn. Maar hij kon niet nog een uur wachten. Of twee. De gedachten die door zijn hoofd maalden maakten hem duizelig, en ze zouden hem verstrikken in een net van twijfels, aarzelingen en verdriet.

Bovendien moest hij er niet aan denken om naar hen te kijken terwijl ze lagen te slapen. Dat had hij te vaak gedaan, samen met Emma. Als ze laat thuiskwamen, na een etentje met zijn collega's of een ritje met de auto voor een potje seks op de donkere parkeerplaatsen tussen de muur van het Verano-kerkhof en de goederenlaadplaats van San Lorenzo, trokken Emma en hij op de overloop hun schoenen uit, staken de sleutel in het slot als twee dieven, liepen op hun tenen door de gang en als ze de deur van hun slaapkamertjes opendeden, hielden ze hun adem in. Ze keken naar hen terwijl ze lagen te slapen, onduidelijk in het halfdonker. In de stilte luisterden ze naar de melodie van hun ademhaling. De kinderen in hun bedjes, de ongekamde hoofdjes op de kussens, in het beddengoed gewikkeld als slachtoffers van een verkeersongeluk. Op die momenten raakten ze zo ontroerd, alsof ze hen voor het eerst zagen. Schepsels uit de hemel, van wie weet waar gekomen, en voor ons. Iets wat nooit zou hebben bestaan als wij tweeën elkaar niet waren tegengekomen en niet van elkaar hadden gehouden, als wij hen niet hadden gewild. Onze kinderen, wie nooit iets slechts kan overkomen, want dat laten wij niet gebeuren. We zouden onze hand afhakken als zij er een nodig hadden, we zouden onze huid afstropen als zij een deken nodig hadden. Ze keken en keken maar, en ze konden zich niet van hen losmaken, want een mooier schouwspel bestond er niet. Valentina en Kevin, van wie weet waar gekomen, en voor ons.

Hij gooide zijn overjas op het bed. Hij moest zijn arm vrij kunnen bewegen. Hij legde de Springfield op de ladekast. Dat zwarte voorwerp, net een soort boemerang – eenvoudig, essentieel, volmaakt. De vierkante kolf, geloogd. De ring van de trekker een gruwelijk lege ellips. De loop strak opgericht als een geslacht. Ineens bekroop hem de twijfel of hij wel geladen was, en hij controleerde het. Hij was geladen. 7 schoten + 1. Hij begon zich af te vragen of de Taurus misschien toch beter was. Die had tenslotte een capaciteit van vijftien patronen plus één. Zijn handen hielden maar niet op met trillen – als hij op het beslissende moment zijn doel miste, zou hij met de Taurus meer kans van slagen hebben. 'Kom je, papa?' klonk het zachte stemmetje van Kevin uit de woonkamer. 'Nu gaat Mufasa dood, daar moet ik altijd van huilen.' 'Ik kom eraan,' antwoordde hij. Hij maakte de bovenste la open. De Taurus – zwart als een reusachtige scarabee – lag tussen zijn onderbroeken en zijn sokken gevlijd. Maar eigenlijk stond juist die overdaad aan patronen hem tegen. Hij mocht niet missen. Als hij miste, wist hij niet zeker of hij nog een keer zou kunnen schieten. Het is gruwelijk om te weten hoe moeilijk het is om te sterven. Mensen die waken bij een stervende in het ziekenhuis, hebben geen idee dat iemand met een schotwond net zo lang in doodsnood kan verkeren. Een politieagent weet dat wel. Eén keer, toen hij nog op de wagen zat, was hij toegesneld na een roofoverval. De bankbewaker was in zijn buik geschoten en lag in een plas bloed op het trottoir. Het bloed gutste uit de wond met een akelig gesuis, als het fluitje van een vogel. Alle kleur was uit het gezicht van de man weggetrokken, en hij had ook het bewustzijn verloren. Maar niet zijn leven. Zijn lichaam schokte, zijn spieren verkrampten. Antonio had meer dan een halfuur machteloos staan toekijken. Zijn hoofd. Hij moest op zijn hoofd mikken.

'Wat doet papa nou, waarom komt hij niet?' mompelde Kevin, en hij zoog aan het rietje van zijn Coca-Cola. Maar in de beker van McDonald's zat geen druppel meer. Hij zoog alleen maar lucht op. 'Zit toch niet zo te zeuren, je bent echt een zeikerd,' zei Valentina terwijl ze de veters van haar gymschoenen losmaakte en eindelijk haar voeten bevrijdde. Door de blauwe nagellak van Miria vielen haar teennagels heel erg op – met die kleur hadden ze iets onwerkelijks, alsof ze toebehoorden aan een wezen van een andere planeet. Venus, het liefst. Mama zegt dat er geen buitenaardse wezens bestaan, en als ze al bestaan, dan zijn wij het. Haar horoscoop was al met al wel positief. Deze zomer word ik verliefd. Maar stel dat ik eerder verliefd word? Stel dat ik, zonder het te beseffen, al verliefd ben? Ze wierp een hoopvolle blik op de deur van de kamer, maar papa kwam nog niet terug. Misschien had hij nu al genoeg van hen. Ze had die sms niet moeten sturen. Ze had hem gekwetst. Dat verdiende papa niet. Papa was heel gevoelig nu. Dat had ze vandaag ontdekt. Een verbluffende constatering.

Koning Mufasa werd vertrapt en aan stukken gereten voor de ongelovige ogen van het welpje Simba. Kevin sloeg zijn hand voor zijn ogen. Normaal gesproken vond hij het een vreselijke gedachte dat Simba – al was het ongewild – zijn eigen vader had vermoord. Het herinnerde hem eraan dat ook hij zijn vader had vermoord, door dat absurde verhaal van die schietpartij op te hangen. Maar vanavond moest hij juist lachen op het dramatische moment, want papa was in de aangrenzende kamer, levend en aardig. 'Ga weg, Vale, je hebt stinkvoeten!' zei Kevin terwijl hij haar aan de kant duwde. Valentina gooide een kussen naar hem toe. Maar misschien had het stinkdier wel gelijk. Ze had na de wedstrijd niet eens meer tijd gehad om te douchen. Om zich te wreken begroef ze hem treiterig onder de kussens. 'Je hebt het hoog in je bol gekregen, monster! Zijn rijke vriendjes hebben hem een carnavalspakje aangetrokken en nu denkt hij dat hij god weet wat is,' spotte ze. 'Digitaal monster, pinguïn, pinguïn!' Kevin worstelde zich los, want hij was bang dat Valentina zijn smoking zou bederven. Die moest hij juist netjes houden voor mama. Zij moest ook absoluut zien dat hij zo mooi was als de Kleine Prins. Ze vochten, ze sloegen, ze trokken aan elkaars haar, ze beten in elkaars oren. Ineens had zijn zus een zwarte lakschoen in de hand. 'Ik heb je betrapt! Je denkt dat je de Kleine Prins bent, maar je hebt gaten in je sokken,' lachte ze. Hijgend bekeken ze Kevins grote teen, die spottend uit zijn sok stak. Kevin lachte, want mevrouw Fioravanti had er gelukkig niks van gemerkt.

'Ik ga in bad,' zei Valentina – terwijl ze opstond schoof ze haar stinkende schoenen onder de bank. 'Als je wilt, kun je meegaan.'

Kevin aarzelde. Hij wilde Simba niet in de steek laten, die nu het oerwoud in rende en het sympathieke wrattenzwijn tegenkwam dat hem de levensfilosofie Hakuna Matata leerde – dat betekende 'geen zorgen'. Maar het was wel een aanlokkelijk idee om te badderen in het grote bad van de Via Carlo Alberto. Het bad van oma Olimpia was vierkant, en zelfs hij kon er niet languit in liggen. Hij moest er rechtop in blijven zitten, net als in de klas, in zijn bankje. En het kwam ook nooit meer voor dat hij samen met iemand anders in het water kon spetteren. Mama knielde alleen nog maar op de vloer naast het bad neer om zijn rug te wassen.

Antonio schoof het ondergoed aan de kant. Daar lagen al zijn pistolen. De Bernardelli. De Mauser. De Smith & Wesson. Maar er ging niks boven de Springfield Armory. Hij deed zijn jasje uit. Hij hing het over de rugleuning van de stoel. Hij werd verstoord door de aanblik van zijn overjas op de gewatteerde sprei van het bed waarin hij al dagen niet meer had geslapen. Dat kledingstuk met een geur van rook, verkeer en vermoeidheid schiep een sfeer van chaos. Tijdelijkheid. Toevalligheid. Maar nu bestond er niets tijdelijks meer. Alles stond vast. Hij hing de jas in de kast. Tussen het ski-jack en de cameljas die hij al jaren niet meer droeg – want sinds Emma was weggegaan had hij zelfs een hekel gekregen aan de banale handeling zich aan te kleden, zich op zijn best aan de wereld te tonen – stonden zijn drie geweren, met de lopen omhoog. De Remington die hij nooit gebruikt had. De Izhmash, waarmee hij met zijn vader ging jagen. De Kalasjnikov, waarvan hij de lopen af en toe langs zijn lippen liet glijden, alsof het metaal een herinnering aan haar meedroeg. Toen hij zich omdraaide, bemerkte hij pas dat Valentina in de deuropening stond.

Hoe lang stond ze daar al? Geschrokken deed hij de kastdeur dicht. De bovenste la was nog open, als Valentina ook maar één stap zou zetten, zou ze zijn pistolen zien liggen. En de Springfield Armory lag nog op de ladekast – zwart, glanzend als een dreigende monoliet tussen de trouwfoto's en de envelop voor advocaat Fioravanti. Maar Valentina verroerde zich niet. 'Papa,' zei ze, want ze was een scherpzinnig meisje en ze had gemerkt hoe hij alles verwaarloosde, 'heb je de boiler aangezet?' 'Ja, natuurlijk, muisje,' loog Antonio. 'Ik dacht dat jullie misschien wel warm water nodig zouden hebben.' Verlamd van schrik door het idee dat hij betrapt was door haar, juist door haar, dat ze zijn gedachten kon lezen, dat ze zijn plannen doorhad, dat ze het wíst. Hij keek bewust niet naar de ladekast. Maar ook al zag hij het niet, hij wist dat het pistool daar lag.

Valentina kwam de kamer in. Ze had de indruk dat papa alleen wilde zijn. Ze probeerde hem te begrijpen. Misschien was hij al die drukte van hen niet meer gewend. Goed, ze zou hem niet storen. Ze zou alleen even zijn badjas lenen en dan meteen weer weggaan. Ze zou heel lang in de badkamer blijven. Het zweet van de wedstrijd van zich af spoelen, de crème voor haar piercing opsmeren, en dan lekker op de bank hangen tot haar ogen dichtvielen van de slaap, net als vroeger. Onwillekeurig gleed haar blik over de meubels – op zoek naar een teken dat haar zou onthullen hoe, en met wie, papa deze jaren zonder hen had geleefd. Maar ze zag niets nieuws. Het oude bed, dezelfde rode gewatteerde deken, het kleurige wollen kleedje voor het nachtkastje. De kamer van mama en papa waar we op zondagochtend spookje speelden, dan sprongen we op hun bed en maakten we ze wakker – want op zondag sliepen ze altijd tot twaalf uur uit. Met lakens over zich heen maakten we enge geluiden om hen aan het schrikken te maken, maar ze moesten er juist om lachen, en dan eindigde het in één grote kietelpartij op het bed. De zondag was hun favoriete dag. Jammer genoeg was er maar eens in de zoveel tijd een. Politieagenten werken ook op zondag, net als criminelen. Wie moet de goede mensen anders beschermen? Valentina was trots dat haar vader bij de goeieriken hoorde.

Terwijl ze papa's badjas van het haakje pakte, zag ze het pistool op de ladekast van het ondergoed liggen, maar daar vond ze niks raars aan. Ook als hij geen dienst had liep papa altijd gewapend rond. Hij zei dat de mens, anders dan slangen en andere roofdieren, van nature slecht is en dat je niemand kunt vertrouwen. Ze vond het opvallender dat papa de trouwfoto niet had kapotgescheurd. Op die dag bestond zij nog niet. Wat een gek idee dat mama en papa een leven hebben gehad waarin jij nog helemaal niet voorkomt. Een jonge Antonio en Emma, die elkaar op de mond kussen voor de fotograaf. Maar daarna kussen ze elkaar nooit meer in het openbaar op de mond – Valentina had ze elkaar nooit zien aanraken. Maar als ze dicht bij elkaar waren, was er een bijna zichtbare siddering tussen hen, als een elektrische stroom. Antonio liep naar de kast en duwde met geforceerde achteloosheid de la dicht. Valentina greep de badjas en keerde hem de rug toe, glimlachend omdat er in deze kamer niets was veranderd.

Omdat deze jaren zouden worden uitgewist als een nare droom.

Nu. Hij moest het absoluut nu doen. Maar tegelijkertijd werd Antonio overmand door het verlangen om van dit hele weekend te genieten. Het zou lang zijn, langer dan een rechtbank hem ooit had kunnen toewijzen. Hij zou de minuten niet hoeven tellen, niet met angst en beven hoeven toezien hoe de uren voorbijvlogen. Drie dagen waar geen eind aan kwam. Luisteren naar hun gebabbel, de bittere leegte van die jaren opvullen, hen laten vertellen over het niks dat in hun leven was gebeurd. De breuk die hen uit elkaar had gehaald herstellen, de afstand opheffen, de pijn tot zwijgen brengen. Hij zou ze zondagavond neerschieten, voor hij ze weer naar haar bracht. Maar dat was hem niet gegund. Elke minuut, elk woord dat ze tegen hem zeiden, elke belofte die ze hem ontfutselden – alles kostte hem weer een flintertje vastberadenheid, en moed. Nu. Meteen.

Hij pakte het pistool vast. Valentina's nek, haar paardenstaart, haar bruine haardos. De moedervlek in de vorm van een eikel op haar perzikhuid. Heer, kom me snel te hulp, kom me redden. Uw rijk kome. Verlos ons van het kwade. God, vergeef me. Maar hij had nooit bedacht dat hij met zijn dochter zou beginnen. In zijn gedachten kwam Kevin altijd als eerste. Als hij erover fantaseerde, droomde hij dat hij Emma de ongeneeslijke wond toebracht, en die wond was het jochie. Eerst kwam Kevin. Ook nu stelde hij zich voor dat zij erbij was – en dat ze hem kon zien, ook al kon ze hem niet tegenhouden. Hij deed alsof Emma de toeschouwster was van de film die werd gedraaid. De film van hun leven, waarin zij had geprobeerd zijn rol te beperken tot een onbeduidende verschijning – terwijl hij de hoofdpersoon was, en altijd zou blijven. Hij bedacht dat hij de scène echt zou kunnen filmen, en dan zouden hij en de kinderen miljoenen keren doodgaan. Het pistool zou eindeloos blijven schieten, en zij zou hen eindeloos willen redden, en dat zou ze niet kunnen. Maar als hij alles wilde opnemen moest hij de videocamera installeren en een vast kader instellen, en een plan bedenken waarmee alles binnen het blikveld van de camera zou plaatsvinden. Daar was het nu te laat voor. Jammer. Maar uiteindelijk werd de scène misschien des te onuitwisbaarder vanwege het feit dat ze hem niet echt had gezien maar zich er slechts een voorstelling van kon maken. Valentina liep terug naar de woonkamer en verdween in de gang. 'Papa,' riep Kevin weer, met slaperige stem, 'wanneer kom je nou?' 'Hier ben ik,' antwoordde hij.

Zijn overhemd was doordrenkt van het zweet en er liep een straaltje langs zijn slaap. Maar zijn hand trilde niet meer. De hoofdrolspeler, voor altijd. De kinderen hadden het licht uitgedaan. De meubels in de woonkamer hadden geen hoekjes meer, geen oppervlak, geen structuur – het leken net de lichamen van slapende monsters. Alles had een dreigende, verontrustende vorm aangenomen. Antonio kon de gestalte van Kevin op de bank maar met moeite ontwaren. Het tv-scherm verspreidde een kil blauw licht in de kamer. Op de kale muren bewogen hun schaduwen, ze klommen naar het plafond, vermengden zich met elkaar, ze leken elkaar op te slokken en te overweldigen, en daarna gingen ze weer uit elkaar. Misvormd, wanstaltig, angstaanjagend, dansten ze een stille, onbegrijpelijke dans. De kleine schaduw van het kind. Zijn eigen schaduw. De schaduw van het pistool. Voor die schaduwen koesterde hij een naamloze en eindeloze angst.

Kevin gebaarde dat hij naast hem moest komen zitten. Maar Antonio deed alsof hij iets zocht in de boekenkast. Niet van voren, niet terwijl hij me aankijkt. Hij liep om de bank heen. Hij bleef achter hem staan. Hij pakte een kussen, dat hij tussen de rugleuning en zijn hoofd stopte – voorzichtig. Zo zit je makkelijker, zei hij, of wilde hij zeggen. Lam Gods, dat de zonden der wereld wegneemt, heb medelijden met ons. Vergeef me, Heer. Hij zette de loop tegen het kussen. Een fractie van een seconde. Hij zal er niks van merken. Schepsel van de hemel, aan de hemel geef ik je terug. Hij aaide hem over zijn bol. Zijn krulhaar, stijf van de gel. Het bolletje van Kevin. Het eerste wat hij van hem had gezien toen hij bij Emma was gekomen in het ziekenhuis. Die pasgeboren baby had een hele bos haar. 'Papa,' zei Kevin zonder zich om te draaien, 'weet je wat Hakuna Matata betekent?' Zijn nek. Zijn hoofd, zo klein als een kokosnoot. Mijn zoon. Zoveel liefde voor jou. Dit kan me nooit worden afgenomen. De pasgeboren baby had zwart haar, net als hij. En hij had gedacht, absurd, opgelucht, verliefd, krankzinnig van geluk: dan is hij dus echt mijn zoon. 'Nee, dat weet ik niet, Kevin,' zei Antonio, en hij boog zich een klein beetje voorover. Op de muur bedekte zijn schaduw die van zijn zoontje. Hij verzwolg hem. Nu waren ze weer één. En niemand zou ze meer kunnen scheiden.

'Probeer maar te gaan slapen, schattebout, het is al heel laat,' fluisterde Elio. In het roze schijnsel van de schemerlamp waren Camilla's oortjes zo doorschijnend en fragiel als een schelp. 'Het lukt niet, ik heb helemaal geen slaap, ik denk steeds aan allerlei dingen.' 'Denk er maar niet meer aan, niet meer boos zijn op papa, papa vindt het heel erg, we gaan een andere keer karaoken – of nee, weet je wat? Morgen gaan we een karaokeapparaat kopen, wil je dat?' 'Maar ik denk aan ándere dingen, papa,' zei Camilla. Elio vroeg niet of ze dat wilde uitleggen, want hij wilde dat ze ophield met zich zorgen te maken om dat schele joch. Hij wilde niet dat Camilla bang was. Hij had het gevoel dat hem groot onrecht was aangedaan. Duizenden maatregelen om ervoor te zorgen dat haar niets kan overkomen, dat geen enkel kwaad ook maar bij haar in de buurt kan komen, en allemaal voor niks. Mijn dochtertje, zo gevoelig dat elke zin haar kwetst, elke handeling haar pijn doet. Het kleine hartje van zijn dochter roffelde tegen haar borstbeen. Een klokje dat hijzelf in werking had gezet, lang geleden. Nu kon hij het niet beletten om op eigen houtje te kloppen, voor dingen die hij niet wist en waar hij geen invloed op had. Die hij niet kon bevelen lief te zijn voor Camilla, omdat ze niet van hem afhingen. De nagels van het kind krabden in zijn hals. Ze zou hem niet laten gaan, en hij was er blij om. 'Waarom deed hij zo?'

'Dat weet ik toch niet, liefje, hij moest kennelijk met zijn kinderen praten, dat kan soms gebeuren, weet je? Dan bedenkt een papa dat hij dingen te zeggen heeft en dan kan hij niet meer wachten.'

'Hij wilde niet met hem praten. Toen hij hem zag zei hij helemaal niks tegen hem.'

'Misschien wilde hij hem dan alleen maar mee naar huis nemen.'

'Hij woont niet meer bij hem.'

'Hoe weet je dat?'

Elio strekte zijn ene been, dat bijna gevoelloos was door de onnatuurlijke houding waarin ze hem dwong. Hij vond Camilla's gedram absurd. En die angst van haar gewoon ziekelijk. Hij had geen idee gehad dat ze het zoontje van Buonocore zo goed kende. Hij wist niet dat ze met elkaar omgingen. Maar ja, wat wist hij nou eigenlijk van Camilla? Hij had het veel te druk om echt tijd met haar door te brengen. En hij kon zich niet meer heugen wanneer hij haar voor het laatst naar bed had gebracht. Misschien, bedacht hij nu vol weerzin, had hij het zelfs nog nooit gedaan.

'Waar is mammie?' herhaalde Camilla voor de zoveelste keer, en voor de zoveelste keer herhaalde Elio dat ze zo thuiskwam, ook al was dat niet waar en had hij geen flauw idee waar Maja naartoe was. Maar hij wilde niet dat Camilla dat aanvoelde, hij wilde haar geruststellen en kalm blijven overkomen, ook al was hij dat niet. Hij wilde zich gewoon niet afvragen waar ze was. Niet nu. Hij zou het haar morgen wel vragen. Hij zou tegen haar zeggen dat het onvergeeflijk was van haar kant – haar koele reactie was beslist opgevallen toen hij zijn entree had gemaakt in het Palazzo Lancillotti. Er wordt zoveel gepraat. Mensen denken meteen het ergste. En tongen hebben geen bot, maar ze slaan wel je rug verrot, zegt het spreekwoord. Maar de buitenwereld heeft niks te maken met onze problemen, we moeten gelukkig lijken. We moeten een voorbeeld zijn. Wat heb ik nou helemaal misdaan? Ze kan me toch niet aan het kruis nagelen omdat ik geen karaoke heb gedaan met Camilla? Ik koop morgen zo'n ding voor haar, mijn dochtertje zal me wel vergeven – zíj is wel lief. Of nee, waarom zouden ze ruziemaken? Hij zou doen alsof er niets aan de hand was. Net zoals Maja al zo vaak tegen hem had gedaan. Hij zou haar laten uitslapen – en dan, bij daglicht, zouden alle schaduwen vervlogen zijn. En dan kwam alles weer goed.

Aangezien Camilla hem niet naar zijn eigen kamer wilde laten gaan, en hij helemaal koud en verkrampt was en wilde dat ze niet meer boos op hem was, stemde hij ermee in om bij haar in bed te kruipen – dat kraakte onder zijn gewicht. Camilla kroop op zijn borst. Een hele tijd, die hem eindeloos voorkwam, bleef ze met haar oog tegen zijn hemd aan liggen luisteren naar de mysterieuze geluiden van zijn darmgassen. Iets wat anderen misschien onsmakelijk zouden vinden, maar dat hun geheime spelletje was. Elke keer als zich een luchtbel verplaatste in zijn binnenste, fluisterde Camilla: er is een vliegtuig vertrokken, en dan vroeg Elio: waarheen? En dan noemde het meisje de namen van onbekende steden, die ze ergens had gelezen. Marrakech, Boekarest, Tampere als het korte plofjes waren. Malindi, Jakarta, Samarcanda als ze langer klonken. Maar vanavond zei Camilla niets. De vliegtuigen vertrokken zonder bestemming, en ze raakten verdwaald in zijn binnenste.

Hij vond het jammer. Hij staarde naar de nepsterren die over het plafond trokken. Ze kwamen uit een of ander kloteapparaat, dat ze voor haar hadden gekocht toen ze nog een baby was, om haar in slaap te hypnotiseren – maar dat Camilla nooit meer had willen missen, ook niet toen ze groter werd. Urenlang tolden er slierten sterren over het witte plafond, ononderbroken kwamen ze op en gingen ze onder. Jarenlang was Camilla in slaap gevallen terwijl ze die warrige lichtgevende banen volgde. Maar vannacht konden zelfs de sterren Camilla niet van haar zorgen afleiden. Ze begon weer.

'Kun je hem nu dan niet opbellen?'

'Nee, meisje, het is bijna middernacht.'

'Maar jij bent zijn baas.'

'Zelfs de baas mag niet iemand om middernacht opbellen. Als je er echt op staat, bel ik hem morgen wel.'

'En stuur je hem dan weg?'

'Ik weet niet of ik dat kan doen, schatje, maar ik beloof je dat ik een grote klacht zal indienen bij het ministerie.'

'En als je minister wordt, ontsla je hem dan?'

'Ik kan een politieagent niet ontslaan alleen omdat hij Kevin van jouw feestje heeft weggehaald.'

'Waarom niet?'

'Hij is een goede agent. Hij heeft goed voor me gewerkt.'

'Kan iemand goed en slecht tegelijk zijn?'

'De papa van Kevin is onze beschermengel. Zolang hij er is, kan ons niets overkomen. Daarom kan ik hem niet wegsturen.'

'En wie is de beschermengel van de beschermengel?'

'Daar heb ik nooit over nagedacht.'

'Is dat God?'

'Ja, misschien wel. Ik weet het niet, liefje.'

Het werd stil. Een paar minuten lang bleven ze allebei roerloos liggen, boven op elkaar in het smalle bed, starend naar de stroom van sterren op het plafond. Behalve de vliegtuigen in zijn binnenste klonk er geen enkel geluid. Er reed geen enkele auto over de Via Mangili, langs de slapende villa's. Geen motorgeronk achter de gesloten ramen. Geen elektrisch apparaatje dat het hek in werking zette. Niets. Maja kwam niet naar huis.

'Hoe is het als je niet leeft, papa?' vroeg Camilla ineens.

Elio kreeg een schok van verbijstering. Hij wist niet wat hij moest antwoorden. Hij had nooit gedacht dat zijn dochtertje zich met zulke verdrietige dingen bezighield. Camilla had vier gezonde grootouders. Dode mensen kende ze alleen maar van tv.

'Dat is moeilijk uit te leggen.'

'Is het alsof je in het donker bent?' fluisterde Camilla.

'Nee, het is niet alsof je in het donker bent, maar alsof je er helemaal niet bent.'

'En wat gebeurt er dan?'

'Niets, liefje,' zei Elio. 'Er gebeurt niets. Dan is het helemaal afgelopen.'

Pas toen realiseerde hij zich dat hij gelovig was – of tenminste, dat hij tot vanochtend gelovig was geweest – en verbeterde hij zichzelf. 'Maar wie het goed heeft gedaan, gaat naar de hemel.'

'En wie het niet goed heeft gedaan?' drong Camilla aan. Elio vroeg of ze niet meer aan zulke verdrietige dingen wilde denken en gaf geen antwoord.

'Wij hebben het niet goed gedaan,' bekende Camilla zachtjes. 'Vandaag was mijn bruiloft.'

Elio voelde een diepe pijn die als een mes door zijn hele lijf drong. Dat woord, dat zo onzinnig klonk uit haar kindermond. Ze is groot geworden, en ik heb het niet gemerkt. Ik ben niet meer haar hele wereld. Nu al laat ze me in de steek, het begin van onze scheiding. We zullen nooit meer alleen zijn. We zullen nooit meer de vertrekkende vliegtuigen tellen. Ik ben haar nu al kwijt. Hij wilde niet onverschillig lijken nu ze het hem vergund had haar grote nieuws te horen, dus keek hij op en keek hij haar in haar glimmende ogen. Ze straalden van een nieuw, onbekend geluk. Hij slikte getergd. Verraden.

'Waarom heb je me dat niet verteld?'

'Omdat jij het niet wilde,' antwoordde Camilla doodongelukkig.

Hij drukte haar tegen zich aan. Zijn bril besloeg door haar adem. En precies op dat moment, terwijl hij werd verteerd door het besef dat hij zijn dochter kwijt was en zich afvroeg hoe hij haar weer terug kon winnen, hoe hij haar van haar bruiloft kon losrukken en van Kevin Buonocore, die hij nu bijna haatte, begon er in de zak van zijn jasje iets te trillen. O jezus, niet nu. Het trillende voorwerp pulseerde tegen zijn jasje, tegen Camilla's magere lijfje. Bij elke trilling leek het groter en harder te worden.

'Waarom neem je niet op, papa?'

'Als ik bij jou ben, ben ik er voor niemand,' mompelde Elio. 'Ik ben trouw', en zijn woorden waren duidelijk een verwijt.

'Neem maar op. Misschien is het mammie,' zei Camilla verstandig. 'Misschien is het de papa van Kevin. Misschien is het Aris.'

Maar het was geen van hen. Toen hij het telefoontje eindelijk tevoorschijn haalde, stond op het display het nummer dat hij de hele dag obsessief gebeld had. Het privénummer van de president.

'Ja?' zei hij. De sterren bleven opkomen en ondergaan op het plafond. Een vliegtuig steeg luidruchtig op, en misschien vloog het even later te pletter, met een bespottelijke oprisping. 'Elio,' zei de president, 'sorry dat ik zo laat bel, maar ik weet dat je me wilde spreken.' Toen kwamen de langverwachte en zeer gevreesde woorden. Uitgesproken door zijn gebruikelijke, kalme stem, vriendschappelijk, bijna broederlijk. Een stem waarin geen wrok of boosaardigheid doorklonk. Maar toch onthulden die sussende, valselijk geruststellende woorden Elio wat hij al urenlang wist: hij was gedumpt. Na een lange inleiding, doorspekt met verwrongen verklaringen, onthulde de president de uitslag van de allerlaatste peiling: de cijfers gaven aan dat de kloof tussen hem en de huisvrouw inmiddels onoverbrugbaar was. Fioravanti op 46,7 procent. Tecla Molinari op 50,4. Tegen alle prognoses in was de huisvrouw een taaie gebleken. De cijfers van Rome waren goed, maar helaas was de keuze van het district in een buitenwijk riskant gebleken. Hij zou proberen te achterhalen wie Elio naar de Casilino had willen manoeuvreren (dat wist Elio allang: het was de president zelf geweest, om zijn oogappel het zekere district te garanderen dat van Elio was geweest). Er was een strategische fout gemaakt, de analisten moesten maar uitleggen wat er precies mis was gegaan, maar het was nu te laat om er nog iets aan te doen. Helaas – en dat wees op een onthutsende oppervlakkigheid – had de partijleiding niet gemeend Elio, een zeer bekwaam vakman die grote populariteit genoot in de stad, de reddingsboei van de evenredige vertegenwoordiging toe te moeten werpen. Helaas leek de kans dat hij in het parlement werd gekozen verkeken. Elio's ademhaling werd moeizaam. Hij had het gevoel dat er een kei op zijn longen drukte. Maar misschien kwam het door het gewicht van zijn dochtertje. Hij kon geen woord uitbrengen. In de stilte hoorde hij het hart van Camilla, de gêne van de president, het ruisen van de bladeren van de magnolia, het wanhopige gejammer van een verliefde kat, beneden in de tuin. *Je bent genaaid. Je bent genaaid. Je bent genaaid.*

De president kon die beste Elio echter wel garanderen dat deze onfortuinlijke tegenslag niet zijn politieke dood zou betekenen. Dat beloofde hij in naam van de vele veldslagen die ze samen geleverd hadden, op de moeilijkste momenten. De vreselijke eenzaamheid die Rome je schenkt als je hebt verloren. Wat de president betrof, hij zou de klippen omzeilen en het schip de haven in loodsen. De peilingen waren geruststellend, en ook al had links de afgelopen weken wel weer een paar punten gescoord, inmiddels was er nog maar zo weinig tijd dat hij niet bang meer hoefde te zijn voor een verrassing op het laatste moment. De storm is voorbij, de bestemming in zicht – we zijn de oceaan overgestoken en we hebben het overleefd. Nu ligt alles in onze handen. Jij, ik, wij, Italië, de mensen, de toekomst. We zullen onze wetten erdoorheen krijgen, en ook al zul jij er dan niet bij zijn om te stemmen, je bent nog altijd degene die ze in gang heeft gezet. We zullen niet falen. Je moet altijd optimistisch blijven. Je zult alleen zijn. Je zult alleen zijn. Zijn politieke dood. De dood. 'Elio,' beloofde de president, 'ik zal voor jou een belangrijke functie zoeken, een prestigieus ambt, een internationale organisatie, een raad van beheer, de Rai. Iets wat past bij jouw expertise en jouw talent.'

Dat waren de vergiftigde woorden die Elio de hele dag al had verwacht – als de kogel van de huurmoordenaar die al was ingehuurd om hem uit de weg te ruimen. Dus nu was het moment gekomen. Het Romeinse trapje beklimmen. Zijn politieke dood. De dood. Er niet meer zijn. Alles is voorbij. Hij streek met zijn hand over het ragfijne haar van Camilla. Mijn schatje. Wat moet ik doen? Wat moeten we doen? Wat zal er van ons worden? Mijn vrouwen. Mijn gezin. Mijn imago. Mijn naam. Maar het was hem meteen duidelijk dat hij zich niet van de toren naar beneden zou gooien. Grote dingen kunnen worden gereduceerd tot kleine dingen, kleine dingen kunnen worden gereduceerd tot niets. En dat is alles.

In de stilte van de nacht, onder de eeuwige sterren van Camilla, had hij het gevoel dat hij uit zijn baan was geslingerd en in het luchtledige rondzweefde. Maar wanneer? En waarom? Wie had hem ontnomen wat hij het allerbelangrijkste van de wereld vond: de absolute liefde voor zijn dochter? Dat dikke ventje met die pleister op zijn oog? De politiek, het parlement, de wet, de kiezers? Nu restte hem alleen nog maar de pijn van die kinderlijke hartstocht, even onvoorzien als diepgaand, waarvan hij volledig was buitengesloten, en de onverklaarbare afwezigheid van Maja, en een bittere onrust, en een troosteloos gevoel van rampspoed, verlies, het einde van alles, en Camilla die zachtjes ademde, met haar oor tegen zijn buik aan gedrukt. Haar ademhaling was langzamer geworden. Ze was in slaap gevallen, eindelijk. Maar ook dat stemde hem treurig, omdat ze nu nog verder weg was, echt onbereikbaar. Hij realiseerde zich, onherroepelijk te laat, dat er iets was wat hem de laatste jaren van hen gescheiden had. Stukje bij beetje, maar onontkoombaar. Tussen hem en zijn twee vrouwen was een muur van onbegrip en wrok, wantrouwen en onverschilligheid verrezen. En hij wist niet wat hij daaraan kon doen.

Hij verzamelde zijn laatste krachten, bedankte de president haastig voor het nieuws waarvan hij hem zo vriendelijk op de hoogte had gebracht – hij deed alsof hij echt geloofde dat de president hem niet zou laten vallen, dat er wel iets voor hem zou worden gevonden. Hij nam afscheid. De onzinnige droom van een man van vijftig – lachwekkend in zijn ijdelheid, in zijn ellende, in zijn nederlaag. En des te lachwekkender naarmate de droom grootser was geweest. En misschien komt er geen nieuwe kans. Alles voorbij.

Hij zette zijn telefoon uit. Hij deed ook de lamp uit en hield de sprei opzij, waarbij hij Camilla voorzichtig tussen de lakens schoof. Hij wilde opstaan, maar hij deed het niet, omdat haar oor nog steeds op zijn buik lag en ze dan wakker zou worden. En hoewel hij wilde opstaan, dwong hij zichzelf te blijven liggen. Voor haar. Omdat hij echt van haar hield. Van dat bedeesde, eigenaardige meisje, dat geweldige, lieve kind, meer dan van het parlement, meer dan van de president, meer dan van zijn imago, meer dan van de eer waarvan hij zich nooit bewust was geweest dat hij hem bezat en dat hij hem zou kunnen kwijtraken – meer dan van wat ook. Haar kon hij trouw zijn. Het enige wat hij nu nog hoefde te doen was haar terugwinnen. Maar hoe? Hij strekte zijn benen uit en legde zijn voeten op het voeteneind van het bed. In het halfduister ving hij een glimp op van haar haren en de glans van haar huid. Gevoelig, en breekbaar. Wat dromen kinderen? Ach, wat maakt het eigenlijk uit? Dromen voorspellen nooit de waarheid. En als ze dat wel doen – voor wie, voor wat dienen die voorspellingen dan?

Elio deed zijn ogen dicht. De glinsterende sterren gingen onder tussen zijn oogleden. Er raasde een auto voorbij op straat – even meende hij hem te herkennen en hoopte hij dat het de Smart van Maja was, maar het geluid verwijderde zich tot het helemaal was verdwenen, god weet waarheen. De stilte hulde hem in haar zwarte eenzaamheid. Hij was bang en hij wist niet waarvoor. Hij voelde een traan aan zijn wimper hangen, over de kromming van zijn wang glijden en toen tussen zijn haar uiteenvallen. 'Pappie?' vroeg Camilla ineens, terwijl ze haar hoofd optilde en in het donker naar zijn gezicht tastte. Ze herkende de glinstering van zijn bril, en misschien van zijn ogen. 'Hoorde je dat vliegtuig?' fluisterde ze met een glimlach. 'Dat is naar Bangkok vertrokken.'

vierentwintigste uur

Zero keek om zich heen, en aangezien er niemand te zien was tussen de woeste begroeiing, boog hij een tak opzij en wees hij haar de weg: het veiligheidsnet met prikkeldraad erboven was doorgeknipt en er was een opening ontstaan in de mazen. Een dun streepje aarde ontvouwde zich tussen stoffige brandnetels en gesloopte koelkasten, van het talud omlaag. De metrolijn die boven de grond liep, beschermd door een lage stoep en een gemetseld muurtje, dook op die plek via een tunnel de diepte in. Bij het licht van een straatlantaarn konden ze de ingang ervan zien: een volmaakte halve cirkel, dreigend en tegelijkertijd aanlokkelijk – net zoals die van papier-maché in het Lunapark. De tunnel der liefde, of zoiets, schoot haar te binnen. Maja liep voorzichtig naar beneden. Ze was bang om te vallen. Om het kind kwijt te raken waarvan ze tot vandaag nauwelijks had geweten dat het bestond. Het was gewoon wat laat geweest, het bleef weg, het was iets wat ze niet kon duiden. Zero sprong behendig omlaag. Het was een verval van bijna twee meter. Hij wees naar de treetjes die waren uitgegraven in de klei van de helling. 'Dit is net zoiets als de hal bij mij thuis,' verklaarde hij. 'Die treetjes zijn gemaakt door de onderhoudsmedewerkers, maar ik ben degene die ze vrijhoudt.' 'Wat is daar binnen?' vroeg Maja, verontrust bij de aanblik van die zwarte, opengesperde muil. Zero gaf geen antwoord. 'Kom je?' vroeg hij, terwijl hij een zaklamp uit de zak van zijn sweater pakte. 'Is het gevaarlijk?' aarzelde Maja. 'Wat niet?' antwoordde Zero.

De laatste metro was al geweest. Op dit tijdstip waren er op de monitors van de beveiligingsbeambten alleen maar grijzige beelden van verlaten stations te zien. Eenzame bankjes, lege prullenbakken. De lange gele lijn die langs het hele perron loopt en die je niet mag overschrijden – overdag is er niets van te zien, omdat er duizenden voeten op trappen – licht nu bijna op in het grijs en blauw van de tunnel. De bewakers controleren of alle stations verlaten zijn, of er niet ergens een zwerver, drugsverslaafde of graffitikunstenaar verstopt zit in de onderaardse gangen en de weinige schaars verlichte spelonken die uitkomen in heldere, rationele stations die net zijn schoongemaakt voor het Jubeljaar. Het is een veeleisende baan, maar in wezen is dit een metronet van maar twee lijnen – we zitten hier niet in Parijs of New York. Na de laatste controleronde gaan ook de beveiligingsbeambten naar buiten en doen ze de hekken achter zich dicht. Tot het moment dat de schoonmaakploeg komt met emmers en bezems, blijft het doodstil op metrolijn B. De stations leeg, de gangen leeg, de elektriciteitslijn werkloos en ongevaarlijk, de kiosken en de liften voor gehandicapten gesloten.

Maar het is niet waar dat de metro uitgestorven blijft. Als je goed luistert, merk je dat er langzaam maar zeker een heimelijk, onderaards leven op gang komt. Er is het water dat door de lekken in de gewelven sijpelt en langs de wanden druipt. Er is de lucht die de ventilatoren blijft bewegen en door de leidingen waait. Er zijn de ratten die zich op de rails wagen en het afval verorberen die de passagiers achteloos van het perron omlaaggooien – kauwgum, pompoenpitten, ijspapiertjes vol suiker, kartonnen bekertjes. En verder zijn wij er – we laten ons van bovenaf zakken en schenden de tunnel op de meest kwetsbare plek. En dan lopen we door het donker naar de remises waar de treintoestellen staan te slapen. Normaal gesproken komen we in formatie, georganiseerd. We zijn met z'n vijven, soms met z'n zessen – de jongste en meest onervarene houdt buiten de wacht, en twee van ons wisselen elkaar af als wachters langs de route. Want er is maar één uitweg, en we kunnen het ons niet veroorloven om die onbewaakt te laten. Maar vannacht zijn alleen zij en ik er. Ik had verwacht dat ze niet mee zou willen – misschien had ze liever gehad dat ik had gevraagd of ze mee naar mijn huis ging, eindelijk. Maar dat is niet wat ik wil – nog niet. Hoe dan ook, ze is meegegaan, en nu aarzelt ze, misschien bang, misschien opgewonden, wie zal het zeggen. Maja is een raadsel, en ook toen hij haar daarnet, nog geen halfuur geleden, lang en innig zoende, slaagde hij er niet in om die beschaafde, ingehouden waardigheid helemaal te ontdooien. Ze aarzelt onder de boog van de tunnel, met die veel te hoge hakken in een wankel evenwicht op de rails, en haar tasje in de hand.

'Is dit een overtreding?' vroeg Maja ineens. 'Het schijnt van wel,' antwoordde Zero schouderophalend. Hij liep verder de tunnel in. Zij draaide zich om. Een paar honderd meter verderop eindigde een hoge stoep – misschien een uitloper van een metrostation. Maar ze wist niet welk. Aan het eind van het rechte stuk tunnel knipperden wat zwakke lichtjes. Een wirwar van elektriciteitskabels kruiste de rails – onder haar voeten en boven haar hoofd. Bij de monding van de tunnel, in de wanden die glinsterden van het vocht, zaten twee rechthoekige schijnwerpers gemonteerd, die een flinke witte lichtbundel verspreidden. Maar verder zag ze, zo ver haar blik reikte, alleen maar twee wanden die steeds dichter bij elkaar leken te komen, totdat ze elkaar op het eind raakten. Kronkelende elektriciteitsdraden en buizen, en verder niets meer. Volkomen duister.

'Kom,' zei Zero terwijl hij zijn hand naar haar uitstak. Maja keek bevreesd om zich heen, alsof er elk moment een trein uit de tunnel kon opduiken en hen kon overrijden. Maar er was geen trein. De laatste was een halfuur geleden al naar de remise gereden. Dus zei ze bij zichzelf dat dit misschien wel een overtreding is, maar dat ik van je hou is dat ook, dat als wij elkaar willen vinden, we niet aan de toekomst moeten denken; dan zouden we alleen nevel van beslissingen en spijtgevoelens zien. We moeten het erop wagen zonder nog om te kijken, ons overgeven, aan het donker, aan de onderkant van alles. Ons langzaam laten zakken in het donker van de ander. En misschien dat we daar beneden, in onze duisternis, elkaar zullen vinden zonder dat we last hebben van de verschillen – van onze leeftijd, van onze achtergrond, van onze levens.

Een paar minuten liep ze struikelend naast hem, en bij elke stap bleef ze staan omdat ze de glanzende lijn van de rails niet kon volgen. Hij was te dun, en haar schoenzolen hadden geen grip op het gladde metaal. Dus bukte ze zich om de enkelriempjes los te maken en trok ze ze uit met een elegantie die hem de adem benam. Zero raapte de dure pumps op en stopte ze in de capuchon van zijn sweater. Hij zou ze haar nooit meer teruggeven, wat er ook zou gebeuren vannacht. Maja gaf hem haar hand, en na een paar stappen werden ze ondergedompeld in het donker. Achter hen waren de kleine lichtjes van Rome die op het talud weerkaatsten niet langer te zien. Nu zag ze alleen nog het glimmen van de zilveren ring die Aris door zijn neusvleugel droeg. Nu werd ze alleen nog voortgestuwd door de haast om verklaringen en beloften achter zich te laten. Om, vanuit alles wat in haar verandert, te komen bij dat wat blijvend en waar is. Om te komen bij haar eigen geheime middelpunt.

Zero volgde de bocht van de rails, alsof hij in het donker kon zien. In het donker had Maja de moed kunnen vinden om tegen hem te zeggen dat ze dat huis op de Aventino echt wilde nemen. Dat ze de behoefte voelde een nieuwe plek voor zichzelf te creëren, zichzelf beter te leren kennen, omdat haar leven op ontploffen stond, en door de kracht van de uitbarsting werd ze ver weg geslingerd. Dat was precies wat ze hem wilde komen vertellen, in de Battello Ubriaco. Maar Zero klemde krachtig zijn vingers om haar pols en ze deed er het zwijgen toe, want de jongen had haar niet gevraagd om te bewijzen dat haar gevoelens voor hem niet slechts een bevlieging waren, en evenmin om bij zijn vader weg te gaan, en dat besef zou alles verpesten. Wat er vanmiddag gebeurd was, was niet Elio's verdienste, noch zijn schuld, noch zijn verantwoordelijkheid. De mogelijkheid, het einde, de gewoonte, de overgave – het zat allemaal in háár.

Ze liepen lange tijd zwijgend door, voor een eindeloos lijkende tijd. Af en toe zagen ze een nis in de wand. Maja ontwaarde een brandblusapparaat, een intercom, een ladder, een emmer. Tot er voor hen onbeweeglijke schimmen opdoemden, die uit het duister verrezen. Toen ze dichterbij kwamen, zag ze wat het waren. Het waren twee, drie, tien wagons, achter elkaar gekoppeld, geparkeerd op de rails. 'Dit wilde ik je laten zien,' zei Zero.

Hij deed de zaklamp aan. Hij richtte de lichtbundel op de doffe raampjes en liet hem toen zakken naar de zijkanten. Toen zag Maja het. De wagons waren blauw. Ze waren blauw geweest, want nu waren de zijkanten van de wagons bedekt met tekeningen. Aanvankelijk had ze er moeite mee de figuren te onderscheiden en de betekenis ervan te doorgronden. Ze kwamen stukje bij beetje naar voren, wanneer haar oog ze wist te ontcijferen. De figuren pasten zich aan aan de ruimte, ze maakten gebruik van de vormen zonder ze ooit te schenden, ze waren flexibel, beweeglijk, alert. Ze krulden zich om de raampjes heen, ze omhelsden gelaten de koplampen, ze stopten bij de uiteinden en gingen dan weer verder op de volgende wagon – een voortdurende symfonie van figuren en kleuren, een epos van beelden en onderbroken, gebroken woorden die elkaar aantrokken, tegen elkaar afketsten, op elkaar rijmden. Rode, gele, paarse en groene vlekken bedekten het hele treintoestel en veranderden het in een schrift, een manifest, een boek. Langs de zijkanten van de wagons, van elkaar gescheiden maar wel opeenvolgend als hoofdstukken, slingerde een hele stoet van auto's en winkels, huizen en kerken, treinen en fietsen. Dikke, arrogante mannetjes liepen er opgewonden tussendoor, tierend en foeterend, en dunne, weemoedige mannetjes bekeken het schouwspel van het leven, ze legden zich erbij neer of ze droomden, en dan droomden ze van vrouwengezichtjes die – eventjes – oplichtten tussen alle grijs- en zwarttinten. Of ze drukten op de knop van hun afstandsbediening en lieten alles de lucht in springen. En onder alle tekeningen stond dezelfde minimale, maar besliste handtekening: ZERO.

'Heb jij die gemaakt?' vroeg Maja, hoewel ze het antwoord al wist. Zero knikte. 'Wanneer?' 'Elke nacht van dit jaar,' antwoordde hij. 'Ik wilde niet vertrekken voordat ik elke centimeter van deze metro had bedekt. De leegte zegt niets.' 'Vertrekken?' vroeg Maja verbaasd. 'Ik ga naar Barcelona. Ik moet weg. Rome benauwt me, Italië benauwt me. Ze zijn niet de moeite waard. Ik geloof dat een andere wereld mogelijk is, maar nu weet ik dat die niet hier zal zijn.' 'Waarom heb je me dat niet verteld?' vroeg Maja. 'Omdat ik je niet kon vragen om met me mee te gaan,' zei Zero, terwijl hij zijn zaklamp over de zijkanten van de wagons liet schijnen. 'Dit heb ik voor jou gemaakt, jij bent degene aan wie ik dit wilde laten zien. Ik heb niet de pretentie dat ik begrepen wil worden, sterker nog: misschien hoop ik wel juist dat ik niet begrepen word. Maar elk piece dat ik maak beschouw ik als een deel van mijn lichaam. Nu ken je me dus echt helemaal.'

Maar ik ken je allang, had Maja hem willen toeschreeuwen. Wat blijft er over als Aris weggaat? Hij is mijn enige vriend. Al het andere is zo nep dat ik ervan moet kotsen. Zelfs ikzelf. Ze staarde naar de weemoedige mannetjes die werden gestreeld door het licht van de zaklamp en vervolgens meteen weer werden opgeslokt door het duister. Figuren van flexibele, meegaande jongeren – die zich buigen naar de vormen, zich aanpassen aan de ruimte, zich daarmee vermengen, ze willen er niet boven uitsteken en evenmin niets zijn, en ze houden zich afzijdig van het leven. Figuurtjes als Aris – of beter gezegd: Zero? Ze had het koud. En ze had haar voeten opengehaald aan de uitsteeksels van de rails. 'Wanneer ga je weg?' vroeg ze daarentegen, want zij kon niet achteromkijken en dacht altijd dat ze de dingen morgen nog wel kon rechtzetten. 'Begin juni,' antwoordde Zero, terwijl hij geschrokken naar de donkere gangen keek die op de remise uitkwamen. Hij meende voetstappen te horen. 'Dan hebben we dus nog bijna een maand,' merkte Maja op. Ze besefte dat haar woorden klonken als een voorstel. Ze legde voorzichtig een arm om zijn middel. Zero draaide zich met een ruk om en omhelsde haar onstuimig, tot ze bijna geen adem meer kreeg. Ze voelde zijn botten vlak onder zijn huid. Als zij zijn moeder was, zou ze zich zorgen hebben gemaakt – want Aris was begonnen met geen dode dieren meer eten en het was ermee geëindigd dat hij bijna niets meer at, hij zorgde niet goed voor zijn gezondheid, noch voor zichzelf. Maar ze was niet zijn moeder. Ze was zijn vriendin.

Maja wikkelde een van zijn paarse, piekerige lokken om haar vinger. De haren van Aris waren zo stug als ijzerdraad. Ze kon nog steeds nauwelijks geloven dat ze hem gezoend had. Ze glimlachte, opgelucht. Een maand is verbazingwekkend lang. Er kunnen veel dingen gebeuren. Hij kan van gedachten veranderen. Ik kan mezelf ervan overtuigen dat hij moet gaan. Ik kan wennen aan het idee dat ik hem kwijtraak. Ik kan hem overhalen om te blijven. Dat Rome en Italië wel de moeite waard zijn. Dat ík de moeite waard ben.

'Nu is het jouw beurt,' zei Aris, terwijl hij een paar spuitbussen uit zijn zak haalde. Hij legde haar uit dat elke bus een andere cap heeft, waarmee je een ander effect krijgt. Je hebt Super Skinny, waarmee je heel dunne lijnen kunt spuiten, en Medium Soft, en Fat Gold, die heeft een heel brede, nogal harde straal. Maja koos echter de Directional, bedoeld om lijnen mee te spuiten. Het leek een heel basale, barbaarse, primitieve bezigheid – maar het bleek in feite juist heel ingewikkeld. Het was niet alleen een kwestie van de knop van de spuitbus indrukken, je moest het doseren, anders kwam er te weinig verf, of te veel, werd de lijn warrig of onleesbaar. Maar als je je hand onder controle had, vloeide de verf soepeltjes – als benzine, als inkt. Even aarzelde Maja, starend in het halfduister, met de spuitbus in de hand voor de achterste wagon, waar het verhaal zonder einde van Aris ophield zonder dat het ophield – gewoon omdat er geen ruimte meer was. Toen nam ze een besluit, en terwijl ze de spuitbus op de zijkant van de wagon richtte, drukte ze de knop in.

Ze schreef haar naam – net als kinderen in het stof en het zand doen. En toeristen op monumenten die ze nooit meer zullen terugzien. En gevangenen op de muren van de cel waarin ze vastzitten. Ze schreef slechts vier donkere letters. MAJA. Elke keer als deze metro nu onder de huid van Rome door raast, zal hij hun namen en de herinnering aan deze nacht met zich meevoeren. Soms wordt graffiti binnen een paar dagen verwijderd, maar soms blijft het maandenlang zitten – soms nog langer. En dat is juist het mooie ervan. Je weet niet of je een kunstwerk maakt dat één dag blijft bestaan of dat jou nog zal overleven.

Ja, wat hij daar achter in die gang hoorde waren echt voetstappen. Zero deed de zaklamp uit. 'We gaan,' fluisterde hij terwijl hij haar pols vastpakte. De bewaking was de laatste tijd steeds actiever. Elke nacht werd het gevaarlijker om je in de tunnel te wagen. Vorige week waren er een paar jongens betrapt in een andere onderaardse remise. Ze waren met de wapenstok afgeranseld, een van hen was al zijn tanden kwijtgeraakt. Hij zag het al voor zich: dat hij gearresteerd zou worden en op een of ander politiebureau zou belanden. En zij? Wat zou er met haar gebeuren? Zouden ze haar dwingen om haar persoonsgegevens op te geven? Zouden ze haar aanklagen? Dan zou iedereen te weten komen waar ze vannacht waren geweest, Aris en Maja Fioravanti. En die gedachte bezorgde hem een euforisch, bijna roekeloos gevoel. Kom ons maar halen, wilde hij schreeuwen, kom maar.

Maja greep zijn arm vast. Hun voetstappen verbraken de stilte niet. We bewegen ons zonder geluid te maken, alsof we niet bestaan, dacht ze. Alsof we nu al niet meer hier zijn. En stel dat het echt zo is? We gaan hier weg, hoe dan ook. Ze renden met hun handen langs de muren van de tunnel tastend, als blinden. Zero bedacht dat het weliswaar opwindend zou zijn om samen gearresteerd te worden, maar vooral ook heel stom. Ze moesten zich niet opnieuw laten pakken. We laten ons nog liever door een trein overrijden. We laten de elektriciteit door ons heen gaan – we zullen licht geven als lampen. Of we laten alles achter ons. We doen al-les op onze manier. Ze krijgen ons niet meer te pakken. We zijn ze ontvlucht. De elektriciteitskabels trilden, misschien een test. Er ging een lichtsein aan, ver weg in het donker. Maja huiverde. Stel dat de machinisten nu met de metro's gingen rijden. Stel dat ze stroom op de lijn zetten... Ze was helemaal gedesoriënteerd. Wa-ren ze dezelfde tunnel in gegaan als die waardoor ze waren geko-men? Of waren ze verdwaald? Als ze zich omdraaide kon ze nu niet eens meer de wagons zien die Zero had beschilderd. En vóór zich kon ze ook niets onderscheiden. Alleen de onduidelijke omtrekken van een donkere tunnel, een onregelmatig, laag plafond, en een heel zwak licht, heel ver weg – maar god weet waar. 'Ben je bang?' vroeg Zero, terwijl hij haar arm stevig vastklemde. Maja kneep haar ogen tot spleetjes en keek naar het licht ver weg, achter in het duis-ter, en ze zei: 'Nee.'

Stukje bij beetje was rondom hen de stad leeggestroomd. Het licht-schijnsel dat als een krans boven Rome hing was weggeëbd. De le-vendigheid die overal heerste was vertraagd en toen helemaal tot stilstand gekomen. Het onophoudelijke kabaal dat opsteeg uit de huizen, uit de auto's en de ramen was steeds meer afgenomen, tot-dat alles stil was, nu – en Rome een reusachtig lichaam was ge-worden, loom, roerloos.

HET IS LEUK MET PAPA ALLES OK AL1 JAMMER DAT JIJ ER NIET BIJ BENT WLTRST MAMA IHVJ!!!

Emma las het berichtje keer op keer, terwijl de greep van de angst die haar de adem benam verslapte, alsof die letters een vloek te-nietdeden. Ze voelde zich licht, bijna verdampt. Het waaide op het terras van restaurant Zodiaco, boven op Monte Mario, en ze rilde. Onder hen lag Rome als een kerststal vol lichtjes. IHOVJ, typte ze terug, en ze verstuurde het bericht. Ze had dat soort van telefoon-steno van haar dochter geleerd. Ze vond het leuk. Veel zeggen met minimale inspanning. 'Jij had gelijk,' zei ze, terwijl ze hem het te-lefoontje liet zien. 'Ze hebben het leuk met hun vader, alles is goed, het gaat goed.' 'Wat betekent MAMA IHVJ?' vroeg Sasha. Emma glimlachte en vroeg ongelovig: 'Weet je dat echt niet?'

'Wat gaan we doen?' vroeg Sasha. Laten we nu afscheid nemen, had Emma willen zeggen. Ze had een keer een dichtregel gelezen, ze wist niet meer van welke dichter. Die luidde min of meer zo: 'Wie kan weten welk afscheid wacht in het woord vaarwel?'

Sasha drukte op de afstandsbediening om het autoalarm uit te zetten en de koplampen van zijn Peugeot knipperden in het donker. Het leek alsof die lichtsignalen haar iets duidelijk wilden maken, maar Emma wist niet wat. Hij maakte het portier voor haar open en toen ze was gaan zitten duwde hij het zachtjes, voorzichtig weer dicht. Deze man sloeg nooit met deuren. Waarschijnlijk schreeuwde hij nooit. En hij was niet in staat om mensen te beledigen, omdat hij liever naar ze luisterde. En nu brengt hij me naar huis. En zo eindigt het. Wat is het kort geweest. Niet eens in uren, onze tijd samen is nauwelijks in minuten te meten. Deze dag samen is weggeglipt, zonder ons iets na te laten. Ik herinner me niet of ik iets tegen hem heb gezegd waarvan ik wilde dat hij het wist, noch of hij dat gedaan heeft. Als ik er later aan wil terugdenken, hoef ik niet te zoeken waar de herinneringen worden opgeslagen, of het lichaam of de woorden. Ik hoef alleen maar naar de weerkaatsing van de lichtjes te kijken, in de hemel boven Rome – en als hij gelijk heeft, vind ik daarin de weerspiegeling van ons.

Sasha reed de weg op, passeerde de sterrenwacht, reed voorzichtig omlaag over de Via Panoramica en kwam toen uit op de Piazza degli Eroi. Op de heuvel prijkte, als een wachttoren, als een vlaggenstok op een ingenomen gebied, de antenne van het Vaticaan. De nacht geurde naar lindebloesem. Ineens gooide Emma gedachteloos het grote, mooi ingepakte pakket van Bulgari op de achterbank, nadat ze het urenlang op haar schoot had gehouden als een aandenken en een blijk van trouw, zij het niet aan haar. Waarom zou zij het cadeau voor Sasha's geliefde moeten bewaren? Als ze hem ooit zou tegenkomen, zou ze hem er het liefst mee op zijn bek slaan. Sasha hoorde de plof en zei dat het stom was geweest het meest onfeilbare horloge te zoeken om Dario te laten weten dat de tijd die verstrijkt heel waardevol is en dat we het ons niet kunnen veroorloven die te laten schieten. 'Je vriend zal het wel begrijpen,' zei Emma. Sasha knikte treurig, want later was niet nu.

De rode M straalde licht uit, boven aan de palen. Ze passeerden opnieuw de metrostations die de weg naar huis aangaven. CIPRO-MUSEI VATICANI. VALLE AURELIA. BALDO DEGLI UBALDI. Maar nu had ze het gevoel dat ze door een andere, onbekende stad reed. Rome was nieuw – alsof ze de stad voor het eerst zag. Ze hadden de hele avond naar de kinderen gezocht. Ze hadden ze niet gevonden. Toch was de zoektocht niet helemaal vergeefs geweest. Sasha reed de Via Boccea op. De koplampen beschenen een smalle, zwarte strook asfalt, en verder was alles donker. Bomen, verkeersborden, hier en daar een vrachtwagen, verschenen en verdwenen alsof ze niet echt bestonden. In een flits zagen ze op een blauw reclamebord een bloot kind dat zorgeloos lachte, met zijn ogen dicht en zonder ergens naar te kijken, want zijn vrolijkheid kwam niet door iemand of iets, maar door zichzelf. De slogan luidde: DE TOEKOMST IS BEGONNEN, MENSEN.

De toekomst. De toekomst die zich schuchter vertoonde aan het eind van de nacht. Haar zorgen ebden weg. 'Wat ga je nu doen?' herhaalde Sasha. Hij keek recht voor zich uit, naar het duister dat ze tegemoet raasden. 'Ik ga ruziemaken met mijn moeder omdat ik haar wakker heb gemaakt, en dan ga ik meteen naar bed,' antwoordde Emma. Ze wikkelde de boa van oranje veren om haar hals, als verstijfd bij de gedachte dat ze Olimpia's verwijten zou moeten aanhoren. Toen ze bij Antonio was weggegaan, had ze gedacht dat ze weldra een huis voor zichzelf zou krijgen, en voor de kinderen. Maar het was haar niet meer gelukt om weg te gaan; ze had bij haar moeder moeten blijven, haar hulp moeten accepteren, weer dochter moeten worden. Ze had er meer moeite mee gehad dat te accepteren dan om alles kwijt te raken. Even zag ze het krappe appartementje voor zich, volgestouwd met prullerige meubelen maar toch leeg, omdat Valentina en Kevin er niet waren vannacht. En morgen en overmorgen zouden ze er ook niet zijn. Ze was het niet meer gewend om zonder de kinderen te zijn. Ze miste ze nu al. En het duurde nog twee hele dagen voor het maandag was. Een eeuwigheid.

'Het zou ook heel anders kunnen zijn. Bij mij thuis in de koelkast staat een fles Veuve-Cliquot,' zei Sasha, met een bezorgde blik op de benzinemeter die de reservetank aanwees. 'En er was een tafel gereserveerd in de Colline di Maremma, een restaurant met twee Michelinsterren in de buurt van Montemerano. In zekere zin was het mijn feestje. Het is ons jubileum. We zijn tien jaar bij elkaar. Maar misschien moet ik eigenlijk vijf zeggen. De andere helft van zijn leven is voor zijn vrouw.' Sasha had tien jaar op zijn vriend gewacht. Tien jaar! Hoe had hij het volgehouden om hem zo lang te delen met zijn vrouw? Dat zou Emma nooit gekund hebben. Zij had hem voor zichzelf willen hebben. Maar met mannen had ze altijd alles verkeerd gedaan. Ze keek door het raampje, maar in het donker ontwaarde ze geen enkel benzinestation, en even was ze jaloers op de bestendigheid van die geheime, vage liefde, maar toen bedacht ze dat die juist zo duurzaam was geworden door de steelse onzekerheid en het dagelijkse gemis, terwijl hij waarschijnlijk erbarmelijk gestrand zou zijn als hij zou zijn blootgesteld aan de banalere klappen van het leven. Misschien is het nog gemakkelijker om een halve geliefde te hebben dan een hele man of vrouw.

Sasha reed langzaam, bedachtzaam. Hij had een jongensachtig gezicht, onvolwassen. Zijn wangen waren glad, zacht, mollig. Misschien was hij nog steeds met zijn gedachten bij het Zwitserse horloge dat op de bank daar achter hen onverbiddelijk de verloren tijd wegtikte, en bij zijn feestje dat ruw was verstoord – of eigenlijk nooit was begonnen. 'Dat tafeltje zullen ze nu wel aan iemand anders hebben gegeven,' constateerde hij, met plotselinge droefheid om dat wat had kunnen zijn maar niet was geweest en misschien inmiddels ook wel niet meer zou komen. Emma knikte. 'Ik zou denken van wel, het is al na middernacht!'

Sasha stopte onder de blauwe lampen van een benzinepomp met automaat. Er was niemand in de buurt, er stond alleen een emmer vol stinkend zwart water waarin een spons dreef. De grillige automaat weigerde het enige bankbiljet dat Sasha bij zich had. Emma deed het raampje omlaag. Ze zag hem klungelen en vergeefs op de ene na de andere knop drukken. Die man die nog een jongetje lijkt en zoveel moeite heeft met de dingen van deze wereld. Ze stapte uit. Ze rommelde in haar tas, pakte haar portemonnee en haalde er haar laatste briefje van vijftigduizend lire uit. Sasha wimpelde het beleefd af – hij kon echt niet toestaan dat zij... Maar Emma stopte het in de automaat, die het met een ritselend geluidje opslokte. Hij probeerde haar te dwingen ten minste tienduizend lire aan te nemen, maar Emma weigerde glimlachend. 'Ik ben een ramp,' zei Sasha. 'Als je een taxi had genomen, was je minder geld kwijt geweest.' 'De volgende keer betaal jij,' zei Emma, ook al was er niets wat erop duidde dat ze nog een keer een avond zou door-brengen met Valentina's leraar.

Sasha pakte de tankspuit. Met een hevige trilling stroomde de benzine door de slang en gutste in de tank. 'Met zoveel benzine kan ik wel naar Venetië rijden,' merkte hij op. En hij bedacht dat er inderdaad helemaal geen reden was om naar huis te gaan. De kat had voer voor drie dagen. Hij kon echt zomaar naar Venetië vertrekken, of ergens anders heen. Hij was vrij. 'Heb jij morgen iets te doen?' vroeg hij haar. Het kon hem niks schelen dat het een nogal onbescheiden vraag was. Hij had het gevoel dat hij alles te-gen haar kon zeggen en alles van haar kon vragen. 'Ik ga wachten tot het maandag is,' antwoordde Emma met een glimlach. Sasha tikte met de tankspuit in de tank om ook de laatste druppel benzi-ne op te vangen, waarna hij hem eruit trok en peinzend bleef staan, met het druppelende tankding in zijn handen. Ineens zei hij: 'Heb je zin om samen met mij te wachten tot het maandag is?'

'Ken je Saturnia?' 'Nee,' antwoordde Emma, nauwelijks beko-men van de verbazing. 'Daar ben ik nog nooit geweest.' Terwijl hij onhandig probeerde de tankspuit weer aan de pomp te hangen, morste Sasha benzine op zijn schoenen. 'Ik ga er altijd naartoe als ik iets te vieren heb. Daarom ben ik er nog nooit alleen geweest.' Hij maakte het portier van de auto voor haar open en toen ze was gaan zitten duwde hij het zachtjes, voorzichtig weer dicht. Emma keek naar de blauwe lampjes van het neonbord die op de motor-kap werden weerspiegeld. Sasha liep traag om de auto heen en ging achter het stuur zitten. Hij stak de sleutel in het contactslot, maar startte niet. Het leek alsof hij ergens op wachtte. 'Er is een kamer voor twee gereserveerd op mijn naam, in het Grand Hotel van de Thermen van Saturnia – twee nachten, ze zijn al betaald. Het ho-tel is echt heel chic, en er is een thermaalbad zo groot als een meer. We zouden vannacht nog in de baden bij de watervallen kunnen gaan. Het water is zevenendertig graden als het uit de bron komt. En het dampt, alles is in stoomwolken gehuld, het is een onwer-kelijk landschap, net een droom. Ga je mee, Emma?'

'Ik weet niet of dat wel zo'n goed idee is,' aarzelde ze. De klank van haar naam had haar verrast. De kinderen zeiden mama tegen haar. Voor Antonio was ze altijd Mina geweest. Maar toen Sasha haar naam noemde was er kennelijk een zenuw geactiveerd die lange tijd werkeloos was geweest – alsof ze zich herinnerde dat ze bestond. 'Het is een tweepersoonskamer met twee eenpersoonsbedden,' preciseerde Sasha om elk misverstand uit de weg te ruimen. Hij wilde niet dat Emma hem verkeerd zou begrijpen. Hij had geen enkel doel, geen enkel plan, geen zweem van verlangen naar haar. Hij wilde alleen maar samen blijven. 'Ze geven nooit een tweepersoonsbed aan twee mannen,' benadrukte hij. 'Dat is een van de weinige nadelen van het leven als homo.' Emma lachte. In haar tas voelden haar vingers de huissleutels. De kinderen waren bij hun vader en ze hadden het leuk. En voor het eerst sinds ze waren geboren had ze niets te doen. Ze had nooit een moment voor zichzelf gehad. Al jaren leefde ze alleen voor hen. Maar nu was ze alleen. En ook al had ze het hardnekkig ontkend en had ze moeten boeten voor haar ontkenningen, misschien had Antonio toch wel gelijk: zij was niet gemaakt om alleen te blijven. Ze kon alleen voor andere mensen leven. Ze wilde dat ze gelukkig waren. Met haar of dankzij haar. Was dat dan zo erg?

Ze kon op pad gaan met deze man die nog een jongen leek, gekomen vanuit het donker van een verkeerde dag – de onhandige, verstrooide leraar, die toch ook vlot en licht is, want het verleden drukt niet op zijn schouders, het verleden dat hij, jong als hij is, voor mij kan torsen. Een man die ze eigenlijk pas sinds een paar uur kende. En dan twee dagen en twee nachten doorbrengen met alles aan elkaar opbiechten wat je tegen niemand anders zou kunnen zeggen, met elkaar de meest intieme dingen vertellen, als twee onbekenden in de trein die weten dat ze elkaar nooit meer zullen tegenkomen. En dan zondagavond met hem terugkeren naar Rome. En twee dagen lang zou ze niet naar het gevit van Olimpia hoeven luisteren, en de dreigementen van Antonio – en zou ze alles vergeten. Twee dagen wapenstilstand, die als een draadje werden opgehangen tussen de gewone dagen van haar leven. Uiteindelijk wordt het immers toch weer maandag. Waarom niet? Echt leven, voor een paar uur. En profiteren van de volheid van elk ogenblik, zonder iemand om vergiffenis te hoeven vragen.

Sasha draaide de sleutel om en startte de motor. De koplampen tekenden een witte lichtkegel op het asfalt. Hij stuurde de auto naar de wegversmalling die uitkwam op de provinciale weg, maar die reed hij niet op, weifelend welke kant hij op zou gaan. Zijn donkere ogen glinsterden achter zijn brillenglazen. Zijn overhemd gaf het donker een blauwe glans. Hij wachtte ergens op. De tijd werd beladen – als de seconden die verstrijken tussen de bliksem en de donder. 'Oké,' bevestigde Emma dromerig. 'Ik ga mee. Ja.' Sasha gaf gas en de auto gleed de rijbaan op. Terwijl Emma glimlachend haar handen in haar tas stak en eindelijk dat helse telefoontje uitzette dat haar aan haar leven vastgenageld hield, passeerden ze het witte bord met de tekst: ARRIVEDERCI A ROMA.

Oh it's such a perfect day
I'm glad I spent it with you

Oh such a perfect day
You just keep me hanging on
You just keep me hanging on

Just a perfect day
You made me forget myself

I thought I was
someone else
someone good

You're going to reap
just what you sow
You're going to reap
just what you sow
You're going to reap
just what you sow
You're going to reap
just what you sow

LOU REED

De gewoon agent deelt mee dat de telefoon blijft rinkelen. De bewoner van het appartement blijkt inderdaad iemand te zijn die wapens in huis zou kunnen hebben. De buurman heeft bevestigd dat er na de kreten en de schoten niemand naar buiten is gekomen. Kortom, het hoofdbureau zegt dat ze door kunnen gaan. De officier van justitie heeft toestemming gegeven. De hoofdagent trapt zijn peuk onder zijn schoen uit en leunt tegen de deur aan. Eén, twee, drie. Bij de derde duw begeeft de deur het ineens, maar hij voelt een hevige pijn aan zijn voet en hij hoopt dat die niet gebroken is. Het licht is uit. 'Hallo, is daar iemand?' roept hij. 'God is overal en in alle dingen,' antwoordt een mannenstem. 'Maar je moet de aanwezigheid van het goddelijke kunnen herkennen, en daarvoor moet je je hart openstellen voor de ademtocht van de geest.' 'Is hij gek geworden?' fluistert de gewoon agent. 'Doe het licht aan,' zegt de ander, terwijl hij op de tast in de richting van de woonkamer loopt. Een gerimpelde schim staart hem aan vanachter de bank, met een blauwe krans om zijn hoofd. Hij heeft glazige ogen en een galmende stem; dat moet ook wel, het is een priester. De tv staat aan. Dat heeft de hoofdagent ook wel eens, als hij niet kan slapen: dat hij 's nachts urenlang als gehypnotiseerd naar de religieuze uitzendingen zit te staren die zijn weggestopt in de heimelijke uurtjes van de reclamespotjes voor pornolijnen. De gewoon agent kan het lichtknopje niet vinden. Hij is nog nooit in andermans huis binnengedrongen. Maar andermans huizen lijken op het onze.

In de woonkamer hangt een doordringende geur van sigaretten, frietjes en iets wat hij niet kan thuisbrengen. Of misschien wel, maar hij hoopt dat hij zich vergist. Dit onheilspellende huis – vreemd leeg, zielloos, waar niets meer in staat behalve een kale bank, zonder tapijten, met een lege boekenkast. *Ze had ze meege-nomen en toen waren ze hier niet meer gezien.* Een huis dat niet lan-ger bewoond werd, verwaarloosd, geteisterd door herinneringen – spoken. De priester zegt dat de geest in ons is, en de hoofdagent pakt de afstandsbediening en zet hem uit. Hij loopt achteruit de gang in. Het kabaal van de ingetrapte deur heeft niemand wakker gemaakt. Hij heeft slaap, hoofdpijn en een brok in zijn keel van de misselijkheid. Hij probeert te stoppen met roken, en de sigaret heeft een giftige smaak achtergelaten in zijn mond. 'Kom eens,' mom-pelt de gewoon agent toonloos, 'kom eens.'

Aan het eind van een smalle, kale, anonieme gang is het licht aan. De hoofdagent gaat naar binnen in dat wat misschien een meis-jeskamer is geweest, want de muren zijn bedekt met roze afneem-baar behang bezaaid met feeën en andere figuren uit de wereld van Walt Disney. Op de grond ligt een verfrommelde witte schim. Het lijkt wel het omhulsel van een spook. Het is een badjas. Dat le-venloze hoopje stof veroorzaakt een doffe onrust in hem. Hij durft het niet aan te raken. Hij bukt zich om iets goudkleurigs te bekij-ken, dat glimmend op de vloerbedekking ligt. Het is een patroon-huls. Maar er is niemand, en de balkondeur die uitkomt op het ter-ras zit stevig op slot. 'Kom eens,' herhaalt de gewoon agent.

Hij gaat terug. Hij loopt weer door de woonkamer en wringt zich door een nauwe doorgang die uitkomt in een klein keukentje. Hij ziet de vuilnisemmer – vrijwel leeg. Hij ziet een rood vlekje, dat als een druppel was afsteekt tegen de donkere tegels. Hij ziet de kasten, de schappen, de grote koelkast – en hij heeft het gevoel dat hij die keuken al eens ergens gezien heeft, en dat is ook zo, want dit model is de goedkoopste en best verkochte montagekeuken voor gezinnen in Italië. Op de koelkastdeur heeft Buonocore foto's ge-plakt, en ansichtkaarten, Post-It-briefjes met aantekeningen die van geen belang waren op de dag dat ze werden opgeschreven, en mis-schien voorgoed van geen belang: BETALEN ELEKTRICITEIT, HYPO-THEEK. De ansichtkaart is een belofte van strand, zee, zon. Op de blauwe zee prijkt het opschrift: SHARM EL SHEIK. Hij bedenkt dat hij daar met kerst naartoe zou willen gaan met zijn vrouw, dat is haar grote wens. De foto's op de koelkast zijn allemaal dof, ver-kleurd door de zon, door het stof, door de tijd: ze zijn jaren oud. In de loggia is het licht aan. Met die doorzichtige wanden lijkt het net een glazen doos. Hij bedenkt dat het vast heel intiem en ge-zellig is om daar te eten. De gewoon agent zit onder de tafel ge-knield. Hij wil hem net vragen wat hij daar in godsnaam zit te doen, als de ander verzucht: 'Hij heeft haar vermoord.'

Meisje met een paardenstaart op haar tengere rug en een witka-toenen shirtje van de club AS Esquilino, geen schoenen aan, met haar armen dicht langs haar lichaam, zittend in haar eigen bloed. Meisje ineengehurkt onder de tafel – waar ze misschien haar toe-vlucht had gezocht toen ze probeerde te ontsnappen. De hoofd-agent raapt de tweede patroonhuls op. Hij klemt zijn vingers erom-heen en denkt: drie schoten – een op haar kamer, die mist haar, de andere in haar schouder, door de stof heen, dwars door het schou-derblad en bij haar oksel komt de kogel weer naar buiten. In haar schouder? Ze heeft zich niet omgedraaid, ze is hem aangevlogen. Ze had het lef om hem recht aan te kijken, terwijl hij – degene die ze waarschijnlijk het meest vertrouwde van de hele wereld – de trekker overhaalde. De derde kogel zit nog in haar lichaam: het laatste schot in het hart, van dichtbij. Tien centimeter, misschien nog minder. Misschien is hij achter haar aan gerend – de glazen deur van de loggia staat open, op het balkon is het wasrek omge-vallen – misschien heeft ze geprobeerd op het gemeenschappelijke dakterras te klauteren, ze is op het wasrek geklommen, die verrot-te ijzerdraadjes konden haar gewicht niet houden, ze is gevallen. Maar wat kon ze verder nog doen? Schreeuwen, en ze heeft ook geschreeuwd. Ze hebben haar gehoord. En niemand is op tijd ge-komen. Omlaagspringen. Misschien de steiger. Misschien een haak, een buis van de reclameposter, een dakgoot om haar val te breken. Zes verdiepingen, onmogelijk, eigenlijk alleen een wonder... Maar kinderen hebben duizend levens. Toch is ze weer naar binnen ge-gaan. Waarom? Misschien hebben ze iets tegen elkaar gezegd, hij was immers nog altijd haar vader. Misschien heeft hij haar omge-praat. Ze is onder de tafel gekropen. Is hij ook onder de tafel ge-kropen? Hij is vast lang, en atletisch, een Italiaan als zovelen – een van onze mannen. Maar zoveel heeft hij ook weer niet hoeven ren-nen, het huis is klein, hooguit tachtig vierkante meter, hij heeft zich gebukt en hij heeft haar van tien centimeter afstand in haar hart geschoten. Terwijl hij haar in de ogen kijkt en weet dat zij het weet. Mijn god.

Meisje vermoord onder de eettafel, zonder schoenen aan, met haar witte shirtje doordrenkt van het bloed en half opgetrokken zodat haar navel vrijkomt waarin een glimmend, splinternieuw metalen knopje prijkt. Meisje dat leeft op de foto's op de koelkast, waar hij telkens als hij een slok bier dronk, telkens als hij in een tomaat hapte, liefdevol naar zal hebben gekeken. Meisje zonder naam in een wit jurkje op de dag van haar communie; meisje kijkt door het raampje van de Tipo van Buonocore – lach eens naar papa, schatje, goed zo; meisje vele jaren eerder, als klein kind met een bundeltje op de arm, een rimpelige pasgeborene wiens oogjes nog wazig staan. Meisje met een knokig lijfje geknield op het zand, links van een blonde spetter in bikini die wordt vastgeklemd door een scheel ventje. Alle drie lachend, gebruind en verblind door het middaglicht, dat een ramp is voor foto's, dat weet zelfs een amateur. Een rustig strand, met parasols in verschillende vormen en kleuren, dus het hoort niet bij een strandtent, het is een vrij strand, kiezeltjes, een groene, kristalheldere zee – misschien de Ionische Zee. Meisje dat leeft en met haar vinger wijst naar de zachte schouder met een opvallende letter A erop getatoeëerd van de blondine die naast haar geknield zit maar naar de fotograaf kijkt – Buonocore natuurlijk, maar omdat het midden op de dag is zie je zijn schaduw niet. De blik van het meisje strak op haar moeder gericht. Afgunst? Jaloezie? Liefde? Onvoorwaardelijk vertrouwen. De blondine die haar negeert, en verrukt, verliefd, prachtig lacht naar Buonocore in zijn zwembroek – waarschijnlijk een elastische boxershort om zijn dijen en zijn bobbel te accentueren – vier passen voor haar, atletisch, gebruind, trots omdat alles wat hij in zijn lens ziet – handdoek, scheel ventje, stuurs meisje, draagbare stereo, stevige, goedgevormde blondine, zonder zwangerschapsstriemen, opmerkelijk – omdat dat allemaal van hem is. Van hem wás, want hij is het kwijtgeraakt en nu behoort het allemaal tot een ander leven. Gebiologeerd door de lach van die gelukkige, verdoemde vrouw, onbehoorlijk bloot, het enige wat ze aanheeft is een dun reepje stof dat haar weelderige boezem bedekt – gekmakende bollen die glanzen van de olie of het water. Al dat moois; weemoed en eeuwige verleiding – telkens als hij een biertje opentrekt, een tomaatje verorbert, een ijsje uit de verpakking haalt. Mijn god.

Alle lampen zijn nu aan en verlichten het haveloze verval van een huis dat allang is opgehouden een thuis te zijn. Buonocore leefde in een wanhopige, smerige, onverschillige wanorde. Overal slingeren oude kranten, geopend op de sportpagina's. Een platgetrapt blikje is tegen de dekenkist in de hal aan geschopt. De kamers die van de kinderen waren geweest gruwelijk leeg, op het behang bezaaid met vogeltjes, bomen en engeltjes zijn de omtrekken zichtbaar van posters die er lang geleden vanaf zijn gehaald – lege omlijstingen, afwezigheid, afwezigheid. Twee houten montagebedden, en verder niets. De bedden zijn niet eens opgemaakt, de matrassen liggen er kaal op. Hij is nooit van plan geweest ze naar bed te brengen. Het was geen opwelling. Hij had het helemaal gepland. Maar het meisje heeft iets gehoord, dus toen hij haar wilde gaan overrompelen op haar kamer – waarom was ze op haar kamer? – kwam ze al de woonkamer in rennen, en hij miste haar, en toen ze zich boven op hem stortte schampte hij haar, en ze wist te ontkomen, en hij moest haar achternarennen, haar van het wasrek af trekken, haar achtervolgen naar de glazen doos, zich bukken, misschien zelfs tegen haar praten, en haar onder de tafel afmaken. Wat had ze gehoord?

Het schele ventje met de pleister op zijn oog ineengedoken op de bank, met zijn hoofd op de armleuning. Een rode ballon die om zijn pols gebonden zit deint en schommelt boven hem. In een absurd pak – totaal misplaatst in dit kleine, lege huis. Een zwarte smoking, superchic, compleet met vlinderdasje van zijde, ook hij zonder schoenen. Op zijn mollige, vrolijke, geamuseerde gezichtje een gelukzalige uitdrukking, gericht op de televisie waar hij naar had zitten kijken, en waar hij nog steeds naar keek. Op zijn schoot het felgekleurde hoesje van de band die in de videorecorder zat. *De Leeuwenkoning.* Hij had in elk geval niks gemerkt. Een bijna onzichtbaar gaatje in zijn nek, tussen zijn krulhaar dat glansde van de gel, stijf stond als de stekels van een egel. In zijn nek, heel laf. Onverhoeds, terwijl hij naar een tekenfilm zat te kijken. Zonder hem nog een kans te gunnen. Niet één. Het ventje niet. Het ventje als eerste. Lafaard, klootzak, hoe kun je, hoe heb je het gekund? Als ik hem vind, denkt hij, als ik hem vind, dan...

Hij heeft het zelf al gedaan. Bloedsporen leiden hem naar het aangrenzende vertrek. De hoofdagent loopt onder een boog door, een paar stappen en dan stuit hij op een stel rubberschoenen. Hij heeft ze uitgetrokken. Net zoals hij zijn zandkleurige pak heeft uit-getrokken, doordrenkt met bloed, hij heeft het netjes opgevouwen om het niet te laten verkreukelen, en hij heeft het over de rugleu-ning van een stoel gehangen – zijn vaste gewoonte, een ritueel van orde en controle. Waarom heeft hij zich omgekleed? Dan ziet hij het. Twee ongelooflijk gladde zolen steken boven de ijzeren spij-len van het voeteneind uit. Schoenen die maar één keer zijn ge-dragen – die een prachtig, antiek tweepersoonsbed ontwijden. Na-tuurlijk het bed waarop... Waarschijnlijk waren het meisje en het ventje hier bedacht. In genot en in vreugde. Buonocore nu in rug-ligging op het bed – met één hand op het hart dat hij nog meen-de te hebben, en de andere hangt tot op de vloer. Het pistool is op het kleedje gestuiterd. Het grote lichaam, dat nog niet stijf is, ligt op de linkerhelft van het bed, de helft die niet de zijne was – want het nachtkastje staat aan de andere kant, en daarop had hij, net zo-als altijd, ook al wist hij dat hij ze niet meer nodig zou hebben, de huissleutels, de uitgeschakelde mobiel en zijn portemonnee neer-gelegd. Liggend op de linkerhelft, waar zij altijd sliep, waar mis-schien de geur van haar parfum is achtergebleven, een van haar ha-ren, de afdruk van haar lichaam in de matras. De kinderen zonder schoenen, hij helemaal gekleed – maar niet om uit te gaan. Een groot lijf in een donker pak geperst, broekspijpen met een vouw, stropdas, gilet, het jasje niet dichtgeknoopt want de jaren zijn ver-streken en hij heeft niet meer hetzelfde postuur als destijds. Het grote lijf van Buonocore, door iedereen geacht, een rechtvaardige, dappere man, die een keer een eervolle vermelding had gekregen omdat hij een gevaarlijke moordenaar had aangehouden.

'Nu moeten we de vrouw nog zoeken,' constateert de gewoon agent. Hij geeft geen antwoord. Die glimlachende, gelukkige blon-dine. 'Denk je dat hij haar ook koud heeft gemaakt? Misschien heeft hij haar ergens anders vermoord en is haar lichaam nog niet ge-vonden. Meestal is de vrouw de eerste die eraan gaat. Ik herinner me er eentje die zelfs de hond had vermoord. Waar zou hij haar verstopt kunnen hebben?' 'Bek dicht!' schreeuwt de hoofdagent. 'Bel het rechercheteam, nu meteen. En het OM. Zeg dat de offi-cier van justitie zelf moet komen. Dit is een belangrijke zaak. Een familiedrama.' Buonocore met zijn geschoren hoofd midden op het kussen – de ogen halfdicht, en een onzinnig kalm gezicht, dat geen wanhoop, geen woede, geen haat en geen pijn meer uitdrukt. Niets. De hoofdagent doet het licht uit, want hij kan niet meer tegen de aanblik van Buonocore op die kale rode gewatteerde deken, zwart in zijn zwarte trouwpak dat hij maar één keer heeft gedragen, vijftien jaar geleden.

Gillende politiesirenes, beneden op straat. Te laat komende jammerkreten van schrik en woede, van dreiging en protest, maar nu heeft het geen zin meer. Ze boren zich dwars door de hardnekkige onverschilligheid van de nacht. Dan komen ze dichterbij, de ramen van het appartement trillen, en dan is het ineens – definitief – stil. Ze hebben de motor uitgezet. Ze zijn er. De laatste opgeschorte ogenblikken – de levenden en de doden, en er is niets meer te zeggen. Daarna komen er alleen nog woorden. En die hebben geen enkele betekenis. 'Hij heeft een brief achtergelaten,' zegt de gewoon agent terwijl hij de woonkamer in komt lopen. Hij praat op gedempte toon, alsof hij ze niet wakker wil maken. Maar ze kunnen niet wakker worden. Ze bevinden zich niet meer in deze lege vertrekken, onder dit lage plafond – ze zijn weg. De gewoon agent reikt hem een gesloten envelop aan, gefrankeerd met een postzegel van de snelpost. De brief is geadresseerd aan advocaat en parlementslid Elio Fioravanti, Via Mangili, Rome. Misschien staat daarin de verklaring voor dit bloedbad. Maar waarschijnlijker is dat het alleen nog maar meer woorden zonder betekenis zijn, die geen orde noch licht kunnen scheppen. 'Leg maar terug waar je hem hebt gevonden, je mag niets aanraken,' zegt de hoofdagent.

De mannen van het rechercheteam zijn gekomen, de commissaris, de inspecteurs, de agenten van de technische recherche, de fotograaf. Er zijn in geen jaren meer zoveel mensen in dit appartement geweest. Stemmen, voetstappen, dreunen, uitroepen, ontreddering, razernij. Ongeloof. Niemand kende Buonocore echt. Niemand kent iemand. Opgewonden bevelen. Niet op het bloed stappen. Geen voorwerpen verplaatsen. De lijken niet aanraken. Waar is Mario met zijn videocamera? Begin te filmen, voordat ze alles overhoophalen. De film van het delict in de nacht van 4 mei. Het huis. De vertrekken. De sporen. De wapens. De kogels. De verwondingen. De posities. De slachtoffers. De moordenaar. Allemaal samen op dezelfde band. Familiefilmpjes.

De agenten kammen het appartement uit om alle bloedsporen in kaart te brengen. Op zijn knieën installeert de expert de apparatuur en drukt het bloed op het zelfklevende papier. De cameraman zoomt in op de witte badjas op de vloer van de meisjeskamer – hij is droog, hij is niet gebruikt. Dan een panoramaopname van de gang, naargeestige omtrekken van verdwenen schilderijen, een overzichtbeeld van de woonkamer, verloedering, troosteloosheid, verwaarlozing, stof, een houten Pinocchio, het hoesje van *De Leeuwenkoning*, bloedspetters tegen de muur. Inzoomen onder de bank: twee volleybalschoenen. Dienen ze als bewijsstuk? Kunnen ze van pas komen bij de reconstructie van de gebeurtenissen? Voor de zekerheid worden ze gefilmd, gefotografeerd en in een doorzichtige plastic zak gestopt. Op de bewijsstukkenlijst worden ze toegewezen aan Slachtoffer Nummer Twee. Soms vragen familieleden ze naderhand terug. Schoenen, kleren die de laatste dag zijn gedragen, muntjes, voorwerpen die ze in hun zakken hadden. Knopen, hangertjes, haarspelden. Een soort relikwieën zonder wonderen.

Bewijsstukken. Het kussen van de bank – opengereten door het schot. Door de twee gaten, de ingang en de uitgang van de kogel, ontsnappen witte veertjes die bij elke voetstap opdwarrelen en achter je aan komen als je wegloopt. Bewijsstukken. Een kartonnen beker van McDonald's met het rietje nog door het deksel gestoken – gevonden op dezelfde bank. Telkens als de agenten langs hem heen lopen, begint de rode ballon die om de pols van het ventje gebonden zit heen en weer te deinen door de luchtverplaatsing. En telkens krijgt de hoofdagent een schok, want door dat gewiebel krijgt hij het idee dat het jongetje zich ook beweegt.

Het jongetje. Ze noemen hem Slachtoffer Nummer Een. Hij heeft nog geen naam, geen identiteit, geen geschiedenis. Het helpt om niks te weten. Daardoor word je wat koeler, kalmer, afstandelijker. Maar er moet gereconstrueerd worden, er moet uitgelegd worden. De toedracht van de daad, de daad, de schuldige, het motief. Maar de daad op zich betekent niets. De hoofdagent dwaalt door het appartement, achter de cameraman aan, zonder te weten wat er van hem gevraagd wordt, wat zijn taak en zijn functie is in dit geheel. Maar er moet er toch een zijn. Ze vragen hem om te vertellen. Is dat het dan? Hij beschrijft het tafereel dat hij zich niet eens had willen voorstellen. Ze luisteren naar hem, zonder hem aan te kijken. Hij kijkt hen evenmin aan. En hij kijkt ook niet naar het ventje op de bank – een zwart hoopje, een kleine schele prins in de kussens, alsof hij slaapt. Ze zouden zijn oog moeten sluiten. En het bloed afvegen dat uit zijn neus en zijn mond sijpelt. Maar niemand mag de lichamen aanraken. Op de ladekast de foto in een vergulde lijst, die hem eerst niet was opgevallen. Buonocore en de blondine – al is ze daar nog een brunette – op hun trouwdag, voor een imposante kerk: jong en verliefd zoenen ze elkaar op de mond. Op haar haren draagt ze een kroontje van witte bloemen. Hij schrikt op van een ijzingwekkend lawaai van brekend glas. Iemand heeft de sneeuwbol met de Madonna van Loreto van de plank boven de kachel gestoten. Overal liggen scherpe scherven verspreid. Het gebroken beeldje ligt achterover op de gore vloerbedekking. De sneeuw is op mysterieuze wijze verdwenen.

Hij loopt voor de zoveelste keer terug naar de glazen loggia, nog steeds de aanwezigheid onder de tafel ontwijkend. De cameraman zit geknield naast Slachtoffer Nummer Twee – het meisje met de paardenstaart. Hij filmt een overzichtbeeld en vervolgens in close-up, dan roept hij iets, geagiteerd – maar de hoofdagent luistert niet naar hem, hij moet even naar buiten. Hij gaat op het balkon staan. Rome onder hem, eindeloos veel lager. Onwetend en verlicht. Een kartelig labyrint van auto's, stenen en beton, een schitterend borduurwerk van muren, kruisen, koepels, schoorstenen en antennes, ordeloze groepjes bomen en gebouwen, aan alle kanten doorkliefd door de lege strepen van de straten. Een nevel van lichtjes, die de hemel zonder sterren een lichtere tint verlenen. De weerspiegelde stad en de echte, bestaande uit schaduwen. En welke van de twee de echtste is, weet hij niet. Gebouwen zo ver het oog reikt, straatlantaarns, verlichte ramen, neonborden. En de strepen van de koplampen, en het geronk van de auto's in de verte, en miljoenen mensen die naar huis gaan, en in bed stappen, en de liefde bedrijven, en ruziemaken, en slapen, en de een gaat dood, en de ander wordt geboren, en alles gaat door.

Weer naar de woonkamer. De dienstdoende officier van justitie is gearriveerd. Een man met een grijze baard en de vermoeide houding van iemand die al heel wat heeft meegemaakt. De officier van justitie kent de rechercheurs. Ze kennen elkaar als verre verwanten, die elkaar alleen op begrafenissen tegenkomen. Ze leggen hem nog eens de vermoedelijke toedracht van de gebeurtenissen uit. De officier van justitie vraagt of de ballistisch deskundige er al is, en hij noemt de gerechtsarts voor de autopsie. Hij klaagt over de hoeveelheid mensen die elkaar in zo'n kleine ruimte verdringen en voor de voeten lopen, hij verzoekt iedereen die niet echt nodig is weg te sturen en de ruimte zo snel mogelijk af te sluiten. Verder valt er niets te zeggen. Het is allemaal zo duidelijk – en tegelijkertijd zo onnatuurlijk en onverklaarbaar.

Een bleke, ontstelde politieagent met de zak van de bewijsstukken in de hand, houdt in zijn andere hand een kleine lakschoen, maat 33. Hij staat als verstijfd en kan zijn blik niet losmaken van de voetjes van het jochie dat ineengedoken op de bank zit. Zijn kleine grote teen piept door een gaatje in de witte sok. De bleke politieagent vindt die aanblik zo onverdraaglijk dat hij, ook al weet hij dat hij nooit, om geen enkele reden, het lijk mag aanraken, zich over hem heen buigt en de sok rechttrekt over zijn voetje om dat arme gaatje te verbergen. Hij huivert, want de huid van het jongetje begint koud te worden, ijs en steen – dode materie inmiddels.

Op de slaapkamer van Buonocore wordt de inventaris opgemaakt van de oorzaken en de middelen. Het moordwapen wordt in beslag genomen. Een Springfield Armory 1911-A1 die behoort tot de uitrusting van de Amerikaanse SWAT en HRT van de FBI voor bevrijdingsoperaties van gijzelaars. De moordenaar is een kenner. Een inspecteur doet de kast open, rommelt in de laden en roept dat er overal munitie en pistolen liggen, dit huis is gewoon een wapenarsenaal. En hij, de gunman, de bruidegom, is in hun midden – als een getuige. Een hinderlijk monument voor zijn eigen verleden, voor zijn eigen mislukking. Een andere politieagent is op zijn knieën bezig een kartonnen doos met videobanden leeg te maken. Hij rangschikt ze op de vloer. Geen porno, geen avonturen-, actie- of oorlogsfilms, zelfs geen tekenfilms. De enige bioscoop die een vader interesseert. Het ongrijpbare leven van zijn kinderen. Hun onweerstaanbare verandering. De familiefilmpjes van de vakanties, allemaal gelabeld: zomer 1996, 1997, 1998... De laatste drie jaar is er geen filmpje meer gemaakt. Het laatste is voor vannacht.

En nu reageert het bloed op de chemische stoffen en komt her en der tevoorschijn op de vloer, op de kale muren, op de banken. De bloedsporen tekenen de contouren van de vlucht en de dood.

Er straalt een spookachtig aureool af van die lichamen en die sporen. Dat schijnsel is de barrière die hen ontastbaar maakt. Het teken van hun afstand, de grens die niet meer kan worden overschreden. In het appartement zou een sacrale, respectvolle stilte moeten heersen. Maar zo is het niet. Iemand vraagt of ze plakband hebben meegenomen, iemand anders overlegt via zijn gsm met de gerechtsarts, dat hij moet opschieten, dit is een belangrijk misdrijf, er zijn kinderen bij betrokken, iemand scheldt op de begrafenisonderneming die ongepast snel is komen opdagen, iemand brengt de persbureaus en de kranten op de hoogte, iemand loopt te vloeken, er is zelfs iemand die huilt – de bleke agent, die zijn ogen afveegt en maar blijft stamelen: ik heb ook kinderen hoe kan iemand zoiets doen? En terwijl het bloed weer zichtbaar wordt op de afgetrapte vloerbedekking, rolt een agent het lint af voor de afzetting, en vult het formulier in dat hij op de voordeur zal bevestigen: RUIMTE AFGEZET.

Wat er gebeurd is wordt verzegeld. Maar met welk doel? Wie willen ze beletten om binnen te komen in dit huis, in deze geschiedenis – om te zien en te weten? Blijf buiten. Dit gaat jullie niet aan. Jullie is dit niet overkomen. Jullie kan het niet overkomen. Misschien dient die verzegeling daartoe. Talloze meters roodwit plastic geven de plaats van het delict aan. Een huis dat onbewoond is, en inmiddels ook onbewoonbaar. Dit moet allemaal gebeuren. Maar er zal nooit een rechtszaak komen, en geen enkele straf – behalve voor wie achterblijft.

De doorzichtige zakken zitten vol bewijsstukken. De kogels zijn gevonden. De bloeddruppels hebben allemaal een nummer. De volgorde van de gebeurtenissen is hypothetisch gereconstrueerd. En de werknemer van de begrafenisonderneming zet drie zinken kisten op de overloop. Het zijn net dozen. Of lege verpakkingen voor het vervoer van goederen zonder waarde.

De hoofdagent gaat weg uit dat huis. Hij krijgt haast geen lucht meer. En hij heeft ook niets meer te doen daar binnen. Van de kant van de Santa Maria Maggiore hoort hij de sirene van een ambulance. Hij vraagt zich af wie die gebeld heeft. Er is geen arts nodig, geen behandeling, niets. Over een paar uur worden de lijken weggehaald. Ze zullen worden ontleed op de tafel van de gerechtsarts. En dan, als ze weer zijn dichtgenaaid, worden hun verwondingen en hechtingen weggewerkt met make-up, worden ze in de kisten gelegd en krijgen ze een begrafenis, en iedereen zal komen, maar dan echt iedereen, er komt een preek, bloemen en tranen, en aan het eind een langdurig applaus. En dan is alles voorbij. Ze zijn nu al niet meer dan cijfers in statistieken, ze zijn nu al nieuws en reportages, onderwerp van debat en uitstoting, verontwaardiging en verdriet, en dat zullen ze hooguit een week blijven. Hij veegt zijn voeten op de deurmat in de vorm van een kat, alsof hij het bloed eraf kan vegen waar hij niet op gestaan heeft. Uit het appartement komen de felle flitsen van het fototoestel. De laatste beelden die van hen zullen resten. Familiekiekjes, tot aan de dood en verder.

De sirene van de ambulance doet pijn aan zijn oren. Hij probeert de herinnering te verdrijven van Buonocore in zijn trouwpak op het bed, van het meisje onder de tafel, en van de blondine in bikini op de koelkast. Hij is degene die haar moet opsporen. Daarvoor is hij op weg terug naar het hoofdbureau. Met die foto in zijn hand. De buurman heeft haar herkend als Buonocores vrouw, of ex-vrouw. Een vrouw die altijd lachte, ze leek de zon in haar ogen te hebben. Hij kwam haar vaak tegen op de Piazza Vittorio, als ze met het ventje naar het plantsoen ging, ze was altijd bij hem, ze liet hem nooit alleen. Maar ik ken haar helemaal niet, ze was niet erg toeschietelijk. Hij herinnert zich niet eens hoe ze heet. En hij heeft geen idee waar ze is. Ze was weggegaan. De hoofdagent hoopt maar dat ze zo ver weg is gegaan dat ze niet kan worden bereikt.

Uit het trapgat duikt een hijgende ambulancemedewerker op, die een brancard meesleept. Hij wil net tegen hem zeggen dat hij maar rustig aan moet doen, dat ze hem toch niet nodig hebben, dat de doodskisten er al zijn. Maar de man rent buiten adem langs hem heen, en even later rent er al even buiten adem een arts langs hem heen. De hoofdagent begint de trap af te lopen. Hij hoopt dat hij de naamloze blondine niet zal vinden. Dat hij haar niet dood zal vinden. En misschien nog wel meer dat hij haar niet levend zal vinden. Je kunt zoiets niet vertellen. Daar zijn niet genoeg woorden voor. Hij bidt dat het niet zijn taak zal zijn om haar het nieuws te brengen. Niet vannacht. Nu nog niet. Waar ze ook is, gun haar nog een uur, nog een dag.

Op de tweede verdieping schreeuwt een verpleger hem toe dat

hij aan de kant moet, dat hij ruimte moet maken en hem erlangs moet laten. Vlug, vlug, maak de trappen vrij, weg allemaal. De hoofdagent deinst achteruit op de overloop, blijft staan en ziet dat de ambulancemedewerker de brancard uiterst bekwaam omlaagduwt over de trap. Hij drukt zich plat tegen de balustrade. Als hij langs hem heen loopt, ziet hij dat het meisje met de paardenstaart op de brancard ligt. Ze heeft een zuurstofmasker op haar gezicht. 'Wat gebeurt er?' vraagt hij verrast. 'Ze ademt,' roept de reanimeerder zonder zich om te draaien. De brancard vervolgt zijn afdaling – rammelend op elke tree. De ambulance heeft de sirene nog steeds aan staan. Het lijkt een geschreeuw, een roep om hulp. *Help help help me.* Kijk, hier zijn we. De hoofdagent rent achter de brancard, het meisje, de arts aan. Maar zij zijn sneller. Ze vliegen. Haar leven, in hun handelingen, in hun handen. Op elke verdieping staan de deuren wijd open. 'Wat is er gebeurd?' vragen de bewoners ontsteld. 'Is er geschoten? Waar? Bij Buonocore? Wie heeft het gedaan?' Hij negeert ze. Ze hebben nog tijd genoeg voor de waarheid. Maar dat meisje heeft geen tijd.

De hoofdagent haalt de dragers in, hij helpt ze waar hij kan, hij houdt de voordeur voor ze open. De nachtportier van het hotel staat in de hal, een verstard spook, weggerukt uit zijn gestolen dutje op het veldbed achter de receptie. 'Wat is er gebeurd? Is er iemand gewond?' Het meisje lijkt dood – ze had dood moeten zijn. Hij heeft haar pols gevoeld, daar boven, in de loggia, hij heeft zich over haar heen gebogen om naar haar hart te luisteren. Niets. Alleen het suizen van het bloed dat uit haar wond gutste. Ook nu lijkt ze dood. Haar ogen zijn dicht. Ze is volkomen roerloos. Maar het zuurstofmasker op haar mond is beslagen. Door haar ademhaling, misschien.

'Leeft ze?' vraagt hij aan de arts, maar die verdoet geen tijd met uitleg geven. Er is geen tijd. Hij duwt de brancard naar de ambulance. Op het ongelijke trottoir blijven de wielen steken, de brancard wiebelt. Het liggende meisje krijgt een schok, misschien een reflex. Haar hoofd buigt op het kussen. Haar lippen gaan van elkaar, ook haar ogen gaan open. De assistenten houden de deuren van de ambulance open en even blijft het meisje alleen, ten prooi aan honderden blikken. Bekeken door de tientallen agenten die op straat wachten, bekeken door de bewoners voor de ramen van de hele straat, bekeken door de bedienden, de koks en de obers van de restaurants, de dronkenlappen, de toeristen die terugkeren naar hun hotels. De brancard op het trottoir, in het licht van de straatlantaarn, in het duister van de nacht. Dat arme ding – zwak, weerloos, naakt, daar beneden – onder al die blikken. Iets wat voor altijd geschonden is. Zij heeft gezien hoe haar vader zijn pistool op haar richtte. Hoe kun je zoiets zien en verder leven?

Maar toch. Ze laden haar voorzichtig in, alsof ze van kristal is. En dat is ze ook. Het meisje met het splinternieuwe stalen knopje in haar navel. 'Leeft ze?' schreeuwt de hoofdagent, geëmotioneerd alsof het vonnis hemzelf aangaat. In het bleke licht van de ambulance staat de arts over het meisje gebogen. Met één hand voelt hij aan haar halsslagader. Misschien had Buonocore dat ook gedaan. En alleen God weet wat hij op dat moment gevoeld had. Of het de stilte was van het lichaam dat hij zelf geschapen had. Of de doffe roep van het bloed. Was dat het wat zijn hand had tegengehouden? Waarom had hij de andere schoten niet gelost? 7 + 1 had zijn pistool er. Maar hij had ze niet gebruikt. Twee kogels waren in het magazijn blijven zitten. Waarom? Dacht Buonocore aan het hardnekkige leven van zijn dochter onder de tafel in de loggia, terwijl hij zijn trouwpak aantrok? Dat gebroken en nieuwe leven dat hij haar had gegeven. De ambulancemedewerker doet het portier dicht en terwijl hij voor de wezenloze agent langs loopt zegt hij: ja, ze leeft nog. Dan springt hij naast de chauffeur. De motor van de ambulance maakt toeren. De sirene gilt. 'Hé,' de hoofdagent rent hem achterna en bonst met zijn vuist tegen het dichte raampje. 'Haalt ze het? Blijft ze leven? In elk geval zij!'

Maar er is geen minuut te verliezen, en met piepende banden scheurt de ambulance naar het einde van de Via Carlo Alberto. De weg is leeg. Een donkergrijze strook asfalt – met die witte streep die verdwijnt in het donker. De echo van de sirene blijft maar klinken – steeds verder weg, steeds gedempter, minder dringend, alsof het ons niet meer aangaat. 'Zeg ja,' staat de man nog steeds te schreeuwen, met zijn ogen naar de hemel gericht, 'zeg ja, zeg ja!'

Deze roman is opgedragen aan Barbara S., Angela D. en aan de andere vrouwen van wie ik niet weet.

Dit verhaal is niet gebeurd. Gebeurtenissen en personages uit *Een volmaakte dag* zijn volledig verzonnen.

Om de onbekende filologie van het dagelijks leven geloofwaardig te kunnen beschrijven heb ik echter wel tientallen personen lastiggevallen. In het bijzonder Paola Di Nicola, zevenentwintig jaar geleden aanvoerster van ons volleybalteam en nu vooruitstrevend openbaar aanklager, altijd op zoek naar gerechtigheid en naar de beweegredenen van mensen, naar wie al mijn vriendschap uitgaat. En verder rechters, politieagenten, advocaten, carabinieri, leraren, afgevaardigden, telefonistes, *writers*, studenten, onderwijzeressen, artsen, masseuses, verpleegkundigen, oppashulpen, kinderen, clowns, body sculpture-instructrices – kortom, al mijn vrienden, al mijn vriendinnen, maar ook kennissen en onbekenden.

Ik kan ze niet allemaal in herinnering brengen, want van sommigen mag ik de naam niet noemen. Maar ieder van jullie weet, als je dit verhaal leest, dat je eraan hebt bijgedragen – met je waardevolle informatie, met je opmerkingen, je preciseringen – om het tot een geheel te maken, en daarvoor dank ik jullie zeer.

Verantwoording geciteerde teksten

In deze roman worden de teksten van de volgende nummers geciteerd:

'Perfect Day' (Lou Reed, *Transformer*, BMG Entertainment)
'L'emozione non ha voce (Io non so parlar d'amore)'
   (Adriano Celentano, *Io non so parlar d'amore*, Clan)
'Sei bellissima' (Loredana Berté, *Normale o Super*, Cdg East
   West)
'Hakuna Matata' (soundtrack van de film *De Leeuwenkoning*,
Disney Records)
'Luce (Tramonti a Nord Est)' (Elisa, *Lotus*, Sugar)
'Se ci sarai' (Lùnapop, *...squèrez?*, WEA Italia)
'Valentine's Day' (Marilyn Manson, *Holy Wood*, Interscope)
'Digital Monsters' (tune van de gelijknamige tekenfilmserie)
'Bella Ciao' (volksliedje)
'La vasca' (Alex Britti, *La vasca*, Universal)
'XdonO' (Tiziano Ferro, *Rosso relativo*, EMI Music)